D1253211

Les Procureurs du Midi
sous l'Ancien Régime

Collection « Histoire »

Dirigée par Frédéric CHAUVAUD, Florian MAZEL et Jacqueline SAINCLIVIER

Série « Justice et Déviance »

Dirigée par Frédéric CHAUVAUD

Dernières parutions

Frédéric CHAUVAUD (dir.),
Le droit de punir du siècle des Lumières à nos jours, 2012, 202 p.

Hervé LALY,
Crime et justice en Savoie. L'élaboration du pacte social, 1559-1750, 2012, 252 p.

Bruno LEMESLE et Michel NASSIET (dir.),
Valeurs et justice. Écarts et proximités entre société et monde judiciaire du Moyen Âge au XVIII siècle*, 2011, 198 p.

Frédéric CHAUVAUD, Yves JEAN et Laurent WILLEMEZ (dir.),
Justice et sociétés rurales du XVI siècle à nos jours*, 2011, 380 p.

Isabelle LE BOULANGER,
L'abandon d'enfants. L'exemple des Côtes-du-Nord au XIX siècle*, 2011, 368 p.

Isabelle MATHIEU,
Les justices seigneuriales en Anjou et dans le Maine à la fin du Moyen Âge, 2011, 394 p.

Sophie VICTORIEN,
Jeunesses malheureuses, jeunesses dangereuses. L'éducation spécialisée en Seine-Maritime depuis 1945, 2011, 318 p.

Jean-Pierre ALLINNE et Mathieu SOULA (dir.),
Les récidivistes. Représentations et traitements de la récidive, XIX-XXI* siècle*, 2010, 288 p.

Pierre PRÉTOU,
Crime et justice en Gascogne à la fin du Moyen Âge, 2010, 368 p.

Frédéric CHAUVAUD,
La chair des prétoires. Histoire sensible de la cour d'assises, 1881-1932, 2010, 384 p.

Alain BERBOUCHE,
Marine et Justice. La justice criminelle de la Marine française sous l'Ancien Régime, 2010, 284 p.

Céline REGNARD-DROUOT,
Marseille la violente. Criminalité, industrialisation et société (1851-1914), 2009, 366 p.

David NIGET,
La naissance du tribunal pour enfants. Une comparaison France-Québec (1912-1945), 2009, 418 p.

Emmanuelle RETAILLAUD-BAJAC,
Les paradis perdus. Drogues et usagers de drogues dans la France de l'entre-deux-guerres, 2009, 472 p.

Frédéric CHAUVAUD et Gilles MALANDAIN (dir.),
Impossibles victimes, impossibles coupables. Les femmes devant la justice (XIX-XX* siècles)*, 2009, 316 p.

Frédéric CHAUVAUD (dir.),
Corps saccagés. Une histoire des violences corporelles du siècle des Lumières à nos jours, 2009, 320 p.

Claire DOLAN

▲

Les Procureurs du Midi
sous l'Ancien Régime

▼

Collection « Histoire »
Série « Justice et déviance »

PRESSES UNIVERSITAIRES DE RENNES

© PRESSES UNIVERSITAIRES DE RENNES
UHB Rennes 2 – Campus de La Harpe
2, rue du doyen Denis-Leroy
35044 Rennes Cedex
www.pur-editions.fr

Mise en page : APEX Création (Corps-Nuds)
pour le compte des PUR

Dépôt légal : 1er semestre 2012
ISBN : 978-2-7535-1997-8
ISSN : 2102-3050

À ma mère

Avant-propos

Si les notaires ont traversé l'Atlantique et y ont transporté leurs façons de faire, les procureurs tels que la France les a connus sous l'Ancien Régime, ou les avoués qui les ont remplacés plus tard, n'ont pas suivi le même chemin. En Amérique du Nord, les procureurs sont fonctionnaires d'état, ils s'occupent de la poursuite, jamais de la défense, et n'ont pas de client. C'est peut-être la raison pour laquelle je me suis intéressée d'abord à leur profession. Il fallait bien comprendre ce qu'ils faisaient avant d'aller plus loin. Du coup, c'est tout le système judiciaire français qu'il fallait cerner, familier aux historiens du cru, mais si loin de mes références nord-américaines.

Ils ont été nombreux à m'inspirer, à me poser les bonnes questions, à m'appuyer. Alors que loin de la culture juridique française, je n'en comprenais pas toujours l'esprit, en les écoutant ou en les lisant, j'ai approché, grâce à eux, avec empathie, un système qui m'était complètement étranger. Au cours de l'élaboration de cet ouvrage, j'ai profité de l'amitié de Robert Descimon dont le séminaire à l'École des hautes études en sciences sociales m'a fourni les critiques et les discussions indispensables à situer mon propos dans des interrogations plus larges ; celle de Denis Crouzet, à l'université de Paris IV-Sorbonne, m'a offert les ressources du Centre Roland Mousnier et des discussions stimulantes. Olivier Poncet m'a donné l'occasion de discuter archives et documents, et de profiter d'un séjour à l'École nationale des chartes où j'ai compris que l'histoire des institutions pouvait ne pas être ennuyeuse. À Toulouse, Jack Thomas m'a accueillie avec chaleur au moment où je commençais cette recherche. Il m'a guidée parmi les historiens toulousains et sa générosité a été exceptionnelle. Jacques Poumarède et Sylvie Mouysset, ont, chacun dans leur domaine, ouvert mon esprit à des réalités nouvelles : le rapport avocat-procureur pour l'un, la beauté de la région pour l'autre. À Grenoble, René Favier m'a aussi favorisé les choses, comme d'ailleurs Stéphane Gal. Aux archives départementales, Geneviève Douillard à Toulouse, comme Hélène Viallet à Grenoble, ont partagé avec moi leur connaissance des archives et ont facilité mes séjours, toujours trop brefs, dans les archives dont elles ont la responsabilité. À Aix et à Marseille, le personnel des archives départementales a été d'une efficacité redoutable, tout comme d'ailleurs celui des archives municipales d'Aix et de la Bibliothèque Méjanes.

De longues amitiés ont aussi soutenu cette quête : à Aix, la famille Coulet ; à Toulouse, Geneviève et Philippe Joutard dont l'hospitalité n'est pas sans lien avec l'amour de Toulouse que j'ai développé, au cours de ces années.

Mes collègues du département d'histoire de l'université Laval, à Québec (notamment Donald Fyson) et les étudiants qui m'ont suivie dans cette recherche (Josée Bilodeau, Isabelle Coulombe, Mathieu Fraser, Marie-Claude Felton, Geneviève Morin, Frédéric-Antoine Raymond) doivent eux aussi être remerciés.

Finalement, le Conseil de recherches en sciences humaines du Canada, qui a subventionné cette recherche, a rendu possible cette histoire, alors que le Groupe de recherche sur les pouvoirs et les sociétés de l'Occident médiéval et moderne (GREPSOMM) financé par le FQRSC au Québec a soutenu financièrement la publication de cet ouvrage.

Claire DOLAN
Québec, octobre 2011

Introduction

Dans la société d'Ancien Régime où la famille, le voisin, le compère sont indispensables, les relations entre personnes vivent et se heurtent aux intérêts divergents des uns et des autres, brisant l'harmonie et la paix dont tous les « accommodeurs » se réclament. Les conflits naissent et se règlent, ou perdurent, et participent de cette vie de relations à laquelle ils finissent parfois par donner sens. Selon leur importance ou ce qu'on en attend, les discordes peuvent s'estomper ou se vider, à l'amiable, ou devant la justice, ou en recourant aux deux[1]. Si on en saisit la justice, le conflit quitte la sphère privée pour faire appel à la loi. Il entre alors dans un territoire qui a ses règles et ses codes et dans lequel il vaut mieux ne pas circuler sans être accompagné. C'est à ces accompagnateurs que le présent livre est consacré, plus particulièrement à quelques-uns d'entre eux : les procureurs.

Disons d'abord ce qu'il ne faut pas en attendre. Ce livre n'est pas une monographie, les procureurs ayant reçu, au XIXe siècle, une attention érudite, à laquelle on peut facilement se reporter[2]. Certes, cette attention a privilégié une approche institutionnelle et a considéré presque exclusivement les procureurs parisiens, mais les procureurs du Midi, qui nous intéressent ici, s'ils ont quelques particularités, s'accommodent fort bien de cette histoire parisienne.

---

1. On connaît, grâce aux travaux récents, les nombreuses solutions utilisées par les justiciables pour résoudre leurs conflits. Pour mémoire : Antoine FOLLAIN et Estelle LEMOINE, « Réguler par soi-même ou s'en remettre aux juges ? Des communautés et juridictions d'Ancien Régime aux municipalités et administrations de la France contemporaine », Antoine FOLLAIN (dir.), *Les justices locales dans les villes et villages du XVe au XIXe siècle*, Rennes, Presses universitaires de Rennes, 2006, p. 53-96 ; Hervé PIANT, « Vaut-il mieux s'arranger que plaider ? Un essai de sociologie judiciaire dans la France d'Ancien Régime », Antoine FOLLAIN (dir.), *Les justices locales...*, p. 97-124. Sans oublier les travaux pionniers qui ont jadis ouvert la voie à cette façon de considérer le recours à la justice, dont Benoît GARNOT (dir.), *L'infrajudiciaire du Moyen Âge à l'époque contemporaine*, actes du colloque de Dijon 5-6 octobre 1995, Dijon, Études universitaires de Dijon, 1996.

2. Charles BATAILLARD, *Histoire des procureurs et des avoués (1483-1816)* (désormais BATAILLARD) continuée et terminée par Ernest NUSSE (période de 1639-1816), 2 t., Paris, Librairie Hachette, 1882. On peut également ajouter Laure KOENIG, *La communauté des procureurs au parlement de Paris aux XVIIe et XVIIIe siècles*, Cahors, Université de Paris, Faculté de droit, 1937. Pour la comparaison, voir l'ouvrage pionnier de Maurice GRESSET, *Gens de justice à Besançon. De la conquête par Louis XIV à la Révolution française (1674-1789)*, Paris, Bibliothèque nationale, 1978, 2 t.

En cheminant aux côtés des procureurs, on croisera l'histoire sociale, l'histoire culturelle, l'histoire politique et l'histoire de la justice[3]. Pourtant, cet ouvrage ne se réclame ni tout à fait de l'une ni tout à fait de l'autre. Conçu autour du personnage du procureur qui exerce dans les villes parlementaires du midi de la France, le livre en emprunte le rythme et lui emboîte le pas. Comme le procureur qui travaille pour plusieurs clients à la fois et passe vite sur les dossiers sans creuser les points de droit, ce livre s'agite en diverses directions, sans toujours refermer les portes qu'il franchit. En effet, les procureurs ne se laissent pas facilement enfermer dans le genre monographique. Bien sûr, on peut restreindre l'observation à ceux qui postulent auprès d'un tribunal donné, mais on se prive alors de perspective. Bien sûr, on peut concentrer l'attention sur leur action dans une ville donnée, mais on manque alors de points de comparaison. Au risque de perdre en profondeur, le livre a suivi les procureurs dans leur parcours éclaté, choisissant d'accompagner l'un pour un temps, avant de passer à l'autre dont les pas conduisaient ailleurs. Dans ce livre en effet, les procureurs vont et viennent entre le palais de justice, les greffes, les boutiques de notaires et de procureurs où ils apprennent leur métier, la rue, la campagne, la ville et leurs clients. Ils marchent seuls ou en groupe, au gré des documents qu'ont conservés les archives.

La justice, ses hommes et sa place dans les villes qui en vivaient sous l'Ancien Régime servent à dessiner la première voie. Elle part d'Aix-en-Provence et conduit au Palais, espace symbolique qui porte la justice à travers toute la ville, au rythme des condamnés qu'on processionne et des juges qu'on visite ; espace urbain où pénètre la ville quand les habitants envahissent ses cours pour commercer et discuter ; espace réservé où n'accèdent que les initiés et les prisonniers qu'on maintient à la conciergerie. Palais comtal, Palais royal, palais de justice, polysémie dont on peut se demander qui profite le plus.

C'est au Palais en effet que l'on observe la première agitation. Les robes des magistrats apparaissent furtivement dans la cour du Palais alors que virevoltent celles des procureurs et des greffiers qui s'affairent et discutent tout en préparant les sacs qu'emporteront les juges[4]. Bien qu'on y traite de ses affaires, c'est moins l'homme ordinaire qui fréquente le palais de justice

---

3. L'arrière-plan de ce livre reste néanmoins l'historiographie récente autour de l'histoire de la justice qui contribue à asseoir plusieurs de nos conclusions. Bien que nos ambitions et nos méthodes diffèrent, les positions de départ d'Hervé Piant, par exemple, sont assez proches des nôtres ce qui permet de tabler sur les résultats de ses dépouillements dans l'élaboration d'une démonstration qu'il aurait été impossible de développer dans le cadre géographique plus large qui était le nôtre. Hervé PIANT, *Une justice ordinaire. Justice civile et criminelle dans la prévôté royale de Vaucouleurs sous l'Ancien Régime*, Rennes, Presses universitaires de Rennes, 2006.

4. Jacques BOEDELS, *La justice*, Paris, Antébi, 1992, p. 43 ; Christophe BLANQUIE, « Les sacs à procès ou le travail des juges sous Louis XIII », *Revue d'histoire de l'enfance « irrégulière »* [en ligne], hors-série, 2001, mis en ligne le 31 mai 2007, http://rhei.revues.org/index449.html, consulté le 9 février 2012.

que ceux qu'il engage pour l'y représenter. Agir pour autrui, prendre la place d'un autre et faire en son nom ce qui doit être fait, c'est le rôle du procureur, quel qu'il soit. C'est cette fonction de représentation qui donne la première cohérence aux procureurs que nous suivons, sans oublier ce qui les distingue des avocats dont ils sont à la fois si proches et si loin.

Cette fonction, durant le xvie siècle, et au moins jusqu'aux grandes ordonnances de justice des années 1660, a été précisée, réglée, surveillée. L'État en a défini les modalités, relayé par les parlements qui l'ont appuyé. On a fait des procureurs, des professionnels de la procédure, qu'on voulait garante de l'« abréviation » des procès. Experts de la procédure, les procureurs travaillent néanmoins dans l'intérêt de leurs clients qu'ils conseillent sur les gestes appropriés à poser. Ils jouissent ainsi d'une position intermédiaire avec laquelle ils ne semblent pas inconfortables.

Or, la justice et son fonctionnement ne résume pas entièrement les conditions d'exercice des procureurs. Au tournant du xvie siècle, ils sont touchés en effet par les besoins du Trésor royal, et le statut des procureurs oscille bientôt, et pour plusieurs années, entre l'office royal formé, et la charge telle qu'elle était avant. L'intervention de l'État dans les règles de procédure a pu, jusqu'alors, ne présenter que des aspects techniques dont c'était le métier des procureurs de tenir compte. L'obligation de détenir un office pour pratiquer leur métier a de bien plus grandes conséquences pour chacun des procureurs. Ce sont ces conséquences qui font l'objet de la deuxième partie de ce livre.

Nous avons laissé à d'autres l'histoire de l'office et l'interprétation qu'on peut en faire, pour nous consacrer exclusivement aux effets de l'office sur le procureur. D'une manière assez simple, nous avons identifié un « avant » et un « après » qui nous a permis de déterminer l'importance du changement. Nous avons d'abord inscrit dans une chronologie les types d'interventions de l'État qui ont eu un effet sur l'accès au métier. Nous avons ensuite considéré les effets de l'office du seul point de vue que les sources nous permettaient d'aborder, le point de vue économique. Auxiliaire des familles, auxiliaire de l'État, le procureur l'est sans doute, mais il porte aussi son propre destin, au-delà du rôle d'intermédiaire qu'il joue. Quittant les grands chemins, nous nous sommes engouffrée dans des sentiers, à la suite d'un procureur puis d'un autre, jusqu'à découvrir l'itinéraire qui nous a conduite jusqu'au point de convergence d'où l'on aperçoit l'ensemble du paysage. En privilégiant les cas qui nous permettent de comparer l'avant et l'après, nous avons personnalisé les effets de l'office, d'abord pour vérifier l'interprétation acceptée par les historiens que l'office a transformé ce qui était un revenu en capital. À partir de la même méthode, nous avons suivi des offices de procureurs, pour montrer à quel point, ce capital était affecté par le crédit. Il est alors apparu que l'office lui-même, s'il est une condition à la pratique du procureur, n'explique ni la réussite, ni l'échec de ce dernier.

13

En donnant toute la place à Grenoble, où les archives invitent à une telle observation, nous avons décidé de considérer l'effet de l'office sur la pratique du procureur et sur la relation qu'il entretient avec ses clients. C'est à travers cette relation que l'image d'un procureur à la convergence de divers intérêts s'est précisée et qu'il nous a semblé que cette position de carrefour expliquait l'intérêt porté à la profession, malgré le caractère proprement ennuyeux de son exercice.

À ce procureur et à son écriture privée, à travers ses livres de raison, ses livres de compte et un rare discours sur soi, on a demandé la route. Il a marqué la page, a acquis, dès lors, pour nous, une identité, s'est inscrit dans une famille, dans un réseau de relations. Il a eu des biens qu'il a négociés, fut parfois riche, parfois pauvre, comme les autres hommes de son temps. Comme ceux qui savent alors écrire, il a fabriqué des traces et une mémoire à consulter, celle, surtout, de la relation professionnelle qu'il entretient avec ses clients. L'écriture privée du procureur est une écriture imposée, formelle. Elle permet de décoder sa pratique, sa situation économique, plus rarement son état d'esprit. Certes, peu importe qu'il soit procureur, notaire, avocat ou marchand, celui qui pratique l'écriture privée devient quelqu'un, l'espace de quelques pages, mais l'écriture privée des procureurs ne les laisse paraître qu'exceptionnellement. Écriture individuelle ou familiale, elle ne revendique rien. Elle décrit, mais ne se positionne jamais. Comme si la profession de procureur n'avait aucune importance, comme si elle ne constituait pas un statut. Est-ce à dire qu'avec ou sans l'office royal les procureurs ne se sont pas reconnus comme partie prenante d'une organisation de la justice à laquelle ils pouvaient s'identifier ? C'est à cette question que tente de répondre la troisième partie de ce livre, en interrogeant le discours des communautés de procureurs, et en mettant en œuvre l'écriture publique que certains procureurs ont produite, au xviie siècle.

Quand ils s'adonnent à l'écriture publique, c'est à partir d'une position précise que les procureurs prennent la plume, et le statut qu'ils revendiquent au moment de commencer leur œuvre a toujours pour but d'assurer la légitimité de leur discours. Rares sont les procureurs encore en exercice à avoir choisi d'écrire. Rares aussi sont ceux qui usent de leur position de procureur pour légitimer leur discours. Quand Gabriel Cayron formule, pour les procureurs, une identité, il n'est plus un des leurs, mais il n'est toujours pas l'avocat qu'il deviendra quelques années plus tard. C'est pourtant lui qui révèle, à travers des œuvres qui ponctuent la première moitié du xviie siècle, une transformation d'identité qui ne peut être attribuée au changement de statut du procureur. Dans cette transformation, l'office ne tient aucune place. En effet, dans son discours, l'identité des procureurs semble s'évanouir entre 1611 et 1645, pour se dissoudre dans les transformations du Droit, à mesure que la Pratique devient une science – mais peut-être n'est-elle que sublimée par l'importance accordée à l'étude. C'est ce que nous chercherons à savoir, alors que, de façon un peu téméraire, nous tenterons de substituer au silence des procureurs un parcours dans leur tête et à travers leurs yeux.

Au moment où elles prennent la parole, les communautés de procureurs ont pris en main l'intérêt de leurs membres. Elles assurent la discipline dans la communauté tout en servant d'interlocuteur privilégié à l'État quand il s'agit des procureurs et des offices. Mieux connues, les communautés de procureurs du XVIII⁰ siècle sont celles de leur temps : elles croulent sous la fiscalité royale à laquelle elles tentent de survivre ; elles revendiquent leurs privilèges, contre les autres métiers de la pratique, notamment les huissiers. Sans doute ne parlent-elles pas pour les communautés du XVI⁰ et du XVII⁰ qui n'ont laissé que quelques documents. Partant du XVIII⁰ siècle, alors que leur agonie est proche, elles permettent cependant de mesurer le chemin parcouru entre le procureur du XVI⁰ siècle, technicien de la procédure tourné vers le Palais, et celui du XVIII⁰ siècle, dont la voix se confond désormais avec celle du corps, qui gère pour l'État l'accès au travail et le contrôle de ce dernier.

La position de carrefour où se tiennent les procureurs, intermédiaires entre la justice et le justiciable, me semble un observatoire privilégié. Comme ces personnages centraux qui connectent entre eux divers réseaux et servent à nouer les fils d'une toile complexe de relations, les procureurs servent ici de capteurs pour saisir les changements. Ils sont, en quelque sorte une métaphore des transformations culturelles que leur profession accompagne. Effacés, ils n'ont pourtant jamais été retenus pour illustrer ces transformations que d'autres reflètent avec plus d'ostentation. Leur discrétion annonce le cadre dans lequel ils œuvrent : quotidien, « ordinaire », celui de la plupart de leurs contemporains.

Grâce à ce parcours qu'on arrêtera au début du XVIII⁰ siècle, tellement la suite évoque un autre monde, j'espère pouvoir formuler autrement la place que tiennent les procureurs du Midi, dans cette société. Par ailleurs, l'expansion de la profession de procureurs, bien datée, croise des aspects fondamentaux du développement de l'État au XVI⁰ et au XVII⁰ siècle. Vus de l'extérieur, les procureurs paraissent subir les changements qu'entraîne pour eux ce développement, plutôt que d'y participer activement. À partir du XVI⁰ siècle, l'État-justicier travaille à gérer lui-même la légitimité du procureur, dont il fait l'un des socles sur lesquels repose le bon fonctionnement de la justice. Cette légitimité a un prix, mais elle a aussi des retombées économiques. Mon second objectif est donc de vérifier si les procureurs du Midi, loin du marché parisien de la justice, profitent ou non de la nouvelle situation et comment ils tirent leur épingle du jeu.

Première partie

LA JUSTICE, LA VILLE
ET LE PROCUREUR

Chapitre I

Le Palais et la ville

François Corban, fils du sellier Baptiste Corban, n'est sans doute pas un ange. Des démêlés avec un militaire de la ville d'Aix l'ont déjà conduit quelque temps en prison et c'est à Guillaume Darbon, un praticien d'Aix, auquel son père a eu recours pour le sortir de là. Familier des affaires et des gens de justice, le praticien Darbon est bien connu du sellier, qui a pris l'habitude de lui demander d'agir pour les Corban, chaque fois qu'un conflit risque de s'envenimer. En effet, les affaires de justice sont compliquées : il faut réagir au mieux aux actions prises par d'autres, choisir l'instance la plus propice à ses intérêts, ou encore décider de régler à l'amiable. Cela exige du temps, des contacts, et une certaine connaissance des mécanismes de règlements des conflits, toutes choses que Baptiste Corban n'a pas, lui que sa boutique occupe bien assez.

Satisfait des services de Darbon qui sait qui contacter et quoi faire quand il faut en passer par la justice, le père Corban s'adresse de nouveau à lui quand son fils, cette fois, n'a pu éviter un procès criminel. De nouveau sorti de prison, le fils ne profite pas longtemps de sa liberté, puisque, une nuit de l'an 1615 ou 1616, disent les témoins, il est assassiné d'un coup de pistolet.

En apprenant la nouvelle, le père fait appeler Darbon, qui sort du lit aussitôt et accourt chez le sellier. On ne peut qu'imaginer la scène qui se déroule alors entre le sellier et le praticien Darbon, puisque les documents ne nous livrent que la conclusion : le sellier demande au praticien de poursuivre les coupables. Darbon appelle aussitôt le lieutenant de viguier et part avec lui à travers la ville à la recherche des assassins du fils Corban. Ils font cette nuit-là deux prisonniers. Quelques jours plus tard, le père Corban, ayant appris que les coupables se trouvaient à Marseille, y envoie Darbon et un huissier pour les faire prisonniers et « faire informer ». Pendant plus d'une semaine, Darbon reste à Marseille où il avance les frais de ceux qui l'accompagnent.

Le procès se déroule finalement devant le lieutenant de viguier[1]. Corban engage alors un procureur qui rédige la plainte pour meurtre en son nom, mais c'est Darbon qui trouve l'avocat pour plaider, qui l'instruit de la cause, qui vient l'avertir du moment d'entrer en scène. Darbon veille à ce que le procès soit entendu à son tour sur le rôle, et paye les frais[2].

Cette anecdote, qui met en scène des gens ordinaires, marque la distance qui sépare la justice d'aujourd'hui et celle d'Ancien Régime, où la poursuite, pendant longtemps, dépend de l'initiative des familles. Elle signale de plus qu'à partir du moment où l'on a décidé de recourir à la justice, il faut, pour un peu qu'on veuille des résultats, engager des spécialistes qui se chargent de conduire l'affaire à sa place : un praticien comme Darbon quand l'affaire est traitée devant un tribunal inférieur[3], un procureur, quand elle atteint la sénéchaussée ou le parlement.

On connaît mal les détails du travail de ces intermédiaires. N'eût été le fait que, plusieurs années plus tard, le praticien ait poursuivi les héritiers du sellier qui ne l'avait jamais payé, les activités du praticien Darbon n'auraient pas traversé l'histoire.

La famille Corban n'en est pas à ses premières expériences avec la justice, et Baptiste sait tout de suite qui appeler. Il n'en est pas toujours ainsi. Le maître menuisier Laumosnier, par exemple, sans doute pris de panique, court directement prévenir le lieutenant criminel quand il découvre, après une soirée à jouer aux cartes avec ses amis, le suicide d'un de ses apprentis[4]. Inutilement. Le lieutenant criminel ne se dérange pas et renvoie le menuisier directement à un conseiller à la sénéchaussée qui conduit aussitôt l'enquête. Il y a, comme l'a bien montré Hervé Piant, des habitués de la justice et d'autres, qui ne la fréquentent pas[5].

Ces habitués, s'ils sont capables de les payer, engagent des hommes qui se chargent des causes pour eux. Ainsi fait le bourgeois d'Aix, Joseph

---

1. À Aix, le viguier détient au XVIe siècle et au début du XVIIe siècle les attributions de police, il est également le juge criminel dans sa viguerie, ce qui entraîne des conflits avec le juge ordinaire. Le Parlement de Provence décide en 1545 que là où il y a un viguier et un juge ordinaire, le premier détiendra la juridiction criminelle alors que le second s'occupera de la juridiction civile. Raoul BUSQUET, « Histoire des institutions », Paul MASSON (dir.), *Les Bouches-du-Rhône, Encyclopédie départementale*, t. 3, *Temps modernes*, Marseille, Librairie A. Champion et archives départementales des Bouches-du-Rhône, 1920, p. 405. Il s'agit d'une juridiction de première instance à laquelle recourent les non privilégiés et qui correspond aux prévôtés de la France non méridionale.

2. Archives départementales des Bouches-du-Rhône, Aix (désormais ADBR Aix) 20B 2553, 1623.

3. Le travail des praticiens ou solliciteurs est limité quand il s'agit d'agir auprès de tribunaux supérieurs comme la sénéchaussée ou le parlement. Les communautés de procureurs y veillent. L'État a bien essayé d'étendre l'obligation de détenir un office de procureur pour solliciter, même auprès des tribunaux de première instance, mais cela ne se fit pas facilement. Un arrêt du Conseil d'État du 18 août 1644 permit ainsi aux praticiens de continuer à postuler en Provence aux instances subalternes, en attendant que les offices de procureurs nouvellement créés aient été comblés. ADBR Aix, C 1386.

4. ADBR Aix, 20B 6665, 12 octobre 1625. La cour ordinaire d'Aix est disparue à cette date puisqu'elle a été réunie à la sénéchaussée, c'est pourquoi c'est le lieutenant criminel que le menuisier appelle, plutôt que le lieutenant de viguier.

5. Hervé PIANT, *Une justice ordinaire*, p. 101-130.

Girard, tuteur des enfants de son frère, « attendu que lui-même n'est pas homme d'affaires de palais, voyant que dans l'héritage il avait des procès à intenter, que cela n'était pas de son gibier[6] ». Ainsi fait le capitaine de guet de Toulouse, Arnaud Peyronet, qui règle la somme de 100 livres au solliciteur Pierre Mathei, qu'il a engagé pour poursuivre les affaires de sa femme en cour[7].

Les « affaires de palais » comme les appelle Joseph Girard, sont susceptibles de toucher chacun, un jour ou l'autre. Qu'il s'agisse d'une querelle avec un voisin, d'une contestation d'héritage ou d'une dette non payée, les occasions sont nombreuses de se retrouver en justice et nul ne peut être sûr que ses pas pourront toujours contourner « le palais » dont l'imposante masse se dresse au cœur des villes de justice.

À Aix-en-Provence, ce qu'on appelle le Palais est un ensemble architectural composé d'éléments disparates construits à diverses époques. Au XVIe siècle, il loge à la fois le parlement, la cour des comptes, la sénéchaussée, la chancellerie, le Bureau des finances de la Généralité, et leurs archives, sans oublier les gouverneurs. Les seuls plans qui nous sont restés et qui précisent en partie l'utilisation que faisait la justice de ces bâtiments datent de 1776, juste avant la démolition de l'ancien Palais Comtal qu'on souhaitait remplacer par un palais de justice moderne[8]. Ensemble imposant d'abord, comme le suggère la gravure que publie Belleforest en 1575, il occupe un large emplacement dont l'entrée principale donne sur la place des Prêcheurs[9], la plus grande place d'Aix. Observé à vol d'oiseau, le Palais n'a rien d'un édifice uniforme : certaines parties n'ont qu'un étage, d'autres, comme les appartements du gouverneur, où l'on accède par la porte du gouvernement située du côté de la place de la Madeleine, en ont quatre.

Le Palais où l'on juge

La cour du Palais qu'on découvre quand on entre par l'entrée principale n'est que l'une des nombreuses cours qu'il faut traverser selon la salle où l'on veut se rendre. En 1776, quand on entre par la place des Prêcheurs, on

---

6. Archives municipales d'Aix-en-Provence (désormais AMA), CC 1348, fᵒ 379 vᵒ, compte tutélaire des enfants de Louis Girard, marchand d'Aix, 14 décembre 1649.
7. Archives départementales de la Haute-Garonne (désormais ADHG), 3E 244, fᵒ 28 vᵒ, 11 février 1591.
8. Ces plans sont conservés à la bibliothèque Méjanes (désormais B. Méjanes), MS 869 (1059). Je remercie particulièrement Monsieur Philippe Ferrand, conservateur, de m'en avoir facilité la consultation. Pour l'histoire architecturale du bâtiment, voir Jean Boyer, « Le palais comtal d'Aix du roi René à 1787 », extrait de « *Aspects de la Provence* », conférences prononcées à l'occasion du cinq centième anniversaire de l'union de la Provence à la France, Marseille, Société de statistique d'histoire et d'archéologie de Marseille et de Provence, 1983, p. 55-95 ; voir également Nicole Martin-Vignes *et alii*, « Le Palais Comtal », *Le Petit Journal du musée du Vieil Aix. Journal de l'exposition*, juillet-septembre 1996.
9. Roux-Alphéran, *Les rues d'Aix ou Recherches historiques sur l'ancienne capitale de la Provence*, t. I, Aix, Typographie Aubin, 1846, p. 609 et suiv.

trouve tout de suite la sénéchaussée dont la salle d'audience, la salle des pas perdus, la chapelle et la salle du conseil sont accessibles, au rez-de-chaussée, dès qu'on passe le porche. Sur la gauche, se trouve la chancellerie du parlement à laquelle on accède aussi à partir du porche.

Il faut traverser la cour du Palais pour accéder aux locaux de la cour des comptes qui a sa propre salle des pas perdus, sa chapelle et sa chancellerie, dans une autre partie du rez-de-chaussée. Outre le receveur des épices de la sénéchaussée, dont le bureau se trouve au rez-de-chaussée, le premier huissier y a également un cabinet.

La plupart des salles du parlement se trouvent par ailleurs au premier étage auquel on accède dans l'entrée principale par une montée couverte qui a remplacé, en 1677, l'escalier extérieur dont on se plaignait sans cesse du mauvais état. Cette montée donne directement dans la salle des pas perdus du parlement par laquelle on arrive au parquet, au greffe et à la chapelle du parlement. Sur la gauche s'étendent la Grande Chambre, la salle d'audience et la chambre des enquêtes. De l'autre côté de la cour du Palais, au premier étage, comme alignée sur la salle d'audience du parlement, se trouve, dans un bâtiment transversal, la salle d'audience de la cour des comptes au-dessus de laquelle on a installé la salle d'audience et la salle du conseil de la Tournelle, côte à côte, au second étage. La sénéchaussée n'a, au premier étage, que son greffe, qui occupe cependant, selon les plans de 1776, un espace beaucoup plus imposant que le greffe du parlement.

Alors que chaque tribunal a une pièce prévue pour son parquet, seuls les procureurs de la cour des comptes ont une chambre qui leur est réservée, au premier étage, à côté de la tour du Trésor, au-dessus des écuries, tout juste à côté du greffe. La conciergerie et les prisons complètent finalement l'ensemble auquel s'agglutinent des maisons de particuliers et des boutiques dont les propriétaires profitent de l'achalandage du Palais.

Les plans de 1776, dessinés juste avant la démolition du Palais, montrent les effets d'un partage des lieux entre diverses juridictions, partage que d'autres parlements ont pourtant refusé[10]. À Aix, les besoins d'espace de l'un ou l'autre tribunal l'ont emporté, en effet, sur la conception d'un Palais dont l'attribution des salles refléterait strictement la hiérarchie des travaux qu'on y accomplit.

Bien sûr, les salles d'audience du parlement et de la cour des comptes se situent à l'étage et semblent se répondre en surplombant la même cour intérieure. Pourtant, les bureaux de la cour des comptes et la chambre d'audition des comptes se situent au rez-de-chaussée[11], alors que le Bureau

---

10. Robert JACOB et Nadine MARCHAL-JACOB, « Jalons pour une histoire de l'architecture judiciaire », *La justice en ses temples. Regards sur l'architecture judiciaire en France*, Poitiers-Paris, Éditions Brissaud-Éditions Errance, 1992, p. 48.

11. Olivier MATTÉONI, « Vérifier, corriger, juger. Les Chambres des comptes et le contrôle des officiers en France à la fin du Moyen Âge », *Revue historique*, n° 641, 2007, p. 41.

des finances occupe quelques salles du premier étage et possède une petite salle des pas perdus qui jouxte la salle des archives du Bureau. Cette localisation des bureaux[12] de la cour des comptes au niveau inférieur du Palais expose peut-être dans l'espace la défaite de cette dernière dans la rivalité qui a nourri ses relations avec le parlement, et la victoire des trésoriers généraux, installés quant à eux au « bel étage ».

Bien que la hiérarchie verticale des espaces judiciaires mise au jour par Robert Jacob et Olivier Mattéoni ne soit pas la seule possible, on n'est guère étonné de retrouver les locaux de la sénéchaussée au rez-de-chaussée du Palais[13]. Entre toutes les juridictions, au XVIe siècle, c'est la plus récente, et bien qu'elle reçoive les appels des jugements prononcés par les juges seigneuriaux, elle est aussi un tribunal de première instance. Pour la plupart des Aixois, la sénéchaussée est, à la fin du XVIe siècle, la porte par laquelle on aborde la justice royale. Sa localisation au rez-de-chaussée du Palais, ouvert sur les cours intérieures qui sont encore, au XVIe siècle, des espaces publics, où l'on pénètre librement, est inévitable : il faut que le Palais lui-même annonce la souveraineté du parlement sur les autres tribunaux. Le contraste doit être saisissant en effet, pour ceux qui passent des locaux de la sénéchaussée, mal éclairés par de rares fenêtres, aux salles du parlement du bel étage, largement ouvertes sur la place et, à partir du XVIIe siècle, magnifiquement décorées[14].

Si l'on connaît, grâce à Jean Boyer, les travaux architecturaux d'importance qu'on fit au Palais à l'époque, on en sait moins sur l'agencement des salles au XVIe siècle. La chambre de la Tournelle est-elle déjà, au XVIe siècle, située au second étage du Palais, au-dessus de la salle d'audience de la cour

---

12. À Paris, à la fin du XVe siècle, le grand bureau est celui où les maîtres jugent les comptes, alors que le petit bureau est réservé au travail des clercs qui les vérifient. Le grand bureau se situe à l'étage à Paris, tandis que le petit bureau se trouve au rez-de-chaussée, ce qu'Olivier Mattéoni considère comme conforme à la hiérarchie des tâches qui s'y effectuent. À Aix, la Grande Chambre ou premier bureau doit correspondre au grand bureau parisien ; elle se situe juste à côté du second bureau, alors que pour atteindre la chambre d'audition, toujours au rez-de-chaussée, il faut traverser la salle des pas perdus de la cour des comptes et contourner sa chapelle. O. MATTEONI, *op. cit.*, p. 42-44 et B. Méjanes, MS 869 (1059).

13. Même s'il est difficile de se faire une idée précise de l'agencement des différentes salles du Palais au XVIe siècle, on peut croire qu'il ne différait pas beaucoup de celui de 1776. Alors que le roi de France venait, en 1535, de proclamer les modalités de l'organisation de la justice en Provence, en créant notamment une nouvelle juridiction, celle de la sénéchaussée, le Palais Comtal fut incendié par les troupes de Charles Quint en 1536. Le roi envoya 6 000 livres pour procéder aux réparations les plus urgentes et c'est probablement de cette époque que date la répartition des locaux entre les diverses juridictions. La description que fait Pierre-Joseph de Haitze du Palais en 1679, laisse croire que l'agencement des grandes salles les unes par rapport aux autres n'a pas varié entre cette date et la démolition du Palais comtal. Pierre-Joseph DE HAITZE, *Les curiosités les plus remarquables de la ville d'Aix*, Aix, chez Charles David, imprimeur, 1679, p. 8-24.

14. Pour tout ce qui concerne le travail des peintres qui ont décoré le Palais comtal sous l'Ancien Régime, j'utilise la thèse de Jean BOYER, *La peinture et la gravure à Aix-en-Provence aux XVIe, XVIIe et XVIIIe siècles (1530-1790)*, thèse présentée devant la faculté des lettres et sciences humaines d'Aix-en-Provence, le 2 mars 1970, Lille, Service de reproduction des thèses, université Lille III, s. d. Malheureusement pour notre propos, Jean Boyer ne s'est pas du tout intéressé à la fonction des diverses salles du Palais.

des comptes[15]? On pourrait le croire. En 1565, les conseillers au parlement se plaignent en effet de la ruine de la salle située à côté de la Tournelle et par laquelle passent les prisonniers venant de la conciergerie pour aller à la chambre criminelle[16]. Ils réclament des réparations, et en 1566, la Grande Chambre ordonne de construire la salle des chameaux[17]. Cette salle, que j'identifie avec celle que le plan de 1776 appelle la chambre du conseil de la Tournelle, se trouve dans l'axe vertical du guichet et de la conciergerie. Son histoire révèle la difficulté pour le parlement d'organiser l'espace à sa disposition en fonction des exigences procédurales. Ainsi, en 1584, les procès civils semblent avoir envahi les espaces réservés à la procédure criminelle, puisqu'on insiste pour que la salle des chameaux puisse servir aux commissaires pour entendre les procès criminels, sans en être empêchés par les procès civils[18]. En 1602, on va encore plus loin en exigeant que la salle des chameaux soit réservée aux procédures réclamant le secret : l'audition des témoins dans les causes criminelles, la confrontation des témoins, etc.[19]. C'est là qu'on souhaite d'ailleurs que les juges récusés puissent se retirer, pour éviter de les voir frayer avec les auxiliaires de la justice. On pense même y installer une bibliothèque pour que les conseillers, grâce au don d'un volume que ferait chaque conseiller, puissent y trouver des livres utiles à leur réflexion[20] : évocation d'un discours sur la justice idéale à laquelle doivent aspirer les magistrats, d'autant plus recueillis qu'ils sont loin du brouhaha du rez-de-chaussée.

Que les diverses juridictions aient cohabité pour faire du Palais d'Aix le lieu de toutes les justices ajoute probablement à la valeur symbolique du Palais. Toutefois, on ne peut s'empêcher d'évoquer, au regard même de l'organisation de l'espace, la confusion entre les divers ordres de justice que suggère le Palais d'Aix. Si le parlement marque clairement sa supériorité hiérarchique en occupant les étages supérieurs, il faut user d'imagination pour voir dans la distribution du reste de l'espace autre chose qu'une récupération fonctionnelle de la superficie disponible. La distribution de l'espace entre les tribunaux du Palais semble avoir d'abord répondu à des contraintes conjoncturelles plutôt que de s'être conformée à une représentation hiérarchisée des ordres de justice. D'ailleurs, contrairement aux

---

15. B. Méjanes, MS 869 (1059), note manuscrite sur le plan du premier étage. La chambre de la Tournelle n'a été créée qu'en 1544. Raoul Busquet, « Histoire des institutions », p. 353.
16. ADBR Aix, B 3653, f° 118.
17. ADBR Aix, B 3653, f° 137, délibération du parlement du 13 février 1566. La salle existait déjà en 1559 cependant ADBR Aix, 308 E 1109, f° 1377.
18. B. Méjanes, MS 958 (900-R.773), mercuriale du 11 avril 1584.
19. B. Méjanes, MS 958 (900-R.773), mercuriale du 9 janvier 1602.
20. « [L]orsque Mrs sortiront de la Chambre pour récusations ou autrement, se retirent en la Chambre des Chameaux pour y visiter les Registres sans se promener avec les huissiers ni autres à la salle de l'audience ». B. Méjanes, MS 958 (900-R.773), mercuriale du 8 octobre 1598. Reprise dans la mercuriale du 9 janvier 1602. Pour faciliter la lecture des citations de documents, les accents et la ponctuation ont été restitués.

édifices nouveaux (par exemple à Rennes) qui trouvent dans l'Antiquité l'inspiration de leur plan et dont les palais de justice du xıxᵉ siècle sont l'aboutissement avec leurs colonnades et leurs frontons, le Palais d'Aix n'est pas encore ce temple isolé, signe d'une justice redoutable qu'il faut éviter à tout prix[21]. Au Palais d'Aix, on commerce, on vit, on se rencontre.

Le Palais où l'on commerce

Le Palais qu'on découvre quand s'ouvrent les portes et qu'on pénètre dans la cour a quelque chose d'un véritable quartier. Comme la plupart des palais de justice de l'époque, le Palais d'Aix offre à ceux qui le fréquentent toute une série de commerces qui logent dans l'enclos du Palais. Chaque commerçant achète au roi le droit d'y tenir boutique sa vie durant, boutique pour laquelle il paie ensuite un cens annuel. C'est ainsi que le fils de Thomas Maillou, marchand libraire d'Aix, obtient, à la mort de son père, l'autorisation de poursuivre le commerce de son père là où il l'avait installé, dans l'enclos du Palais, près de la muraille de l'audience du parlement, à côté de la boutique de Denis Chazelles et de l'auditoire du viguier. Un peu comme s'il s'agissait d'un office, le commerçant doit payer la finance au roi, par l'entremise du trésorier du palais du roi (20 écus pour le fils Maillou) et un cens annuel (un écu pour le fils Maillou)[22]. Les fonds des boutiques de l'enclos du Palais font en effet partie du domaine du roi et les marchands du palais, comme on les appelle alors, prétendent que les commissaires députés à la vente du domaine du roi les leur ont vendus. On doit donc négocier avec les marchands du palais quand les besoins de la justice requièrent de construire une nouvelle chambre. Ces boutiques sont en effet fort recherchées par les marchands qui surenchérissent quand l'un d'entre eux veut se défaire de sa boutique, les représentants du roi privilégiant celui qui offre le plus haut prix et les meilleures conditions[23].

---

21. Robert Jacob, « Le temple et la maison. Recherches sur l'histoire de l'architecture judiciaire », *Monuments historiques*, n° 200, janvier-février 1996, p. 12 ; Jean-Michel Leniaud, « Le palais au cœur de la cité. La symbolique des bâtiments de justice », *Monuments historiques*, n° 200, janvier-février 1996, p. 16 ; Robert Jacob et Nadine Marchal-Jacob, « Jalons pour une histoire de l'architecture judiciaire », p. 25-67.

22. ADBR Aix, B 2689, arrêt à la barre de la cour des comptes du 12 mars 1588. Le registre est très rongé. Voir aussi ADBR Aix, 308 E 1109, f° 1377, alors qu'un boutiquier ruse pour ne pas voir sa boutique revenir sur le marché.

23. C'est le cas en janvier 1595 pour la boutique du marchand Touillas alors que plusieurs marchands rivalisent d'offres pour obtenir la boutique. Les uns proposent de participer à la construction d'une chambre de justice au-dessus de leur boutique, les autres d'ajouter des écus à la bourse du roi. L'un a mis 190 écus à la bourse du roi auquel il ajoute 10 écus de finance et une censive de 12 écus. L'affaire se termine « ayant esgard à la pressée nécessité de deniers pour les urgents affaires de sa magesté importans au bien de son service » par la délivrance de la boutique à celui qui propose les meilleures conditions au roi. ADBR Aix B 2693, arrêt à la barre de la cour des comptes, 19 janvier 1595 et 28 janvier 1595.

Les boutiques du Palais ne desservent pas seulement les hommes de justice, et les marchandises qu'elles offrent montrent qu'elles s'adressent à une clientèle très large. Ceux et celles qui fréquentent le Palais peuvent profiter de la proximité des boutiques pour s'y approvisionner, mais la variété des marchandises peut aussi inciter ceux qui n'ont pas affaire au Palais à venir s'y servir.

L'inventaire de la boutique tenue par Claude Marmet dans l'enclos du Palais, fait à la mort de cette dernière, en 1647[24], donne une bonne idée de ce qu'on y vendait, même si l'énumération qu'en fait le commissaire donne l'impression d'un abondant bric-à-brac : des plats en étain, des petites statues de divers saints et, sur une étagère au-dessus de la porte de la boutique, 3 600 « petites plumes pour escripre, six milliers d'aultres plumes moyennes aussi pour escripre, sept milliers d'aultres plumes assés bonnes », des sacs pour porter à cheval, une douzaine de jeux de tarot, « quinze douzaines et quatre jeux de cartes », du fil, des milliers de petites épingles, divers tissus, des chemises d'homme, des douzaines d'aiguillettes de diverses couleurs, des rabats, des ceintures de soie, des baudriers, des centaines de paires de chaussons, des livres d'heures (de Notre-Dame, de la Semaine Sainte, du Concile), des bas pour femmes, d'autres pour enfants, des bonnets de laine, du ruban d'Avignon, des bonnets de nuit, des boutons de diverses couleurs, des manchettes pour prêtres, des jeux de dés, de petits masques de velours pour femmes, des chapelets, des tranche-plumes, des mouchoirs, « quatre douzaines [de] lunettes comunes », puis vingt-trois autres lunettes commu-nes, des cordons de faux or et de faux argent, des étuis de cuir pour lunettes, des peaux de parchemin, des peignes, des peaux de mouton « façon de chamois », des rames de papier, divers types d'écritoire (à pan, à molette de plomb) « neuf douzaines et demi petits canons d'escriptoires, une douzaine et six escriptoires pour porter dans la pochette ronds gros, une douzaine trois escriptoires de pochette moyens, demi douzaine mesmes escriptoires petits », quinze douzaines d'alphabets couverts de parchemin, huit douzai-nes et demi d'autres alphabets couverts de papier, seize petits livres intitulés le « Trépassement de la Sainte Vierge », douze livres intitulés « Catton », un petit livre intitulé « Vie de saint Antoine », trois livres intitulés « Victe Christy », huit cent petits crochets servant pour les habits de femmes, des aiguilles, quatre douzaines de petits livres en blanc sans couvert, des milliers de clous de cordonnier de diverses grosseurs, des chapeaux de laine, des petits couteaux, des douzaines de cure-dents, « un mousquet avec son tablier rompu », « deux corps de famme picqués ».

Le stock d'articles d'écriture signalé par l'inventaire indique l'impor-tance des clercs et des hommes de plume parmi la clientèle de la boutique[25],

---

24. ADBR Aix, 303 E 557, f° 127 suiv. Inventaire commencé le 13 avril 1647.
25. Claude Marmet, on peut le souligner, est la sœur de l'avocat Jean-Baptiste Marmet, dont les enfants héritent de leur tante.

mais le reste des marchandises aurait pu se trouver dans n'importe quelle boutique de la ville. La présence dans l'enclos du Palais au XVIᵉ siècle d'au moins deux boutiques tenues par des libraires ne doit pas faire illusion[26]. Si les marchands du palais desservent les gens de justice à qui ils offrent livres et matériel d'écriture, ils profitent du passage au Palais d'une clientèle beaucoup plus variée et contribue même peut-être à augmenter l'achalandage de l'enclos.

Le Palais d'Aix ne se démarque pas, par ces galeries commerciales, des autres palais de justice. À Grenoble, les boutiques du palais sont aussi mises à l'enchère et les revenus générés par cette location sont employés à la réparation et à la décoration du Palais[27]. Bien que de façon moins systématique qu'à Grenoble, les revenus de location des boutiques de l'enclos sont aussi associés à la réparation du Palais à Aix[28].

Le Palais où l'on vit

Bien que des maisons de particuliers soient adossées aux murs du Palais, augmentant ainsi l'effet imposant de l'ensemble, le Palais lui-même est relativement peu habité, ou du moins ne l'est-il pas de façon continue. Les logements de fonction qu'il englobe sont en fait assez limités et considérés comme un rare privilège. Si l'on exclut les appartements du gouverneur qui occupent la partie sud-ouest du Palais[29], le privilège d'habiter le Palais est en principe accordé, au XVIᵉ siècle, à deux personnages : le premier huissier à la cour des comptes et le concierge des prisons.

Le premier huissier

Le titre de premier huissier est, au XVIᵉ siècle, accordé au plus ancien huissier de la cour et s'accompagne de la jouissance de la maison dite de la

---

26. Les Maillou et les Combe sont libraires de père en fils dans l'enclos du palais à la fin du XVIᵉ siècle. ADBR Aix, B 2689, arrêt à la barre de la cour des comptes du 12 mars 1588 ; B 2693, arrêt à la barre de la cour des comptes, 19 janvier 1595 et 28 janvier 1595.

27. Archives départementales de l'Isère (désormais ADI), B 2316, fᵒ 11 vᵒ. Extrait du livre blanc, fᵒ 28 vᵒ.

28. C'est ce que laissent croire les pièces déposées par la cour des comptes lors d'un conflit avec les marchands du palais. Certaines de ces pièces concernent en effet les coûts de construction d'une nouvelle chambre de justice et servent d'arguments pour justifier la remise à l'enchère de l'une de ces boutiques. ADBR Aix, B 2693, arrêt à la barre de la cour des comptes, 19 janvier 1595 et 28 janvier 1595.

29. Jean BOYER, « Le palais comtal d'Aix… », p. 59. Le gouverneur était loin d'occuper régulièrement les appartements qui lui étaient réservés. Les gouverneurs du XVIᵉ siècle en ont été empêchés par les guerres de religion qui les ont obligés à parcourir la Provence, tandis que d'autres ont préféré s'installer ailleurs qu'à Aix. C'est le cas de Charles de Lorraine, duc de Guise, qui choisit de passer un long moment à Marseille. Les procureurs du pays doivent insister en 1625 et 1626 pour que le gouverneur alors à Marseille vienne à Aix où doivent se tenir les États de Provence. ADBR Aix, C 616, fᵒ 89 vᵒ, 93 vᵒ. Raoul Busquet estime quant à lui qu'ils étaient « presque toujours absent[s] », à la Cour ou en campagne. Raoul BUSQUET, « Histoire des institutions », p. 292.

« conciergerie vieille » qui comporte la garde des clés des portes du Palais et l'entretien de l'horloge[30]. Le premier huissier doit en effet, en échange de son habitation, ouvrir le matin et fermer pour la nuit la porte donnant sur la place de la Madeleine. Le lien entre l'habitation et la fonction de garde des portes est à ce point clair que l'absence du premier huissier entraîne en 1594 qu'on cède à son remplaçant la maison de la conciergerie vieille[31]. Le salaire du premier huissier, appelé aussi huissier de l'horloge, est supérieur à celui de ses collègues huissiers de la cour des comptes, mais il n'atteint pas celui du premier huissier au parlement[32]. Peut-être fournit-il, comme le fait ce dernier pour cette cour, le bois nécessaire pour alimenter les feux qui réchauffent les différentes salles attribuées à la cour des comptes[33], mais il semble plutôt que ces contrats d'approvisionnement soient négociés à la pièce[34]. Quoi qu'il en soit, le premier huissier et sa famille et les marchands du palais qui se côtoient quotidiennement forment une petite société, ouverte certes sur la vie urbaine, mais qui partage des solidarités particulières. Faut-il s'étonner qu'en 1581, la sœur du premier huissier à la cour des comptes épouse l'un des libraires du palais[35] ?

Le concierge des prisons

L'autre personnage auquel le Palais fournit théoriquement l'habitation est le concierge des prisons. Je suis remontée dans la fonction jusqu'en 1565 alors qu'elle était occupée par Faustin Bonfils. Il avait épousé en 1558 la fille du viguier de Salon[36] et son frère, Joseph Bonfils, docteur en droits et avocat au parlement, fut, par la suite, lieutenant général civil et criminel à la sénéchaussée d'Aix. Pour obtenir sa charge, Faustin avait dû payer à la veuve de François Raynaud la somme de 500 livres ce qui lui avait permis d'obtenir ses lettres de provision le 17 août 1565. Il résigna sa charge en

---

30. ADBR Aix, B 2683, arrêt à la barre du 9 janvier 1581, requête de Vincens Lauthier pour obtenir l'office de premier huissier détenu par Antoine Gastaud décédé.
31. ADBR Aix, B 2693, arrêt à la barre du 17 décembre 1594.
32. ADBR Aix, B 2626, f° 19, État par estimation des deniers du domaine, 1562. Le premier huissier de la cour des comptes avait droit à 45 livres tournois par année alors que les autres huissiers recevaient 30 livres de gages par an. Le premier huissier du parlement avait quant à lui 60 livres de gages tandis qu'une somme de 240 livres était réservée aux 7 autres huissiers du parlement. *Ibid.*, f° 18.
33. ADBR Aix, B 4558, arrêt à la barre du 24 avril 1566 où la cour des comptes ordonne à Pierre Pignoli, trésorier et receveur général du roi en Provence, de payer à Jean-Louis Loque, premier huissier au parlement, 190 livres tournois pour la fourniture et entretien des feux par lui faits en la cour depuis la Saint-Rémi 1565 jusques à Pâques 1566. Nous n'avons rien trouvé concernant le logement du premier huissier au parlement, ni l'ouverture de la porte principale du palais donnant sur la place des Prêcheurs.
34. À la fin du XVIᵉ siècle, c'est le concierge des prisons qui fournit ce bois, comme il fournit d'ailleurs le bois pour les feux de la Saint-Jean, AMA, CC 1174, f° 22, compte tutélaire de Louise Eyguesière, veuve de Pierre Lance, concierge des prisons d'Aix.
35. ADBR Aix, 4B 32, f° 664 v°, contrat de mariage de Jeanne Lautier et de Jean Combe, libraire, fils de libraire, 19 décembre 1581.
36. ADBR Aix, 4B 27, f° 51, 20 décembre 1558.

1572, quelque temps avant sa mort, à André Sarraire, originaire de Salon, dont on ne sait pas grand-chose[37]. En 1579, Pierre Lance devient à son tour geôlier des prisons jusqu'à ce qu'il décède des suites d'un coup d'arquebuse tiré par « les ennemis » (les hommes du duc d'Épernon) lors du siège d'Aix, en 1593. L'office est alors récupéré par François Bertrand, qui en reçoit les lettres de provision en 1594, moyennant 300 écus auxquels s'ajoutent 18 écus pour le marc d'or. Il n'exerça jamais la charge toutefois, à cause des « pertes à luy depuis survenues » et on obtient de faire transférer ses lettres à Pierre Jaune, un ami de Lance, sous promesse qu'il rende l'office au fils de ce dernier, quand il aura l'âge de l'occuper[38]. Ce qui fut fait, comme l'indique le contrat de mariage du fils Lance, Louis, daté du 2 décembre 1609[39]. La charge est donc suffisamment intéressante pour que la famille cherche à la préserver, sans être pour autant financièrement inaccessible. En effet, c'est moins le coût de la charge qui cause problème, que l'investissement que doit constamment répéter le concierge pour permettre aux prisons de fonctionner.

Malgré l'office qu'il détient, inutile d'insister sur le fait que le geôlier ne partage pas grand chose avec les juges qui administrent la justice au Palais. Parmi la faune qui gravite autour du Palais, le geôlier fraternise plutôt avec les huissiers et les clercs du greffe avec lesquels, les soirs de bombance, il n'hésite pas à se moquer des fils de familles honorables et à participer aux rixes qui s'en suivent inévitablement[40].

En charge des derniers locataires du Palais dont il sera question ici, le concierge des prisons d'Aix nous invite à mesurer avec encore plus d'acuité la distance qui sépare le système judiciaire dans lequel il évolue et le nôtre. En effet, les tribulations de l'office de concierge, après la mort de Pierre Lance, ont fait de Louise Eyguesier, sa femme[41] et la tutrice des enfants, l'administratrice des prisons d'Aix pendant une dizaine d'années (de 1594 à 1604). Grâce au compte tutélaire qu'elle a rédigé pour rendre compte de la gestion des biens des enfants, les prisons d'Aix et leurs occupants nous sont mieux connues pour la fin du xvie siècle[42].

37. ADBR Aix, B 3332, f° 473, résignation à Sarraire, 23 avril 1572. Le patronyme Sarraire réapparaît plusieurs fois dans l'histoire de la conciergerie d'Aix au xvie siècle. Pierre Jaune est l'époux d'Isabeau Sarraire et un certain Claude Sarraire semble avoir été commis à la conciergerie après la mort de Lance. André Sarraire, bourgeois de Salon, marie son fils à Aix, en 1602, le fils est praticien et se prénomme Claude.
38. AMA, CC 1174, f° 11. Lettres de provision pour Jaune : ADBR Aix, B 3338, f° 506.
39. ADBR Aix, 4B 48, f° 952.
40. ADBR Aix, B 3480, octobre 1582, lettre de rémission.
41. Il l'a épousée en deuxièmes noces, alors qu'elle était elle-même veuve. ADBR Aix, 4B 35, f° 349 v°, 2 mai 1587.
42. AMA CC 1174, pour le compte tutélaire. Par un arrêt du 21 août 1579, le parlement d'Aix avait nommé Lance à cette fonction. Il avait commencé son exercice dès le 28 août 1579 même si les lettres de confirmation d'Henri III n'avaient été reçues que le 19 janvier 1580, ADBR Aix, B 3333, f° 942. Les livres des écrous qu'il a tenus dès le début de son exercice vont en effet du 28 août 1579 au 29 décembre 1593 (AMA CC 1174, f° 21).

Les prisons du Palais et leurs prisonniers

Intégrées à l'ensemble architectural du Palais, les prisons fourmillent d'action, mais il serait un peu cynique de considérer qu'elles fournissent au Palais ses habitants les plus fidèles. Elles se situent du côté nord-ouest du Palais dont elles occupent l'étage inférieur. Malgré le titre qu'il arbore, le concierge des prisons n'habite pas toujours à l'entrée de celles-ci et Pierre Lance possède sa propre maison, sur la rue Papassaudi. Quand sa femme administre les prisons au nom de ses enfants, elle insiste d'ailleurs pour ne pas habiter la conciergerie, prétextant que l'affluence de prisonniers l'oblige à coucher hors de ce lieu[43]. En fait, les prisons commandent les services d'au moins deux hommes payés par le concierge : un commis à la garde des portes de la conciergerie et un garde des prisonniers civils et criminels auxquels la veuve de Pierre Lance ajoute une servante. Tous habitent dans la conciergerie qui loge aussi l'associé de la veuve et sa femme[44].

Le jour de la mort de Pierre Lance, le 29 décembre 1593, 11 prisonniers occupent les prisons de la conciergerie[45] : huit hommes et trois femmes. Le plus ancien est là depuis le 17 mai 1591, les trois femmes n'y sont que depuis le 23 septembre 1593. Nommé par le parlement, le concierge des « prisons royaux » s'occupe également des prisonniers qui relèvent des divers tribunaux. Au moment de la mort de Pierre Lance, le parlement, la cour des comptes, le lieutenant à la sénéchaussée, le prévôt des maréchaux et le viguier d'Aix lui sont tous redevables pour avoir avancé le coût des aliments des prisonniers qu'il a gardés en leur nom[46]. Lance attend alors le paiement de 211 dettes de gardes et d'aliments, lesquelles se montent à 9 444 livres[47]. Si l'emprisonnement pour dettes est une solution pour plusieurs créanciers, il ne l'est pas pour les geôliers à qui le parlement a interdit de retenir plus d'un mois les prisonniers devant être libérés qui n'ont pas payé le droit de

---

43. « Dict que l'Influance [affluence] des prisoniers ramplissent tellement la conziergerie qu'elle est constraincte coucher hors d'icelle et de faict a tousjours arranté une maison à la ville pour la rante de laquelle se descharge de quatre cens cinquante livres revenant à quinze escus l'an pour dix ans. » AMA, CC 1174, f° 203. Dépense refusée par les auditeurs de son compte.

44. Louise a nourri, dans la conciergerie, tour à tour, Antoine Lance, Claude de Sarraire et Clément Olivier, commis à la garde des portes de la conciergerie (AMA, CC 1174, f° 200 v°). Elle a aussi payé des gages de 40 sous par mois à ces trois personnes à partir de décembre 1594 jusqu'au 30 octobre 1597 (ibid., f° 201), et d'un écu par mois à partir de novembre 1597. Pendant les 11 ans de sa tutelle, elle a également payé à Honoré Guibaud, valet qui servait à la garde des prisonniers civils et criminels, 54 livres par an, en plus de le nourrir (ibid., f° 201 v°).

45. AMA, CC 1174, f° 47, gardes et aliments dus par les prisonniers détenus dans la conciergerie le jour du décès du défunt.

46. AMA, CC 1174, f° 22-25. Le concierge faisait d'ailleurs parfois les frais des querelles entre les deux cours souveraines d'Aix, chacune réclamant son autonomie quant à son droit d'élargir les prisonniers criminels (ADBR Aix, B 3064, 10 avril 1570, audiences contre Faustin Bonfils). Au XVIᵉ siècle, il existe également d'autres prisons, celles de l'archevêché, dont nous ne savons pas grand-chose. Elles sont associées au tribunal de l'officialité. Celles du bourg St-André reçoivent ceux qui sont poursuivis par les officiers du bourg : ADBR Aix, B 3480, lettre de rémission de François Graneti, mars 1608.

47. Il ne s'agit que des aliments et gardes non payés qui ont été taxés. AMA, CC 1174, f° 26 suiv.

garde et de geôle[48]. Il faut donc que les détenteurs de la charge puissent attendre le remboursement de leurs frais pendant un certain temps, ce qui explique que certains choisissent de s'associer pour réussir à tenir le coup[49].

En temps de peste, le concierge suit la cour et organise l'enfermement des prisonniers là où elle se trouve. C'est le cas en 1580, alors que Pierre Lance tient un compte spécial pour les prisons établies à Saint-Maximin au moment de la peste. Sont-ce les prisonniers d'Aix qui ont accompagné le concierge ou s'il s'agit de nouveaux pensionnaires ? Le compte n'en dit mot.

Sur les conditions de ces emprisonnements, on a quelques indices. Les femmes ont droit à des couchettes de paille, mais c'est aussi le cas des criminels qui sont mis au cachot[50]. En effet, les criminels ne sont pas traités comme les prisonniers civils. Ces derniers, certes, ne peuvent pas quitter la conciergerie, mais ils y circulent librement et se contentent d'occuper leur temps comme ils le peuvent. La petite société qu'ils reproduisent alors n'est pas exempte de conflits et le geôlier des prisons doit parfois porter plainte au lieutenant du sénéchal contre ceux qui, en prison, transgressent les règles. La situation peut paraître surréaliste à l'observateur contemporain qui considère l'enfermement comme une peine, alors que ce n'est pas le cas au XVIe siècle : le 9 juin 1570, un prisonnier qui a volé un écu à un autre prisonnier, ce qui a, bien sûr, entraîné une bagarre, est condamné à être banni de la ville pour un an, ce qui est immédiatement exécuté[51]. Au XVIe siècle, la prison est une mise en attente : c'est le bannissement qui est la peine.

Il n'empêche que la promiscuité dans laquelle les prisonniers passent leur temps a parfois de lourdes conséquences. Jean-Baptiste de Podum a déjà été jugé et, s'il est gardé en prison, c'est parce qu'il n'a pas encore payé les amendes auxquelles il a été condamné. Il devient bien vite le souffre-douleur des autres prisonniers qui l'injurient « tant de parolles que de fait », quand il mange, quand il boit ou quand il dort, quel que soit l'endroit où il se trouve dans la conciergerie. On peut imaginer la frustration de Jean-Baptiste à qui on lance des pierres à la tête, des pelures de légumes, des trognons de chou, et qu'on finit par jeter dans le bassin de la fontaine pour ensuite lui jeter un verre d'urine au visage. L'homme finit par porter plainte pour que s'arrête cet acharnement, conduit par un certain d'Allauch,

---

48. Comme le précise l'associé Pierre Jaune, au moment de faire les comptes. AMA, CC 1174, f° 185 v°.
49. Pierre Lance s'était associé à un certain Honoré Fabrot pour les émoluments de la conciergerie, mais un conflit s'étant élevé entre eux, on avait dû en passer par une transaction, AMA, CC 1174, f° 13.
50. La veuve de Pierre Lance se décharge d'un montant pour la paille qu'elle a achetée pour le gîte des prisonniers criminels logés aux « crottons [cachots] dans ladite consiergerie et fames prisonnières ». On lui accorde 9 livres par an pour cette dépense. *Ibid.*, f° 202.
51. ADBR Aix, 4B 705, f° 185.

qui n'est guère intimidé par la procédure et continue de plus belle son harcèlement. Un jour où Jean-Baptiste est assis à la table de la salle de la conciergerie qu'on appelle la « salle du rigori » et qu'il regarde jouer les autres prisonniers, d'Allauch revient à la charge et l'insulte de nouveau. Comme il s'apprête à le frapper, Jean-Baptiste s'empare cette fois d'une barre de fer servant à faire la cuisine et frappe son adversaire à la tête, qui, « à faulte d'avoir esté promptement bien pansé », décède[52]. Les héritiers d'Allauch poursuivent le pauvre Jean-Baptiste qui demande grâce au roi, ce qui lui est accordé. Au-delà de l'anecdote, l'affaire donne une image des prisons fort loin des cachots qu'on montre aux touristes émus devant le sort des incarcérés du temps passé.

Les prisons d'Aix, si elles contiennent des cachots réservés aux grands criminels, reçoivent, venant de toute la Provence, toute sorte de gens, de celui qui ne paye pas ses dettes à celui qui attend son procès, du prêtre à l'avocat, du pauvre au plus riche. Exceptionnellement, les prisonniers de qualité ou les malades qu'on veut séparer des autres sont logés à la concier-gerie « vieille » quand elle n'est pas occupée par le premier huissier[53]. Ceux qui ne jouissent pas de la mise à l'écart vivent ensemble, dans l'espace restreint de la conciergerie, et y reproduisent les haines et les solidarités nourries par le monde d'où ils sont issus. La durée de leur séjour en prison peut beaucoup varier. Certains des prisonniers attendent une sentence qui, même s'ils sont condamnés, les sortira de là ; d'autres attendent un apport d'argent qui remboursera les dettes qu'ils ne sont pas arrivés à payer. D'autres ont été condamnés à tenir prison jusqu'à ce qu'ils paient leurs amendes[54], de loin la peine la plus fréquente imposée par la sénéchaussée d'Aix au XVIe siècle.

Tous les accusés ne passent pas par la conciergerie. La qualité de certains fait qu'ils sont plutôt condamnés à tenir prison dans leur maison pendant la durée de l'enquête, mais on les menace tout de même d'être convaincus de culpabilité s'ils ne respectent pas leurs engagements[55]. Quand on a jugé bon de faire « tenir prison » à l'accusé en attendant sa sentence, c'est à la conciergerie qu'on va lui annoncer sa sentence, d'ailleurs immédiatement exécutée. Pour les criminels, la conciergerie peut alors servir de lieu de châtiment[56], mais elle peut n'être que le point de départ d'un circuit expia-toire inlassablement réitéré.

---

52. ADBR Aix, B 3480, lettre de rémission avril 1588, accordée à Jean-Baptiste de Podum.
53. ADBR Aix, B 3064, audiences de la cour des comptes.
54. Par exemple ADBR Aix, 4B 705, f°s 46, 67, 120, 157, 192, 221, 226, 228, 326, 367, 395, 400 ; 4B 707 ; 4B 709 ; 4B 714.
55. ADBR Aix, 4B 705, f° 229. Selon la qualité des accusés, on pouvait les obliger à tenir prison chez eux plutôt qu'au palais, moyennant une caution et dans la mesure où ils engageaient leurs biens, ex. 4B 707; 4B 705, f° 187.
56. Les sentences définitives des procès criminels au vu des pièces de la sénéchaussée que j'ai dépouillées pour les années 1570 à 1575 montrent l'utilisation qu'on faisait des prisons, mais elles invitent également à nuancer l'exemplarité du châtiment, qui s'effectuait souvent à l'intérieur de la concier-

Le Palais hors du Palais

Circuit expiatoire et châtiment public

C'est souvent dans la cour des prisons que l'exécuteur de la haute justice ou un membre de la « famille » du viguier exécute les châtiments corporels. Les verges s'administrent jusqu'à « effusion de sang », dans les prisons et conciergerie du palais[57], mais on les donne aussi dans l'« église du palais[58] ». Les hommes du viguier sont limités pour ce travail à l'enclos du Palais[59], alors que l'exécuteur de la haute justice applique aussi des condamnations qui visent à montrer au public la rigueur de la justice. Deux types d'itinéraires sont alors possibles. L'un place le Palais au cœur de la démarche, quand la condamnation se limite à recevoir les verges ; l'on fait alors faire au condamné le tour du Palais « entrant par une porte et sortant par l'autre[60] », ou on précise que le condamné aura les verges « dans la conciergerie durant un tourt de là où l'on baille la question et torture ». L'autre associe le Palais à la ville tout entière dans un itinéraire tellement immuable que jamais les condamnations ne le précisent autrement qu'en parlant de « tous lieux et carrefours accoustumés[61] ». Pédagogique, le fouet qu'on exécute par tous les carrefours, après que le condamné ait fait amende honorable dans l'auditoire du Palais, n'est souvent que le prélude à la vraie peine. Celle-ci peut aller de l'amende à la mise à mort, en passant par le bannissement et les galères. Ainsi ce condamné qui, après avoir été mis et traîné sur une claie par tous les « lieux accoustumés d'Aix » est mis à mort sur la roue où on lui brise les bras et les jambes. On fait ensuite porter la roue hors de la ville, avec le corps du condamné, pour qu'il soit finalement exposé « au lieu patibullaire[62] ». Si le lieu d'exposition des suppliciés se situe hors de la ville, les exécutions publiques se font quant à elles sur la place des Prêcheurs.

Alors qu'on se contente d'exposer les voleurs de nourriture ou les coupables de menus larcins, sur la place du marché, la place des Prêcheurs, sur laquelle donne la porte principale du Palais, est réservée aux châtiments plus spectaculaires. C'est là qu'on élève, quand c'est nécessaire, une potence pour pendre les condamnés[63], là, juste devant le Palais, que les condamnations

---

gerie plutôt que sur la place publique. ADBR Aix, 4B 705, 707, 709, 711 (ce registre mal conservé n'a pas été dépouillé complètement) 714, 716.
57. ADBR Aix, 4B 705, f° 191.
58. ADBR Aix, 4B 716.
59. ADBR Aix, 4B 709, 4B 716.
60. ADBR Aix, 4B 709.
61. ADBR Aix, 4B 705, f° 80, f° 114, f° 216 ; cette « promenade », si elle est très fréquente à Aix au xviᵉ siècle, n'est cependant pas systématique.
62. ADBR Aix, 4B 709. Les motifs donnés pour cette condamnation étaient nombreux, même s'il est difficile de saisir exactement ce qu'ils cachent : agressions, vols, homicides, larcins et recels.
63. ADBR Aix, 4B 705, f° 43. Les plans de la ville qui figurent la place des Prêcheurs n'y montrent pas de potence. Au xviᵉ siècle, c'est là, néanmoins, qu'elle était érigée pour faire la pendaison.

aux estrapades de corde s'accomplissent[64]. Sans doute les Aixois associent-ils la place des Prêcheurs aux exécutions publiques qui s'y déroulent, mais l'endroit est d'abord un lieu animé qui profite du va-et-vient qu'enregistre le Palais. Au cœur d'un quartier où les hommes de justice ont leur habitation, la place des Prêcheurs prolonge en quelque sorte le Palais. C'est là que se poursuivent les rencontres faites au Palais, là que les jeunes clercs ou les huissiers se rassemblent, quand le Palais est fermé, disponibles pour en découdre avec les fils de conseillers qui s'y rencontrent le soir et les jours fériés, pour discuter « devisans et pasans le temps ensemble comme ils auroient a coustume faire entre eulx ». Quand les deux groupes se croisent, après un repas bien arrosé, il n'est pas rare qu'ils s'invectivent, s'insultent, se poursuivent et se battent, parfois jusqu'à mort d'homme[65], avant de rentrer chez eux.

Cette extension du Palais vers la ville qu'accomplit la place des Prêcheurs à Aix prend également d'autres formes. En effet, bien qu'il en soit le lieu principal, le Palais n'a pas le monopole de l'exercice de la justice[66]. Certes, les conseillers au parlement doivent livrer à leurs collègues, au Palais, le rapport qu'ils ont préparé après avoir étudié le contenu des sacs de procès, mais c'est chez eux qu'ils emportent les sacs et c'est là qu'ils rédigent leur rapport. Certains conseillers vont même jusqu'à faire venir des prisonniers chez eux pour y faire les procès extraordinaires, contrairement à toutes les règles qui exigent que tous les procès criminels soient faits dans un lieu public[67]. L'ouverture des maisons des juges aux parties est encore recommandée en 1695 alors que les conseillers sont admonestés

> « de se tenir dans leurs maisons le plus qu'il se pourra ou pour le moins d'avoir chacun une heure fixe de jour ou les parties puissent les trouver et leur parler de leurs affaires ny ayant rien de si indécent et nous osons dire de si indigne à des magistrats que de faire aller les parties dans leurs maisons sans qu'elle puissent ny leur parler ny les instruire[68] ».

C'est chez lui également que le lieutenant général de la sénéchaussée reçoit les requêtes, qu'il nomme les enquêteurs dont la mobilité transporte la justice hors de la ville. Devant la maison du lieutenant particulier, les praticiens font le pied de grue en attendant d'être reçus par lui pour présenter leur cause.

---

64. Les condamnations aux estrapades de corde s'accomplissaient cependant devant le palais, au « lieu accoustumé à fere semblabes exécutions », ADBR Aix, 4B 716. Les amendes honorables se faisaient quant à elles dans la chambre du conseil.
65. ADBR Aix, B 3480, lettre de grâce obtenue par Pierre Castillon, octobre 1582.
66. La même constatation est faite un peu partout. Christophe Blanquie, « Les sacs à procès… », p. 188 ; à Grenoble, la ville attire les justiciables de la région entière qui viennent chercher chez leurs juges seigneuriaux habitants de Grenoble les jugements de leurs causes, René FAVIER, *Les villes du Dauphiné aux XVIIe et XVIIIe siècles : la pierre et l'écrit*, Grenoble, Presses universitaires de Grenoble, 1993, p. 60 ; Hervé PIANT, *Une justice ordinaire*, p. 44-45.
67. B. Méjanes, MS 958 (900-R.773), mercuriale du 9 janvier 1602.
68. B. Méjanes, MS 958 (900-R.773), mercuriale du 4 février 1695.

Le Palais n'est donc pas le seul lieu dans la ville où la justice s'exerce. C'est pourtant là qu'elle s'exhibe, là qu'elle déploie le décorum des robes et des bonnets qui associe la justice au pouvoir.

Palais royal, palais de justice

Même si les grandes administrations judiciaires y logent, les Aixois, comme leurs contemporains, parlent alors familièrement du « Palais » et non du palais de justice. Alors qu'on peut supposer que les Aixois du début du XVIe siècle rattachent à cette appellation le souvenir des anciens comtes de Provence dont c'est le Palais Comtal, il est difficile de dire quand l'identification du Palais à l'exercice de la justice a été complétée[69]. La polysémie du terme[70] n'aide pas à résoudre l'affaire, peut-être même favorise-t-elle, à l'époque, l'association entre le pouvoir et la justice. La récupération de l'emplacement d'un ancien palais pour loger la justice n'est pas spécifique à Aix, bien au contraire[71]. À Grenoble, on a dit que le parlement et la cour des comptes occupaient, sur l'emplacement du Palais delphinal, un Palais somptueux[72]. L'emplacement exact du premier Palais du parlement n'est toutefois pas assuré et si les historiens attribuent la plus ancienne partie du Palais conservée à la période de Louis XII, ils hésitent à identifier la première maison de bois utilisée pour les archives et la cour des comptes à une partie du Palais delphinal[73]. Quoi qu'il en soit, le Palais fut agrandi plusieurs fois au XVIe et au XVIIe siècle, pour répondre aux besoins de la justice. À Toulouse, le château narbonnais, qui a abrité dès l'union du comté de Toulouse à la France l'administration royale, reçoit le parlement dès sa première séance en 1444. La démolition du château décidée en 1549 s'étire sur plusieurs années, et les vestiges de ce dernier servent encore à des fins judiciaires en 1788[74].

---

69. C'est évidemment chose faite à la fin du XVIIIe siècle quand le procureur Gabriel associe le palais au milieu des gens de justice : « Ce fait est de notoriété au palais. » ADBR Aix, C 3548, 27 novembre 1784.

70. Les dictionnaires étymologiques donnent le terme palais dans son acception d'édifice où siègent des tribunaux employé pour la première fois en 1461, dans le *Testament* de François Villon, http://www.cnrtl.fr/definition/palais, consulté le 24 octobre 2011.

71. Robert JACOB et Nadine MARCHAL-JACOB, « Jalons pour une histoire de l'architecture judiciaire », p. 36.

72. René FONVIEILLE, *Le palais du Parlement de Dauphiné et son extraordinaire architecte Pierre Bucher, procureur général du Roy doyen de l'Université de Grenoble (1510-1576)*, Grenoble, Didier-Richard, 1965, p. 43-61 ; Auguste PRUDHOMME, *Histoire de Grenoble*, Marseille, Laffitte Reprints, 1995 (réédition de l'édition de Grenoble, Alexandre Gratier, 1888), p. 438.

73. Dominique CHANCEL et Colette GÉRON, « Les bâtiments du Parlement de Dauphiné et leurs transformations jusqu'à la fin du XIXe siècle », René FAVIER (dir.), *Le Parlement de Dauphiné. Des origines à la Révolution*, Grenoble, Presses universitaires de Grenoble, 2001, p. 25-40 : p. 26-27.

74. Maurice PRIN et Jean ROCACHER, *Le château narbonnais, le parlement et le palais de justice de Toulouse*, Toulouse, Privat, 1991, p. 14 suiv. Le site web de la cour d'appel de Toulouse contient également plusieurs informations intéressantes sur les liens entre le château narbonnais et le palais de justice : http://www.ca-toulouse.justice.fr/, consulté le 2 août 2008.

À Aix, à la fin du XVIᵉ siècle, les notaires qui veulent préciser la localisation d'un terrain dans leurs contrats parlent encore du Palais royal[75], mais les témoins aux enquêtes sur la pratique des procureurs assurent qu'ils les ont vus « fréquenter le palais », comme si cela suffisait à confirmer leur pratique judiciaire. Dès ce moment, une interdiction d'entrée au palais équivaut, pour un auxiliaire de la justice, à une interdiction de solliciter en justice[76].

Cette confusion entre le Palais où on exerce la justice et le Palais royal semble avoir été volontairement entretenue. En 1599, la cour des comptes décide de faire ériger sur la partie supérieure de la façade principale un monument à la gloire d'Henri IV. Le monument est démoli quand on construit le pavillon central de la façade mais on en garde le buste du roi qui est alors installé dans la salle des pas perdus.

Comment interpréter l'imposant programme de décorations que subit le Palais pendant le XVIIᵉ siècle ? Robert Jacob a vu dans les tableaux de justice qui ont surgi dans les châteaux et les hôtels de ville du second Moyen Âge, la volonté de manifester l'autonomie de la fonction de juger par rapport au pouvoir politique[77]. Pour lui, qui observe l'architecture judiciaire du premier XVIIᵉ siècle à travers ses nouvelles constructions, un mouvement de transformations s'est alors amorcé qui misait sur la fonctionnalité, la symétrie, la distance par rapport à l'environnement urbain et la pédagogie dans la prévention des conflits[78]. Aix semble en complet décalage avec ces observations, comme s'il s'agissait plutôt d'user de la polysémie du terme « palais » pour rattacher la justice à l'image du roi de France. Comme pour les édifices civils du second Moyen Âge qu'on a voulu couvrir d'une symbolique de justice, c'est par la décoration qu'on essaie, à la fin du XVIᵉ siècle et au XVIIᵉ siècle, de donner un sens à l'ancien Palais comtal. Les recherches de Jean Boyer montrent en effet que les travaux de décoration sont d'envergure, pendant cette période. On construit moins que l'on répare et surtout, au XVIIᵉ siècle, on décore. Les sujets choisis par les parlementaires n'ont rien de très innovateurs, mais ils confirment leur volonté de mettre en évidence une loyauté envers le roi de France qu'ils inscrivent dans la continuité. En 1607, en effet, le peintre Jean de Cayer est engagé pour exécuter une série de portraits des rois de France qui s'appuie sur des modèles fournis par Peiresc et qui doit décorer la salle d'audience du parlement[79]. Quand De Haitze, en 1679, décrit la salle qu'il considère comme l'une des plus belles, la série

---

75. ADBR Aix, 301 E 188, f° 2 v°, 2 janvier 1598, achat de place à bâtir maison.
76. ADBR Aix, 20B 2576, 21 août 1623 ; 24HD B12, 17 mai 1727 ; le solliciteur Brunet, de Salon, est condamné pour faux le 14 janvier 1605. Outre une amende de 100 livres envers le roi, il est « interdit de l'entrer du palais et de soliciter pour un an », B 3660, délibérations du parlement.
77. Robert Jacob et Nadine Marchal-Jacob, « Jalons pour une histoire de l'architecture judiciaire », p. 36.
78. *Ibid.*, p. 49-59.
79. Jean Boyer, *La peinture*, p. 41.

a été complétée et Louis XIV y rivalise désormais en grandeur et en majesté avec Henri IV[80]. Vers 1612, à l'époque où Guillaume Du Vair préside le parlement d'Aix et où le parlement est à couteau tiré avec le Duc de Guise, gouverneur de la Provence, ce sont les portraits des cinq présidents et des quarante conseillers au parlement, en robe rouge, qu'on demande au peintre flamand Finsonius d'exécuter, pour la chambre de la Tournelle, qu'on appelle déjà la chambre dorée[81]. Ce n'est qu'à partir de 1669 que les tableaux représentant une allégorie sur la justice sont commandés pour le Palais. Ils sont destinés au plafond de la Grande Chambre (promesse du peintre du premier mars 1669), et au plafond de la salle des Pas-Perdus (1681). Même si les autres salles (salle des chameaux au début du siècle, chambre des enquêtes, petite chambre de la Tournelle) profitent également de ces programmes de décoration, c'est la Grande Chambre qui bénéficie des compositions les plus importantes auxquelles les parlementaires sont d'ailleurs associés. Si le plafond de la Grande Chambre, orné d'une allégorie de la justice qui côtoie une « Vérité quy faict trébucher le Vice[82] », élève sans doute l'esprit, les murs de la salle doivent montrer quant à eux que cette justice est incarnée par des hommes qui considèrent leur rôle si important qu'ils n'hésitent pas à imprégner leur image personnelle sur les murs de la salle. En 1672 en effet, c'est au tour des 66 membres de la cour (présidents, conseillers, gens du roi) à vouloir poser en robe rouge, assis, devant le peintre Laurent Fauchier, d'Aix. L'immense tableau des parlementaires en rangée doit s'étendre tout autour de la Grande Chambre et le peintre doit, de plus, exécuter, pour chaque parlementaire, un portrait individuel qu'il doit lui remettre, une fois que celui de la Grande Chambre sera terminé. Les portraits ne furent jamais complétés, le peintre étant mort quelques mois après avoir entrepris l'œuvre[83]. De Haitze, qui a vu cette salle, considérait en 1679 qu'elle était encore plus belle que la salle d'audience et que « la magnificence ordinaire de Messieurs du Parlement [y] éclatte de toutes parts par les doreures, & les peintures, qui n'y laissent aucun vuide[84] ».

Les salles du parlement ne sont pas sur la route des Aixois ordinaires qui mesurent davantage la puissance de ces juges dans le port des robes rouges qu'ils arborent dans les processions ou quand ils vont, en grand apparat, à travers la ville. Si le Palais est une extension de la ville, à Aix-en-Provence, au XVIe et au début du XVIIe siècle, c'est une extension contrôlée qui s'arrête au rez-de-chaussée. Les programmes de décoration, si l'on en

---

80. Pierre-Joseph DE HAITZE, *Les curiosités*, p. 9-10.
81. Jean BOYER, *La peinture*, p. 72.
82. *Ibid.*, p. 159.
83. Le compte final est établi entre les héritiers du peintre et le greffier le 6 avril 1672. Jean BOYER, *La peinture*, p. 115-116. Les thèmes abordés par les peintures qui décorent les autres chambres ne sont pas précisés dans les actes. Ex. *ibid.*, p. 107, 130.
84. Pierre-Joseph DE HAITZE, *Les curiosités*, p. 11.

croit les documents qui ont été conservés, ont tout fait pour que cette extension ne monte pas à l'étage.

L'ambivalence du Palais d'Aix est probablement davantage un problème pour l'historien qu'il ne l'est pour les Aixois d'Ancien Régime, qui, comme le sellier Corban ou ses contemporains, se déchargent de leurs affaires de justice sur des hommes dont c'est le métier et qui ne craignent pas l'affrontement. Il faut insister sur le fait que les causes les plus nombreuses dont s'occupe la justice du palais ne sont pas à proprement parler des crimes. Malgré tout, le Palais n'est pas un lieu où règne toujours la civilité. Alors que la rhétorique judiciaire du xvie siècle fait du « temple de justice » un lieu commun, les lieux où la justice s'exerce dans les faits sont loin d'évoquer ce que l'iconographie présente comme une « aspiration à de nouvelles formes du sacré[85] ». Cette sacralisation du Palais n'est toujours pas accomplie à la fin du xviie siècle et les mercuriales de 1695 reprennent à qui mieux mieux les mêmes recommandations que celles du xvie siècle, concernant le secret, l'accessibilité à la maison des juges, insistant sur le fait que le Palais est un lieu sacré[86].

Entre la rhétorique des mercuriales de la fin du xvie siècle qui réclame que messieurs entrent dans la chambre du conseil « comme en un lieu saint, consacré et par la présence de Dieu et représentation de la Majesté du Roy[87] », et la réalité que doivent affronter les praticiens comme Darbon pour conduire la cause de leurs clients devant les bons juges[88], il y a loin.

Le métier de solliciteur que semble avoir exercé Darbon[89] ne se réduit pas à un travail de cléricature. Quand ses clients ont été victimes d'un crime, au xvie ou au xviie siècle, c'est le solliciteur qui, en l'absence de force policière[90], doit organiser la recherche des coupables, ce qui le place

---

85. Robert JACOB, *Images de la justice. Essai sur l'iconographie judiciaire du Moyen Âge à l'âge classique*, Paris, Le Léopard d'or, 1994, p. 197-200.
86. B. Méjanes, MS 958 (900-R.773), mercuriale du 4 février 1695. Les mercuriales des différents parlements suivent toutes le même modèle et deviennent rapidement stéréotypées. Voir Claire DOLAN, « Gens de chicane ou de justice ? De l'ambiguïté de l'image négative de la justice, au xvie et au xviie siècle », *Gens de robe et gibier de potence en France du Moyen âge à nos jours*. Actes du colloque d'Aix-en-Provence (14-16 octobre 2004), Marseille, Images en manœuvre Éditions, 2007, p. 231-245.
87. B. Méjanes, MS 958 (900-R.773), mercuriale du 8 octobre 1598.
88. ADBR Aix, 20B 2553, 21 avril 1623, une femme témoigne qu'on lui avait tiré une pierre, ce qui l'avait tenu au lit pendant quelques jours. 20B 1535, 11 janvier 1605, on lui avait aussi asséné un coup de poing sur les dents alors qu'il tentait de convaincre le Bureau de police qu'il n'avait pas à entendre ses clients.
89. Le praticien est au xvie siècle celui qui vit de la pratique sans détenir un office (de notaire ou de procureur). Dans les documents, il arrive que les termes de solliciteur et de praticien soient interchangeables. On connaît très peu de choses des praticiens pour qui cette qualification est souvent temporaire, du moins en Provence. Le terme de solliciteur quant à lui semble plutôt associé à quelqu'un qui fait un métier de solliciter des procès.
90. L'historiographie autour de la police a été complètement renouvelée ces dernières années. Les travaux, qui s'étaient jusqu'alors concentrés sur la police à Paris, s'attardent désormais également à d'autres villes de province. D'une très abondante bibliographie (voir le dossier bibliographique préparé par Jean-Marc Berlière et publié en mai 2008, http://www.criminocorpus.cnrs.fr/article341.html,

parfois au cœur d'une violence qu'on associe difficilement aujourd'hui à la justice. Même quand leur travail ne concerne pas des crimes comme tels, cette violence colore souvent les relations des praticiens entre eux. La jeunesse des praticiens, nombreux à jouer du coude pour pousser l'affaire de leurs clients, explique en partie le tempérament chaud de ceux dont les archives ont conservé la trace[91]. Les jeunes praticiens, dont on ne sait finalement pas grand-chose, nous offrent du Palais de justice l'image d'un lieu où la compétition fait loi. Sans vraiment de statut, les praticiens, s'ils font le lien entre les justiciables ordinaires et la justice, ne nous permettent pas de pénétrer plus avant dans le Palais de justice. Si l'on veut avoir accès aux étages, c'est dans les pas des procureurs qu'il faut marcher.

En effet, le Palais qui étend son ombre sur l'ensemble de la ville qu'il domine, est à la fois un espace ouvert et un lieu fermé. Comme l'espace judiciaire qu'il symbolise, il faut, pour y circuler, connaître les codes d'accès qui ouvrent les portes et autorisent d'y poursuivre son chemin. Lieu d'autorité, il est espace de prestige et de décorum.

---

consulté le 24 juillet 2008), je ne citerai que l'article de Vincent MILLIOT, « Histoire des polices. L'ouverture d'un moment historiographique », *Revue d'histoire moderne et contemporaine*, 54, n° 2, 2007, p. 162 à 177.

91. Ils sont cinq praticiens dans la vingtaine à attendre le lieutenant particulier devant la porte de sa maison quand éclate une bagarre entre deux d'entre eux, ADBR Aix, 20B 2673, 3 septembre 1619. La jalousie peut aussi jouer quand plusieurs praticiens se présentent pour le même travail : c'est ce qui se produit entre Étienne Lusbert et Michel Dupont, en 1604. L'un finit par arracher à l'autre presque « un doigt de la main avec les dents pour le priver de gagner sa vie », 20B 1482.

Chapitre II

Le Palais des procureurs

Les historiens ont étudié avec brio la transformation des liturgies publiques liées aux exécutions et ils ont compris à quel point l'image, le geste, ou même le costume judiciaire ont servi la justice royale dans l'affirmation de son autorité[1]. Que la justice royale ait été portée par d'abondantes mises en scène du pouvoir, rattachant la fonction de juger à la justice divine, est aujourd'hui bien connu et peut expliquer qu'elle ait fini par dominer les mécanismes de règlements de conflits sous l'Ancien Régime. Il serait bien naïf de croire toutefois que les liturgies judiciaires que les analyses anthropologiques reconstruisent ont été pratiquées sans faille et que les spectateurs ont toujours réussi à les décrypter.

Le Palais d'Aix qui propose à ceux qui l'investissent un parcours erratique entre la représentation du pouvoir et la récupération fonctionnelle d'un espace limité, fournit à l'usager des codes divers, enchevêtrés, à la fois familiers et impénétrables. Comme pour le parcours judiciaire que doit suivre celui qui use de la justice royale, il faut savoir où se diriger et trouver cette mystérieuse brèche dans laquelle seuls les initiés peuvent s'engouffrer. Cette impression de fouillis complexe qui se dégage de la justice contribue peut-être à fournir le mystère que réclame l'art de gouverner, véritable enjeu des édits qui formulent, réglementent et précisent les formes qui doivent rendre l'État juste. Ces formes, que les juristes regroupent sous le terme de procédures et qu'on semble confondre au XVIᵉ et au XVIIᵉ siècle avec la justice, ont leurs spécialistes et leurs gardiens : les procureurs. Ils sont les initiés qui donnent accès à la justice, tout en maintenant les justiciables à une distance raisonnable du pouvoir.

Dans le Palais, les procureurs investissent un large territoire, combinant lieux de rencontres et lieux de travail, espaces réservés et espaces ouverts. Alors que la littérature spécialisée a insisté sur la salle où les procureurs se tenaient à leur banc, en attente des clients, les archives les montrent à l'aise partout, des prisons où ils reçoivent les sentences avec leurs clients,

---

1. Pascal BASTIEN, *L'exécution publique à Paris au XVIIIᵉ siècle : une histoire des rituels judiciaires*, Seyssel, Champ Vallon, 2006 ; Jacques BOEDELS, *La justice* ; Robert JACOB, *Images de la justice*, p. 15.

jusqu'au bel étage où ils se promènent avec les conseillers et se réchauffent auprès du feu, pendant que d'autres juges font rapport des procès qu'on leur a confiés.

À chaque tribunal, ses procureurs

Moins nombreux que les avocats dont le nombre n'est pas limité, les procureurs qui pratiquent au Palais d'Aix ne peuvent le faire que s'ils ont été reçus par l'un des tribunaux qui y siègent. Dès le xvie siècle, le parlement, la sénéchaussée et la cour des comptes ont donc leurs procureurs attitrés. En 1572, le commis au greffe des soumissions certifie qu'alors que 150 avocats ont prêté serment devant le parlement d'Aix, on n'y trouve que trente procureurs au parlement, pour quarante-deux conseillers et quatre présidents[2]. Dix charges de procureurs sont encore ajoutées par un édit finalement enregistré en 1575 et portant à quarante le nombre de procureurs au parlement. Quant aux procureurs à la sénéchaussée, dans son avis donné au roi en 1572, le lieutenant général en compte trente-sept, auxquels il faut ajouter une vingtaine d'avocats qui « font l'estat de procureur ». Nombre « effréné », conclut-il, qu'on pourrait réduire à trente, sans dommage pour le déroulement de la justice[3]. La cour des comptes quant à elle utilise les procureurs des autres cours jusqu'en 1583, alors que sont créées dix charges de procureurs à la cour des comptes. Une deuxième crue, en 1597, porte leur nombre à vingt[4]. Une centaine de procureurs sont donc, à la fin du xvie siècle, susceptibles de postuler au Palais d'Aix. Ils ne s'y retrouvent pas, bien sûr, tous en même temps. Comme les audiences des différentes cours se déroulent selon des horaires différents, les procureurs ne sont pas en permanence au Palais, même s'il est difficile de circuler dans le quartier sans en croiser plusieurs. Cette présence des procureurs en robe distingue la ville d'Aix de ses voisines[5], mais elle n'a rien de comparable à ce que des villes comme Toulouse ou Paris proposent.

À Toulouse, deuxième parlement de France, par la taille et l'ancienneté, le nombre de procureurs au parlement s'accorde à l'importance du tribunal : ils sont 153 au début du xviie siècle. En 1611, le siège du sénéchal qui touche huit diocèses et dont les procès sont répartis en trois juridictions (l'audience ordinaire, le présidial, et le criminel) tient audience à 15 ou 16 juges et s'attache 60 procureurs[6]. Malgré tout, on est encore loin du

2. ADBR Aix, B 3332, f⁰ 1291, 13 février 1572.
3. ADBR Aix, 4B 6, f⁰ 228.
4. ADBR Aix, B 7446.
5. La ville de Marseille était le siège du tribunal de l'amirauté (voir ADBR Aix, C 2623, p. 69, pour la date de création de huit offices de procureurs pour y postuler) et d'une sénéchaussée. Des lettres royales avaient réduit le nombre de procureurs au siège de Marseille à dix-huit en 1596. ADBR Aix, B 3339, f⁰ 252.
6. Gabriel Cayron, *Stil et forme de proceder, tant en la cour de parlement de Tolose, et chambre des requestes d'icelle : Qu'en toutes les autres Cours Inférieures du Ressort...* (désormais *Stil* 1611),

nombre des procureurs au parlement de Paris que le roi tenta de réduire à 200 en 1566[7] et qu'il finit par limiter à 400 en 1639[8].

Il faut toutefois rester prudent avec ces chiffres, qui peuvent difficilement être comparés entre eux, sans une extrême rigueur chronologique, comme le montre le cas de Grenoble. Les archives de l'Isère ayant conservé les listes des procureurs et des avocats qui ont prêté serment chaque année devant le parlement, on peut mesurer de façon plus fine le nombre de ceux qui aspirent à postuler devant le parlement du Dauphiné[9]. Les procureurs qui y sont une cinquantaine à prêter serment devant le parlement en 1545[10], ont été réduits, après 1575, et ils ont alors du mal à dépasser trente-cinq[11]. À la fin des années 1580, leur nombre recommence à monter : ils sont presque une centaine en 1591, et atteignent 140 en 1603. Autour de 1620, la folie s'empare des listes de procureurs. Ceux qui prêtent serment devant le parlement pour y postuler passent d'un coup, en novembre 1619, au nombre de 355 et se maintiennent autour de 340 pendant les années suivantes[12], jusqu'à ce qu'en novembre 1627, on n'en retrouve plus que 75, avant que le nombre ne se stabilise finalement autour de 60[13]. En 1624, les procureurs au bailliage de Grésivaudan et cour commune de Grenoble, quant à eux, ont été réduits à 40[14], on ne sait pas combien ils étaient avant cette réduction. On verra plus loin les raisons de ces variations et leurs effets sur le métier de procureur, retenons pour l'instant que les procureurs qui obtiennent des offices pour postuler au Palais d'Aix s'y comparent davantage à ceux qui obtiennent les mêmes offices à Grenoble, qu'ils ne se comparent aux procureurs toulousains, deux fois plus nombreux, ou aux procureurs parisiens, cinq fois plus nombreux. Cette médiocrité des tribunaux aixois, par rapport aux autres tribunaux méridionaux notamment, est cependant loin d'être un inconvénient pour l'historien, qui peut plus facilement gérer les documents qu'ils nous ont laissés[15].

Toulouse, Imprimerie Jean Boude, 1611, p. 108-109. En 1630, Cayron rapporte qu'ils sont trente-six conseillers à la sénéchaussée, Gabriel CAYRON, *Styles de la Cour de Parlement, Chambre des requestes, Seneschal, & autres Juges Royaux subalternes & politiques du ressort de Tolose...* (désormais *Styles* 1630), Toulouse, R. Colomiez, 1630, p. 156.

7. BATAILLARD, t. 1, p. 129.
8. *Ibid.*, p. 162.
9. Ni Aix ni Toulouse n'ont conservé ce type de documents.
10. ADI, 2B 54, f° 98.
11. ADI, 2B 55.
12. ADI, 2B 55.
13. ADI, 2B 56.
14. ADI, 2B 62, 11 juillet 1624.
15. Les 80 000 sacs de procès conservés au parlement de Toulouse ont fait saliver bien des historiens qui n'en ont, en fait, consulté que quelques-uns, et de façon aléatoire. Voir par exemple, Lenard R. BERLANSTEIN, *The Barristers of Toulouse in the Eighteenth Century (1740-1793)*, Baltimore, The Johns Hopkins University Press, 1975, note 49, p. 10.

Les greffes

Sur la route des praticiens, procureurs et avocats, le greffe est une étape obligée. Ils y passent pour déposer des sacs de procès, en chercher d'autres, vérifier qui est le procureur de la partie adverse, consulter les registres à la recherche d'une information. Au Palais, c'est un lieu très fréquenté surtout par les hommes de justice qui s'y croisent, mais certains justiciables s'y aventurent aussi. Chaque tribunal a le sien qui conserve, en principe, les papiers de la procédure des causes qui sont en cours ou en tout cas qui en garde la trace. Espace réservé s'il en est au Palais, le greffe est à la fois un lieu de rencontres et de travail pour les procureurs qui s'accommodent tant bien que mal des règles qu'élaborent les autorités judiciaires pour les greffes, et de leur transgression.

La mémoire judiciaire[16]

Dès le XVIᵉ siècle, le personnel du greffe comprend, outre le greffier en titre, ses substituts, des clercs principaux, des commis au greffe et des clercs copistes. C'est que les hommes du greffe fabriquent en quelque sorte la mémoire judiciaire : ils consignent ce qu'ont dit les témoins, les plaignants, les défenseurs et les juges, prennent note des étapes effectuées dans le déroulement d'une cause et tiennent pour chacune de ces étapes des registres qui rendent compte des activités des tribunaux et devraient permettre aux uns et aux autres de s'y retrouver[17]. Non seulement consignent-ils par écrit des masses d'informations judiciaires, mais ils délivrent de plus, sur demande et moyennant paiement, des extraits de ces documents qui nourrissent les sacs de procès, dans lesquels on range toutes les pièces de procédures nécessaires quand on porte une affaire en justice. Au rythme des activités qui s'y

---

16. J'emprunte ici la jolie formule utilisée par les organisateurs d'un colloque sur la question en 2008 et qui a attiré l'attention sur les greffes et les greffiers. Olivier PONCET et Isabelle STOREZ-BRANCOURT (études réunies par), *Une histoire de la mémoire judiciaire*, Paris, École nationale des chartes, 2009.

17. « [L]es Clercs du Greffe, tant principaux, que autres vaqueront soigneusement à mettre au net, & en ordre, les registres, dictons d'arrests, iceux arrests & autres actes & affaires de la Cour. » Parlement de Toulouse, mercuriale de 1602, article 20, selon Bernard LA ROCHE-FLAVIN, *Treze livres des Parlemens de France...*, Bordeaux, Simon Millanges, 1617 [désormais LA ROCHE-FLAVIN, *Treze livres...*], p. 125. Selon la même mercuriale (p. 124), c'est le greffier civil de la cour qui fait constituer un registre des délibérations du parlement après qu'un clerc, « servant à la grand'chambre » les ait rédigées et qu'elles aient été lues en chambre et signées par le président. On trouve donc au XVIᵉ siècle à Toulouse des clercs commis aux registres, d'autres qui écrivent à l'audience, alors que les clercs principaux sont commis à la garde des sacs et au registre secret (mercuriale de 1585 et de 1587, LA ROCHE-FLAVIN, *Treze livres...* p. 124). Pour une autre description des attributions des greffiers et de leurs substituts, voir également CAYRON, *Styles* 1630, p. 813. Pour une réflexion inspirante sur la place du greffe dans le processus judiciaire : Guillaume RATEL, « Le labyrinthe des greffes du parlement de Toulouse, pivot de la pratique à l'époque moderne (1550-1778) », Olivier PONCET et Isabelle STOREZ-BRANCOURT (études réunies par), *Une histoire de la mémoire judiciaire*, p. 217-232.

déroulent, c'est surtout autour du greffe civil que l'animation semble s'être concentrée[18].

Les procureurs sont les principaux clients du greffe et plusieurs d'entre eux y ont d'ailleurs fait leurs classes en y servant comme clercs ou commis[19]. Ils s'y rendent eux-mêmes ou y envoient leurs clercs qui prêtent la main aux clercs du greffe, souvent débordés par la demande.

Le greffe est en quelque sorte une plaque tournante quand il s'agit des pièces d'une affaire. À la fin du XVIᵉ siècle et au début du XVIIᵉ siècle, alors qu'on essaie tant bien que mal de mettre de l'ordre dans le cheminement des pièces de procès d'un auxiliaire de justice à l'autre, les commis du greffe inscrivent dans un registre ce qui leur est confié et ce dont ils se départissent. Théoriquement, l'ajout d'une pièce dans un dossier qui a déjà été produit par le procureur passe par le greffe où un clerc consigne l'ajout dans un registre et décharge ainsi celui qui s'en est départi, alors que celui qui a récupéré une pièce du greffe, ou un sac, en décharge le greffe, par sa signature, dans un autre registre. Les entrées du registre sont classées chronologiquement, au fur et à mesure que rentrent les pièces isolées, ou les sacs de procès. Pour savoir si la pièce est disponible, il faut donc parfois chercher longtemps la mention du registre qui l'indique[20]. Le système n'est pas encore parfaitement rodé, si l'on en croit les nombreux rappels à l'ordre qui continuent de parcourir les mercuriales jusqu'au XVIIᵉ siècle. On s'y plaint encore que les sacs et leurs pièces se perdent et on insiste pour que les procureurs ne remettent pas leurs sacs directement aux commissaires chargés des incidents, mais bien au greffe qui les leur fera parvenir[21].

L'endroit est habituellement exigu pour le nombre de personnes qui s'y présentent en même temps et, comme il n'est pas toujours facile d'y trouver ce que l'on cherche, les hommes, qui ont souvent entre eux des conflits latents, ont du mal à ne pas s'impatienter. Le greffe apparaît dès lors comme un espace polyvalent qui bourdonne d'activités, mais où l'on attend, où l'on échange parfois vertement et où l'on se bouscule[22]. Le greffe

---

18. ADBR Aix, 20B 6663, 26 novembre 1612, information concernant une querelle entre un avocat et un procureur.

19. Par exemple, Pierre Palis, clerc au greffe civil de la cour de Parlement qui obtient en 1595, par résignation, une charge de procureur au parlement ADHG, B 144, fᵒ 168, 29 mai 1595.

20. Divers types de registres existent qui sont loin d'avoir tous été conservés pour cette période. Les mentions ressemblent parfois à des quittances concernant des papiers (ex. ADBR Aix, 20B 6662). Les registres de distribution de procès conservés par le greffe civil du parlement contiennent aussi ce genre de quittances, tout en ajoutant, dans la marge, le nom des conseillers qui doivent les étudier. Par exemple, ADBR Aix, B 6274 bis, pour les années 1575-1580. En 1577, un arrêt de la cour oblige le dépôt des livres de raison d'Antoine de Bouliers, au greffe. Le dépôt est consigné dans le livre de distribution des procès. En 1582, un avocat retire les livres de raison pour « procéder à la visite », il les rend le 15 mai 1583. Le 2 juin 1588, on rend à leur propriétaire les deux livres de raison. Chacun des changements de mains a été consigné à la date du premier enregistrement au fᵒ 562vᵒ.

21. B. Méjanes, MS 958 (900-R.773), mercuriale du 28 février 1624, article 58.

22. À Toulouse, le greffe est fermé pendant que siègent les Chambres, ce qui explique que tout le monde s'y presse quand la porte s'ouvre de nouveau. La Roche-Flavin, *Treze livres…*, p. 124.

du sénéchal, à Aix, à la fin du xvie siècle, déborde jusque dans l'auditoire du sénéchal. C'est là qu'on s'installe avec le registre dans lequel on croit trouver son bonheur, là que les clercs de procureurs recopient les extraits que leur patron leur a commandé de lui rapporter. La porte du greffe donne en effet sur l'auditoire du sénéchal qui sert alors de salle d'attente, de salle de travail et parfois de ring où s'expriment spontanément les inimitiés[23]. L'espace pour les sacs et les papiers est restreint et l'on se dispute âprement chaque centimètre carré qui pourrait servir à les ranger. En 1577, on récupère ainsi une chambre où le greffier du sénéchal tenait des papiers, pour permettre au viguier d'y tenir les sacs de sa propre juridiction. Pour le consoler, on offre au greffier du sénéchal de lui fournir des coffres, bien utiles pour transporter les papiers hors de la ville, mais peu pratiques, pour la consultation quotidienne[24].

À Toulouse, l'entrée au greffe est sévèrement réglementée. Contrôlé théoriquement par des garde-sacs qui doivent interdire aux conseillers, à leurs clercs et aux procureurs d'y avoir accès, les lieux où sont gardés les registres de productions semblent l'objet d'une attention particulière. Dans le règlement de 1570, on interdit expressément aux clercs copistes d'y avoir accès, de même qu'aux chambres où l'on met les sacs. Interdiction peu respectée si l'on en croit les mercuriales de la fin du xvie siècle qui la réitèrent[25].

Une mémoire lucrative

Bien que les rencontres qui s'y font aient donné lieu à divers affrontements, l'activité des greffes peut être lucrative pour ceux qui en ont obtenu les revenus. Au xvie siècle, les procureurs eux-mêmes ne dédaignent pas de prendre à ferme certains greffes royaux. Celui de Brignoles par exemple a été affermé au procureur au siège d'Aix, Jean Antoine Beuf[26] tandis que le greffe de la cour ordinaire de Peyrolles, l'a été tour à tour à maître Cabassut, maître Honoré Masse et maître Jean D'Olieules, tous procureurs d'Aix[27]. Le cas est à ce point habituel qu'un article du règlement général de la cour

---

23. ADBR Aix, 20B 1977, 3 mars 1599, Antoine Gaudemar, praticien résident à Aix avec maître Blanc, procureur au siège, était dans l'auditoire, faisant l'extrait d'un dicton. Il s'y trouve alors en même temps que cinq autres personnes, toutes venues par affaires au greffe du sénéchal, qui ont vu un clerc asséné un coup de poing à un praticien qui ne voulait lui céder un registre, ADBR Aix, 20B 2952, 1609. L'avocat Bonnet se plaint que le procureur Bonnet l'ait volontairement poussé pendant qu'il demandait quelque expédition à l'un des clercs du greffe.
24. ADBR Aix, B 2682, arrêt à la barre de la cour des comptes, 13 février 1577.
25. LA ROCHE-FLAVIN, *Treze livres...*, p. 119, 126. ADHG, 1J 1221, f° 6, mercuriale du 5 octobre 1582. À Aix, à la même période, certains clercs du greffe sont également commis à la garde des sacs, mais la tâche semble réservée à des clercs d'expérience, depuis longtemps au service de la cour. ADBR Aix, B 3653, f° 206 v°, délibérations du parlement du 26 avril 1569.
26. ADBR Aix, B 3064, 30 juin 1570 (audiences de la cour des comptes).
27. ADBR Aix, B 2626, f° 483, pour le prix de 23 florins en 1566, 51 florins en 1567 et 73 florins, en 1568.

de parlement du Dauphiné concernant les procureurs interdit aux procureurs exerçant « les Greffes des Justices Subalternes, de faire par eux, ou par personnes interposées, Fonctions de Procureurs dans la Cause dont ils [étaient] Greffiers[28] ».

Les offices de greffiers

À Aix, les offices de greffier au parlement ou à la sénéchaussée constituent, au XVIe siècle, un patrimoine. À cette époque, le greffe du parlement est composé d'un greffe civil et d'un greffe criminel, tel que stipulé par l'édit de réformation de la justice de 1535[29]. À Toulouse, la délimitation exacte des attributions de l'un et de l'autre est toujours un objet de litige en 1602[30], mais au XVIIIe siècle, les greffes se sont multipliés au point que chacune des chambres du parlement de Toulouse a le sien[31]. D'un nombre plus limité au XVIe siècle, les greffes s'achètent et se vendent et le même greffier peut en cumuler plusieurs. En 1587, Joseph Estienne, greffier civil, se départit du greffe de la sénéchaussée et des quatre greffes de l'ancienne juridiction ordinaire d'Aix qu'il a acquis, sous le nom de son fils Jean, dit-il, avec le greffe du viguier. Avant la vente qu'il fait à Guillaume Guidi, il possède donc, à toutes fins utiles, tous les greffes importants disponibles à Aix, à l'exclusion du greffe criminel du parlement[32].

Deux familles semblent s'être succédé, au XVIe siècle, au greffe civil du parlement d'Aix : les Fabri et les d'Estienne. Guillaume Fabri est greffier civil au moins à partir de 1535, charge qu'il résigne en 1569, au profit de son fils Bernard, après avoir obtenu du roi la révocation du don qu'il avait fait de ce greffe en faveur de la duchesse de Montmorency[33]. Joseph Estienne remplace finalement le fils Fabri et cède à son fils Jean, le greffe civil du parlement au début du XVIIe siècle[34].

En 1564, après avoir exercé son office de greffier criminel au parlement d'Aix pendant 25 ans, Honoré Boisson le résigne en faveur de son clerc Jean-Barthélémi Cadri, pour « avoir moyen de marier » deux de ses filles[35]. L'entente prévoit que Boisson continuera de toucher la moitié des revenus du greffe criminel, arrangement que Cadri oublie un peu vite, aux yeux de Boisson, qui réussit malgré tout à marier l'une de ses filles au fils du greffier

28. *Règlement général de la cour de parlement aydes et finances de Dauphiné concernant les procureurs...*, publié le 14 nov. 1707, art. XXXIII, p. 16-17.
29. ADBR Aix, B 3292, par. 24, septembre 1535.
30. ADHG, 1J 1221, f° 27, extrait d'un arrêt du parlement du 13 mars 1535, rappelé à l'occasion d'une querelle entre le greffier civil et le greffier criminel, dans la mercuriale de 1602.
31. ADHG 1E 1188, pièce 24.
32. Vente confirmée par lettres patentes du 14 février 1588, ADBR Aix, 4B 7, f° 33.
33. ADBR Aix, B 3331, f° 548.
34. Dans un contrat de mariage du 30 avril 1605, Jean est identifié comme greffier civil au parlement, ADBR Aix, 4B 42, f° 179.
35. ADBR Aix, B 3332, f° 652.

civil au parlement, Gaspar Fabri[36]. C'est Pierre Maliverni qui acquiert le greffe criminel du parlement en 1574 à la suite du décès de Jean-Barthélémi Cadri[37]. En 1584, Maliverni n'en détient plus que la moitié (l'autre moitié ayant été acquise par Balthasar Roux) quand, par testament, il laisse la partie qui lui appartient à son frère, qui en prend possession en 1597[38].

Si les greffiers peuvent cumuler les greffes, les greffes peuvent, un peu comme les seigneuries, s'acquérir par partie. Le greffe de la sénéchaussée d'Aix, en 1599, est détenu pour moitié par Martin Eiguesier[39] ; le greffe des soumissions quant à lui est divisé entre huit acquéreurs et bien que ces greffiers se plaignent du peu de revenus que leur procure leur investissement, l'un d'eux accepte pourtant de payer au roi, en 1582, pour confirmer la huitième partie de cet office, la jolie somme de 1 860 écus sols et 36 sous[40].

L'office est alors considéré comme un capital dont on choisit de se départir ou qu'on réinvestit, mais il ne faut pas croire que le caractère patrimonial des offices de greffiers ait diminué leur importance dans le processus judiciaire. La fonction est essentielle à la justice et quand les deux greffiers au parlement sont suspendus, en même temps, pendant les guerres de Religion, en 1571, un secrétaire du roi en chancellerie est chargé d'administrer le greffe civil et de signer les expéditions faites au greffe criminel[41].

Les justiciables et les procureurs, qui attendent leur tour pour obtenir une expédition ou une pièce, s'intéressent sans doute peu à la façon dont le greffier a obtenu sa charge. Bien que la signature du greffier soit nécessaire pour valider certaines pièces, les procureurs ont surtout affaire aux clercs du greffe et aux commis.

Les clercs jurés et les tarifs

Les clercs des greffes du parlement et des sénéchaussées ont été érigés en offices formés en 1577. L'édit des clercs jurés, qu'accompagne un règlement tarifaire, ne fait pas pour autant l'unanimité. À Aix, l'édit n'a toujours pas été enregistré en 1580 et ce n'est qu'en 1582, après un rappel royal,

---

36. ADBR Aix, 4B 24, fº 47 vº, mariage du 8 décembre 1570.
37. ADBR Aix, B 3332, fº 990 vº.
38. ADBR Aix, B 3339, fº 511 vº.
39. ADBR Aix, 4B 7, fº 734.
40. ADBR Aix, 4B 7, fº 752.
41. ADBR Aix, B 3654, délibérations du parlement du 14 novembre 1571. Barnabé de Albis, qui décède quelques mois plus tard, est par la suite remplacé dans l'administration du greffe civil par Guillaume Romani. B 3654, délibérations du 12 mars 1572. Comme Romani n'est pas secrétaire en chancellerie, ces derniers se plaignent de ce qu'ils sont les seuls à pouvoir signer les expéditions en absence des greffiers. La cour ordonne donc que ce soit les secrétaires en chancellerie qui signent les expéditions, durant l'interdiction des greffiers. B 3654, délibérations du 14 mars 1572. Le greffier criminel Cadri est réintégré dans ses fonctions le 19 mai 1573, ce qui doit aussi être le cas de Bernard Fabri, qu'on retrouve par la suite de nouveau dans la fonction.

que le parlement finit par vérifier le règlement[42]. À Toulouse, La Roche-Flavin rappelle qu'il y eut plusieurs assemblées des chambres pour en faire la vérification et les arrêts le concernant s'échelonnent du 15 juillet 1581 au 5 mars 1586[43]. Au-delà du fonctionnement de la justice, qui sert toujours de prétexte quand il s'agit pour le roi de créer de nouveaux offices, les clercs jurés comme la multiplication des greffes puis leur union[44], doivent être compris dans le cadre des créations d'offices, qui se multiplient entre la fin du xvie siècle et la première moitié du xviie siècle[45]. Il s'agit moins de créer des greffes pour permettre à la justice d'être mieux rendue, que de mettre sur le marché des offices dont la vente rapporte des revenus au roi.

Évidemment, les activités des clercs du greffe se paient. Les expéditions du greffe civil, les arrêts définitifs, les arrêts interlocutoires, les incidents, dont les parties ont besoin, sont taxés selon un tarif précis qu'on a bien du mal à faire respecter. En 1583, on se plaint à Aix que le tarif réellement chargé puisse atteindre le quadruple du tarif officiel, sans compter que les clercs, dans certains cas payés au feuillet, diminuent le nombre de lignes sur chacun pour augmenter le prix de l'ouvrage[46]. À Toulouse, à la même époque, les mercuriales du parlement de Toulouse exigent qu'un tableau des tarifs des expéditions appliqués par les greffes soit affiché, pour éviter que les greffiers n'outrepassent les tarifs prévus[47].

L'intérêt des autorités pour les greffes et leurs clercs ne se dément pas au long des xvie et xviie siècles. Les différents « stiles » qui régissent la procédure de chaque tribunal insistent, au xvie siècle, sur l'importance de leur travail, sur la modération des tarifs qu'ils doivent respecter[48]. On tente alors également de clarifier leur rôle. Les juges se déchargent en effet sur eux de certaines de leurs tâches et le procureur général reproche encore en 1602 à certains conseillers au parlement aixois de laisser faire les récolements et les confrontations des témoins par les clercs de greffe[49]. Reproche déjà formulé par un arrêt de règlement du parlement de Bretagne de 1554[50] et qu'on retrouverait probablement, reproduit dans les mercuriales de plusieurs

---

42. ADBR Aix, B 3334, f° 837 v° et B 3335, f° 105. La vérification de l'édit a été faite en audience le 19 octobre 1582.
43. La Roche-Flavin, *Treze livres…*, p. 128.
44. ADBR Aix, B 3334, f° 938, « ordre aux commissaires chargés de procéder à la réunion au domaine des offices de greffiers », 2 mars 1581.
45. Pour un rappel de ces édits ayant créé des greffes et des places de clercs, ADBR Aix, C 1386, juillet 1639, novembre 1642.
46. B. Méjanes, MS 958 (900-R.773), mercuriale du 3 octobre 1583.
47. ADHG, 1J 1221, f° 5 et suiv., mercuriale du 5 octobre 1582.
48. Cayron, *Styles* 1630, p. 194, réfère au règlement du 19 juin 1555 et à celui du 9 mars 1575. La Roche-Flavin, *Treze livres…*, p. 126-127, mentionne un règlement de 1570 concernant les clercs copistes, mais également un règlement du 17 février 1529, p. 123. Une mercuriale de 1568, à Aix, insiste également sur le fait que clercs et greffiers prennent plus que ce que leur accorde le tarif officiel. ADBR Aix, B 3653, f° 200.
49. B. Méjanes, MS 958 (900-R.773), mercuriale du 9 janvier 1602, art. 43.
50. Christiane Plessix-Buisset, *Le criminel devant ses juges en Bretagne aux XVIe et XVIIe siècles*, Paris, Maloine, 1988, p. 309.

autres parlements[51]. Les clercs ont alors bon dos : qu'ils soient commis au greffe ou au service des conseillers, c'est toujours sur eux que repose la faute du secret rompu, eux à qui on reproche d'avoir trop facilement communiqué aux parties, les pièces secrètes contenues dans les dossiers criminels[52].

Tout au long du xvie siècle, la place des greffes dans les rapports entre les parties ne fait que s'accroître et au fur et à mesure que la procédure se précise, de plus en plus de documents doivent y transiter[53]. Dans cette prise en charge des formes qu'assume l'État au xvie siècle, l'écrit tient une place cruciale et sa production explose. Des greffes et des procureurs devrait donc dépendre la gestion quotidienne du système.

Entre la règle et la pratique, il y a loin cependant et d'autres intervenants s'immiscent parfois dans le processus. Les commis à la garde des sacs confient trop souvent les sacs aux huissiers, par exemple, qui les emportent chez eux et ne les remettent aux greffes, se plaignent les procureurs de Toulouse, qu'« à prix d'argent ». Chacun des huissiers, disent les procureurs, a une partie du greffe dans son coffre ou sa maison où s'égarent les procès et les procédures, quand ils n'y pourrissent pas. C'est sans compter qu'à la mort de l'huissier ou quand il se départ de son office, les héritiers en profitent pour exiger des sommes considérables pour rendre toutes ces pièces[54].

Même si les procureurs ont sans doute exagéré la malversation des huissiers, il reste que les greffes ne peuvent pas, matériellement parlant, entreposer facilement, toutes les pièces qu'ils doivent théoriquement garder. Au xvie siècle et au début du xviie siècle, le manque de place est probablement moins critique qu'il ne le sera au xviiie siècle, mais l'on comprend bien que la multiplication des procédures écrites n'a pas été sans conséquence sur le fonctionnement quotidien du palais de justice.

Pour les procureurs, les rapports avec le greffe sont cruciaux. Ils déterminent d'ailleurs en partie le coût des procédures que les procureurs répercutent sur leurs clients. En effet, une fois que l'arrêt a été prononcé et que tous les frais ont été payés, les sacs de procès sont rendus par le greffe au procureur qui les a produits. Ce dernier peut alors les conserver, ou les rendre à ses clients, une fois qu'ils lui ont payé à leur tour ce qu'ils lui doivent pour avoir payé le greffe et pour ses « patrocines ».

Sans aller plus avant dans l'histoire des greffes et des greffiers au xvie siècle, on ne peut passer sous silence le rapport des procureurs avec l'un de ces greffiers, le greffier des présentations. C'est à lui en effet que les procureurs

---

51. Voir Claire DOLAN, « Gens de chicane ou de justice ?... », *op. cit.*
52. B. Méjanes, MS 958 (900-R.773), mercuriale du 9 janvier 1602, art. 48. La Roche-Flavin rapporte pour Toulouse et pour la même année, une mercuriale du même type concernant la communication de pièces secrètes par le greffier et ses garde-sacs, *Treze livres...* p. 126.
53. En 1547, on interdit de mettre directement les plaidoyers dans les sacs des parties. Il faut dorénavant les faire apporter au greffe. LA ROCHE-FLAVIN, *Treze livres...*, p. 151.
54. Le cas est rapporté dans une liasse faisant partie des papiers de la communauté des procureurs de Toulouse. Le document n'est pas daté, mais il n'est pas antérieur à la fin du xviie siècle. ADHG, 1E 1188, pièce 24.

« présentent » la cause pour laquelle ils ont reçu mandat de postuler. Le greffier des présentations tient un registre qui rend compte de ces présentations et que signent les procureurs, ce qui permet d'identifier les professionnels de la justice qui ont reçu mandat de représenter les parties. C'est théoriquement en suivant l'ordre où les parties se sont présentées que les causes sont mises au rôle[55]. La présentation est l'acte qui permet au procès de s'ouvrir ; c'est, en termes de procédure, l'acte sans lequel on ne peut pas « entrer » en procès.

Les bancs des procureurs

Si les « stiles » du xvie siècle prévoient que les procureurs aient, dans la grande salle du Palais, un banc au-dessus duquel ils inscrivent leur nom, en grosses lettres, pour qu'il soit connu des parties, il est loin d'être sûr que la prescription ait été suivie partout. La Roche-Flavin, qui écrit au début du xviie siècle, généralise la pratique à tous les palais des Parlements de France et se rappelle avoir vu, quarante-cinq ans plus tôt, les procureurs à Toulouse, arriver, avant que la cour n'entre, les matins d'hiver, et travailler pour leurs parties, à leurs bancs, éclairés par autant de bougies qu'il y avait de procureurs. Ils partageaient parfois le même banc, les procureurs s'étant multipliés au-delà du nombre de bancs qu'on pouvait leur fournir[56].

À Toulouse, la salle où sont les « contoirs et les bancs des procureurs » est appelée la salle des procureurs. C'est un lieu fréquenté. En 1602, un arrêt du parlement ordonne en effet que les tableaux indiquant les tarifs des différents actes soient affichés dans les greffes de la cour, sur le perron du Palais et à chaque bout de la salle des procureurs. L'arrêt, réitéré plusieurs fois, semble avoir été exécuté puisqu'au moment d'adopter les règlements du palais, en 1653, et les tableaux ayant été arrachés, on demande d'en faire imprimer de nouveaux[57].

L'appellation « salle des procureurs » semble indiquer qu'au Palais de Toulouse, au xviie siècle, les procureurs ont leur propre salle, ce qui ne signifie pas qu'ils sont les seuls à y avoir accès. Les procureurs y tiennent leurs bancs, certes, et la font nettoyer, mais on y exerce aussi la justice. C'est là en effet que les procureurs plaident, devant les commissaires, les incidents de procédure, là que, du temps de La Roche-Flavin, les conseillers et les commissaires de la cour tiennent leurs *Audiant partes,* utilisant alors

---

55. La Roche-Flavin cite à ce sujet une ordonnance de 1490 de Charles VIII, ainsi qu'un édit d'Henri III, d'août 1575, créant en titre d'office formé un greffier des présentations, là où cette fonction n'était pas encore séparée des autres greffes. Chaque rappel de la fonction permet de fixer le coût d'une présentation : 12 deniers en 1575, le double quand Henri IV en mars 1595, réaffirme l'édit. *Treze livres...* p. 121-122.
56. La Roche-Flavin, *Treze livres...*, p. 136.
57. ADHG, 1E 1185, pièce 43.

les bancs des procureurs. La salle est en bien mauvais état en 1658, mais les commissaires y tiennent encore les incidents.

Toutes ces activités entraînent en effet des détériorations dont les procureurs accusent les laquais qui y portent des papiers. Ils décident donc de confier les clés de leur salle à un habitant de l'enclos du Palais, pour qu'il veille à ce qu'elle reste en bon état. Cette charge confiée par le doyen des procureurs au parlement entraîne la contestation du garde du palais, nommé quant à lui par le premier président à la cour et dont les tâches – fournir le vin aux burettes des messes du Palais, faire blanchir le linge de la chapelle, nettoyer les chandeliers, les burettes et le bénitier – pourraient justifier qu'il récupère les clés de la salle[58]. Pendant tout l'Ancien Régime, la communauté des procureurs s'est occupée de cette salle et dans les années 1770, ses comptes font encore état de plusieurs dépenses la concernant[59].

Cette salle n'est pas la seule où se réunissent les procureurs qui occupent aussi la salle d'audience de la Tournelle quand ils doivent élargir la convocation[60].

À Aix, une telle salle des procureurs au parlement n'existe pas. C'est la grande salle qui en joue le rôle, comme à Paris. Les procureurs s'y rassemblent et c'est là qu'il faut aller quand on en cherche un, aux heures où siège la cour. En 1617, la cour enjoint aux procureurs d'Aix de se tenir à la grande salle du Palais une heure avant l'issue, le matin comme l'après midi[61]. Exigence qu'on retrouve également en 1575 et dans la mercuriale de 1598. Quand siège la cour, c'est dans cette grande salle, et non ailleurs dans le Palais, qu'on doit publier les arrêts[62]. De la même façon, les clercs des greffes ne doivent bailler ni publier les requêtes ailleurs que dans cette salle[63]. Elle est fermée les jours fériés et seuls les conseillers, et les greffiers et leurs clercs, y ont alors accès, pour y travailler. C'est d'ailleurs là que le clerc de l'avocat général Thomassin, allant au greffe faire signer une commission, se fait attaquer par cinq ou six jeunes avocats, qui le mettent en sang à coups de pied et de poing au visage[64]. Même si les procureurs doivent s'y trouver, ils sont donc loin d'avoir le monopole de la place.

---

58. ADHG 1E 1186 pièce 89, 13 avril 1658 ; 1E 1187, pièce 191, 9 avril 1658 ; 1E 1187, pièce 192, 2 juin 1660.

59. Elles concernent la couverture, la table de la salle, les chaises – ils en font réparer dix-huit en même temps – la cheminée qu'ils font réparer, ADHG 1E 1190 pièce 67 ; 1E 1190 pièce 86, 1E 1191.

60. En 1665, les 72 procureurs se réunirent avec le roi de la basoche et ses officiers ainsi qu'avec les praticiens dans cette salle pour faire l'élection des nouveaux officiers de la basoche. Cette formalité terminée et les praticiens étant sortis, c'est dans cette même salle que les procureurs élisent leurs nouveaux syndics. ADHG, 1E 1185, pièce 223. En 1686, alors qu'on a depuis quelques années revigoré la basoche, on a souvenir que le couronnement du roi de la basoche s'effectuait jadis dans la grande salle du palais, la veille des rois, pour donner à la fête le plus d'éclat possible. 1E 1188 pièce 53, 5 janvier 1686.

61. B. Méjanes, MS 991 (876), 27 mars 1617.

62. B. Méjanes, MS 958 (900-R.773), mercuriale du 1er décembre 1568.

63. ADBR Aix, B 3653, fo 199 vo.

64. ADBR Aix, B 3662, délibérations du parlement, 14 octobre 1620.

Les bancs des procureurs sont attestés à Grenoble, avant le xviiiᵉ siècle[65], et également au Parlement de Normandie, entre 1499 et 1700[66] où on les trouve dans la salle des Pas-Perdus. À Rouen, le banc sert même de domicile légal au procureur et c'est là qu'on lui adresse les significations, comme s'il n'avait pas d'autre lieu de travail. Dotés d'armoires et d'un coffre où ils peuvent ranger leurs papiers, les bancs des procureurs ne sont pas tous de la même taille, ce qui semble avoir entraîné bien des querelles. Les plus anciens procureurs, comme de raison, bénéficient du premier choix. À Paris, les bancs des procureurs occupent le milieu de la « Grand'salle ». Les procureurs y reçoivent leurs clients, au milieu de l'agitation, comme les libraires et les écrivains qui tiennent aussi boutique au même endroit[67]. À Aix, il est difficile de dire si les procureurs n'eurent jamais des bancs en bon état. Quand il en est question, au xviᵉ siècle, c'est pour insister sur le besoin de les faire réparer[68] ou pour exiger que les procureurs les fassent faire eux-mêmes, à leurs frais et qu'ils s'y tiennent[69]. Tout au long du xviiᵉ siècle, les délibérations du parlement reprennent comme un leitmotiv que les procureurs doivent rétablir leurs bancs, ce qui dit assez que la pratique s'est arrêtée[70].

Si les procureurs se tiennent à leur banc avant l'audience, il est fort à parier qu'ils n'y recrutent pas leur client qu'ils reçoivent plutôt dans leur étude, installée dans une pièce de leur maison, où ils gardent d'ailleurs les sacs de procès sur lesquels ils travaillent, et où s'activent leurs clercs[71].

---

65. Olivier Tarakdjioglou, *Les procureurs au Parlement de Grenoble au xviiie siècle*, mémoire de maîtrise, université Pierre Mendès-France, Grenoble, 1998, p. 73-74.
66. Gosselin, *Le Palais-de-justice et les procureurs près le parlement de Normandie*, Rouen, Impr. H. Boissel, s. d. [lu à l'Académie, les 15 et 29 juin 1866], p. 39.
67. Marcel Jarry, *Procureurs et avoués. Deux mille ans d'histoire…*, Paris, Imprimerie Maulde et Renou, 1976, p. 153.
68. B. Méjanes, MS 958 (900-R.773), mercuriale d'octobre 1582.
69. B. Méjanes, MS 958 (900-R.773), mercuriale d'octobre 1598.
70. B. Méjanes, MS 991 (876), tables des délibérations du parlement, 2 octobre 1665. Wolff signale également qu'en 1683, la cour enjoignit aux syndics des procureurs de les faire rétablir, Louis Wolff, *Le Parlement de Provence au xviiiᵉ siècle. Organisation, procédure*, Aix, Imprimerie B. Niel, 1920, p. 160.
71. ADBR Aix, 20B 20, 1707. Dès le xviᵉ siècle, les procureurs ont leur étude dans une pièce de leur maison. Par exemple Guillaume Maria, ADBR Aix, 307E 823, fᵒ 1312 vᵒ, 17 avril 1599 ; ou à Marseille, en 1577, l'étude du procureur Christopol Franc contient des sacs de procès et des liasses, ADBR Marseille, 2B 789, fᵒ 614 ; en 1634, quand il est attaqué par un client, le procureur à la sénéchaussée d'Aix, Charles Fermier, travaille avec ses clercs dans son étude « faisant les expédiens pour ses parties ». Deux jeunes clercs sont alors avec lui, l'un a 16 ans, l'autre en a 17 et ils viennent de Salon et de Malemort. ADBR Aix, 20B 1689. D'autres exemples à Aix : 1651, 20B 2954. À Toulouse, en 1686, les procureurs parlent encore de la « boutique » où sont les papiers de leur office : ADHG, 3E 11814, testament du procureur au parlement Antoine Boet, 19 mai 1686, mais on emploie aussi le terme d'étude (inventaire du procureur Jean Courrege, 2 novembre 1692, 3E 11891 pièce 64). Tandis qu'à Marseille, en 1686, les papiers de l'office d'un procureur occupent toute une salle de sa maison : ADBR Marseille, 2B 802, fᵒ 268-270, 20 juillet 1666. En 1605, on reproche à un procureur de ne pas s'être trouvé à l'issue de la cour, ce à quoi le procureur répond qu'à l'issue, il se trouvait dans la grande salle. ADBR Aix, B 3660, délibérations du parlement, 14 janvier 1605.

À Aix, les procureurs semblent avoir choisi d'y travailler plutôt qu'au Palais, dès le XVIe siècle. La pratique parisienne n'est donc pas aussi répandue qu'on l'a cru[72], si l'on ajoute à l'argument ce que montre l'iconographie de la justice de la fin du XVIe siècle. L'étude de l'avocat comme celle du procureur, entourés des sacs de procès de leurs clients, deviennent alors un thème iconographique qui remplace les scènes du Moyen Âge où la foule des justiciables envahissait le Palais[73].

Les procureurs au bel étage

Le travail des procureurs les conduit certes à fréquenter les greffes et la salle des procureurs, mais il les oblige aussi à se rendre aux audiences et à répondre à l'appel des conseillers, au moment du prononcé de la sentence. Sous la surveillance de l'huissier audiencier qui contrôle l'accès des salles d'audience[74], le procureur circule à travers le Palais, d'une salle à l'autre, sans trop de restriction.

À Aix, son emploi du temps est toutefois rigoureusement organisé. Si chacun des tribunaux a ses propres locaux, les deux cours souveraines doivent partager leurs procureurs, jusqu'en 1583, ce qui exige que leur horaire soit compatible. Depuis 1555, la cour des comptes d'Aix suit l'horaire de la cour des aides de Paris pour ses audiences ordinaires publiques auxquelles elle consacre les mercredis et vendredis matins. Le parlement et le lieutenant au sénéchal siègent les autres jours de la semaine, le matin et l'après-midi. Le roi doit d'ailleurs réaffirmer cet horaire, en 1572, à la suite d'une querelle entre le parlement et la cour des comptes, mais la cohabitation entre les deux cours subit encore des tensions en 1619, alors que le parlement veut occuper l'ensemble de la semaine[75].

Les procureurs et les juges

Si l'on en croit les mercuriales du XVIe et du XVIIe siècle, les procureurs se promènent dans le Palais en compagnie des juges et échangent avec eux selon une familiarité qui inquiète les censeurs de l'époque[76]. Il

---

72. Bataillard indique que les procureurs à Paris n'avaient pas de cabinet et donnaient leur consultation au Palais ou au Châtelet, au début du XVIIe siècle. BATAILLARD, t. 1, p. 299.

73. Robert JACOB, *Images de la justice*, p. 214.

74. Bien qu'Aix n'ait jamais été le siège d'un présidial, on peut lire avec profit Christophe BLANQUIE, « Les huissiers audienciers des présidiaux », *Revue historique de droit français et étranger*, 83, n° 3, juillet-sept. 2005, p. 421-439.

75. ADBR Aix, B 3294, lettres patentes de Charles IX, décembre 1572 ; arrêt de la cour des comptes du 6 mars 1619. Sur la cour des comptes d'Aix au XVIe siècle comme cour de justice, voir Claire DOLAN, « Des hommes de justice pour une cour de justice : la cour des comptes, aides et finances d'Aix-en-Provence au XVIe siècle », Dominique LE PAGE (dir.), *Contrôler les finances de l'Ancien Régime. Regards d'aujourd'hui sur les Chambres des comptes*. Colloque des 28, 29 et 30 novembre 2007, Paris, Comité pour l'histoire économique et financière de la France, 2011, p. 237-258.

76. ADBR Aix, B 3653, f° 199 v°, mercuriale du 1er décembre 1568.

faut cependant rester prudent quant au sens à donner à cette information, comme à toutes celles d'ailleurs que fournissent les mercuriales, cette autocritique qu'ont pratiquée les parlements au xvie et au xviie siècle. Elle s'inspire moins, en effet, de leur réalité quotidienne que d'un modèle idéal qui circule à l'époque et qui prend appui sur les ordonnances royales et sur les remontrances qui alimentent les États généraux. Il n'est donc pas étonnant que les parlements à travers la France semblent tous atteints des mêmes maux[77].

L'évaluation de la justice que fait le pouvoir royal, avide d'y inscrire avec force son autorité, guide les parlements dans leur autocritique. Que les cours n'agissent pas avec diligence et intégrité, qu'elles fassent preuve de partialité, qu'elles usent de favoritisme, qu'elles ne punissent pas les méfaits et les crimes, et voilà que « les maléfices pullulent grandement en ce païs[78] ». Les querelles religieuses qui divisent les magistrats au xvie siècle ne favorisent pas une image sereine de la justice et le pouvoir royal insiste sur le mépris et la division que ces exemples entraînent chez les sujets. Les magistrats doivent donc procéder à leur propre correction, ce qui leur apportera crainte, obéissance et révérence[79]. Cette autocorrection à laquelle procèdent les juges relève en quelque sorte d'un système canonique qui place l'aveu de la faute et l'amendement qui s'en suit au cœur du processus de rédemption[80]. Ambiguïté d'une opération qui s'applique à des juges qui « comme représentant la majesté du roy [...] ne peuvent errer ou faillir[81] ». Ambiguïté résolue par le caractère interne des corrections qui s'effectuent entre juges, qui rendent ainsi des arrêts plus divins qu'humains[82]. Opération risquée toutefois, les mauvaises langues étant constamment à l'affût de matières à médisances et à calomnies[83].

Les articles des mercuriales qui laissent entendre que les conseillers et les procureurs s'entendent comme larrons en foire parlent plus d'une atteinte à la dignité des juges que de relations sociales. Le reproche peut être trouvé dans une mercuriale de 1568 ; il est plusieurs fois réitéré. En janvier 1570,

---

77. Les textes des mercuriales et les discours qui les précèdent ont été bien étudiés. Colin Kaiser, « Les cours souveraines au xvie siècle : morale et Contre-Réforme », *Annales ESC*, 37, n° 1, 1982, p. 15-31 ; Marc Fumaroli, *L'âge de l'éloquence : rhétorique et « res literaria » de la Renaissance au seuil de l'époque classique*, Genève, Librairie Droz, 2002 ; Claire Dolan, « Gens de chicane ou de justice ?.... », p. 231-245; Jean-Marie Tuffery-Andrieu, *La discipline des juges : les Mercuriales de Daguesseau*, Paris, LGDJ, 2007 ; Marie Houllemare, *Politiques de la parole, le parlement de Paris au xvie siècle*, Genève, Droz, 2011.
78. B. Méjanes, MS 958 (900-R.773), 14 février 1554.
79. B. Méjanes, MS 958 (900-R.773), janvier 1565. Cette mercuriale est tenue au retour des parlementaires aixois, suspendus et remplacés pendant quelques mois par des commissaires royaux ; leur autorité doit être restaurée.
80. B. Méjanes, MS 958 (900-R.773), avril 1567, discours de Raymond Piolenc, procureur général.
81. B. Méjanes, MS 958 (900-R.773), mercuriale de janvier 1570.
82. Discours de Jacques Rabasse, procureur général du roi, mercuriale de juin 1567, B. Méjanes, MS 958 (900-R.773).
83. Archives nationales, X1A 9325, suite de la longue mercuriale de 1577.

les conseillers au parlement d'Aix se reprochent de ne pas mettre assez de distance entre eux et les procureurs auxquels ils font « plus d'honneur et caresses [...] que le devoir ne veut et ne commande[84] ». En 1583, 1598, 1602, même appel au respect de la dignité du conseiller galvaudée par la communication trop familière de ce dernier avec les procureurs et les parties[85], fraternisation placée sur le même plan que le port d'habits de ville par les conseillers, ou leur participation aux jeux et aux déguisements à la mode[86]. Cette familiarité entre les conseillers et les procureurs est toujours crainte, à la fin du xviiᵉ siècle, alors qu'on recommande aux magistrats d'« éviter soigneusement d'aller dans les rues aux promenades et autres lieux publics avec les procureurs et solliciteurs », mais c'est moins la dignité de la fonction de juge qui est en cause alors que la partialité qui pourrait être déduite de cette familiarité[87].

Alors que la sacralisation de la justice d'où a émergé la figure des juges[88] a toujours besoin, au xviᵉ siècle, d'être réitérée, elle trace, entre les hommes de justice, des frontières dont il n'est pas toujours facile de déterminer la réalité. Il n'est pas inutile de rappeler que cette sacralisation passe par la création d'un espace séparé, dont les procureurs sont les passeurs. Si l'on interdit aux procureurs de venir au Palais sans la robe, ou de se présenter aux conseillers sans la robe et le bonnet[89], c'est qu'ils participent à la sacralité du cérémonial tout en servant de repoussoir à la figure du juge. Ce dernier, pour préserver la divinité de ses jugements, ne peut pas avoir d'accointance avec les parties, qui pénètrent jusqu'au saint des saints grâce à leurs procureurs qui les y représentent. Mais les procureurs n'ont pas la dignité des juges. Objets des insistances des mercuriales, sans qu'il soit toujours aisé de séparer les constats locaux des vœux pieux généraux, les procureurs subissent la correction des parlementaires. Dans les mercuriales, les procureurs au parlement sont l'objet d'une plus grande attention, mais les recommandations qu'on leur destine s'appliquent aussi à leurs collègues qui œuvrent auprès des tribunaux inférieurs.

---

84. B. Méjanes, MS 958 (900-R.773).

85. B. Méjanes, MS 958 (900-R.773).

86. Archives nationales, X1A 9325, entre autres les articles de la mercuriale du 1ᵉʳ décembre 1563 ou du 2 décembre 1587.

87. B. Méjanes, MS 958 (900-R.773), mercuriale de février 1695. La mercuriale de février 1624 avait laissé entendre la même chose. À Paris, c'est à la suite de la mercuriale de 1577 qu'on avait introduit l'idée que trop de familiarité pouvait faire peser des soupçons sur la sincérité des magistrats, influencés par leurs amitiés. Archives nationales, X1A 9325.

88. Frédéric Chauvaud (dir.), *Le sanglot judiciaire : la désacralisation de la justice (VIIIᵉ-XXᵉ siècles)*, Créaphis, 1999, p. 27.

89. Aix, 28 novembre 1595, 10 février 1643, 24 novembre 1645, 4 janvier 1658, 23 décembre 1660, B. Méjanes, MS 991 (876), table des délibérations du parlement. Toulouse, mémoires de règlement des procureurs datant de 1653, référant à un arrêt de la cour du 22 mars 1604, ADHG, 1E 1185, pièce 43. Même sujet le 22 février 1612, le 10 novembre 1632. Les conseillers sont également enjoints de ne venir aux audiences qu'en portant leurs robes et non « des petites robes, de pourpoints et eguillettes de couleurs », mercuriale de 1598, B. Méjanes, MS 958 (900-R.773).

Ainsi en est-il de l'obligation de se trouver au Palais le matin et l'après-midi une heure avant que siège la cour[90] ; ainsi en est-il des rappels incessants des actes de procédure qu'il leur faut bien faire, en respectant les ordonnances, et combien d'autres recommandations dont on ne sait pas trop si elles révèlent des écarts ou un idéal jamais atteint. Car le temps, quand on parcourt les mercuriales, semble immobile. Comme si entre le milieu du XVIe siècle et la fin du siècle suivant, il ne s'était rien passé dans le monde de la justice.

Les juges et les tribunaux

Pourtant, les souvenirs qu'échangent les avocats De Cormis et Saurin, en 1720 et 1721, font surgir du passé d'autres juges que ceux qu'ils côtoient en ce début du XVIIIe siècle : les juges de l'âge d'or.

> « Les Magistrats, Monsieur, comme vous dites n'étoient vû en ville qu'aux Rües qui condisoient au Palais, et ils vivoient chez eux en si grande simplicité, qu'au feu de la Cuisine quand le mouton tournoit à la broche, le mari se préparoit pour le raport d'un procès, et la femme avoit sa quenoüille[91]. »

Selon eux, tout a commencé à se dégrader avec la peste de 1629 alors que le relâchement a commencé, atteignant un sommet dans les années 1650. Auparavant, disent les deux avocats, les juges étaient si respectés qu'on se joignait à eux pour les accompagner dans les rues quand ils se rendaient au Palais ou à l'église, il n'y avait rien pour les dissiper et si d'aventure les jeunes se montraient à la place des Prêcheurs sans leur robe, la réprimande ne tardait pas, cinglante et efficace. Cormis et Saurin transposent sans doute là une tradition qu'ils assaisonnent du mépris qu'ils éprouvent pour les magistrats de leur temps qu'ils jugent ignorants et dont seule la vénalité des charges explique la position. Rien à voir avec ce qui se passait « du tems de Mr Du Vair » où on ne supportait pas que les juges frayassent avec le public. La morgue des deux avocats est un piètre argument historique quant à la qualité des juges, et la chronologie qu'ils proposent n'aurait pas entraîné l'approbation des magistrats parisiens qui, dès 1577, regrettent que « l'antienne et louable discipline qui a esté autresfoys en ceste court [soit] quasi de tout dissolue[92] ». Une chose semble certaine : la justice de son temps est toujours moins bonne que celle d'avant. La justice des parlements en tout cas, qui siègent au sommet de la hiérarchie des tribunaux et en incarnent, dans les textes, l'idéal.

---

90. Par exemple à Aix, le 28 janvier 1605, le 27 mars 1617, B. Méjanes, MS 991 (876), table des délibérations du parlement. En 1605, l'amende dont ils sont menacés est de 6 livres, elle est rendue à 10 livres en 1617. Même recommandation au Parlement de Toulouse, LA ROCHE-FLAVIN, *Treze livres...*, p. 167.
91. B. Méjanes, MS 868 (735), p. 33.
92. Archives nationales, X1A 9325.

Si les conseillers au parlement figurent le plus communément le monde des juges dont parlent les avocats, ils sont bien loin d'incarner, pour les justiciables, les seuls juges. Au Palais, le tribunal de la sénéchaussée fonctionne un peu sur le modèle des chambres du parlement, surtout depuis qu'on a adjoint aux lieutenants de sénéchal, en 1571, six conseillers au siège qui entendent les procès et font les rapports après avoir étudié les pièces[93]. Il traite en première instance les affaires où le procureur du roi est partie principale[94], celles qui concernent les nobles et les cas royaux, tout ce qui concerne les litiges liés aux contrats (les soumissions) et reçoit en appel les causes sur lesquelles se sont déjà prononcés les juges seigneuriaux ou le lieutenant de viguier, qui, tout en gérant des justices subalternes, n'en sont pas moins l'autorité judiciaire la plus proche des urbains comme des villageois.

Dans les villages, les justices seigneuriales offrent certes un service local élaboré, mais les officiers seigneuriaux qui administrent la justice dans les fiefs matérialisent en fait le lien entre la justice royale urbaine et la justice de proximité[95].

On sait qu'au XVIIIe siècle, à Grenoble, les juges seigneuriaux continuent d'habiter Grenoble où leurs commettants viennent faire juger leurs conflits[96]. Pour Aix au XVIe siècle, la situation semble moins tranchée. Recueillis au hasard d'incursions dans les registres notariés, une cinquantaine de contrats établis entre des seigneurs habitant Aix et leurs officiers de justice, montrent que plusieurs Aixois assurent une bonne partie de la justice seigneuriale, sans toutefois préciser s'ils exercent leurs fonctions à Aix ou au village. Au XVIe siècle, avant que le parlement ne s'engage sur d'autres voies[97], il arrive que les seigneurs associent deux juges, l'un jugeant en l'absence de l'autre. À Meyreuil en 1561 ou à Vauvenargues en 1560 l'un des juges est avocat au parlement, l'autre est procureur au siège d'Aix ou au parlement. La présence du procureur ne s'explique pas seulement par le fait que l'autre juge soit avocat. En effet, à Saint-Marc, en 1561 ou en

---

93. ADBR Aix, B 3332, f° 176 v° et 258.
94. R. BUSQUET, « Histoire des institutions », p. 343. Lors de sa création, le tribunal de la sénéchaussée jugeait aussi des affaires du domaine, mais la chambre des comptes récupéra très vite cette attribution. Voir aussi du même auteur, *Les fonds des archives départementales des Bouches-du-Rhône*, 2e vol. (1re partie). *Dépôt d'Aix-en-Provence. Série B. Marseille*, archives des Bouches-du-Rhône, 1939, p. 37.
95. Pour une période plus tardive cependant, on peut consulter Fabrice MAUCLAIR, *La justice au village. Justice seigneuriale et société rurale dans le duché-pairie de La Vallière (1667-1790)*, Rennes, Presses universitaires de Rennes, 2008.
96. René FAVIER, *Les villes du Dauphiné*, p. 59-60.
97. Jean-Joseph JULIEN (*Nouveau commentaire sur les statuts de Provence*, Aix, Esprit David, 1778, t. 1 p. 12) dit que les seigneurs ne peuvent avoir dans leur justice qu'un juge, un lieutenant de juge, un procureur juridictionnel et non deux juges, l'un pouvant subroger l'autre, mais il s'appuie sur un arrêt du parlement d'Aix du 13 février 1672 et sur Hyacinthe de Boniface, dont les *Arrests notables* datent de 1670.

1567, à Ventabren en 1559, le juge est un procureur à la sénéchaussée et il semble bien juger seul[98].

Une analyse un peu plus poussée révèle que les seigneurs veillent à ce qu'au moins un des officiers seigneuriaux de justice vienne du fief, où il continue probablement à habiter. Alors que les juges et les greffiers sont toujours, à une exception près[99], des hommes férus de droit ou de pratique (avocats ou procureurs pour les juges, notaires ou praticiens pour les greffiers), les autres officiers (procureurs juridictionnels, lieutenants de juge, bailles) ne semblent pas avoir été choisis en regard de leur connaissance du droit, mais davantage en fonction de leur connaissance du milieu. Cet habile partage des « compétences » entre les hommes du cru et les hommes de loi laisse croire que les juges seigneuriaux habitent la ville, et qu'ils ont sur place des hommes chargés de leur faire rapport. Qui se déplace quand il s'agit de juger ? Il est bien difficile de le dire[100]. Il est clair toutefois que la justice des fiefs entourant la ville d'Aix est une sorte d'annexe de la justice aixoise et que les ordres de justice n'y trouvent pas de hiatus. Ceux qui, au Palais, ne sont guère que du personnel de justice, exercent pour les ruraux du voisinage, une justice que doivent inspirer les habitudes du Palais.

Le Palais est en effet le lieu où dominent les gens de justice. Parmi eux, les procureurs, à l'aise, circulent, s'arrêtent aux greffes, avant de discuter avec les juges des divers tribunaux qui, à Aix, logent tous sous le même toit. Le Palais des procureurs est moins celui d'une justice abstraite, qui légitime par ailleurs son autorité, que celui d'une justice vivante, incarnée avant tout par ceux qui l'exercent. Le Palais des procureurs, comme le personnage qui nous y sert de guide, est un carrefour où l'on se croise, certes, mais d'où l'on part aussi, pour emprunter diverses voies. Au XVIe siècle, ceux qui y ont leurs entrées, peuvent revendiquer qu'ils contribuent à l'administration de la justice. Il est maintenant temps de voir sur quoi repose la place du procureur dans cette administration.

---

98. En général, les actes de nomination indiquent quand un juge partage ses attributions avec un autre ce qui n'est pas le cas ici. Meyreuil : ADBR Aix, 307E 647, f° 370, 15 avril 1561 ; Vauvenargues : 307E 646, f° 650, 11 septembre 1560 ; Saint-Marc : 307E 647, f° 1321, 15 novembre 1561 ; 307E 655, f° 370, 24 mars 1567 ; Ventabren : 307E 645, f° 44 v°, 2 janvier 1559.

99. Le juge de Bargème, en 1555, est Jean Bonet, ménager de Bargème, ADBR Aix, 307E 639, f° 469.

100. Les affirmations de voyage n'existent pas pour cette période ; elles n'ont été conservées pour Aix, par le greffe du parlement, que de façon fragmentaire et à partir de 1667. ADBR Aix, B 6292-B 6298.

Chapitre III

Le procureur en représentation

Un mot peut, grâce à sa polysémie, couvrir les principaux traits qui définissent la fonction de procureur : représentation. Au sens littéral, les procureurs agissent au nom des clients qu'ils *représentent* en justice. En effet, le justiciable, spectateur intéressé au premier chef, intervient dans le système judiciaire principalement sous les traits de ces professionnels de la procédure, de ces initiés du système, que sont les procureurs. À un second niveau, les procureurs jouent, dans chaque acte de la *représentation* que constituent les étapes d'un procès, le rôle de cérémoniaires et de conservateurs de la liturgie judiciaire[1].

La procuration

Sous l'Ancien Régime, le besoin d'être loin de chez soi pour remplir diverses obligations est fréquent. Il n'est pas rare qu'à la suite d'un héritage, un paysan ait à louer une terre ou une vigne située dans une autre commune que la sienne, qu'un boucher doive acheter des moutons loin de son étal, qu'un frère resté au village natal ait à autoriser le mariage de sa sœur en ville. L'affaire mérite parfois le déplacement, mais pas toujours, surtout quand la peine en emporte le profit. Quand tout a été négocié, qu'il ne reste plus qu'à signer l'accord, on nomme souvent, pour le faire à sa place, une personne porteuse d'un acte de procuration, dûment signé chez le notaire. Si les affaires sont plus complexes et qu'elles demandent plusieurs interventions, l'acte de procuration couvre alors un champ plus large et permet au « procureur » de prendre quelques initiatives, au nom de son mandant.

Les registres notariés d'Ancien Régime regorgent de ces procurations qui nomment pour exécuter des mandats précis ou plus larges, des parents, des amis, des voisins qui deviennent dès lors « procureurs » d'un moment. Le

---

1. Pour reprendre l'idée soutenue par Robert Jacob, *Images de la justice*, p. 12, qui estime que « [l]'ensemble des actes de la procédure, de la citation à l'exécution du jugement, en passant par toutes les étapes intermédiaires, forme une liturgie... » La Roche-Flavin (*Treze livres...*, p. 149) a insisté sur le fait que les procureurs ne doivent rien changer aux styles, ni innover quant aux formes anciennes du palais, puisque cela peut entraîner la nullité des procédures.

statut juridique de ces procureurs de proximité dépend de leur procuration :
entre l'associé ou l'épouse qui reçoit procuration pour gérer complètement
une affaire au nom du mari, et l'ancien voisin qui n'est investi que du
pouvoir de signer un accord déjà négocié, s'installe un large espace, celui
de la confiance. Service rendu sans rémunération, souvent liée à l'éloignement, la procuration de proximité fait partie de ces petits services que l'on
s'échange. Un ancien voisin vient à la ville pour affaires ; il a parfois en
poche un ou plusieurs mandats que lui ont confiés ses concitoyens pour
traiter leurs propres affaires ; quand il retourne chez lui, il est souvent muni
de nouvelles procurations que lui ont signées les urbains. Ainsi peut-on faire
des affaires, sans perdre de temps, en profitant des déplacements des autres.
Mais les procurations cachent aussi de véritables délégations de pouvoir[2],
notamment quant à l'administration de biens matériels : l'épouse qui reçoit
procuration de son mari pour administrer sa dot, le fils non émancipé qui
reçoit de son père procuration pour administrer ses gains personnels acquièrent un pouvoir qui dépasse le simple mandat. Quoi qu'il en soit, marque
de confiance ou façon de contourner la règle, la procuration d'Ancien
Régime fabrique des milliers de procureurs épisodiques qui agissent explicitement au nom d'autres personnes[3], sans pour autant pratiquer le métier
de procureur.

Les procureurs professionnels

Les procureurs professionnels n'ont qu'une chose en commun avec leurs
homonymes temporaires : ils agissent au nom d'autres personnes ou d'une
institution. Si le terme même de procureur évoque celui qui agit au nom
d'un autre, le *métier* de procureur sous l'Ancien Régime ne s'exerce qu'en
relation avec la justice. Alors qu'à l'origine, le procureur *ad lites* se présente,
à la place du justiciable, dans une cause, son rôle est à la fois plus complexe
et plus simple sous l'Ancien Régime.

Certes, certains procureurs défendent l'intérêt public : le procureur
juridictionnel s'occupe des intérêts du seigneur, et le procureur du roi,
comme son nom l'indique, agit dans l'intérêt royal et dans celui de la
justice. Ils reçoivent par délégation l'exercice d'un pouvoir, d'une fonction,
que la personne réelle ou morale qu'ils représentent leur cède, de façon
temporaire. En Provence, le mot procureur est aussi associé aux représentants politiques qui dirigent les États provinciaux. On peut discuter leur
représentativité, mais l'autorité que les États leur délèguent, au XVIᵉ siècle,

---

2. Les juristes contemporains ont distingué la délégation de pouvoir, la délégation de signature, le contrat de mandat. Alors que toute la question du mandat a été codifiée, celle de la représentation ne l'a pas été, ce qui incite les juristes à réfléchir sur les rapports entre le mandat et la représentation. Voir Franck MARMOZ, *La délégation de pouvoir*, Paris, Litec, 2000, p. 75. Malheureusement, leurs travaux sont très difficiles à transposer sur la procuration d'Ancien Régime.

3. Contrairement aux prête-noms dont le rôle n'est explicite qu'après coup.

ne fait pas de doute. Pour la royauté qui confirme le pouvoir des procureurs du pays au moment où l'assemblée des communautés s'impose, après 1639, ils représentent la Provence[4].

Représenter le roi : les « gens du roi »

Le roi lui-même se fait représenter en justice. Les avocats et procureurs généraux font partie de la cour et ont la charge de poursuivre les affaires publiques[5]. Les gens du roi incarnent donc le bien commun, et veillent, au nom du roi, à ce que les ordonnances soient respectées, à ce que la justice soit bien administrée[6].

C'est dans cette optique qu'on leur confie la charge de poursuivre les mercuriales, ce qui signifie qu'ils doivent, selon leur conscience, noter les manquements de la cour qui pourraient nuire à l'honneur et l'autorité de la justice, sans toutefois avoir voix délibérative quand il s'agit de décider des moyens à utiliser pour résoudre les problèmes[7]. À Aix, les deux procureurs généraux et les deux avocats généraux se présentent habituellement ensemble, porteurs des ordonnances royales et vérificateurs de leur application. Au XVIe siècle, c'est le procureur général qui réclame le plus souvent que les mercuriales soient ordonnées. C'est encore lui qui se charge, une fois que les décisions concernant les mercuriales ont été prises par le parlement, de les transmettre au roi pour qu'il les ratifie[8]. Les mercuriales donnent lieu, comme dans les autres parlements, à un discours enflammé qui trace de la justice, l'image idéale que contribue à façonner la rhétorique du XVIe siècle[9]. À grand renfort de références aux censeurs romains, chargés de punir les erreurs des officiers souverains, l'avocat général Puget insiste sur l'importance et la dignité de la fonction des conseillers[10], tandis que le procureur général de Piolenc, inspiré par les fêtes de Pâques qui incitent tous les

---

4. François-Xavier EMMANUELLI, « Pour une réhabilitation de l'histoire politique provençale : l'exemple de l'Assemblée des communautés de Provence (1660-1786) », *Revue historique de droit français et étranger*, 59, n° 3, juillet-septembre 1981, p. 431-450 et « Pouvoir royal et représentation provençale du XVIIe au XVIIIe siècle », *Parlements, états et représentation*, 4, n° 1, 1984, p. 45-50.
5. Les procureurs généraux ont prééminence sur les avocats du roi. Ces derniers assistent les procureurs généraux. Ils ne défendent que les droits du roi, ce qui n'est pas le cas des avocats généraux qui les défendent en particulier, mais non de manière exclusive, du moins jusqu'en 1579. Guillaume LEYTE, « Les origines médiévales du ministère public », Jean-Marie CARBASSE (dir.), *Histoire du parquet*, Paris, Presses universitaires de France, 2000, p. 48-49. Le procureur général a le monopole du criminel. L'avocat du roi s'occupe du civil (procédure publique et orale), le procureur du roi prend des conclusions écrites (affaires criminelles). Jean-Marie CARBASSE (dir.), *Histoire du parquet*, p. 16.
6. Serge DAUCHY, « De la défense des droits du roi et du bien commun à l'assistance des plaideurs : diversité des missions du ministère public », Jean-Marie CARBASSE (dir.), *Histoire du parquet*, p. 68.
7. B. Méjanes, MS 958 (900-R.773), f° 1.
8. B. Méjanes, MS 958 (900-R.773), c'est le cas le 10 mars 1565, le roi ratifie les jugements des mercuriales d'Aix, alors qu'il est à Toulouse.
9. B. Méjanes, MS 958 (900-R.773), exemple, mercuriale du 3 avril 1566
10. *Ibid.*, novembre 1566.

chrétiens à nettoyer leur conscience, associe la discipline du parlement à celle que Jésus-Christ servit aux évêques des sept Églises d'Asie Mineure[11]. Mais quelles que soient les métaphores utilisées, c'est toujours dans une parfaite obéissance au roi que les gens du roi situent leurs interventions.

À la fin du xvie siècle, c'est moins la rhétorique qui précède les mercuriales qui importe – les discours des gens du roi ne sont plus notés à Aix à partir de la fin du xvie siècle –, que les articles qui assurent la discipline de la justice. Ainsi, même si les ordonnances du xvie siècle tentent de centraliser le contrôle, en réclamant l'envoi à la cour de l'état des procédures, de trois mois en trois mois, les gens du roi, une fois par mois, continuent de convoquer le lieutenant général de la sénéchaussée et le viguier pour s'enquérir de l'état de la justice sous leur juridiction, ainsi que les procureurs du pays pour connaître l'état des affaires de la province[12]. Les gens du roi agissent au nom du roi, ce qui peut, en ces temps de guerres de Religion et de confusion autour de la légitimité de la personne qui porte la couronne, brouiller l'éclat de sa justice. Ces représentants sont par ailleurs d'abord des personnalités locales, qui ont acquis leurs charges à fort prix ou par résignation d'un membre de leur famille. Il est donc difficile de dire comment les Aixois ont compris dans leur quotidienneté cette représentation royale.

Au xvie siècle, le titre de procureur général au parlement n'est pas détenu par un procureur. En 1554, quand Jacques Rabasse est choisi par le roi pour être son procureur général en matières criminelles, il est un avocat consultant. Pour qu'il ne perde pas de profit, le roi lui permet de continuer à faire ses consultations dans les causes civiles, dans la mesure où ces causes ne viennent pas en contradiction avec les intérêts du roi[13]. L'avocat nommé par le roi, la même année, pour être son avocat général, Jean Puget, est aussi un avocat consultant et il obtient également la permission de poursuivre ses consultations et plaidoiries pour les parties dans les affaires civiles, si elles ne viennent pas en conflit avec les droits du roi[14]. À partir de l'édit de Blois, en 1579, cette combinaison ne sera plus autorisée et les avocats du roi ne pourront plus exercer pour d'autres clients.

Par contre, à la sénéchaussée d'Aix, le procureur du roi, Balthasar Arbaud, est un ancien procureur au siège de la sénéchaussée d'Aix. Il devient procureur du roi en 1578, à la suite de la résignation en sa faveur de Bertrand Bernardi[15]. Ses gages sont alors de 50 livres tournois par an. En août 1586, c'est au tour de Jean-Baptiste Arbaud, fils de Balthasar, à recevoir cet office que son père a résigné en sa faveur[16].

11. *Ibid.*, avril 1584.
12. Marie-Yvonne CRÉPIN, « Le rôle pénal du ministère public », Jean-Marie CARBASSE (dir.), *Histoire du parquet*, p. 97 et suiv. et B. Méjanes, MS 958 (900-R.773), octobre 1598.
13. ADBR Aix, B 3325, f° 1043, juillet 1554.
14. *Ibid.*, f° 1044 v°, juin 1554.
15. ADBR Aix, B 3333, f° 677 v°, 2 avril 1578.
16. ADBR Aix, B 3335, f° 537, janvier 1586.

La charge d'avocat du roi à la sénéchaussée a connu plus de turbulences. Alors qu'André Fabri a été privé de son office par son adhésion au protestantisme, Monet Roy, docteur en droits, l'a récupéré, moyennant 1000 écus pour la taxe et composition de l'office. Il a exercé ce dernier jusqu'à ce qu'un nouvel édit de pacification réintègre André Fabri dans son office. Pour éviter d'avoir à rembourser Roy, un office de second avocat du roi au siège a alors été créé, qui devait être supprimé dès que l'un des deux avocats du roi viendrait à mourir[17]. On décide plutôt de distinguer un « premier avocat du roi » et un « avocat du roi » et de maintenir comme de raison les deux offices. À la mort de Roy, l'office d'avocat du roi au siège d'Aix est cédé à Gaspard de Foresta, alors licencié es droits[18]. François Rabasse, licencié aux lois, reçoit quant à lui les états et offices de premier avocat du roi et conseiller au siège d'Aix, qu'exerçait avant lui maître François Masse[19], neveu d'André Fabri, qui les lui a résignés. Bien que les patronymes ne le disent pas, Rabasse et un autre conseiller au siège (Thomas Estienne) sont beaux-frères par leurs femmes[20] et le docteur en droits auquel Rabasse résigne en 1593, Louis André Masargues, est allié de multiples façons aux Estienne. Les lettres de provision sont alors celles du duc de Mayenne, mais elles sont confirmées par Henri IV, le 24 décembre 1594[21].

Représenter les pauvres

Un procureur des pauvres existe aussi au parlement de Provence depuis la création de ce dernier. Il est chargé de représenter en justice ceux qui ne peuvent s'offrir un procureur. Antoine Fabri exerce la charge depuis 25 ans quand, fatigué et âgé de 70 ans, il demande que la charge aille à son gendre Augier Albi, un praticien d'Aix, fils d'Augier Albi, lui-même procureur au parlement[22]. Dix ans plus tard, le 28 juillet 1578, Augier Albi, à la veille de sa mort, résigne à son tour l'office ainsi que les documents l'accompagnant au profit de Claude Poulat, un praticien habitant Aix[23].

Représenter le justiciable ordinaire

Quand il s'agit de la justice royale, tout le monde doit donc être représenté, du roi jusqu'aux pauvres. C'est aux petits procureurs qui œuvrent

---

17. ADBR Aix, B 3064, février 1572 ; B 3332, fᵒ 212 vᵒ, janvier 1572. Le premier avocat conservait 200 livres de gages par an, le second avocat n'obtenait que 100 livres de gages.
18. ADBR Aix, B 3335, fᵒ 30, janvier 1581. La finance de l'office est de 500 écus. Les gages étaient alors de 66 écus et deux tiers.
19. ADBR Aix, B 3333, fᵒ 937, 20 novembre 1579.
20. ADBR Aix, B 3336, fᵒ 75, février 1588.
21. ADBR Aix, B 3338, fᵒ 443 vᵒ 9, octobre 1593 ; B 3339, fᵒ 4, 24 décembre 1594.
22. ADBR Aix, B 3331, fᵒ 356, 18 juillet 1568. Augier Albi fils avait épousé Anne Fabri, fille du procureur des pauvres Antoine Fabri (selon la procuration pour résigner l'office passée chez Jacques Mollin).
23. ADBR Aix, B 3333, fᵒ 1003.

au Palais que revient la tâche d'agir au nom de ceux qui se situent entre les deux[24]. Depuis l'ordonnance du 15 janvier 1528, le plaideur n'est plus tenu de comparaître en personne et il n'a plus besoin d'une permission royale pour se faire représenter en justice[25]. Cette représentation qui s'impose rapidement dans les faits a peut-être moins à voir d'ailleurs avec l'idée de servir leurs clients qu'avec celle de préserver la justice d'une intrusion sacrilège de ceux « qui ne savent pas ».

Qu'y a-t-il donc à savoir quand on s'adresse à la justice ? Deux ordres de connaissance sont requis : le premier se rapporte au droit, au contenu de la « loi », aux fondements, si l'on veut, à la théorie. Le second se rapporte à la manière de faire, aux gestes que les institutions judiciaires ont rendus obligatoires pour que les recours soient valides. Ce dernier ordre peut être regroupé dans un ensemble qu'on appelle « les procédures », c'est le domaine du procureur, alors que le premier est l'affaire de l'avocat, gradué en droit[26], formation que n'est pas tenu de posséder le procureur. Bien que ces deux professions soient distinctes, il faut au procureur certaines notions de droit, tandis qu'un bon avocat ne doit pas être complètement ignorant des procédures[27].

Du point de vue de la représentation du justiciable, c'est le procureur qui joue le premier rôle. L'avocat cherche bien sûr à mettre en évidence les points de droit qui favorisent son client, mais il n'agit pas à la place du client, ce que fait le procureur. Les relations entre le procureur et ses clients

---

24. Selon René BRÉANT (*La représentation des plaideurs en justice*, thèse pour le doctorat en droit, université de Caen, 1908, p. 42), la représentation obligatoire ne sera pas confirmée avant l'ordonnance du mois d'avril 1667. Cette ordonnance ne fait que sanctionner la pratique existante. Les parties, dans leur intérêt, ne se présentaient jamais au tribunal sans procureur. Marcel JARRY (*Procureurs et avoués*, p. 50), quant à lui, soutient qu'en 1639, il est obligatoire d'avoir recours à un procureur en toute matière. La meilleure analyse de la question se trouve dans BATAILLARD, t. 1, p. 118-122.

25. Henri ROLAND et Laurent BOYER, *Locutions latines et adages du droit français contemporain*, t. II, Lyon, Éditions L'Hermès, 1979, p. 159.

26. Bien entendu, je ne considère ici que les avocats qui exercent le métier et non ceux qui utilisent le titre à d'autres fins. Selon Jean-Louis Gazzaniga, les conditions pour devenir avocat ont changé au cours des siècles. En 1519, François 1er impose le grade de bachelier ou de licencié en droit pour devenir avocat. Le Parlement de Toulouse, en 1554, impose le titre de docteur ou de licencié en droit. Au XVIIe siècle, la licence en droit (3 années d'études) est exigée, mais les « candidats âgés de plus de vingt-cinq ans sont dispensés du temps d'études », *Défendre par la parole et par l'écrit. Études d'histoire de la profession d'avocat*, Toulouse, Presses de l'université des sciences sociales de Toulouse, 2004, p. 42. Cayron lui-même précise que les avocats des cours souveraines doivent être docteurs ou au moins licenciés es droits (CAYRON, *Styles* 1630, p. 555). Il dit par ailleurs que les procureurs au parlement de Toulouse sont réputés « gradués », ce qui risque de n'avoir d'effet que dans certaines circonstances.

27. Il n'est pas rare au XVIIIe siècle que les avocats, après avoir obtenu leur titre, fassent un stage chez un procureur pour se former à la pratique du droit. C'est le cas de Barthélémy Faujas, dit Faujas de St-Fond, Adolphe ROCHAS, *Biographie du Dauphiné...*, Genève, Slatkine Reprints, 1971 (réimpression de l'édition de Paris, 1856-1860), p. 375. Jean-François Royer des Granges, procureur au bailliage de Grésivaudan quitta son office vers 1770 et devint alors avocat consultant, *ibid.*, p. 376. Un mémoire produit par la communauté des procureurs du parlement de Toulouse en 1770 insiste sur le fait que les avocats, lorsqu'ils plaident ou qu'ils instruisent, montrent qu'ils connaissent la procédure et la font respecter, comme c'est le cas pour les juges qui se font un devoir d'examiner la forme et d'ordonner qu'elle sera respectée avant de passer en jugement, ADHG 1E 1190.

sont donc beaucoup plus directes que ne le sont celles entre l'avocat et les justiciables. Avant de poser certains gestes[28], le procureur doit référer à ses clients, dont il n'est pas indépendant. C'est d'ailleurs un des arguments des avocats qui soutiennent leur supériorité sur les procureurs : les avocats sont libres, ils travaillent pour la justice, d'abord et avant tout[29].

Au jeu de la représentation sociale, ces distinctions sont fortes, mais au sein de la justice, les avocats et les procureurs participent encore d'un autre type de représentation. Ils sont, dans le Palais, les acteurs d'une mise en scène qui s'articule entre la parole et l'écrit, sans que l'une ne l'emporte vraiment sur l'autre.

Avocats et procureurs : la voix et la plume

Les clichés sont parfois bien commodes pour attirer l'attention sur les traits principaux qu'on attribue aux hommes du passé. Dans le monde judiciaire, ces clichés prennent la forme d'adages, et permettent de fixer sans nuances les grands traits qu'il reste ensuite à l'historien à préciser. L'un distingue grossièrement l'avocat du procureur en schématisant : à l'avocat la voix, au procureur la plume[30]. Comme la plupart des adages, il reflète une part de vérité, tout en fixant une image que le temps ne semble pas atteindre.

La parole

Alors qu'on a beaucoup insisté sur la fascination de l'époque pour l'éloquence et sur l'emprise de l'avocat à laquelle elle était associée, la rhétorique s'accommode mal des nombreuses causes qui encombrent le Palais.

Au XVIe siècle, les procureurs et les avocats généraux rivalisent d'érudition quand il s'agit d'introduire aux mercuriales et l'on a bien montré comment ces discours participent alors d'un cérémonial où la parole s'ajoute

---

28. Par exemple, le procureur ne peut faire appel ou s'en désister sans l'accord de son client, comme il ne peut remplacer l'objet de la demande sans son avis. Dès qu'il est question de renoncer aux droits de son client, le procureur a besoin d'un pouvoir spécial pour ce faire. Louis WOLFF, *Le Parlement de Provence au XVIIIe siècle*, p. 161.

29. L'historiographie concernant les avocats est extrêmement prolifique. Pour la distinction entre les deux professions, on se reportera à Bataillard. L'*Histoire des avocats au parlement et du barreau de Paris* de Jean-François FOURNEL (Paris, Maradan, 1813), est encore utile. De façon plus contemporaine, Lucien KARPIK, *Les avocats. Entre l'État, le public et le marché. XIIIe-XXe siècle*, Paris, Gallimard, 1995 ; Jean-Louis GAZZANIGA, *Défendre par la parole...* ; Hervé LEUWERS, *L'invention du barreau français, 1660-1830 : la construction nationale d'un groupe professionnel*, Paris, École des hautes études en sciences sociales, 2006 ; KARPIK (p. 45) dit que les avocats, à partir du XVIe siècle, ne pratiquent le conseil et la plaidoirie que devant les juridictions civiles, ce qui changera à la fin du XVIIIe siècle.

30. Henri ROLAND et Laurent BOYER, *Adages du droit français*, Paris, Litec, 1999, p. 44. L'adage est censé s'appliquer aux auxiliaires de justice mais aussi au procureur et à l'avocat du roi.

aux gestes fournissant au rituel judiciaire de nouvelles significations[31]. Les relations entre le pouvoir et le royaume s'expriment tant par le geste que par la parole à travers de nombreuses institutions auxquelles les cérémonies d'apparat fournissent le prétexte et l'occasion[32].

Dans le Midi, les avocats tiennent le monopole de l'éloquence civique : l'assesseur parle au nom de tous. Au pays, c'est leur voix encore qu'on entend quand les États expriment leurs positions. La parole, au XVIe siècle comme plus tard, est affaire d'avocat, et quand il s'agit de discourir sur la portée de l'État en province, il est le premier à prendre la parole.

Dans le champ judiciaire cependant, la parole, offerte à l'avocat à travers la plaidoirie, est bien loin de l'éloquence d'apparat qui intéresse Pierre Zoberman. Dans l'*Enfer*, publié pour la première fois en 1539, Clément Marot traite de « crieurs[33] » les avocats que l'on ouït « si fort bruire », « ce grand criart qui tant la gueulle tort, pour le grand gaing, tient du riche le tort[34] ». Cette parole insoumise s'agite dès qu'elle sort du rituel prévu et les avocats généraux prêchent pour que les avocats la disciplinent, l'abrègent et la rendent efficace quand il s'agit de s'adresser aux juges. Combien de reproches faits aux avocats de se complaire dans de longs discours, de s'écarter du sujet, d'embrouiller les causes plutôt que de les éclaircir ! Toute l'éthique qu'on impose à l'avocat écarte des tribunaux l'éloquence érudite mais superflue au profit d'une science juridique éclairante[35].

Outre celle qu'on attribue aux avocats, la parole des tribunaux est plus complexe que le seul fait de dire. À Aix, en 1602, dans sa présentation de l'article 43 de la mercuriale, le procureur général insiste sur l'importance de l'audition des témoins et de leur récolement, qu'il considère, dans les procès criminels, comme essentiels pour saisir la vérité. L'audition exige alors que tous les sens des observateurs soient mis à contribution pour départager le vrai du faux : « Pour bien la découvrir, il faut bien considérer les parolles, les gestes, l'assurance, la couleur et la voix des témoins et des accusés[36]. » La parole est encore puissante, mais seule, elle est insuffisante, et a perdu le caractère sacré qu'on lui attribuait quelques siècles plus tôt.

Et pourtant, les sessions des divers tribunaux s'ouvrent sur un rituel de la parole fondamental qui fonde chacun des intervenants dans sa relation avec l'autorité. En effet, ce que Georges Gusdorf appelle la théologie du

---

31. Notamment Marie HOULLEMARE, « Les séances de rentrée du parlement de Paris au XVIe siècle. Espace et représentations », *Gens de robe et gibier de potence*, p. 14-28.
32. Pierre ZOBERMAN, *Les cérémonies de la parole. L'éloquence d'apparat en France dans le dernier quart du XVIIe siècle*, Paris, Honoré Champion, 1998.
33. Clément MAROT, « L'enfer », *L'enfer, les coq-à-l'âne, les élégies*, Paris, Honoré Champion, 1977, p. 6, vers 92.
34. *Ibid.*, vers 100.
35. Marc FUMAROLI, *L'âge de l'éloquence*, p. 485. Les mercuriales d'Aix, de Paris et de Toulouse insistent toutes sur le fait que les discours des avocats doivent être brefs et sans ornement.
36. B. Méjanes, MS 958 (900-R.773).

langage[37] et qui place la Parole de Dieu (le « Verbe divin ») à la source même de l'existence contribue à légitimer le travail des juges comme celui des auxiliaires de justice qui leur sont associés. Ce n'est pas l'éloquence qui incarne cette parole, mais plutôt le serment qui donne la valeur à tous les gestes qui suivent[38].

À l'ouverture du parlement, tous les officiers réitèrent le serment qu'ils prêtent chaque année. Que l'on soit magistrat, avocat, procureur, greffier ou simple huissier, la parole inscrit l'engagement dont chacun, à tour de rôle, répète la formule immuable. Entre le serment de l'avocat et celui du procureur, les formules diffèrent peu, mais pour les procureurs, c'est ce serment qui justifie la place privilégiée qu'ils tiennent aux tribunaux et qui les démarquent des praticiens ou des solliciteurs qui ne l'ont pas prêté[39].

L'écrit

Considéré du point de vue de la littérature, l'écrit n'est pas vraiment l'affaire des procureurs qui ne l'ont guère pratiqué. C'est à l'écrit technique, « utile » qu'ils sont plutôt associés[40]. Réglé, formalisé, ce dernier consigne, à partir du XVIIe siècle, à des fins administratives, de plus en plus d'activités quotidiennes. Devenu inévitable, il requiert non seulement la maîtrise d'une habileté calligraphique mais aussi celle d'un contenu, varié mais de plus en plus précis. Pour le produire, il ne s'agit pas seulement de savoir écrire, encore faut-il savoir comment et quand le rédiger. On est loin de la problématique qui poserait la société de l'oral en regard de celle de l'écrit et la position des procureurs s'inscrit clairement dans une société de l'écrit[41]. Le monde judiciaire a d'ailleurs fait son choix dès le XIIIe siècle alors qu'il a opté pour la procédure inquisitoire, et l'histoire des procureurs s'est construite à mesure que les procédures écrites envahissaient les tribunaux.

Leur rapport à l'écrit est moins ambigu que celui qu'entretiennent les écrivains publics parisiens bien connus grâce aux remarquables travaux de

---

37. Georges GUSDORF, *La parole*, Paris, Presses universitaires de France, 1968, p. 10-17.
38. *Ibid.*, p. 118-119.
39. Pour les formules de ces serments, en latin, ADBR Aix, B 3319, f° 36 v°, 54, 90 (1507, 1509). « [L]es Procureurs estant engagez à leur devoir par deux liens puissans, de la religion du serment qu'ils ont à Justice, & l'honneur & la réputation de leur corps », alors qu'on ne peut rien espérer des « solliciteurs, veu qu'ils ne sont pas sujets à aucune discipline, ny liez par la sainteté du serment ». ADHG, 1E 1184, pièce 62, factum.
40. Christian JOUHAUD, *Les pouvoirs de la littérature. Histoire d'un paradoxe*, Paris, Gallimard, 2000 ; Jean QUÉNIART, *Les Français et l'écrit*, Paris, Hachette, 1998, p. 166 ; Christine MÉTAYER, *Au tombeau des secrets. Les écrivains publics du Paris populaire. Cimetière des Saints-Innocents, XVIe-XVIIIe siècle*, Paris, Albin Michel, 2000, p. 58-59.
41. La méfiance qu'entretiennent les parlements pour les preuves par témoins « le plus souvent incertaines et dangereuses pour la fréquence des faux témoins » est l'un des effets de cette société de l'écrit. Article 54 de l'ordonnance de Moulins et, par exemple, B. Méjanes, MS 958 (900-R.773), mercuriale du 9 janvier 1602, art. 55.

Christine Métayer, mais la proximité de certains de ces écrivains publics avec les clercs de procureurs n'est pas sans interroger la hiérarchie de scribes à laquelle donne lieu cette « invasion de l'écriture » à la ville[42]. En effet, quand on l'associe à l'écriture, c'est dans un monde profondément hiérarchisé que l'on inscrit le procureur. L'ordre des cours dans lesquelles il œuvre, la rivalité qu'entretiennent entre eux les différents auxiliaires de la justice, le rôle de chef d'entreprise qu'assume différemment le procureur selon qu'il exerce à Paris ou dans une ville de province sont autant de façons pour cette hiérarchie de s'exprimer.

Le procureur, enfoui sous les sacs de procès remplis des papiers qu'il a patiemment accumulés et peut-être indûment multipliés, est sans relief. Dans cette opposition facile entre l'oralité et l'écriture, il représente la déviation de la dernière vers l'accessoire et l'inutile ; il incarne le déferlement administratif qui a suivi la triomphe de l'écrit sur l'oral.

Quelle que soit la commodité de l'adage qui fait de l'avocat l'homme de parole et le procureur l'homme de l'écrit, cette répartition des tâches ne correspond pas à la réalité. L'avocat est moins celui qui plaide que celui qui interprète le droit, le procureur moins celui qui écrit que celui qui veille à ce que la procédure soit respectée. Pour le justiciable, la parole n'est pas le monopole de l'avocat, et l'écrit est loin d'être réservé au procureur.

Certes, les procureurs sont spécialistes de l'écrit technique et ce sont eux qui veillent à ce que les pièces remplissent les sacs de procès, mais certaines écritures leur sont interdites : les écritures par mémoires et contredits, ou encore les avertissements portant faits responsifs sont réservés aux avocats, depuis au moins les ordonnances de François Ier, ce qui est loin d'avoir toujours été appliqué[43]. Par ailleurs, les procureurs peuvent aussi plaider, quand il s'agit du fait ou de la procédure plutôt que du droit[44]. Il leur est toutefois interdit de plaider les appels ou les requêtes civiles[45], les affaires bénéficiales ou celles concernant la régale. Wolff considère que le parlement de Provence a été l'un des plus favorables à la plaidoirie des procureurs, encourageant le procureur à plaider « toutes les affaires purement d'instruction[46] », mais de nombreux cas de plaidoiries de procureurs sont attes-

---

42. Christine MÉTAYER, *Au tombeau des secrets*, p. 26, 58-59 et 314.
43. Vincent TAGEREAU, *Le parfait praticien françois contenant la manière de traiter, les questions les plus frequentes du palais*, Paris, chez Guillaume de Luyne, 1663, livre 1, p. 47. Tagereau définit ainsi un praticien en 1663 : « [C] eluy qui sçait dresser depuis l'exploit jusques à l'Arrest, tous les actes, & tout ce qui est capable de faire naistre, d'instruire ou regler, une controverse en justice, soit pour former une demande, soit pour la deffendre, ou pour y prononcer », livre 1, p. 1.
44. Henri ROLAND et Laurent BOYER, *Adages du droit français*, p. 44.
45. La partie désirant plaider la requête civile doit fournir en plus une consultation de deux avocats consultants Jean-Louis GAZZANIGA, *Défendre par la parole et par l'écrit*, p. 45. À partir du 6 janvier 1578, il est interdit aux procureurs d'obtenir lettres en forme de requête civile, sans conseil d'avocat. LA ROCHE-FLAVIN, *Treze livres...*, p. 141.
46. C'est ce que soutient Louis WOLFF, *Le Parlement de Provence au XVIIIe siècle*, p. 164, qui compare avec ce que dit JOUSSE, *Traité de l'administration de la justice*, t. II, p. 493, pour les autres juridictions du royaume. Pourtant, la plupart des styles consultés utilisent les mêmes arguments que le

tés ailleurs[47]. Lorsque les avocats sont à la barre toutefois, les procureurs doivent adopter une attitude de soumission. Le décorum exige que les procureurs se mettent à genoux à l'audience publique lorsque plaident les avocats. Ce n'est qu'à partir de 1697 qu'ils sont dispensés de cette position au parlement d'Aix, à la condition toutefois de demeurer debout et découvert lors de la plaidoirie de l'avocat[48].

Les avocats au parlement quant à eux peuvent plaider devant toutes les juridictions inférieures de leur ressort[49], ce qui n'est pas toujours facile à gérer, notamment quand les audiences du sénéchal se tiennent en même temps que celles de la cour des comptes et que les avocats sont mis à l'amende pour ne pas s'être présentés à l'une des deux[50].

De fait, la formation nécessaire aux deux fonctions est le critère fondamental qui les sépare[51]. La connaissance du droit, plus intellectuelle, contribue à sortir l'avocat de la technicité qu'on accole à la profession de procureur. Proches, tout en étant distinctes, les deux professions n'ont pas toujours été incompatibles.

Avocats et procureurs : proches, mais distincts

La séparation des deux professions a une histoire, mais comme toute histoire où intervient l'autorité royale, elle est un peu confuse. En effet, nombreuses sont les ordonnances qui permettent aux avocats de faire les fonctions de procureurs et pour un peu qu'on ne parte pas le décompte au bon moment, on peut voir dans cette permission une nouveauté. En Provence, dès 1547, les gens des trois États se plaignent que bien que les procès qui s'y meuvent soient de peu de conséquence, la formalité exige que les causes poursuivies devant la sénéchaussée et les tribunaux inférieurs aient un avocat et un procureur. Double charge et double dépense pour le peuple que les États disent vouloir atténuer. Ils obtiennent donc que les avocats œuvrant en ces cours puissent « servir et faire office d'advocat et de procureur ensemblement pour les parties litigantes quant ils en seront

---

parlement de Provence pour autoriser la plaidoirie de l'instruction par le procureur (longueur des plaidoiries des avocats, liens entre instruction et procédure).

47. Parfois dans des circonstances particulières, il est vrai. Par exemple, en novembre 1720, à la chambre des vacations à Paris, E.J.F. Barbier rapporte que les procureurs au parlement plaidaient seuls, *Journal historique et anecdotique du règne de Louis XV*, t. I, Paris, Jules Renouard et Cⁱᵉ, 1847, p. 57.
48. B. Méjanes, MS 991 (876), table des délibérations du parlement, 2 janvier 1697.
49. Jean-Louis Gazzaniga, *Défendre par la parole et par l'écrit*, p. 45.
50. ADBR Aix, B 3062, audiences de la cour des comptes du 21 juin 1564.
51. En 1569, le parlement de Provence impose à tous les docteurs ayant pris leur degré à l'université d'Aix, de présenter un certificat attestant qu'ils y ont lu publiquement durant six mois, au moment de demander d'être reçus avocats. ADBR Aix, B 3776, audience du 27 janvier 1569. Les degrés de complaisance ne sont donc pas bienvenus, à moins que l'université d'Aix ait eu alors besoin d'un bon coup de main.

par elles requis[52] ». Quelques années plus tard, l'article 58 de la grande ordonnance d'Orléans permet aux avocats de faire les fonctions de procureurs[53], alors qu'en 1609, c'est le Conseil d'État qui autorise les avocats des baillages et sénéchaussées des sièges présidiaux à exercer la charge d'avocat et de procureur, à la charge de prendre les lettres de permission pour ce faire. Pourtant, on trouve encore, dans le cahier du Tiers État de Provence de 1614, article 30, une demande similaire visant, au moins, disent les députés, les juridictions inférieures[54]. D'une région à l'autre, la règle diffère. Pour le ressort toulousain, certains sièges le tolèrent, dit Cayron (Nîmes, Carcassonne), ce qu'on refuse à Toulouse, au Rouergue, au Quercy et en Armagnac[55]. À Angers, par contre, les fonctions de procureurs sont exercées par des avocats ou des praticiens, jusqu'à ce qu'on y crée 20 offices de procureurs en 1772[56].

La règle est qu'à partir de la seconde moitié du XVᵉ siècle, devant les parlements, les deux fonctions sont séparées, mais Gazzaniga rappelle que cela n'empêche pas que la même personne puisse exercer les deux fonctions. C'est cette possibilité qu'avaient d'ailleurs réclamée les États généraux

---

52. ADBR Aix, B 3324, fᵒ 880 vᵒ, lettres patentes en forme de permission.

53. Jean-Baptiste DENISART, *Collection de décisions nouvelles et de notions relatives à la jurisprudence*, t. 5, Paris, 1756, p. 161.

54. ADBR Aix, C 2068, cahier du Tiers État de Provence, pour les États généraux de 1614.

55. CAYRON, *Styles* 1630, p. 166. Il est difficile de dire par ailleurs, si Blaise Bélin, avocat en parlement, ancien procureur au sénéchal de Toulouse, occupa jamais en même temps les deux charges. Il est ainsi identifié le 30 mai 1765 alors qu'on demande l'inventaire de ses biens, ADHG, 3E 11880. Jean Desclassan, ancien procureur en la cour présidiale de Toulouse, est avocat postulant devant le lieutenant du juge de Saint-Sauveur, le 7 juin 1641, ADHG, 3E 11920, pièce 72.

56. François OLIVIER-MARTIN, *L'organisation corporative de la France d'ancien régime*, Paris, Librairie du Recueil Sirey, 1938, p. 337. Dans le Maine et en Anjou, les fonctions d'avocat et de procureur étaient réunies. Henri ROLAND et Laurent BOYER, *Adages du droit français*, p. 44. Jean-Louis GAZZANIGA dit que le cumul est la règle à Angers, Loches, Chinon, Amboise, le Maine, le Blésois et la Touraine, pour les juridictions inférieures. « [L]'interdiction de cumul ne paraît concerner que les parlements », Jean-Louis GAZZANIGA, *Défendre par la parole et par l'écrit*, p. 44-45. Jean-Baptiste DENISART (*Collection de décisions nouvelles*, t. 5, p. 160) cite *Questions notables* de M. d'Olive, livre I, chap. 36, qui dit que dans les sièges inférieurs, les fonctions d'avocats et de procureurs sont « confusément administrées ». La Roche-Flavin considère que c'est par les ordonnances d'Orléans, art. 51, que le roi a permis aux avocats de faire l'une et l'autre charges. Il croit que les avocats de Béziers, Montpellier, du Rouergue et autres sièges peuvent continuer à être procureurs en même temps qu'avocats (*Treze livres…*, p. 138). Hyacinthe DE BONIFACE (*Arrests notables de la cour de Parlement de Provence, Cour des comptes…*, Paris, Jean Guignard et René Guignard, 1670, t. I, p. 64) indique que l'ordonnance d'Orléans, art. 58, a permis aux avocats d'exercer conjointement les deux charges d'avocat et de procureur. Des lettres patentes pour le parlement de Provence sur cette question datent du 3 septembre 1572. Louis WOLFF (*Le Parlement de Provence au XVIIIᵉ siècle*, p. 158), habituellement assez rigoureux, estime que « c'est seulement le "stile" de 1530 qui a déclaré ces deux charges incompatibles ». Marcel Jarry dit quant à lui que le cumul fut autorisé par l'ordonnance d'Orléans de janvier 1560, l'édit d'août 1561, l'ordonnance de Moulins, février 1566. Les ordonnances de novembre 1507, art. 11, et mai 1579, art. 161 et 173, voulaient fixer les salaires des procureurs et des avocats (*Procureurs et avoués*, p. 50). Bataillard parle de « périodes d'essai » où le législateur permit le cumul (ordonnance d'Orléans janvier 1560, art. 58, édit d'août 1561, ordonnance de Moulins février 1566, art. 84), p. 103. Il dit (t. I, p. 148), que l'édit de 1572 avait prévu une exception spéciale : la permission de cumuler pour les avocats-procureurs d'Anjou, du Maine, du duché de Beaumont, du haut et bas Vendômois.

d'Orléans pour éviter des délais aux parties[57]. Comme on ne peut pas empêcher un avocat d'être ce qu'il est, l'édit de juillet 1572 se contentait d'interdire à ceux faisant la charge d'avocat et de procureur d'exercer l'état de procureur sans en avoir pris les lettres de provision[58].

Contrairement à ce qu'en dit Cayron pour les siècles antérieurs, tenir les deux titres n'est plus exclu au XVIIIe siècle, au parlement de Toulouse. Jean Benoit Figuères est ainsi, en 1775, avocat et procureur au parlement de Toulouse, alors que Joseph Félix Martin porte également les deux titres en 1768[59]. Le parlement de Provence refuse cependant, en 1722, qu'un procureur fasse les fonctions d'avocat, mais on ne connaît pas les raisons de cette décision[60].

L'exercice successif des deux fonctions n'a pas exactement le même sens que le cumul des deux charges et surtout, la situation ne peut pas être considérée de la même façon aux deux premiers siècles de notre période et au XVIIIe siècle. Le cas de Cayron, qui commença sa carrière comme procureur, obtint ensuite sa licence en droits et finit par devenir avocat, me semble plus typique de la progression entre les deux métiers pour le XVIe et le XVIIe siècle, alors que la situation des avocats semble s'être inversée au XVIIIe siècle. De la sorte, Joseph Marie Duroux, toujours à Toulouse, qui fut également d'abord procureur (de 1754 à 1766) pour devenir ensuite avocat[61], me paraît plutôt exceptionnel.

Même si les deux fonctions sont séparées et qu'elles ne sont réunies sur la même tête qu'exceptionnellement là où siègent les cours souveraines, les avocats et les procureurs doivent travailler en collaboration. En effet, le procureur ne doit pas

> « entreprendre chose importante sans l'advis de l'Advocat, non plus que l'Advocat sans l'advis du Procureur, parce que c'est le Procureur qui le plus souvent en est le mieux informé, & qui scait les formes & maximes qu'on doit tenir en pratique ; ce que tous les Advocats ne sçavent pas[62] ».

C'est l'une des raisons pour lesquelles les avocats ne peuvent plaider sans l'assistance d'un procureur. Si l'avocat omet un fait, le procureur obtient la permission de le dire[63]. À la fin du XVIIe siècle, les procureurs de Toulouse considèrent cette collaboration comme onéreuse en termes de temps et souhaiteraient bien qu'elle leur soit davantage reconnue dans la tarification

---

57. Jean-Louis GAZZANIGA, *Défendre par la parole et par l'écrit*, p. 44.
58. Copie d'une provision d'office datée du 20 janvier 1573 qui fait allusion à cet édit. ADHG 1E 1184, pièce 132.
59. ADHG, 3E 11888, pièce 39, inventaire des biens de l'oncle de son épouse, Louis Clerque, lui-même ancien procureur au parlement de Toulouse, le 17 avril 1775 ; 3E 11889, pièce 63, comparution pour demander un inventaire le 22 août 1768.
60. B. Méjanes, MS 991 (876) Table des délibérations du parlement, 26 juin 1722.
61. Lenard BERLANSTEIN, *The Barristers of Toulouse*, pour Duroux, note 96, p. 22.
62. CAYRON, *Styles* 1630, p. 677.
63. LA ROCHE-FLAVIN, *Treze livres...* p. 135.

de leur travail. Il ne s'agit pas en effet simplement d'assister aux audiences auxquelles plaident les avocats, il faut, avant d'arriver là, que les procureurs s'instruisent des causes, qu'ils récoltent et rangent les pièces, qu'ils se rencontrent quelques fois avec les avocats pour les instruire, qu'ils leur fassent faire le brevet, qu'ils examinent avec eux les actes dont ils vont se servir, qu'ils les fassent signifier, qu'ils aillent demander l'audience et qu'ils soient assidus au Palais pour ne pas rater le moment où la cause sera appelée ; ils doivent poursuivre ensuite l'audience en privé, et, une fois les arrêts revus, doivent en dresser les qualités « qu'est un travail très pénible », les apporter au greffe et en retirer les expéditions[64]. Dans certains parlements, chacune de ces tâches est payée à la pièce, tandis qu'au parlement de Toulouse, les procureurs reçoivent un montant global de 3 livres et 4 sols qu'on décrit « pour l'assistance » de l'avocat.

Cette collaboration est peut-être reflétée par le fait que les confréries qui les regroupaient comprenaient à la fois des avocats et des procureurs[65]. Au xviiie siècle, l'ordre des avocats et les communautés de procureurs défendent cependant des intérêts différents et certains officiers ne dédaignent pas d'opposer l'un à l'autre pour arriver à leurs fins. Barbier raconte ainsi dans son journal pour l'année 1727, comment les avocats au Châtelet estimant qu'ils ne devaient prêter serment qu'au parlement, refusèrent cette année-là de le prêter entre les mains du lieutenant civil[66]. Pour se venger de l'affront, le lieutenant civil n'appela que des placets de procureurs, laissant patienter les avocats à l'audience dont aucune des causes ne fut appelée pendant deux ou trois jours. S'apercevant de la manœuvre, les avocats quittèrent le Châtelet et, soutenus par les avocats au parlement qui se cotisèrent pour qu'ils puissent subsister, forcèrent le lieutenant civil à s'humilier auprès du bâtonnier pour obtenir leur retour[67]. En septembre 1721, à la suite d'un différend avec les conseillers, une soixantaine d'avocats plaidants boycottent les conseillers de la quatrième chambre des enquêtes à Paris, et décident de remettre aux procureurs tous les procès qu'ils y avaient[68]. Barbier, qui rapporte le fait, insiste sur la dégradation qu'a subie l'ordre des avocats depuis qu'il a à sa tête de jeunes avocats, à la grande éloquence, mais qui manquent de l'humilité nécessaire au respect des anciens et du parlement. Barbier associe leur fierté et leur vanité au fait qu'ils soient fils de procu-

---

64. ADHG, 1E 1184.
65. Par exemple, encore en 1654, à Toulouse, les avocats font même confrérie avec les procureurs, ADHG, 1E 1187 pièce 90. Le 14 janvier 1688, les procureurs du parlement de Toulouse créent cependant une confrérie à part, dans l'église des Augustins, 1E 1013, pièce 59.
66. Ce genre de conflit n'est pas propre à Paris puisqu'à Aix, en 1570, c'est le parlement qui exige des procureurs et des avocats qu'ils ne prêtent serment à aucune autre cour, incluant la cour des aides, laquelle réagit vivement à cet affront. ADBR Aix, B 3064, 11 octobre 1570, audiences de la cour des comptes.
67. E.J.F. BARBIER, *Journal historique*, p. 253.
68. *Ibid.*, p. 103.

reurs et que « sans naissance », « ils croient que le palais ne subsiste que par eux[69] ».

Les avocats, malgré la collaboration qu'ils entretiennent avec les procureurs, se considèrent comme hiérarchiquement supérieurs et il faut davantage qu'un diplôme en droit pour faire oublier qu'on n'est pas d'une lignée d'avocats. En effet, cette distinction entre procureurs et avocats est marquée par leur position dans la hiérarchie sociale. Cette échelle de dignité est affichée, entre autres, par les femmes des avocats qui, depuis un édit de 1549, ont le droit de porter un chaperon de velours alors que les femmes de procureurs, huissiers, clercs du greffe, notaires, etc. ne peuvent plus porter la qualité de damoiselle, depuis 1605[70].

Que ce soit au sens figuré ou au sens propre, la justice, tout comme la société, est en représentation. Au sens propre, les historiens des procureurs justifient l'existence de ces derniers par l'autorisation, puis par l'obligation faite aux justiciables d'être représentés en cour. Au sens figuré, les procureurs, tout comme les avocats, se partagent les rôles d'un ballet où la chorégraphie est si naturelle qu'elle peut faire croire à une improvisation. De fait, la justice est beaucoup trop importante pour qu'on laisse quiconque improviser, et pour qu'on permette aux justiciables qui ne connaissent pas les procédures de s'en mêler librement. Il en va de la crédibilité du système dont seules des personnes dédiées peuvent garantir qu'il demeure juste. Rétribués à l'origine pour suppléer au manque de compétence ou de disponibilité de leurs clients, les procureurs sont devenus les professionnels qui veillent à ce que la forme des recours soit respectée. De fait, c'est moins l'idée de représentation que déploie leur histoire, sous l'Ancien Régime, que celle de la professionnalisation qu'exige la technicité de la justice royale.

---

69. *Ibid.*
70. La Roche-Flavin, *Treze livres…*, p. 137.

Chapitre IV

Pour le meilleur et pour le pire, un professionnel de la procédure

Au XVIᵉ siècle, les procureurs qui circulent au bel étage du Palais connaissent aussi bien les rouages de la justice que ceux qui l'exercent. Non seulement savent-ils exactement à quel tribunal ils doivent présenter l'affaire de leurs clients, mais il leur arrive eux-mêmes d'exercer la fonction de juger, dans une juridiction subalterne. À Aix, qu'ils soient procureurs au parlement, procureurs à la sénéchaussée ou procureurs à la cour des comptes, ils sont hommes du Palais et ils accomplissent un travail qui a pris ses formes définitives au XVIᵉ siècle, même si les édits royaux qui les ont systématisées, justifiées et uniformisées pour toute la France ne datent que des grandes ordonnances juridiques de Colbert.

Ces procédures qu'il faut respecter pour que valent les recours en justice sont complexes et, pour la plupart des non-juristes, en grande partie superflues. C'est pourtant à travers elles que s'est manifesté l'intérêt de l'État pour la justice sous l'Ancien Régime, et ce sont elles qui ont été l'objet des principales mesures législatives de l'époque. Il n'est donc pas étonnant que la place tenue par les procureurs dans l'organisation de la justice se soit développée parallèlement à la mise en scène du théâtre judiciaire.

Pour qui n'est pas familier des tribunaux, la manière de faire les procès, des premiers gestes qu'il faut poser jusqu'à leur clôture, semble, encore aujourd'hui, assez mystérieuse. Cette manière est pourtant si importante que faute de s'y conformer, le procès s'arrête et on risque alors de perdre les droits qu'on croyait défendre. Les manuels de droit ont insisté sur le bien-fondé de la procédure, et les historiens n'ont pas hésité à reprendre les étapes des procès pour les expliquer. Il est pourtant inutile de jouer ici à l'apprenti sorcier, et de refaire ce qui a déjà été bien fait[1]. Disons simplement pour justifier les allers-retours dans le temps que nous impose ce chapitre, que

---

1. En ce qui concerne les procureurs et l'histoire de la procédure, on trouvera une analyse précise ainsi qu'une description de cette dernière dans BATAILLARD, t. 1, p. 57-76. Presque tous les travaux portant sur les procureurs ont plus ou moins repris les analyses de Bataillard. Je m'en abstiendrai ici.

pour l'Ancien Régime, même si l'intérêt des historiens s'est surtout concentré sur les ordonnances de 1667 et de 1670[2], ces dernières ne comportent que peu de choses que les édits du XVIe siècle n'avaient déjà annoncées.

En effet, au XVIe siècle et au début du XVIIe siècle, plusieurs édits royaux accordent à la procédure la première importance, pendant que les parlements rédigent les règlements de leur fonctionnement quotidien, inspirés par les ordonnances royales qui établissent les priorités. Ces règlements prennent souvent prétexte des conclusions des mercuriales, au XVIe siècle, lesquelles n'apportent rien de très original puisqu'elles se jugent sur le canevas des ordonnances royales[3]. Des ouvrages spécialisés rassemblent alors les façons de faire de chaque juridiction importante. Ce sont les « styles » qui consignent et harmonisent les édits royaux concernant la procédure et les coutumes locales[4]. D'une province à l'autre, ces coutumes diffèrent et les procureurs doivent se conformer à ces disparités. Le compromis, par exemple, dont la sentence est exécutoire à Paris, même en cas d'appel, ne l'est pas à Aix, tout comme la péremption d'instance qui n'y existe pas[5]. Ces « manuels », souvent rédigés par d'anciens procureurs, s'adressent aux hommes de la pratique (notaires, procureurs), mais aussi à ceux qui doivent juger du travail de ces derniers. Il n'est jamais question, dans tous ces documents, d'aider le justiciable à s'y retrouver dans le fonctionnement de la justice. En effet, c'est le droit des justiciables à une meilleure justice qui prime, plutôt que la limpidité du processus judiciaire. La procédure

---

2. Par exemple, Marie-Noëlle BAUDOUIN-MATUSZEK, « Les archives des chambres des requêtes du Parlement de Paris à l'époque moderne », Yves-Marie BERCÉ et Alfred SOMAN (éd.), *La justice royale et le parlement de Paris (XIVe-XVIIe siècle)*, Paris, Librairie Droz, p. 413-436. (Extrait de *Bibliothèque de l'École des chartes*, 153, n° 2, 1995.)

3. À Toulouse, les mercuriales sont un peu plus originales qu'à Aix. On réfère certes aux ordonnances, mais le jugement des mercuriales (pour les années 1580) formule les règlements de fonctionnement quotidien (ex. ADHG, 1J 1221, f° 7 suiv.). Les règlements généraux qui rassemblent ce qu'on mettait dans les mercuriales au XVIe siècle, se multiplient au XVIIe siècle. Pour Aix, le règlement général de procédure pour le parlement est tout de même postérieur aux grandes ordonnances de Colbert et date du 15 mars 1672 ; un autre du 16 novembre 1678 concerne l'instruction des procès dans les juridictions subalternes, Louis WOLFF, *Le Parlement de Provence au XVIIIe siècle*, p. 335.

4. Par exemple, pour Toulouse, Gabriel CAYRON publie en 1611 *Stil et forme de proceder, tant en la cour de parlement de Tolose, et chambre des requestes d'icelle : Qu'en toutes les autres Cours Inférieures du Ressort, au paravant & apres les Sentences & Arrests. Selon les Requestes, Lettres de Chancellerie, procez Verbaux, & autres actes y descripts au long ; avec ce qui est des actions & leur difference. en toutes matieres A quoy est adiousté lestil du privé Conseil du Roy, & de la Chancellerie, Et ce de quoy le Grand Conseil de sa Majesté, & les autres Courts Souveraines, prennent cognoissance ; Ensemble ce qui est des Estats & devoir d'un chascun, au faict de la Justice, & Police, selon les Ordonnances & Arrests y descripts, Le tout divizé en cinq Livres : Enrichis de plusieurs choses memorables*, Toulouse, Imprimerie Jean Boude, 1611, plusieurs fois réédité par la suite. Pour Aix, et pour la cour des soumissions, Claude MARGALET publie en 1584, *Stile, forme et maniere de proceder en la cour des soumissions au Pays de Provence. Ou est seulement traitté des executions des obligez, à l'exemple du petit seel de Montpelier, & de S. Marcellin en Dauphiné. Composé en Latin, par feu M. Claude Margalet, Advocat en la Cour de parlement de Provence, & Conseillier Referendaire en la Chancellerie dudit pays : & de nouveau mis en Francois, exposé & augmenté de plusieurs statuts & arrests non encores imprimez*, chez Stratius.

5. B. Méjanes, MS 958 (900-R.773), mercuriale du 9 janvier 1602.

exige que les hommes de justice fonctionnent entre eux. L'accomplissement de la justice est conditionnel à cet impératif. Certes, les formes de la justice doivent être confiées à des spécialistes, mais c'est le roi qui en assure l'efficacité en contrôlant les modalités de leur application et ceux qui président à cette dernière.

L'*abbréviation* des procès

Le leitmotiv qui parcourt chacune des ordonnances ayant trait à la procédure est l'« abbréviation » des procès. Dès le XVIᵉ siècle, les édits touchant les procureurs mettent en exergue que l'intervention du roi est nécessaire si l'on veut abréger les procès. Il ne faut pas se méprendre sur l'originalité de cette justification cependant : la plupart des édits sur la justice disent ainsi répondre aux plaintes du peuple auquel le bon roi doit offrir paix et justice. La grande ordonnance sur la réformation de la justice de 1539 qui touche tous les aspects de son organisation s'ouvre sur une justification d'intervention convaincante : si le roi intervient, c'est pour répondre aux « plaintes et clameurs de [son] peuple, qui journellement recourt à [lui] en grande et piteuse exclamation, que les procez estans intentéz et pendans en [ses] cours et jurisdictions sont immortels[6] ». La justice étant ce qui fait régner les rois, il est donc normal que ce dernier intervienne, « ayant affection de donner ordre et abbréviation ausdits procez à nostre pouvoir, et obvier aux malices, fraudes et abus » de ceux qui les prolongent.

Quatre ans plus tôt, l'ordonnance sur l'administration de la justice en Provence donnée à Ys-sur-Tille en octobre 1535, s'ouvrait sur des propos semblables :

> « Après plusieurs plaintes et doléances à nous faites par les manans et habitans de nosdits pays et comté de Provence […] sans encores pouvoir avoir justice à cause dudit désordre y estant tant pour la cause des officiers, que aussi pour la prolixité des procez qui estoient si très mal conduits et démenez, que justice y estoit immortelle, en quoy ils estoient molestez et travaillez par innumérables peines et travaux, fraiz et mises qu'ils supportoient pour la longueur desdits procez.
> Pour obvier ausquelles incommoditez de nosdits sujets, désirans que justice y soit administrée, establie et ordonnée comme elle est au demeurant en tout nostredit royaume, et que par le moyen d'icelle nosdits sujets

---

6. Isambert, *Recueil général des anciennes lois françaises…*, t. XII, 1514-1546, Paris, 1828, p. 575. L'ordonnance de Villers-Cotterêts ne fut pas enregistrée par le parlement de Grenoble, qui la remplaça, l'année suivante, par l'ordonnance d'Abbeville, Philippe Didier, « La procédure civile sous l'ancien régime », Olivier Cogne (dir.), *Rendre la justice en Dauphiné. Exposition présentée par les archives départementales de l'Isère…*, Grenoble, Presses universitaires de Grenoble, 2003, p. 151-153.

puissent vivre souz nous en paix, repos et seureté, comme ceux de nostredit royaume[7]... »

Les grands édits du xvie siècle qui comportent des articles sur la procédure (l'édit d'Orléans en 1561, l'édit de Moulins en 1566, l'édit de Blois en 1579[8]) reprennent les mêmes justifications, tout comme les mercuriales, qui donnent suite aux ordonnances, confirment la volonté des parlements de répondre à ce souci d'accélérer le processus judiciaire. Les parlementaires sont d'ailleurs conscients que « la justice qui est rendüe avec longueur et confusion n'est plus justice, et est plus dommage qu'utile aux sujets du Roy[9] ».

Ce n'est donc pas pour rien que les avocats qui, en 1643, compilent les édits et ordonnances des rois concernant la justice intitulent leur ouvrage *Les edicts et ordonnances des tres-chrestiens roys [...], sur le faict de la justice & abbreviation des procès*[10]... Ils reprennent ainsi le préambule de plusieurs de ces édits et le titre exact de certains d'entre eux. Par exemple, l'*Édit faict sur l'abbreviation des procès*, publié en novembre 1563, avait donné lieu à des débats et suscité diverses publications : une déclaration qui en précisait les modalités, une plaquette qui proposait des solutions pour régler les différends qui opposaient les fermiers des droits que l'édit avait créés et la communauté des procureurs du parlement de Paris, et une seconde déclaration qui tentait de mettre un frein aux manœuvres des procureurs pour éviter de payer les droits[11]. Un *édit sur l'abréviation de la justice contre les plaideurs volontaires et de mauvaise foy*, publié en 1553, et lié aux insinuations, avait quant à lui été enregistré par le parlement d'Aix, cette même année[12]. L'expression ne semble pas perdre de son actualité par la suite et en 1576, le parlement de Paris extrait de ses registres un règlement visant les procédures qui porte le titre *L'abbreviation des procez faicte par la Court*

---

7. ISAMBERT, t. XII, p. 424.

8. Édit d'Orléans, ADBR Aix, B 3328, f° 630 ; Édit de Moulins, B 3330, f° 156 v° ; Édit de Blois, B 3333, f° 1079.

9. B. Méjanes, MS 958 (900-R.773), mercuriale du 9 janvier 1602.

10. Pierre NERON et Estienne GIRARD, *Les edicts et ordonnances des tres-chrestiens roys, François I, Henry II, François II. Charles IX, Henry III. Henry IV, Louys XIII & Louys XIV. sur le faict de la justice & abbreviation des procés, avec annotations, apostilles & conferences sous chacun article d'iceux*, Paris, chez Michel Bobin au palais, 1643.

11. *Declaration faicte par le roy sur l'edict de l'abbreviation des proces*. Paris, Robert Estienne, imprimeur du Roy, 1563 ; *Le Reglement faict entre les fermiers du droict du roy pour l'abbreviation des proces, et le procureur de la communauté des procureurs de la court de parlement de Paris, suyvant l'edict et declaration du dit sieur sur ce faictz. (10 may 1564.)* publié à Paris la même année ; *Seconde Declaration du roy, sur l'edict de l'abbreviation des procés, & consignation de certaine somme de deniers par ceux qui plaideront*. Paris, Robert Estienne, imprimeur du Roy, 1565. Pour l'histoire de cet édit, voir ISAMBERT, *Recueil général des anciennes lois françaises...*, t. XIV, 1re partie, juillet 1559-mai 1574, Paris, 1829, p. 158, note 3. Comme l'édit ne touchait que les causes civiles, une des manœuvres qu'on reprocha aux procureurs fut de transformer en causes criminelles des causes qui ne le méritaient pas. Cet édit a été enregistré au parlement d'Aix en janvier 1564, non sans que l'assesseur du pays ne manifeste son intention de s'en pourvoir auprès du roi. ADBR Aix, B 3328, f° 1063-1067.

12. ADBR Aix, B 3325, f° 804 v°-813 v°.

de Parlement, Concernants l'Ordonnance et Reglement des Procureurs en icelle
et qui est publié à Lyon chez Benoist Rigaud.

Que la longueur indue des procès serve de justification à toutes les décisions concernant la procédure devrait inciter l'historien à une certaine prudence quant à l'interprétation de cette plainte. Thème récurrent dans les ordonnances, comme dans la littérature du xviie siècle, la longueur des procès s'intègre à une image qui fait des auxiliaires de la justice les corrupteurs du système. En Provence, c'est l'ordonnance sur la réformation de la justice de 1535 qui impose aux procureurs les règles qu'ils doivent suivre. Bien qu'elle ne soit guère originale et qu'elle répercute des règles déjà contenues dans d'autres ordonnances royales, c'est elle qu'on invoque en Provence quand il s'agit d'établir les bases sur lesquelles reposent les procédures et le travail du personnel judiciaire. Toute la cinquième partie de l'ordonnance concerne les procureurs. Elle leur consacre 38 articles, alors que les avocats auxquels s'intéresse la quatrième partie n'ont droit qu'à 20[13].

Les avocats et les procureurs sont en effet très souvent liés quand il s'agit de considérer la représentation du justiciable en cour, et les reproches qu'on leur fait englobent souvent sans distinction les deux professions[14]. C'est cependant au procureur qu'on fait porter la plus grande responsabilité de la longueur des procès. Les accusations de « négligence et mauvaise foy des procureurs[15] », déjà présentes dans l'ordonnance de 1535 sont encore là en 1602 et on réclame de la même façon des conseillers au parlement qu'ils sévissent contre les procureurs coupables de dol et de négligence en les condamnant « aux dépens en leur propre », et « en grosses amendes et les punir corporellement et exemplairement si le cas le requiert ». Très tôt, on essaie même d'expliquer les abus des procureurs et la longueur des procès par leur situation économique, ce qui donne encore plus de crédibilité au reproche. En 1544, des lettres royaux qui reprennent une analyse ayant

---

13. Il ne faut pas confondre l'édit sur la réformation de la justice et de l'administration en Provence, donné à Joinville en septembre 1535, Isambert, t. XII, p. 416 (qui ne dit rien sur la procédure) et l'ordonnance portant règlement de la justice en Provence d'octobre 1535 donnée à Ys-sur-Tille qui contient les articles concernant la procédure et détermine le rôle du personnel judiciaire. Le Recueil d'Isambert contient les extraits de cette dernière qui concernent toute la France, mais il vaut mieux consulter sa version complète conservée notamment aux ADBR Aix, B 3314, 60 fos. La confusion est vite faite puisque le document provençal porte le titre « Ordonnances Royaulx sur la Reformation de la justice ».

14. « [A]ucuns avocats et procureurs [...] oublient et metent en arrière le principal chef de l'obligation qu'ils ont envers le bien de la chose publique, qu'est de s'aider de leur part comme membres de la justice, à trouver la vérité du fait proposé [...] ils conssultent et s'effocent eux-mêmes de trouver et leur bailler les moyens indirects et illicites de dons et promesses qu'ils estiment propres pour corrompre les juges et pervertir s'ils peuvent la justice, tachant par toutes façons d'accomplir leurs meauvaises intentions. » Il faut donc « rafraichir aux dits avocats et procureurs les interdictions et peines de la ditte ordonnance et déclaration d'inhabilité de leurs charges et autres fonctions publiques, contenues en ycelle ; le mail ainssi à demi détourné pourroit prendre par là quelque guérison, ou meillere diversion ». B. Méjanes, MS 958 (900-R.773), mercuriale du 3 octobre 1583.

15. B. Méjanes, MS 958 (900-R.773), mercuriale du 9 janvier 1602.

déjà servi à justifier la réduction de leur nombre par Louis XII, en 1498, le disent explicitement :

> « N'ayans la plus part d'entre eulx autre moyen de vivre fors de leur estat et praticque ils sont contraincts norrir multiplier et prolonguer les procès le plus souvent par mutuelle intelligence qu'ils ont entre eulx au grand détriment des pouvres parties litigantes[16]. »

Ces accusations de ralentir les procès viennent de haut et contribuent à forger l'image de la justice. Des procureurs ont certes été poursuivis pour avoir ralenti le procès de leurs clients, notamment en gardant trop longtemps les papiers qu'ils leur avaient confiés. La plupart du temps, au XVIe siècle, on les accuse uniquement d'avoir refusé ou omis de remettre les papiers, mais on trouve parfois, à la même époque, des procureurs condamnés à l'amende pour « retardement de procès[17] ». C'est le procureur en effet qui porte la responsabilité de ralentir le procès, même si ce sont parfois les parties qui l'y obligent. Ainsi, à Aix en 1602, les procès jugés à l'audience entraînent peu d'attente et le rôle en est « inviolablement gardé », mais le problème vient surtout des procès par écrit pour lesquels on réclame, encore en 1602, qu'un rôle soit dressé que les parties sachent quand leur cause risque d'être jugée et pour leur éviter les frais de longues sollicitations[18]. Encore faut-il, une fois leur tour arrivé, que les parties elles-mêmes n'usent pas d'expédients pour retarder l'étude de leur cause par les juges.

Dans les années 1780, alors que les auxiliaires de justice sont pris à partie par tout le monde, un mémoire explique comment procèdent les procureurs pour ralentir les procès. L'une des mesures les plus utilisées est la rétention des pièces, de délais en délais, de réquisition à l'amiable en réquisition de la cour, cette rétention peut prolonger de plusieurs mois un procès. La chose n'est pas nouvelle puisque l'on reproche la même chose aux procureurs à Paris en 1560[19]. Une autre façon de prolonger la cause implique cette fois une utilisation judicieuse de la procédure :

> « La partie qui est enfin parvenue à faire restituer les productions, compte que son rapporteur va dans peu de jours juger l'affaire : à la veille du jugement, le procureur contraire signifie une déclaration d'appel des appointements et ordonnances rendues, proteste d'attentat en cas il soit passé outre ; et voilà que cette simple déclaration emporte encore un nouveau délai d'un mois, au bout duquel l'un des autres procureurs, s'il y

---

16. ADBR Aix, B 3324, fᵒ 475, 14 novembre 1544.
17. ADBR Aix, B 2683 arrêt à la barre du 11 janvier 1580 qui décharge le procureur Esprit Boyer de l'amende de 10 écus à laquelle il a été condamné à tort.
18. B. Méjanes, MS 958 (900-R.773), mercuriale du 9 janvier 1602.
19. Archives nationales, X1A 9325, 3 décembre 1560.

a trois ou quatre parties, se procure par la même voye un pareil délai. Les vaccations arrivent ; le Procès reste pour une autre séance[20]. »

Les parties peuvent avoir intérêt à ne pas faire juger leur procès rapidement et les procureurs ne font alors que répondre aux attentes de leurs clients[21]. Le tort qu'ils supportent dans le prolongement des procès doit être considéré avec prudence et les procureurs jouent peut-être le rôle de boucs émissaires d'une justice qui se défend contre une perte de contrôle, celle des juges victimes d'une procédure dont ils ne sont pas maîtres, celle du pouvoir central, dont les multiples ordonnances sont constamment utilisées par ceux qui jouent de la procédure pour arriver à leurs fins.

Outre la durée des procès, on reproche aux tribunaux de ruiner le pauvre monde. Encore une fois, les praticiens ont le dos large.

Ruiner les plaideurs

Au xviiie siècle, c'est sous le terme générique de praticiens qu'on identifie ceux qui alimentent la haine du peuple contre les auxiliaires de la justice. En 1781 et 1782, dans les Cévennes, rapporte le mémoire sur les abus des procureurs et gens d'affaires, des gens armés et masqués se jettent sur des praticiens qui s'en vont à l'audience de Banne et les poursuivent à coups de fusil jusqu'aux portes de la ville[22]. Les honnêtes gens s'amusent de ces praticiens malmenés et l'affaire ne va pas plus loin. Dans la même région cependant, en janvier 1783, une trentaine de personnes déguisées et armées font irruption chez les Monteil. Le père est notaire et le fils procureur. « Ils enlèvent tous les papiers, en brulent une partie à la cheminée, emportent les autres dans les draps du lit du notaire et les vont incendier hors la ville. » Au cours des mois qui suivent, les cas semblables se multiplient. Le peuple ne supporte plus les exactions auxquelles se livrent les praticiens et les gens d'affaires, et les tirades semblables à celle qui suit confortent l'image de gens qui s'enrichissent sur le dos des justiciables, adressant à tous les praticiens, des reproches qui tiennent davantage du lieu commun que d'une observation sérieuse. C'est le labeur du pauvre qui « sustante vos délices », c'est lui qui habille « voz idolles domestiques pendant qu'il ne se referme pas la bure et le canevas pour couvrir la pauvreté de sa femme et de ses enfans ».

« [V] ous ne [lui] laissez ny denier ny maille pour s'en retourner à cent lieues d'icy lequel ne remporte rien à sa femme et à ses enfans que la

---

20. ADHG, 1J 1045, p. 12.
21. Isabelle CARRIER, « L'art de louvoyer dans le système judiciaire de l'Ancien Régime : le procureur et la procédure civile », Claire DOLAN (dir.), *Entre justice et justiciables : les auxiliaires de la justice du Moyen Âge au xxe siècle*, Québec, Les Presses de l'université Laval, 2005, p. 479-490.
22. ADHG, 1J 1045, « Mémoire sur les abus et malversations des procureurs et gens d'affaires du Vivarais et des Cévennes ». L'ordonnance publiée en 1784 par les commissaires députés au même endroit pour rendre compte de la situation est absolument assassine pour les procureurs et les notaires, ADHG, 1J 509.

viellesse et la pauvreté qu'il a gagné aveques vous [...] les subterfuges, les surprises et tergiversations seront les premiers rudimens de votre science que l'on appelle pratique vous n'aurez que faire de travailler vos espritz pour devenir méchans le chemin est tout tracé. Aristote en ses œconomyes racompte plusieurs moyens d'aquérir des richesses et de gaigner de l'argent mais les praticiens y en a tant ajousté que ce grand personnage pour subtil qu'il soit manqueroit d'inventions et se trouveroit grossis et ignorant à leur esgard[23]. »

De tels discours sont si nombreux qu'on finit par les considérer comme un thème obligé. Certains commentateurs corrigent cependant ces généralisations en nuançant le tableau.

« Nous avouerons que s'il est certains cantons où l'Épidémie semble avoir établi son siège, s'il est des pays où les procureurs, comme des atlètes dans l'arène, semblent vouloir se disputer à l'envi à qui remportera la palme des voyes obliques, à qui plumera l'oye plus finement, plus rapidement : il est aussi des contrées où peu de ces sangsues ont pénétré ; il est des villes où l'on se montre au doit le praticien soubçonné d'avidité, et de malversation. Il est tel bourg ou village où l'on voit deux ou trois gens d'affaires qui se surveillent l'un l'autre, qui craignant de donner prise sur eux à leur rival, ne combattent que de droiture, qui ne s'occupent qu'à terminer amiablement autant qu'ils peuvent les différents des parties[24]. »

Bien qu'on ait exagéré les malversations des procureurs, leur réputation, à la veille de la Révolution, est grandement ternie. À Marseille, en 1768, les syndics des procureurs se plaignent que la profession de procureurs soit tombée dans le plus grand avilissement à cause de quelques-uns qui se conduisent mal.

« Les choses sont portées si loin qu'ils iroient plus depuis quelque tems accompagner à la sépulture de ceux qui décèdent, ni faire aucune cérémonie le jour de St Yves lorsque cette fête tombe le dimanche dans la crainte d'être insultés dans les rües par la populace[25]. »

Tout n'est pourtant pas pourri au royaume des procureurs qui sont les premiers à chercher à extirper de leurs rangs ceux qui ternissent ainsi leur réputation.

Même si les procureurs retors attirent davantage l'attention, la plupart exerce leur métier avec conscience, dans le respect de la procédure et de l'intérêt de leurs clients. Mais voilà peut-être le problème. L'homme de la rue, le pauvre peuple, l'oie finement plumée, n'est qu'un client occasionnel pour le procureur qui lui témoigne, parfois, un mépris qui égale bien celui

---

23. ADHG, 1J 1045. Le document n'est ni signé ni daté, mais il dit à quel point la frustration est parfois vive.

24. ADHG, 1J 1045, « Mémoire sur les abus et malversations des procureurs et gens d'affaires du Vivarais et des Cévennes... », p. 9-10.

25. ADBR Aix, C 3549, brouillon d'une lettre au vice-chancelier, 17 juillet 1768.

qu'on lui adresse. Le procureur Gabriel répond durement à la plainte de Rose Blanc, qui réclame ses papiers que le procureur, d'abord débordé, puis malade, ne lui a pas remis. Si des gens importants ont pu attendre que le procureur sorte de sa convalescence, elle, « feme du peuple aigrie par des dissentions domestiques avec son mari » et qui, « come touttes les persones de son état, est imbue des préjugés les plus grossiers contre son procureur », aurait pu faire de même. On apprend qu'elle s'est fiée aux mauvais conseils d'un ami, plutôt qu'à son procureur, qu'elle a ainsi brisé l'effet d'un arrêt rendu en sa faveur. Et le procureur de clore sa réponse sur ces mots : « Il faut lui pardonner puisqu'elle ne sait ce qu'elle fait. » L'affaire de Rose Blanc était inscrite sur le rôle de l'audience des pauvres, et son mari était un berger dont elle voulait se séparer sous prétexte que, suivant ses troupeaux, il ne faisait pas continuelle résidence avec elle. Ridiculisée pour le peu d'intérêt de sa cause, elle était considérée comme une plaideuse maladive par les gens de justice, qui estimaient qu'elle n'avait pas toute sa tête[26]. Bien qu'on ait veillé à fournir aux pauvres toute l'aide juridique en cas de besoin[27], ils ne faisaient pas le poids devant les clients réguliers des procureurs. Il faut donc prendre avec un grain de sel les doléances de ceux qui sont victimes des procureurs ou plus exactement ceux qui sont victimes de leurs clients.

Le travail du procureur : récit d'une procédure

Aucun procureur du Midi n'a laissé, au xvie siècle, de récit permettant de reconstruire son travail. Il faut attendre le xviie et la fin du xviiie siècle, pour constater à travers des textes de procureurs que ce travail n'a pas vraiment changé. Comme il n'est pas très spectaculaire, il n'est pas de notre propos d'énumérer les diverses étapes de la procédure à travers lesquelles il conduit le dossier de ses clients. Il faudrait d'ailleurs être habile procureur pour arriver à décrire toutes les possibilités que gère celui qui conduit la cause : audition, procès par écrit, procédure ordinaire, procédure extra-ordinaire. Sans compter les nombreuses occasions qui se présentent de convenir d'un accord ou d'abandonner les procédures. Ces diverses voies ne sont d'ailleurs pas immuables et Hervé Piant a bien montré comment le choix de la procédure criminelle ou celui de la procédure civile, se posait à divers moments d'un procès et ménageait un espace de négociation entre les parties. On pouvait, au milieu d'un procès criminel, transférer la cause au civil (la « civilisation du procès ») ou inversement choisir de passer à

---

26. ADBR Aix, C 3548, la réponse du procureur Gabriel est du 27 novembre 1784.
27. Le cardinal Grimaldi avait créé à Aix, en 1673, le Conseil charitable pour protéger « les pauvres opprimés dans leurs justes préthentions », dont le règlement est établi en 1716 (ADBR Aix, 35HD A1). Le livre de ses délibérations qui commencent en 1698 énumèrent 44 avocats, 7 notaires, 7 procureurs au parlement, 4 procureurs à la cour des comptes qui assistent les pauvres plaideurs, ADBR Aix, 35HD E1.

l'extraordinaire[28]. Le procureur était au cœur de ces procédures et il lui fallait bien connaître les effets de l'une et de l'autre.

Au risque de privilégier un type de procédure plutôt qu'un autre, nous suivrons pendant quelques années, à travers la correspondance qu'échangent le marquis de Cambis-Velleron et son procureur à la cour des comptes, à partir de 1759, les relations qu'entretient le procureur avec son client et avec les autres intervenants à la cause[29]. Bien que la datation de certaines des lettres soit incertaine, elles sont suffisamment précises pour que l'on sache ce que fait le procureur, habitant à Aix, pour son client, résidant le plus souvent à Avignon. Tout, dans l'histoire qui suit, montre à quel point le procureur est à la fois les yeux, les oreilles et le bras de son client.

Le procureur Merigon était, dans un litige l'opposant au seigneur de Brissac et à la communauté de Noves depuis 1754, le procureur du marquis de Cambis-Velleron. Quand il cède sa charge au procureur Contar, ce dernier acquiert en même temps ses papiers, mais il faut, pour les causes en cours, qu'il obtienne une nouvelle procuration confirmant qu'il est autorisé par les clients à poursuivre la représentation qu'avait assumée le procureur Merigon. Cette procuration est nécessaire pour justifier le mandat de représentation qu'assure le procureur et n'est pas transmissible d'un procureur à un autre. Au XVIe siècle, quand le justiciable voit son procès transférer à une juridiction dont il ne connaît pas les procureurs qui y œuvrent, il fait rédiger par le notaire une procuration *ad lites* dans laquelle il laisse le nom du procureur désigné en blanc[30].

Le marquis tarde à envoyer la procuration, ce qui bloque toutes les procédures, au grand dam du procureur de la partie adverse, qui veut continuer les poursuites. Il voit probablement là une manœuvre pour retarder le procès et s'apprête à assigner le marquis en constitution de nouveau procureur, c'est-à-dire à le forcer par voie judiciaire à nommer son procureur. Comme le procureur Contar prend déjà en mains les intérêts financiers de son futur client et que des frais découleront évidemment de cette procédure, Contar lui promet de lui faire parvenir sous peu la procuration en question. Le procureur adverse consent à attendre la procuration qui arrive sans trop tarder[31]. Les deux procureurs sont des collègues de travail et ils font partie de la même communauté. Le fait qu'ils représentent des parties opposées ne les empêche pas de se parler, et de se faire confiance, d'autant plus que

---

28. Hervé PIANT, « Au service des justiciables ? Autonomie et négociation dans la procédure criminelle d'Ancien Régime », *Gens de robe et gibier de potence*, p. 303-323.

29. B. d'Avignon, MS 3468, correspondance en liasse.

30. Par exemple, ADHG 3E 243, fᵒ 223 vᵒ, 27 novembre 1589 (cour du parlement) ; 3E 243, fᵒ 53 vᵒ, 20 février 1590 (cour du sénéchal).

31. À la même époque, on reproche aux procureurs de promettre ainsi des papiers pour retarder le plus possible les assignations, qu'on doit utiliser malgré tout et qui entraînent toutes des délais. Si l'on ajoute à cela les possibilités d'appel auquel donne droit chacune des procédures, on peut comprendre comment il était facile d'utiliser les procédures pour retarder le règlement du conflit.

chacun sait où se trouve l'intérêt de la partie adverse, qui n'est pas, à ce moment, de retarder la procédure.

Muni de sa procuration, le procureur Contar peut alors récupérer les pièces au dossier. Elles se trouvent chez l'avocat, monsieur de Colonia, mais le procureur constate que son prédécesseur n'a rien fait d'autre que de faire enregistrer sa procuration. C'est l'étape de la présentation que contrôle le greffe des présentations. Après avoir pris connaissance des pièces au dossier, le procureur Contar retourne le sac de procès chez l'avocat, pour qu'il étudie la requête du seigneur de Brissac et donne son avis sur les chances du marquis de gagner en droit. Comme le procureur précédent avait reçu deux louis du marquis, Contar estime que s'il n'a rien fait d'autre que mettre sa présentation au greffe, Merigon doit rendre de l'argent à son client. Il suggère donc à ce dernier, en recommandant au marquis d'être discret sur l'origine de cette suggestion, de

> « prendre la peine de luy écrire de vous donner le rolle de ce qu'il a fait afin que si votre procès a des suites nous puissions écrire en règle. J'ay pris des mesures pour n'être pas tenu de rendre l'argent qu'il auroit reçu des parties dont il n'auroit point fait l'employ et je me prêteray pourtant à tous les arrangements que votre intérêt exigera de prendre avec luy, j'aurai soin de vous donner avis des poursuites qu'on fera ».

Six mois plus tard, en janvier 1760, le procès a repris, sans toutefois que Merigon ait fourni le rôle de ses frais. Quand il le fournit enfin, en décembre 1760, Contar apprend que Merigon n'avait pas payé la consultation de l'avocat Colonia bien qu'il ait reçu de l'argent pour ce faire. On apprend également que l'avocat ne travaille pas à crédit et que si le procureur veut obtenir ses services, il devra soit avancer lui-même ses honoraires, soit les réclamer à l'avance à son client. Le procureur, qui doit aussi payer le greffe quand il a besoin de copies de documents, a donc intérêt à pouvoir disposer d'un petit capital qu'il pourra mettre à la disposition de son client, si nécessaire.

La lettre de décembre 1760 de Contar au marquis montre un peu d'inquiétude face à l'issue du procès. Contar ayant su ce que voulait soutenir la partie adverse recommande au marquis d'écrire à son avocat pour l'inciter à prendre beaucoup de soin quant à ce procès. Il y a, certes, collaboration entre le procureur et l'avocat mais cette relation ne s'effectue pas, du point de vue du déroulement du procès, d'égal à égal. Le procureur n'est pas en position de faire des recommandations à l'avocat sur le soin à consacrer à une cause. L'avocat est autonome dans son travail et le procureur doit garder sa place. C'est d'ailleurs l'une des recommandations aux procureurs que fait dans ses discours prononcés à l'ouverture du parlement de Toulouse, en 1721 et en 1736, le conseiller clerc Pierre Tournier : « La procédure est en vos mains, mais n'ayés point la présomption de manier les loix où l'étude la plus suivie et la plus consommée sufit à peine. Rien n'est si contraire au bien public que quand on veut s'élever au dessus de son état et de son caractère[32]. » Le marquis quant à lui est celui qui paie, son statut lui permet d'intervenir auprès de l'avocat, ce que le procureur a très bien compris. En janvier 1761, Contar récidive :

> « La communauté de Noves vient de me faire communiquer des écrits, il est nécessaire di répondre, on m'a offert la vision des sacs. Je la prendray et je la porteray demain à mr de Colonia. Ayés la bonté de luy écrire de vous dépêcher et de faire bien attention à ce procès que je crois bon. Si vous aviés encore des pièces qui prouvassent que les confines étoient inhérentes au fief de Noves envoyés le moi car ils soutiennent que les deux sentences du siècle 1400 ne les prouvent pas. »

Trois mois plus tard, l'avocat est sur le point de terminer ses écrits. Dans une lettre datée du 7 mars 1761, Contar demande donc au marquis de lui expédier 60 livres pour payer l'avocat puisqu'on le presse de rendre les sacs. On comprend que sans paiement, l'avocat ne donnera pas les écrits qu'il a faits. Quand il s'agit de la manipulation des papiers, le procureur est un intermédiaire entre le client et l'avocat. Le client peut presser l'avocat, mais c'est le procureur qui récupère le travail de l'avocat. Contar promet donc au marquis de lui faire passer copie des écrits pour qu'il voie les arguments de sa défense. Cette lettre effectue un parcours sinueux d'Avignon à Montélimar, puis à Paris et revient finalement à Avignon où elle trouve enfin le marquis. Inquiet, le procureur Contar qui n'a pas de réponse, impute le silence du marquis au fait qu'il ne veut pas lui donner d'argent. Le 20 mars 1761, il récrit donc au marquis, joint cette fois les écrits de l'avocat et réclame à nouveau l'argent pour payer ce dernier. Le 30 mars 1761, il réitère sa demande : on le presse de rendre les sacs et de communiquer les écrits, ce qu'il ne peut faire avant d'avoir payé l'avocat. Il finit par recevoir l'argent demandé, par lettre de change, et, apaisé, en accuse réception au marquis le 4 avril 1761, en lui confirmant que les écrits ont été déposés.

Plein de confiance, le 2 septembre 1761, il pense que la communauté de Noves et monsieur de Brissac voudront différer le jugement, puisqu'il croit qu'ils seront l'un et l'autre condamnés aux dépens. Les parties adverses doivent croire elles aussi en leur cause puisqu'elles décident plutôt de « presser le jugement à la rentrée de la chambre » soit, dans les faits, au milieu de novembre. En effet, « il est d'usage que messieurs les juges ne se rassemblent qu'alors et qu'après avoir prêté serment le 9 octobre ils retournent à leur campagne ». Le moment de l'étude de la cause par les

---

32. ADHG 49J 66, discours public prononcé à la Saint-Martin, en 1736. Celui du 13 novembre 1721, qui porte pourtant sur un autre thème, reprend exactement les mêmes termes quand il s'agit d'inciter les procureurs à tenir leur place.

juges approchant, le procureur essaie de déterminer quels juges traiteront l'affaire :

> « [C] eux de la chambre où votre procès se jugera ce ne seront pas les mêmes qui auroient jugé cette année, attendu que mr le commissaire de Fulconis votre commissaire sera de service à la chambre de l'audition à la rentrée il raportera à la première chambre. »

Je comprends de ce commentaire que le rapporteur, à la cour des comptes, emporte avec lui les procès pour lesquels il a été nommé rapporteur et que la chambre où est auditionnée une cause dépend moins de la cause que de l'affectation du conseiller qui se l'est vue confiée. Le travail du procureur ne se limite donc pas à constituer le contenu des sacs de procès. Il doit user de la procédure – notamment jouer sur les délais qu'entraîne chaque nouvelle étape – pour que l'affaire soit jugée par des hommes favorables à son client. La latitude qu'il détient pour ce faire est évidemment limitée par celle des procureurs des parties adverses qui cherchent à faire la même chose. Comme les conseillers siègent à tour de rôle dans les différentes chambres, les parties tiennent compte de ce fonctionnement et mettent tout en œuvre pour influencer ceux qui hériteront finalement de la cause. Même si un seul des conseillers se voit confier l'étude du dossier dont il tirera ensuite les conclusions dans un rapport qu'il présentera devant les autres juges de la chambre, il n'est pas inutile de « préparer » la discussion en se recommandant aux autres conseillers, ou à leurs amis. La mise au point de l'affaire est donc passée à un autre stade.

> « Vous ferés bien de recomander votre affaire à mr le premier président d'Albertas qui ne sera cependant pas ici lord du jugement. Vous devés sans doute scavoir qu'il est presque toujours à Paris où il est même actuellement. Mr le président d'Espinousse a beaucoup de crédit et quoi qu'il soit au parlement il peut l'intéresser pour vous. Mr le marquis de Montauroux également. Et autres seigneurs que vous pouvés connoitre. Mais il n'est pas encore temps d'employer personne, il faut attendre au commencement de novembre. [...] Je me chargerai de rendre les lettres que vous prandrés la peine de m'addresser. Je connois quelques uns de ces messieurs et entre auttres particulièrement mr le président d'Espinousse qui m'a donné sa confiance. »

Le procureur qui incite son client à mettre à contribution toutes ses relations pour favoriser sa cause, offre donc au marquis de profiter des bonnes relations qu'il entretient avec les conseillers, mais aussi avec un président au parlement. Les plaintes des mercuriales du XVIᵉ siècle qui condamnaient les relations privilégiées qu'entretenaient les conseillers et les procureurs pourraient donc encore être d'actualité à la fin du XVIIIᵉ siècle. Le procureur doit certes garder sa place, mais rien ne l'empêche, en toute humilité, de parler en bien de la cause de son client.

Le 6 novembre 1761, le procureur écrit de nouveau au marquis. Il est encore trop tôt pour recommander le procès à l'un des juges. Il faut attendre que toutes les défenses soient données de part et d'autre. Il envoie néanmoins la liste des juges au marquis en faisant auprès de certains noms des remarques du type de celles-ci (« n'entre jamais », absent, etc.).

On perd un peu à partir de là le fil des procédures, puisque les lettres de 1762 semblent mal datées et peuvent aussi bien avoir été écrites en 1763. Une chose est sûre, la cause n'a toujours pas été entendue en 1762 et les preuves et les défenses continuent de s'accumuler. Le procès met en cause trois parties, ce qui complique un peu les choses. De Brissac est poursuivi par la communauté de Noves tandis que le marquis est poursuivi en corollaire. Chaque fois que l'une des parties dépose des écrits, les deux autres demandent à les voir et à y répondre, ce qui dure tant que toutes les preuves n'ont pas été épuisées. Le procureur de Brissac fait donc régulièrement signifier des écrits au procureur du marquis qui doit faire étudier par son avocat la défense de Brissac pour s'ajuster. Le 18 janvier, la communauté de Noves ne souhaite pas répondre à des écrits présentés par Brissac, mais le procureur du marquis réclame les sacs pour les envoyer à l'avocat Colonia pour qu'il y réponde. Colonia est « toujours surchargé d'affaires », et les sacs sont réclamés au procureur huit jours après qu'il les ait eus. Colonia finit par suggérer de rendre les sacs dans la mesure où il ne voit rien à opposer. Brissac est donc prêt à faire juger. Mais le 6 mars, la communauté décide de répondre aux écrits de Brissac et du marquis. Il faudra donc encore une fois pour le procureur prendre la vision des sacs et les porter à l'avocat Colonia pour qu'il réponde à ces nouveaux écrits. À ce moment, l'affaire, en fournitures et vacations, a déjà coûté au marquis 258 livres.

Le 26 mars, on offre de nouveau au procureur la vision des sacs, il est le dernier sur la liste, les autres ayant eu leur tour. Il décide de transmettre les sacs à l'avocat Colonia (« J'ay considéré que voutre intérêt exigeoit de faire encore écrire mr de Colonia attendu qu'on dénie que ces biens étoient originairement au fief de Noves et autres circonstances auxquelles il faut répondre »). Le 15 avril, la communauté de Noves s'impatiente et veut faire juger le procès le mois suivant. Elle réclame la restitution des sacs qui sont encore chez l'avocat Colonia, mais le procureur attend l'argent pour payer l'avocat et obtenir les écrits qui ne sont toujours pas terminés le 23 avril.

Le 30 mai 1763, le moment est venu de faire intervenir les personnes influentes. Le marquis a des amis au parlement (messieurs d'Espinouse et de Montauroux), mais comme il connaît le grave différend entre le parlement et la cour des comptes, il recommande à son procureur d'être prudent quant à l'utilisation qu'il fera des lettres de recommandation de ces deux conseillers. Il se demande cependant « si l'usage et la Bienséance » exigent qu'il écrive au rapporteur et aux juges, et réclame conseil là-dessus à son procureur. C'est finalement en juin 1763 que le procès est porté devant les juges, le conseiller de Fulconis jouant le rôle de rapporteur. L'opération « préparation » des juges se déclenche alors. C'est le moment pour Contar de s'assurer que le rapporteur comprend bien l'affaire, que les juges sont convaincus de la bonne foi de son client et du respect qu'il a de leur rôle.

> « J'ay resté le matin long temps avec luy [Fulconis], et j'ay trouvé qu'il en est très parfaitement instruit. Mr le marquis de Montauroux doit vous avoir écrit que j'ay été le voir, il parle pour vous à mrs les juges et n'oublie rien pour vous faire rendre justice. »

À ce déploiement de bonnes manières aurait dû s'ajouter la présence du marquis qui aurait ainsi démontré l'importance qu'il accorde à la cause.

> « Je verray demain tous les juges. Je vous excuseray sur ce que votre maladie vous a empêché de vous rendre ici et je montreray à tous le certificat que vous m'avés envoyer. J'ay une entière confiance en ce procès[33]. »

Le 27 juin 1763, le procès est « sur le Bureau » depuis huit jours. Les juges n'y travaillent pas sans interruption, mais ce jour-là, on « ouvre les opinions ». Le procureur est aux aguets. La communauté de Noves ayant déposé, en guise de jurisprudence, un arrêt de 1753 qui la favorise, le procureur demande un délai jusqu'au lendemain pour faire répondre par écrit, monsieur de Colonia, l'avocat. Le lendemain, vers les 6 heures du soir, le procès est enfin jugé et la communauté de Noves est déboutée de sa requête. Le marquis a gagné son procès, mais le travail du procureur est loin d'être terminé.

En effet, un arrêt pour être efficace doit sortir du tribunal. Le procureur réclame donc du marquis de l'argent pour pouvoir « lever l'arrêt ». Il doit également payer les épices et « accessoires », et payer le dernier écrit de l'avocat, fait à la dernière minute, et que les secrétaires et le procureur se sont hâtés de mettre au net pour qu'il soit déposé avant 15 heures, la journée de l'arrêt. Ce qui a entraîné de nouveaux frais.

Le 4 juillet, le marquis semble hésiter à faire tirer copie de l'arrêt obtenu. Le procureur s'en étonne et lui rappelle que cet arrêt lui servira de titre au cas où il serait de nouveau poursuivi, qu'il est nécessaire pour obtenir le paiement des dépens sans lequel, il ne pourra obtenir le sac du procès, retenu au greffe tant qu'on n'a pas fait l'extrait de l'arrêt. Cet arrêt coûtera cher, surtout pour sa première expédition, puisque il faudra alors s'acquitter de toutes les épices (même si la communauté de Noves devra ensuite les rembourser). Les épices devraient monter à 750 livres, les autres frais à plus de 300 livres.

Il faudrait néanmoins que le marquis fasse signifier le plus tôt possible l'arrêt à la communauté. En effet, c'est à partir de la signification de l'arrêt que le délai de six mois pour une requête civile commence à courir, explique

---

33. B. d'Avignon, MS 3468, pièce 408, 17 juin 1763.

le procureur à son client. Le 11 juillet, le marquis a envoyé un peu d'argent au procureur pour payer notamment l'avocat, mais il hésite toujours à faire lever l'arrêt, puisque la communauté menace les parties gagnantes de déposer contre l'arrêt une requête civile. Le procureur insiste sur l'intérêt qu'a le marquis à faire signifier l'arrêt. Ils sont deux à avoir gagné le procès : le marquis et monsieur de Brissac. Brissac est celui qui a le plus d'intérêt à la chose, c'est pourquoi le procureur estime que cela devrait être lui qui demande la première expédition (la plus chère). Le marquis pourrait alors demander la deuxième expédition, ce qui lui reviendrait moins cher. Il dit également que la communauté ne menace les deux hommes que pour les intimider, et qu'il a appris qu'elle n'est pas en mesure de poursuivre les frais.

Le 12 août, les deux gagnants se décident enfin à faire signifier l'arrêt. Les procureurs de l'un et de l'autre se concertent et le procureur de Brissac demande la première expédition. Contar attend toujours l'argent lui permettant de demander la seconde qu'il fait néanmoins préparer.

Ce n'est que le 23 novembre que le procureur reçoit l'argent nécessaire pour payer l'extrait de l'arrêt qu'il envoie au marquis pour qu'il le fasse signifier à la communauté par un huissier. Ce n'est pas le procureur qui fait faire la signification mais il donne des conseils pour ce faire au marquis. La signification doit être faite par un huissier de Provence et non du Comtat, si le huissier de Noves refuse de faire la signification il doit déclarer les motifs de son refus, car si le marquis doit prendre un autre huissier ailleurs, il ne pourra pas en réclamer les frais s'il y a déjà un huissier à Noves. Le marquis doit également s'assurer que l'huissier ou le sergent royal qui fera la signification soit pourvu des lettres du prince.

Une fois la signification faite, il ne restera plus qu'à faire taxer les dépens. De son côté, la communauté explore les possibilités d'aller en requête civile, mais le procureur croit que les nouvelles pièces trouvées par la communauté depuis l'arrêt ne sont pas suffisantes pour qu'elle puisse justifier une telle demande.

L'affaire semble échapper ici au procureur, si l'on en croit le recours que fait le marquis à des « avocats français », c'est-à-dire des spécialistes du droit civil français. Le procureur connaît bien les procédures provençales et il n'hésite pas à contester les conseils de ces « avocats français » qui recommandent des significations inutiles. Ses arguments sont logiques et très concrets. Ils ne relèvent pas du droit, mais du gros bon sens. Les avocats français ont dit que le marquis de Brissac devait faire signifier l'arrêt au marquis de Cambis-Velleron et que ce dernier devait faire signifier également l'arrêt à de Brissac. Le procureur considère que comme aucun des deux n'a à se plaindre de l'arrêt, la signification est inutile et les frais que ces significations entraîneraient ne seraient pas considérés au moment de la taxation des dépens, puisque inutiles. Le procureur de monsieur de Brissac est d'accord avec cette interprétation.

Le marquis ne reçoit toutefois pas encore son sac de procès, le procureur disant en avoir besoin si jamais il y a requête civile, et de toute façon, pour faire taxer les dépens.

Le 28 septembre 1763, les avocats de la communauté de Noves suggèrent à la communauté d'impétrer requête civile. Certains avocats voulaient même que la communauté se pourvoit en cassation au conseil. La province quant à elle ne prend pas position. Elle verra si la requête civile est acceptée. Les procédures repartent donc et le procureur conseille à son marquis de se concerter avec monsieur de Brissac. Il lui dit également que si la requête civile est ouverte, lui-même ne pourra occuper dans l'affaire puisqu'il n'est que procureur ordinaire.

Le 16 décembre 1763, la communauté de Noves finit par impétrer requête civile contre l'arrêt.

Le 5 mars 1764, la communauté de Noves ralentit les procédures. Le procureur se demande si elle ne veut pas attendre l'année suivante pour que la requête soit jugée par d'autres magistrats que ceux de cette année.

Le 12 novembre 1766, la communauté qui a repris la poursuite de la requête civile, somme alors le procureur de plaider ce jour-là. Mais il n'y a pas d'audience. L'avocat Colonia est décédé depuis 6 mois, et il ne reste que trois avocats de la première classe au barreau pour plaider (messieurs Gassier, Pascalis et Leclerc). La communauté a choisi Pascalis, de Brissac a pris Gassier, il ne reste donc que Leclerc pour le marquis. Contar recommande que les avocats de Cambis-Velleron et de Brissac s'entendent pour plaider dans le même sens.

La correspondance s'arrête le 21 novembre, alors que le procureur confirme au marquis avoir contacté pour lui un nouvel avocat, monsieur Arnaud, fils d'une connaissance du marquis qui le lui a recommandé. L'avocat Arnaud accepte de travailler pour le marquis et l'histoire, pour nous, s'arrête ici, même si l'affaire est loin d'être terminée.

Elle a commencé douze ans plus tôt, et si ce n'était de l'attention portée au tour des juges qui devaient la juger, on pourrait dire qu'elle n'a pas donné lieu à des manœuvres indues pour prolonger ou multiplier les procédures. De fait, à partir du moment où les parties ont finalement confié le sac de procès au commissaire qui devait en faire rapport aux autres juges, tout s'est déroulé très vite : moins d'un mois entre le dépôt final du sac et le prononcé de l'arrêt, une dizaine de jours ont suffi aux juges pour rendre ce dernier. Sur les douze années de délais, combien sont le fait des procureurs et des avocats ? Presque toutes pourrait-on dire, dans la mesure où ce sont eux qui, en tentant de fournir le maximum d'arguments, ont provoqué chez la partie adverse réponse et contre-réponse. Mais peut-on leur reprocher d'avoir fait leur métier ? S'ils ne l'avaient pas fait, les parties auraient été les premières à le leur reprocher.

Dans une affaire civile comme celle dont nous venons de parler, le rôle du procureur est très clair. Au-delà des faits que les lettres décrivent, on constate que le procureur sert d'intermédiaire entre son client et son avocat, entre son client et les parties adverses, entre son client et les juges. Le procureur et l'avocat du marquis travaillent en collaboration, le procureur récupérant les sacs de procès au greffe, les portant chez l'avocat, les récupérant de nouveau pour les remettre au greffe où les autres parties les prennent et ainsi de suite, chaque fois qu'une des parties ajoute des pièces. Une fois prévenu de l'ajout de nouvelles pièces, c'est le procureur qui en juge l'importance. Mesurant le poids des arguments de la partie adverse, c'est lui qui décide de faire intervenir l'avocat ou non. Dans le cas qui nous occupe, le travail de ce dernier est un travail d'écriture et de cabinet qui se confine aux arguments de droit. On voit par ailleurs le procureur à l'affût de toute nouvelle information, qu'il s'agisse des intentions de la partie adverse ou de la liste des juges dont c'est le tour de siéger à telle ou telle chambre. Contrairement aux lieux communs qui font des procureurs ceux qui prolongent les procès et ruinent le justiciable, le procureur Contar presse son client de fournir rapidement l'argent et les pièces, pour ne pas retarder le procès, et surveille qu'on ne lui fasse pas faire des procédures superflues qui le feraient dépenser inutilement. Entre lui et son client, la relation qui se noue en est une de conseils. Des conseils qui n'invoquent jamais la théorie, mais plutôt la pratique, et qui conduisent à poser des actions plutôt qu'à raisonner sur le fondement des droits du marquis.

Peut-on généraliser à partir du cas qui précède, et considérer qu'il est typique des relations d'un procureur avec un client ? Les correspondances de ce type ont été gardées par les familles qui avaient des biens et des droits à protéger. Elles sont donc le fait d'une catégorie privilégiée de personnages et concernent surtout des causes que l'on qualifierait aujourd'hui de civiles[34]. Les sacs de procédure qui ont été conservés à Aix ne contiennent évidemment pas ce type de correspondance puisqu'elle ne constituait pas des pièces au dossier du procès. Les papiers qu'ont gardés les familles de procureurs par ailleurs comprennent rarement des pièces susceptibles de nous permettre de suivre avec autant de précision le travail qu'effectue le procureur pour un client. Malgré tout, des indices suggèrent qu'entre le XVIe siècle et le XVIIIe siècle, le travail du procureur n'a pas beaucoup changé. Grâce à l'aimable collaboration d'Olivier Latil d'Albertas qui m'en

---

34. On sait que sous l'Ancien Régime, il n'y a pas à proprement parler de cause criminelle ou de cause civile, c'est la procédure choisie qui détermine comment on qualifie ensuite la cause plutôt que la nature de l'acte commis. Si quelqu'un porte sa cause devant un tribunal par l'intermédiaire d'une plainte, il l'inscrit dans la procédure criminelle, s'il le fait par l'intermédiaire d'une assignation à l'audience, il l'inscrit dans la procédure civile. Hervé PIANT, « Au service des justiciables ? », p. 310.

a autorisé la consultation, j'ai ainsi trouvé dans les papiers de la famille d'Albertas, quelques lettres de procureurs aux membres de la famille d'Albertas datant de la fin du xvie siècle[35]. Elles confirment pour l'époque, et pour la même catégorie de personnes, une façon semblable de fonctionner. Pour une affaire qui se juge à Grenoble, d'Albertas a choisi le procureur Chaboud, procureur à Grenoble. Comme dans le cas du procureur Contar, Chaboud sert d'intermédiaire entre d'Albertas et son avocat, entre d'Albertas et les juges. Il lui suggère aussi quelle procédure utiliser. Dans une lettre du 23 novembre 1597 qu'il lui envoie de Romans, le procureur accuse réception de sa procuration et des papiers le mettant au fait de l'affaire, dont copie d'une assignation que la partie adverse a fait parvenir à d'Albertas. Chaboud suggère d'obtenir le conseil de l'avocat Tardieu, étant donné l'importance de l'affaire et incite d'Albertas à ne pas se contenter de faire préciser ses droits, mais d'attaquer à son tour. Il précise qu'après un arrêt en cour souveraine, « il n'y a remède que l'extraordinayre qui travalhe beaucoup plus les parties que non pas l'ordinayre ; c'est pourquoy il est requis de n'attendre poinct le coup[36] ». Une semaine plus tard, Chaboud récrit à d'Albertas pour lui dire qu'il a consulté l'avocat Tardieu et qu'ils ont trouvé nécessaire « d'en comuniquer avec les plus fameux advocats estans maintenant en ceste ville ». Comme dans le cas de Contar, c'est le procureur qui a décidé de consulter l'avocat pour lequel il ne tarit d'ailleurs pas d'éloges : « Je ne scaurois estre adscisté de parsonnaige plus cappable ny quy affectionne plus vos affaires que luy. » Dans ce cas, c'est l'avocat Tardieu qui avance l'argent pour payer les consultations des avocats et non le procureur qui ne paie que les procédures. Quant aux lettres envoyées aux juges par les personnes influentes pour recommander la cause d'un ami, elles font aussi partie des façons de faire à la fin du xvie siècle. C'est ce que montre une lettre de monsieur du Brosc à monsieur de Gémenos, en 1593, qui insiste sur l'intérêt qu'il prend pour ses affaires et pour son procès avec pour preuve le grand nombre de lettres en sa faveur que son beau-père a faites pour les juges ainsi que pour l'avocat du roi[37]. Bien que cette correspondance ne donne que peu de détails sur les affaires qui sont jugées, elle montre qu'il n'existe pas de hiatus entre la manière de conduire un procès au xvie siècle et celle de le faire au xviiie siècle, du moins quand il s'agit des cours souveraines et des clients de haut rang.

---

35. ADBR Marseille, 31E 7501.
36. Pour la fin du xviie siècle, Hervé Piant a bien montré que la procédure criminelle participe de la punition dans une société de l'honneur et que le choix de la procédure extraordinaire est vexatoire au point qu'elle incite la partie dont l'honneur est ainsi touché à réclamer la civilisation de l'affaire et probablement à négocier. Hervé PIANT, « Au service des justiciables ? », p. 308. C'est exactement ce que dit, à mots couverts, le procureur à son client, en 1597.
37. Ce monsieur du Brosc doit être Jean de Castellane, second époux d'Aimare d'Albertas, sœur d'Antoine d'Albertas, seigneur de Gémenos, Luc ANTONINI, *Une grande famille provençale, les d'Albertas*, s. l., s. é., 1998, p. 49.

Les exemples précédents portent sur des affaires civiles, jugées sur pièces, mais les procureurs sont aussi réclamés par leurs clients quand la poursuite a présenté des témoins. Si l'on en croit une lettre du procureur Reybaud à son père, également procureur, et à qui il demande conseil, c'est au procureur à formuler les reproches au témoin ou à sa déposition. Pourtant, en 1772, cette opération semble beaucoup moins courante que la procédure sur pièces, si l'on en croit l'insécurité dont fait preuve l'un des procureurs qui doit appliquer cette procédure[38].

On a fait grand cas de la place grandissante qu'a prise l'écrit entre le XIIIᵉ siècle et la fin de l'Ancien Régime. On a même considéré qu'au criminel, le passage de la procédure accusatoire à la procédure inquisitoire en était le reflet, dans la mesure où la procédure romano-canonique reposait sur une rationalisation mettant en évidence le secret, l'écrit et les peines corporelles[39]. On a aussi insisté sur le fait que cette modification processuelle avait donné au procureur une place de choix, la multiplication des procureurs ayant accompagné la multiplication des écrits[40]. L'interprétation qui lie le développement de la profession de procureur au développement de l'écrit est alléchante dans la mesure où les historiens ont assez bien daté l'emprise grandissante de l'écriture. Il n'est toutefois pas évident de distinguer, en la matière, la cause, l'effet et la concomitance. Est-ce à dire que les procureurs, grâce à la double représentation qu'ils ont portée, et au rôle qu'ils ont joué dans la formalisation de la justice se sont installés en un lieu de convergence où s'est négocié le pouvoir justicier ? Ce serait leur attribuer une influence bien plus grande que celle qu'on leur a jusqu'ici concédée. Ce serait surtout évaluer les changements à l'aune de ceux qui les ont initiés et abandonner le point de vue que nous avons voulu privilégier. En effet, entre le XVIᵉ et la fin du XVIIIᵉ siècle, en France, les principaux changements pour les procureurs ne sont pas venus de la procédure. Ils ont plutôt découlé du statut que l'État a accordé à leur profession.

Alors que la justice devient entre le XVᵉ et le XVIIIᵉ siècle un des principaux arguments de l'État, les procureurs professionnels qui en dépendent subissent des transformations que n'explique pas la seule logique judiciaire. Leur profession, leur carrière, leur statut social, leur image, leur rôle dans la société se transforment selon des paramètres qui ne sont pas exclusivement ceux de la justice.

---

38. ADBR Aix 4B 1362. Lettre du 7 juillet 1772. Le procureur est loin d'être sûr de lui et il s'inspire, pour rédiger ses reproches, du style de Gauvet et de quelques autres formulaires, mais comme il craint l'erreur, il transmet ses écrits à son père pour obtenir son avis et celui d'un certain monsieur Peisse, qui est probablement un avocat.
39. Xavier ROUSSEAUX, « Entre accommodement local et contrôle étatique : pratiques judiciaires et non-judiciaires dans le règlement des conflits en Europe médiévale et moderne », Benoît GARNOT (dir,), L'infrajudiciaire, p. 97 ; Robert JACOB, Images de la justice, p. 141-142.
40. Henri-Jean MARTIN, Histoire et pouvoirs de l'écrit, Paris, Perrin, 1988, p. 272.

Deuxième partie

LES EFFETS DE L'OFFICE

Chapitre V

Les procureurs et l'État, l'office, l'hérédité et le nombre

Même si certains auteurs, qui y trouvent leur compte, valorisent la place des procureurs dans l'édifice judiciaire[1], les représentations de la justice qui circulent sous l'Ancien Régime ne font pas des procureurs un pivot sans lequel la machine s'enraierait. Charles Figon, par exemple, qui fait pourtant une place aux notaires royaux dans l'« arbre » censé schématiser l'« ordre des différents officiers », n'y situe pas les procureurs[2]. Il est vrai que la situation de ces derniers, au moment où Figon édite son « arbre », en 1579, est pour le moins ambiguë. Leur fonction a certes été érigée en office formé par un édit de 1572[3], lequel a été abrogé en 1579[4], amorçant pour les procureurs un cycle dont ils ne sortiront qu'au XVIIᵉ siècle. En effet, pilier de la mise en place de l'organisation administrative du royaume, l'office sert aussi à remplir les coffres du Trésor royal[5]. Énumérer les édits qui multiplient ces offices, les suppriment et les recréent revient donc à évoquer les soucis financiers de l'État et leur conjoncture[6]. Pour les procureurs de Provence,

---

1. C'est le cas de tous les auteurs de manuels qui s'adressent aux praticiens.
2. Charles Figon, *Discours des estats et offices, tant du gouvernement que de la justice & des finances de France...*, Paris, Guillaume Auray, 1579. Chez Figon, c'est plutôt la place qu'il réserve aux notaires qui fait figure d'exception que l'absence des procureurs.
3. ADBR Aix, B 3332, fᵒ 381-385.
4. ADBR Aix, B 3333, fᵒ 1183 vᵒ, édit de Blois, art. 241. La réduction du nombre de procureurs est cependant maintenue.
5. C'est le rôle double des offices sur lequel insiste Daniel Roche, « Préface », Jean Nagle, *Le droit de marc d'or des offices. Tarifs de 1583, 1704, 1748. Reconnaissance, fidélité, noblesse*, Genève, Librairie Droz, 1992, p. ii.
6. On a cependant nuancé cette façon traditionnelle de voir en montrant notamment que la création d'une nouvelle juridiction pouvait avoir d'autres objectifs que financiers : voir Christophe Blanquie, *Les présidiaux de Richelieu. Justice et vénalité (1630-1642)*, Paris, Éditions Christian, 2000. Les travaux récents autour des officiers moyens ont fait porter l'observation moins sur la position de l'État face aux offices que sur l'appropriation du système par les officiers eux-mêmes : Michel Cassan (études réunies par), *Les officiers « moyens » à l'époque moderne : pouvoir, culture identité...*, Limoges, PULIM, 1998 ; *Id.* (dir.), *Offices et officiers « moyens » en France à l'époque moderne. Profession, culture*, Limoges, PULIM, 2004. Voir entre autres, dans chacun de ces ouvrages, les contributions de Robert Descimon, auxquelles on peut ajouter « La vénalité des offices et la construction de l'État dans la France moderne », Robert Descimon, Jean-Frédéric

c'est en 1623 que les relations avec l'État se stabilisent, un nouvel édit ayant de nouveau, pour de bon cette fois, érigé les charges des procureurs en titre d'offices formés[7]. Avant d'en arriver là, les actions prises par l'État pour organiser la fonction de procureurs ont emprunté trois voies principales : celle de l'office, certes, mais aussi celle de l'hérédité de la charge et du contrôle du nombre.

L'office

La période qui couvre la fin du XVIe et le premier tiers du XVIIe siècle voit les procureurs ballottés d'un statut à un autre. La liste des édits qui touchent les offices de procureurs ne parvient pourtant pas à rendre compte de la chronologie qui affecte leur profession dans le Midi de la France[8]. En effet, du point de vue de la profession, le recours aux procureurs pour les interventions en justice n'a rien à voir avec leur statut d'officiers royaux et l'on peut croire que, pour les clients, l'important n'est pas que les procureurs soient ou non officiers royaux, mais plutôt qu'ils soient habilités à conduire leurs affaires et à intervenir devant les tribunaux. Or, quand le roi renonce à faire des procureurs des officiers royaux, ces derniers ne cessent pas pour autant d'agir pour leurs clients devant les diverses cours qui les ont reçus. Le vocabulaire qui décrit leur charge est de toute façon ambigu, puisque les procureurs parlent de leur « état et office », qu'ils soient ou non sous le régime de l'office formel. Ce dernier les oblige, certes, à prendre des lettres de provision royale et à en payer la finance, mais les anciens procureurs n'ont pas à acheter un nouvel office. Ce n'est donc pas d'un point de vue professionnel qu'on doit considérer l'effet de l'office royal. Que modifie-t-il alors sur les autres plans ?

À Aix, les premières réceptions de procureurs à la sénéchaussée qu'ont gardées les archives datent de 1547. Jusqu'en 1573, ces réceptions sont accordées par le lieutenant général à la sénéchaussée ou son lieutenant particulier, après que deux avocats, conseillers au siège, aient examiné les connaissances du candidat. La plupart de ces candidats ont bénéficié de la résignation faite en leur faveur par leur prédécesseur. Bien que ces résigna-

---

SCHAUB et Bernard VINCENT, *Les figures de l'administrateur. Institution, réseaux, pouvoirs en Espagne, en France et au Portugal, XVIe-XIXe siècle*, Paris, Éditions de l'École des hautes études en sciences sociales, 1997, p. 77-93.

7. ADHG, 1E 1187 pièce 165. BATAILLARD, t. I, p. 153-159. Je retiens cette date et non celle de 1620, car c'est l'arrêt du Conseil d'État du 6 novembre 1623, portant élection en titre d'office des états de procureurs au parlement qui sert de repère à ces derniers à Aix. La convention d'office du procureur Joseph Blanc avec son successeur, signée en 1638, prévoit même d'en joindre l'extrait aux quittances de finance qui sont transmises au même moment au nouveau procureur. ADBR Aix, 307E 733, f° 7 v°. Quant aux procureurs à la sénéchaussée, ils retiennent plutôt la date de 1620 comme étant celle où leurs charges sont devenues des offices royaux.

8. On verra à ce propos, la chronologie surtout parisienne établie par BATAILLARD, t. I, « Section deuxième, Lutte de la Royauté et des Parlements pour la formation de l'Office royal », p. 98-174.

tions ne contiennent pas d'évaluation pécuniaire de la charge, cette dernière a néanmoins une « valeur ». Les occasions de résigner se confondent en effet avec la constitution, par les familles, d'un patrimoine pour l'un des enfants et il n'est pas rare qu'elles soient faites au moment d'un contrat de mariage, pour bonifier la dot ou l'apport du mari. La plupart du temps cependant, les documents ne précisent pas les circonstances de la résignation et il est alors à peu près impossible d'attribuer une « valeur » spécifique à la charge, qu'une sorte de pudeur empêche les contractants de rendre explicite.

L'édit de juillet 1572, érigeant les charges de procureurs en offices royaux, est publié au siège d'Aix le 21 novembre 1572, mais il faut attendre l'injonction portée par les lettres patentes du 25 octobre 1572, enregistrées par le parlement d'Aix le 9 février 1573, et par la sénéchaussée le 27 février 1573, pour que l'édit ait des conséquences pour les procureurs de la sénéchaussée. Un peu plus du tiers des procureurs y exerçant prennent leur lettre de provision royale quelques jours plus tard. D'autres meurent avant de l'avoir fait. À partir de 1576, les réceptions de procureurs reprennent à la sénéchaussée, sans qu'on observe de différence avec les réceptions qui s'effectuaient avant l'édit de juillet. Comme avant, la plupart du temps, les nouveaux procureurs le deviennent par résignation de leur prédécesseur. Une nouvelle clause apparaît, il est vrai, à la suite de chacune des réceptions : le procureur reçu doit rapporter à la sénéchaussée ses lettres de provision royale, dans les six mois suivant sa réception[9]. Difficile de dire si les nouveaux procureurs se sont conformés à cette exigence. Il est clair, en tout cas, que les lettres de provision royale ne sont pas préalables à l'exercice de la profession et que la sénéchaussée d'Aix n'inquiète pas les procureurs qui ne les obtiennent pas. Quand l'ordonnance de Blois qui exclut les charges de procureurs de l'office royal est enregistrée par la sénéchaussée d'Aix, le 23 juillet 1580, rien ne change dans la procédure de réception des procureurs, le greffier, tout simplement, supprime la note qu'il ajoutait aux réceptions pendant la durée de l'édit, selon laquelle les procureurs devaient rapporter leurs lettres de provision[10]. Les procureurs à la sénéchaussée d'Aix ne seront plus concernés par l'office royal avant 1620.

Quant aux procureurs au parlement d'Aix, plusieurs d'entre eux prennent leurs lettres de provision royale très tôt après la promulgation de l'édit de juillet 1572[11], d'autres attendent les lettres patentes du 15 octobre 1572,

---

9. À Aix, les lettres de réception pour la période qui s'étend de 1547 à 1571 se trouvent dans la série 4B 1 à 4B 5 (lettres royaux), ADBR Aix. L'édit de juillet est recopié dans le 4B 5, f° 278 ; les lettres patentes portant injonction à tous procureurs de se pourvoir de lettres d'offices, sont au 4B 6, f° 27 v°. Les lettres d'offices des procureurs suivent aux f° 40 et ss. La dernière réception de procureur portant l'obligation de se munir de lettres de provision royale date du 13 février 1580, 4B 6, f° 430.

10. ADBR Aix, 4B 6, f° 501 pour l'ordonnance de Blois ; *ibid.*, f° 595, réception de Pierre D'Engallières, le 25 octobre 1581.

11. ADBR Aix, B 3332, f° 449, 469 v°, 495. Le 25 octobre 1572, un arrêt du Conseil privé menace de nouveau les procureurs qui n'auraient pas pris leurs lettres d'être remplacés par d'autres, *ibid.*, f° 579.

pour se ranger à la volonté du roi[12]. Même si toutes les lettres de provision ne sont pas recopiées dans les registres du parlement, il semble bien que la plupart des procureurs au parlement aient obéi aux édits, puisqu'en 1576, 29 procureurs au parlement reçoivent une quittance collective pour avoir payé la taxe de confirmation de leur office[13]. Il est vrai que le parlement d'Aix, contrairement à la sénéchaussée, considère l'obtention de lettres royales comme un préalable à la réception d'un nouveau procureur. Pendant la durée de l'édit, il est donc impossible pour un procureur d'exercer au parlement, s'il ne détient pas de lettres royales.

Même si l'ordonnance de Blois date de 1579, le parlement d'Aix n'enregistre l'ordonnance et son article 241 qui exclut les charges de procureurs de l'office royal, que le 14 avril 1580. Jusqu'à cet enregistrement, les procureurs au parlement d'Aix continuent d'obtenir leurs lettres de provision du roi[14]. Curieusement, le roi semble ici avoir respecté l'autorité du parlement d'Aix et considéré que tant que l'ordonnance n'avait pas été enregistrée en Provence, l'édit de juillet n'était pas abrogé dans son ressort. Par la suite et jusqu'en 1620, seul l'édit sur les survivances, en 1586, dont profitent quelques procureurs, rappellent le statut ambigu de la charge de procureur[15].

Le statut d'officier royal signifie qu'on tient sa charge du roi qui la confirme par des lettres de provision royale. Ces lettres se paient. C'est ce qu'on appelle la finance de l'office, sorte de taxe que doit payer le nouveau pourvu à un bureau créé à cet effet en 1523 et qu'on appelle le bureau des parties casuelles. Quand il s'agit d'un office nouvellement créé, la taxe est établie en fonction des besoins de l'État. Par exemple, quand le roi accepte de créer 10 offices de procureurs au parlement supplémentaires, en 1575, chaque candidat doit payer 250 écus de finance pour obtenir ses lettres de provision. Par contre, quand il s'est agi d'élever les charges de procureurs en offices royaux, on s'est contenté de charger 70 écus aux procureurs au parlement qui exerçaient déjà leur charge, avant l'édit. Les procureurs Maria et Geoffroy qui obtiennent leur office par suite de la résignation de leur parâtre et de leur beau-père, déjà officiers royaux, ne paient quant à eux que 20 écus pour la finance de cette résignation[16]. Au moment où le procureur

---

12. *Ibid.*, fº 499. Les procureurs sans lettre de provision sont alors de nouveau interdits de postuler, sous peine de faux. Données à Paris le 15 octobre 1572, ces lettres sont enregistrées par le parlement d'Aix, le 17 novembre 1572. Une douzaine de procureurs au parlement demandent leurs lettres de provision dans le mois qui suit, *ibid.*, fºˢ 540, 544, 546, 559, 591, 595, 598, 633 vº, 637, 639, 671, 673. D'autres prennent davantage leur temps sans pour autant dépasser un délai de quelques mois, *ibid.* fºˢ 716, 720, 724.

13. ADBR Aix, 4B 6, fº 83, enregistrée le 18 octobre 1576, la quittance a été donnée à Avignon, le 31 décembre 1574.

14. ADBR Aix, B 3333, fº 1023, lettre de provision du procureur Blaise Geoffroy, donnée à Paris le 12 février 1580 ; fº 1075, lettre du procureur Huguet Motte, donnée à Paris le 9 avril 1580.

15. ADBR Aix, B 3335, fº 585.

16. Par exemple Cabassut ou Rayolle, ADBR Aix, B 3332, fº 1298 vº, 1301, date d'acquit 23 décembre 1574. Maria : B 3333, fº 687 vº, date d'acquit de la finance : 31 août 1577. Geoffroy : *ibid.*, fº 1018 vº, date d'acquit de la finance : 11 février 1580.

Geoffroy obtient ses lettres, il doit encore payer une taxe supplémentaire – le droit de serment de l'office[17]–, établi à trois écus et trois quarts.

Cette « finance » de l'office s'ajoute donc à ce que le nouveau procureur a dû payer au procureur qui lui a résigné sa charge, c'est pourquoi rares sont les procureurs à applaudir cette montée en grade. Les procureurs d'Aix paient la finance de leur titre sans enthousiasme et ils précisent bien, en 1572 ou 1573, qu'ils ne prennent leurs lettres que parce que l'édit les y oblige. Dès qu'ils le peuvent, les procureurs à la sénéchaussée s'abstiennent, même si le droit de confirmation de leur office ne devait pas les avoir ruinés : on l'avait établi à 10 écus[18].

Les historiens ont montré que la vénalité des offices était bien antérieure au XVIe siècle et qu'il fallait considérer deux types de vénalité : la vénalité coutumière et la vénalité légale[19]. La situation des procureurs avant 1620 les inscrit dans une période de transition où ils passent de la vénalité coutumière à la vénalité légale, soit, comme le montre R. Descimon, d'un office pensé comme un revenu, à un office pensé comme un capital. Au XVIe siècle, obtenir un office de procureur, c'est obtenir la permission d'exercer la profession et de ce fait de gagner un revenu produit par la rémunération des services qu'on assure aux clients. Ce droit est sanctionné par les juges, mais il est d'abord une affaire qui se négocie entre procureurs et aspirants. Si les procureurs rechignent à payer la finance de l'office, c'est qu'ils se satisfont de ce type de vénalité et qu'ils ne voient ni le capital social et symbolique, ni le capital économique qu'on pourrait tirer de ce qui ne paraît être qu'une taxe de plus. Il faut dire que la conjoncture de l'autorité royale dans la seconde moitié du XVIe siècle ne favorise pas la stabilité du système dont l'efficacité se décline souvent sur un mode régional, et dépend, plus souvent qu'autrement, de l'attitude des autorités locales.

L'hérédité des charges

On l'a vu, la résignation est, au moins depuis le milieu du XVIe siècle, la façon la plus courante d'obtenir une charge de procureur laquelle arrive toujours avec la clientèle et les procès en cours du procureur qui résigne. En théorie, les procureurs sont nommés par les juges des tribunaux auxquels ils aspirent à postuler, mais dans les faits, les juges n'exercent ce droit que lorsqu'il n'y a pas eu résignation, ou que celle-ci a été invalidée par le décès

---

17. Il s'agit du droit de marc d'or, étudié par Jean NAGLE, *Le droit du marc d'or.*
18. Pour un exemple, ADBR Aix, 4B 6, fᵒ 83 vᵒ, acquit de confirmation pour le procureur au siège d'Aix, Jean Audibert, 15 décembre 1574.
19. Il faut se reporter aux travaux de Robert DESCIMON, « Les élites du pouvoir et le prince : l'État comme entreprise », Wolfgang REINHARD (dir.), *Les élites du pouvoir et la construction de l'État en Europe*, Paris, Presses universitaires de France, 1996, p. 133-162 ; ou « La vénalité des offices et la construction de l'État dans la France moderne », Robert DESCIMON, Jean-Frédéric SCHAUB et Bernard VINCENT, *Les figures de l'administrateur*, p. 77-93.

précoce du résignant. La nomination des procureurs au parlement d'Aix relève donc des conseillers au parlement qui la considèrent, au XVIᵉ siècle, comme une prérogative de leur corps. Outil clientélaire pour chacun des conseillers, la nomination des procureurs donne lieu à des luttes de pouvoir d'autant plus vives que les occasions d'utiliser l'outil sont rares. En 1587, le procureur Mathieu Durant décède. Le président Corriolis en annonçant la mort du procureur, rappelle la délibération de la cour du 13 mai 1569, qui lui accorde la nomination à cette charge. Mais ils sont plusieurs sur les rangs : la veuve et la mère du procureur veulent faire pourvoir son beau-frère, un certain Pigenat, et Antoine Guigues, un audiencier au greffe civil du parlement qui a obtenu de la Grande Chambre un certificat de pratique de 12 ans et demi à la cour et au greffe, insiste pour que le président Corriolis le préfère, attendu le long service qu'il a fait à la cour. Le président de Saint-Jean quant à lui ne veut pas perdre son rang de nomination. Si Corriolis renonce à son droit au profit de Pigenat, Saint-Jean prétend qu'il perd son tour, en quelque sorte, et estime que la prochaine nomination sera la sienne. Le droit de nomination de Corriolis n'est mis en cause par personne, mais celui de Saint-Jean est tout de suite contesté. Boniface Beaumond, un conseiller, plus ancien que Saint-Jean, se dit le prochain sur la liste. Honoré de Saint-Marc, un autre conseiller, dit que son père, Antoine, absent par maladie, est encore plus ancien que Beaumond[20]. Au niveau local, la nomination des procureurs ordonne les membres du parlement les uns par rapport aux autres, sur une échelle d'ancienneté à laquelle ils tiennent[21].

Chaque procureur peut néanmoins se départir de sa charge en faveur d'un successeur de son choix, dans la mesure où ce dernier présente les mœurs, les compétences et l'âge requis. Pour que sa résignation soit valable, le procureur doit cependant éviter de mourir dans les quarante jours suivant sa résignation. Après 1572, les familles qui ont payé pour un office royal de procureur acceptent mal que la charge puisse leur échapper, par un tel coup du sort. L'État profite de cette crainte et offre aux procureurs l'outil qui garantit l'hérédité de la charge, moyennant bien sûr, une taxe spéciale. Dès septembre 1576, un édit sur les résignations à survivance, donné en juillet de la même année, est vérifié par le parlement d'Aix[22]. Alors qu'un édit sur

---

20. ADBR Aix, B 3656, délibération du 25 juin 1587. Le certificat de pratique de l'audiencier avait été accordé par la Grande Chambre par délibération du 19 juin 1587. La délibération de 1569 à laquelle on réfère se trouve B 3653, fᵒ 208 vᵒ. Elle ne mentionne pas le président Corriolis, mais décide que « tous messieurs les présidens de la cour et les conseilliers d'icelle doresnavant auront l'ung après l'autre par ordre ung office de procureur ».

21. Cette importance donnée à l'ancienneté semble plus grande après la délibération de 1569. Auparavant, d'autres considérations pouvaient jouer. Ainsi, le conseiller Honoré Laugier reçut-il un des offices de procureur pour en faire son profit, moyennant quoi il dut quitter la cour d'une somme de 200 écus qu'elle lui devait. ADBR Aix, B 3653, fᵒ 206 vᵒ, 23 avril 1569.

22. ADBR Aix, B 3333, fᵒ 117. D'autres édits de résignations à survivance antérieurs sont attestés, mais aucun procureur ne s'en prévaut. L'édit de 1576 est le premier à avoir attiré au moins un

l'hérédité des offices donné en mars 1586 a provoqué à Paris la grève des procureurs[23], un nouvel édit sur les résignations à survivance[24] donné à Paris en juillet 1586, et en tout point semblable à celui de 1576 (sauf pour le préambule) semble offrir aux procureurs réponse à leurs craintes, tout en tirant d'eux des fonds pour le Trésor royal. Moyennant le paiement du « tiers denier de la juste valeur » de leur état, les procureurs peuvent résigner quand bon leur semble en faveur de candidats capables, sans avoir à payer autre finance. La clause la plus intéressante pour les familles est sans doute celle qui dit que si le procureur meurt avant d'avoir résigné sa charge, sa veuve, ses enfants ou ses héritiers peuvent faire leur profit de l'état de procureur et présenter qui bon leur semble pour exercer la charge. Par ailleurs, un père ayant résigné à son fils ou à son gendre peut recouvrer son état si son résignataire meurt avant lui et en disposer de nouveau à sa guise. Dernier intérêt pour les familles : si le résignataire est un fils mineur, son tuteur ou la mère du mineur peuvent, pendant la minorité du résignataire, commettre à l'exercice de l'office « ung personne de quallité requise duquel ils seront responsables civillement et sans pour ce, payer aulcune autre finance ». Seuls les procureurs à la chambre des comptes sont exclus de la possibilité de commissionner leur office. L'édit consacre le principe de l'hérédité des charges de procureurs, même si cette hérédité est un droit que peu de procureurs peuvent alors se payer, à moins de le faire collectivement.

Les procureurs au siège du sénéchal de Provence en savent quelque chose, eux qui, encore en 1642, tentent de négocier la finance du droit de confirmation de l'hérédité de leur office. L'hérédité de leur charge n'est pas nouvelle alors, mais c'est un droit qui se paie. Ils disent avoir joui de leurs charges sur simple résignation et à la seule nomination des juges des lieux, suivant l'édit de Charles IX de juillet 1572, avoir été confirmés en cette jouissance par un autre édit d'avril 1596 et par lettres du roi en 1616. Leurs charges ayant été érigées en titre d'office, en février 1620, et depuis, d'autres lettres ayant attribué l'hérédité à ces offices, moyennant finance, ils ont obtenu, en 1635, de racheter la finance du titre et de l'hérédité pour une somme de 51 000 livres qu'ils ont payées. Connaissant la gourmandise de l'État, il n'est pas étonnant qu'un nouveau traitant, en 1642, veuille

---

procureur au parlement : Nicolas Du Buisson qui s'en prévaut, au profit de son beau-fils Guillaume Maria.

23. BATAILLARD, t. I, p. 133. Les procureurs parisiens seront exemptés de l'édit de juillet 1586, alors que selon Bataillard, tous les procureurs de province durent s'y conformer.

24. ADBR Aix, B 3335, f° 484. Édit donné à Paris en juillet 1586. Suit f° 588, une quittance pour le procureur Jean Bonnet pour la somme de 20 écus pour la résignation à condition de survivance qu'il a faite de son office, le 17 septembre 1586. Cette lettre est confirmée en 1596, B 3339, f° 212 v°. On trouve sous B 3336, f° 7 v°, le même édit, cette fois daté du mois de juillet 1587, enregistré suivant l'arrêt donné au parlement d'Aix, en novembre 1587. Suivent les lettres pour Gabriel Augier, vérifiées le 6 octobre 1587, f° 20, qui a payé la taxe de survivance. Ces deux procureurs, ainsi que Nicolas Du Buisson, en 1576, sont les seuls que j'ai retrouvés et qui ont payé cette taxe. Contrairement à la paulette qui arrivera plus tard, le droit n'était pas annuel. On l'achetait, à fort prix, une fois pour toutes (disait l'édit).

qu'ils paient malgré tout un droit de confirmation de l'hérédité, ce qu'ils contestent, sans toutefois fermer toutes les portes. Le bilan qu'ils dressent de ce qu'ils ont déjà payé sert moins en effet à refuser de payer encore, qu'à faire réduire le droit auquel ils savent bien ne pouvoir échapper[25].

Même si la situation des procureurs comme officiers royaux demeure ambiguë, en Provence, jusqu'en 1620, l'hérédité de leur charge semble quant à elle acquise à la fin du XVIᵉ siècle. Cela ne veut pas dire qu'on verra les fils succéder aux pères, mais bien que les familles pourront considérer la charge de procureur comme un bien dont elles peuvent disposer, pourvu qu'elles consentent à verser les taxes demandées. La chose est importante si l'on considère que tout au long du XVIᵉ siècle, on a cherché à limiter le nombre de procureurs et que l'État s'est donné, dans ce domaine, une autorité absolue.

Le nombre de procureurs

L'intervention royale sur le nombre de procureurs autorisés à postuler auprès des divers tribunaux est constante, tout au long du XVIᵉ siècle. En effet, officiers royaux ou non, le roi a entrepris de contrôler le nombre de procureurs. Dès 1498, il a ordonné la réduction du nombre des procureurs, ce qui, constate-t-on en 1544, n'a jamais été appliqué. Le roi se plaint alors que le nombre de procureurs dans les différents sièges soit si grand et si « effréné », et interdit que d'autres que ceux qui y exercent à cette date ne soient reçus. Bien sûr, cette interdiction ne vise pas à enlever aux cours de justice le droit de pourvoir aux états de procureurs, mais elle suspend cette prérogative jusqu'à ce que le nombre de procureurs ait diminué[26]. À Aix, le 21 mars 1550 (ancien style), des lettres royaux fixent à 30 le nombre de procureurs au parlement[27]. En avril 1566, le roi révoque les réceptions de procureurs faites par la cour de Parlement depuis 1559, ce qui provoque, bien sûr, la contestation des procureurs reçus à la suite de la résignation de

---

25. ADBR Aix, C 1386. Un arrêt du conseil du 20 avril 1642 impose aux procureurs des sénéchaussées le paiement du huitième denier de la finance de leur office pour obtenir la confirmation d'hérédité, l'arrêt leur confirme alors le droit de faire les rapports d'estime, les collocations, liquidations et arbitrages.

26. ADBR Aix, B 3324, fᵒ 475. En 1544, l'argument est le suivant : le trop grand nombre de procureurs avait pour effet que « ayans la plus part d'entre eulx autre moyen de vivre fors de leur estat et praticque, ils sont contraincts norrir, multiplier et prolonguer les procès le plus souvent par mutuelle intelligence qu'ils ont entre eulx au grand détriment des pouvres parties litigants ». BATAILLARD, t. I, p. 123, rapporte l'édit de 1544 et il ajoute : « [Le roi] délivre même quelques lettres de provision. » L'argument soutenu dans l'édit de 1544 est encore présent à la fin du XVIIIᵉ siècle quand on désunit les offices de notaires et de procureurs. On dit alors que s'il n'est pas uni à l'office de notaire, l'office de procureur n'a pas d'intérêt puisque ce dernier manque de travail. Cette pénurie de travail risque donc de multiplier les recours inutiles à la justice, c'est pourquoi on accompagne la désunion des deux offices d'une diminution du nombre de procureurs (voir ADBR Aix, entre autres, C 3550).

27. ADBR Aix, B 3325, fᵒ 323 vᵒ.

leur père ou de leur oncle, et qui se considèrent compris dans les 30 procureurs légitimes[28]. En 1567, des lettres patentes rappellent qu'en 1559, le roi a encore interdit de recevoir de nouveaux procureurs[29]. En avril 1572, d'autres lettres du roi se plaignent d'un nombre effréné des procureurs au parlement et révoquent les réceptions faites depuis l'édit de 1566[30]. Même si l'ordonnance de 1579 révoque l'édit de 1572 et supprime les offices de procureurs, elle ne touche pas à la réduction du nombre des procureurs contenue dans l'édit de 1572 qui continue quant à elle à être appliquée[31]. L'intérêt de l'État pour le nombre de procureurs ne semble donc pas s'être atténué pendant le XVIᵉ siècle.

Or, si l'on cherche à comprendre d'où vient cet intérêt, c'est moins vers l'État que l'on doit se tourner que vers les procureurs eux-mêmes. La fixation du nombre de procureurs est en fait le résultat de la tension qui s'exerce entre les procureurs en place et ceux qui veulent accéder à la profession. Selon les circonstances et ses besoins financiers, l'État encourage ou non l'augmentation du nombre de procureurs. Dans la première partie du XVIᵉ siècle, l'État soutient les efforts pour maintenir à un niveau qu'il détermine le nombre de procureurs. Mais à partir du moment où les créations d'offices s'avèrent lucratives, il préfère laisser à d'autres cette gestion du nombre. C'est alors qu'entrent en action les communautés de procureurs qui commencent à acheter elles-mêmes les nouveaux offices plutôt que de laisser le nombre de procureurs exploser, au rythme des besoins financiers de l'État. Le système, finalement beaucoup plus négociable que les ordonnances royales pourraient le laisser croire, se met en place dès que les communautés comprennent que leur point de vue ne l'emportera pas.

Les positions sont claires : les parlements tendent toujours à faire augmenter le nombre de procureurs, dont la nomination est un outil clientélaire efficace, alors que les communautés de procureurs cherchent quant à elles à faire réduire ce nombre pour ne pas entamer la part des affaires qui revient à chaque procureur. Or, dès le XVIᵉ siècle, l'État cherche à asseoir ses décisions sur une certaine logique administrative. Le nombre de procureurs qu'il accorde à un tribunal tend à être justifié par les besoins du tribunal en question. Pour ce faire, les responsables locaux sont mis à contribution pour fournir des informations crédibles quant à la situation. Ils sont soutenus ou contredits par les communautés de procureurs qui défendent alors les intérêts du groupe. Les débats, quand ils ont lieu, se font au niveau local. La décision royale en récupère les arguments et impose ensuite ce qui l'avantage. Les victoires sont ainsi parfois bien éphémères, si l'on tient compte de l'appétit financier de l'État.

---

28. ADBR Aix, B 3331, fᵒ 13. Les procureurs contestataires sont confirmés dans leur charge.
29. ADBR Aix, B 3326, fᵒ 1152, lettres du 29 août 1559.
30. ADBR Aix, B 3332, fᵒ 427.
31. ADBR Aix, B 3333, fᵒ 1183 vᵒ.

Quand il s'agit d'établir le nombre de procureurs nécessaire aux besoins du public à Marseille, en décembre 1574, c'est le lieutenant de la sénéchaussée de Marseille qui est sollicité pour donner son opinion au roi[32]. Mise au courant de l'avis que doit donner le lieutenant, la communauté des procureurs de Marseille réclame la réduction du nombre des procureurs à Marseille. Le syndic des procureurs à la sénéchaussée insiste sur le fait qu'en comptant les avocats qui exercent la charge de procureur, on trouve 30 procureurs à Marseille, ce qui est excessif, compte tenu du fait que le ressort de ce siège ne dépasse pas les murs de la ville et que la plupart des affaires de justice concernent le négoce et la marchandise qui se traitent devant les tribunaux du commerce où les procureurs n'interviennent pas. Le lieutenant reprend les arguments du syndic dans son avis au roi et suggère que le nombre des procureurs à Marseille soit limité à 18. Les lettres patentes de mai 1576 qui sont ensuite délivrées reprennent exactement l'avis du lieutenant de Marseille. D'autres lettres, émises en avril 1596, viennent confirmer celles de 1576 et maintenir à 18 le nombre de procureurs postulants à Marseille[33].

Les négociations ne sont pas toujours aussi consensuelles. Ainsi, différentes décisions royales ont limité le nombre des procureurs au parlement d'Aix à 30 et le roi n'hésite pas à annuler en bloc les réceptions de procureurs faites par le parlement après 1559, puis celles du même type faites après 1566. Cela a pour effet, bien sûr, de retirer à certains praticiens l'espoir de devenir procureur, et ces derniers n'ont de cesse de faire rétablir ce qu'ils estiment être leur droit. Ce à quoi l'État consent finalement, en augmentant pour eux, le nombre de procureurs au parlement d'Aix et en ordonnant à ce dernier, le 22 juillet 1571, de recevoir les contestataires. C'est sans compter sur la réaction des procureurs déjà pourvus, qui s'insurgent contre cette crue, alors que le nombre de procureurs a depuis longtemps été limité à 30. Les aspirants procureurs transmettent à leur tour une requête aux présidents au parlement dans laquelle ils justifient leur demande par leurs services passés. La cause est entendue devant des commissaires, que les procureurs récusent d'abord, et qui transmettent ensuite leur avis au roi. Chaque partie défend sa position et cherche des appuis : les procureurs incitent les gens des trois états, réunis en mars 1572, à prendre leur parti et à intervenir auprès du roi pour que le nombre de 30 procureurs ne soit pas dépassé[34], le procureur général se range également derrière les procureurs. Les tentatives des procureurs pour éviter l'augmentation se poursuivent jusqu'en septembre 1575. Le roi met alors fin aux débats : les dix offices

---

32. *Ibid.*, f° 152.
33. ADBR Aix, B 3339, f° 252.
34. ADBR Aix, B 3332, f° 492.

nouvellement créés sont confirmés[35]. Le dossier de la cause montre que les arguments qui ont finalement entraîné la victoire des aspirants reposent sur le bon fonctionnement de l'institution et s'appuient sur une bonne connaissance de la situation : l'activité du parlement s'est accrue depuis qu'on a fixé à 30 le nombre de procureurs, le parlement est maintenant constitué de trois chambres, et il n'est pas normal qu'il y ait plus de juges que de procureurs (42 juges, 30 procureurs et environ 150 avocats qui ont prêté serment). La communauté des procureurs, cette fois vaincue, ne va pas tarder à trouver une solution pour éviter que les créations royales ne risquent d'amputer les revenus des procureurs.

Elle doit ainsi de nouveau aiguiser ses armes, en 1587, quand l'État crée dix nouveaux offices de procureurs à la cour des comptes. On n'a pas le détail de ses délibérations, mais la communauté finit par offrir au roi la somme de 2 000 écus (6 000 livres) pour rembourser la finance de ces dix offices. On répartit la somme entre tous les procureurs, toujours au nombre de 30, et chacun doit débourser 210 livres pour donner à la communauté le contrôle sur ces nouveaux offices[36]. Les besoins d'argent de la monarchie offrent ainsi à la communauté des procureurs un rôle de partenaire de l'État, et les procureurs individuellement risquent de ne pas y perdre au change.

Ce dernier exemple permet de mesurer la difficulté pour l'historien de faire le point sur les relations des procureurs avec l'État au XVIe siècle. La chronologie de ces relations ne se construit pas avec les seuls édits généraux qui les concernent. Les hésitations de la royauté à élever les charges de procureurs en offices royaux ne l'ont pas empêchée de forcer les procureurs à contribuer à ses finances. Sachant ce qu'on attendait d'eux, il valait mieux, en effet, négocier une contribution avec le roi plutôt que d'ouvrir la profession à tous ceux qui accepteraient de lui fournir les fonds espérés[37]. Le nombre autorisé de procureurs, comme objet de négociations entre le roi et les communautés de procureurs caractérise donc la période qui

---

35. On trouve les documents relatifs à cette crue demandée par Esprit Cabassut, Louis Rotier, Barthélémi Massot et consorts, ainsi que ceux qui concernent sa contestation au f° 1279 et suivants du B 3332. Des lettres du roi de janvier 1567 ont déjà établi que certains procureurs, reçus depuis l'édit de 1559, doivent être maintenus malgré la réduction, il s'agit de Guillaume Bertrand, Augustin Vitalis, Jacques Baulme, Esprit Robert, Francois Capuci. Une autre lettre du roi a nommé Jean Milonis, Boniface Aynes, Esprit Cabassut, Louis Toussans, Jean Bonnet, Jacques Bigard comme procureurs au parlement, par-dessus les 30 qui y sont déjà. Le dernier acte de cette affaire se trouve au f° 1296, en date du 12 septembre 1575. Esprit Cabassut obtient ses lettres aussitôt après, f° 1298 v°.

36. ADBR Aix, B 2689, arrêt à la barre du 21 janvier 1588. On connaît l'histoire parce que certains procureurs ont refusé de payer leur cotisation et que le syndic a entamé des procédures pour les y contraindre corps et biens.

37. Il semble particulièrement difficile de fixer un nombre de procureurs au parlement. En 1603, leur syndic obtient des lettres patentes enjoignant que dorénavant on ne puisse être reçu en charge de procureur que quand le nombre sera réduit à trente. ADBR Aix, B 3342, f° 185. S'agit-il d'un retour en arrière ? Les arguments déployés par les aspirants de 1575 ne s'étaient pourtant pas évanouis : la taille du parlement n'avait pas été réduite au début du XVIIe siècle.

précède la mise en place définitive de l'office royal. Le système, par la suite, tout comme le rôle des communautés dans ce système, prendra une autre tournure.

Entre le XVIe siècle et la période qui suit l'érection définitive de la charge de procureur en office formé, l'accès à la fonction de procureur s'est transformé. L'on peut se demander jusqu'à quel point ce changement, ponctué par les interventions répétées de l'État, a modifié le quotidien des procureurs. La date de 1623 est-elle si importante dans l'histoire des procureurs qu'elle permette de définir un « avant » et un « après » ? Il faut, pour le mesurer, changer de point de vue et s'attacher à ce que disent les récits que façonnent les vies de procureurs qui s'étendent de part et d'autre de cette transformation.

Chapitre VI

Des Maria aux Abesson, du revenu au capital

Au-delà des édits et ordonnances qui servent d'arrière-plan à leur situation dans le royaume, les effets concrets de ces changements peuvent être saisis, pour un peu qu'on accepte de suivre les procureurs de part et d'autre de la barrière chronologique que nous avons nous-même érigée. Des Maria, au xvie siècle, aux Abesson, au xviie siècle, la charge de procureur au parlement d'Aix change de portée. Elle change aussi de prix. Il n'est pas sûr cependant que les procureurs aient toujours pu en profiter. Avant de tenter une modélisation de la situation économique du procureur, il faut présenter quelques histoires qui lui serviront de socle.

Les Maria

En 1542, Honorade Guiramand a épousé Bernardin Maria, procureur au parlement, à qui elle a donné trois garçons : Jean, Guillaume et François. Au moment de la mort de Bernardin, le fils aîné est déjà engagé ailleurs et ses deux frères sont trop jeunes pour reprendre la charge de leur père qui est donc vendue, avec les papiers en dépendant, à Jean Garcin, qui l'exerce jusqu'à sa mort[1]. Soutenue par son fils aîné, la veuve de Bernardin épouse en 1569 un autre procureur au parlement, Nicolas Du Buisson qui s'engage à nourrir, chausser et vêtir ses deux fils Guillaume et François, et à leur faire apprendre l'écriture et l'art qui leur plaira[2]. L'un des deux fils,

---

1. On ne connaît pas les termes de l'entente, mais en 1599, alors que Jean Garcin est décédé, ses fils doivent encore à la succession de Bernardin Maria, la somme de 300 écus (900 livres) à laquelle ils ont été condamnés par le parlement en 1593. Les Garcin et les Maria étaient liés à travers les Genevois. Manuel Genevois, le peintre, avait épousé la sœur d'Honorade Guiramand, la femme de Bernardin. La femme de Jean Garcin était aussi une Genevois. Le procureur Jean Garcin, décédé en 1592, ayant laissé son office vacant, le conseiller d'Arcussia, le plus ancien des présidents et conseillers, eut droit de nommer son remplaçant. Il choisit maître Perrel. ADBR Aix, B 3660, fᵒ 1146, délibérations du parlement du 4 décembre 1592.
2. ADBR Aix, 4B 22, fᵒ 412. Honorade apporte en dot tous ses biens. Elle était l'héritière universelle de son père, Jean, décédé en 1557. ADBR Aix, 4B 1106, 19 février 1580, rapport d'experts visant à évaluer le supplément de légitime auquel ont droit certains membres de la famille Guiramand.

Guillaume, choisit l'art de la pratique et quand il épouse, sept ans plus tard, une veuve d'Aix, Anne Imbert, qui apporte au mariage l'auberge de l'Écu de France, située rue des Épinaux à Aix, il est prêt à devenir à son tour procureur, comme son père et son parâtre[3]. Il a participé, l'année précédant son mariage, à la basoche, à titre d'enseigne[4] et il ne lui manque plus que l'office qui lui permettra d'exercer. À l'occasion de ce mariage, Nicolas Du Buisson promet à son beau-fils de lui résigner son office de procureur en parlement, en survivance, sans toutefois que la valeur de l'office ne soit précisée. L'apport au mariage de Guillaume est bonifié par la donation que lui fait sa mère, Honorade, après sa mort, de tous ses biens. En retour, on convient que tous les fruits provenant de l'office de procureur ou des biens d'Honorade serviront à entretenir les donateurs, ainsi que les nouveaux mariés et leur famille, qui habiteront ensemble.

Comme c'est la coutume, Guillaume entame alors son livre de raison. Le premier acte qu'il y inscrit est le contrat de mariage de ses parents qu'il fait suivre du contrat de son propre mariage[5]. Son parâtre, qui avait payé la finance des résignations à survivance, lui fait obtenir les lettres de provision royale le 31 août 1577, mais les gens du roi font quelque difficulté à recevoir Guillaume dont les lettres n'ont pas été obtenues dans le délai prescrit par l'édit de survivance de 1576. Pour que ses lettres soient considérées comme valables par le procureur général au parlement d'Aix, Maria doit obtenir un autre édit de prorogation des résignations à survivance, grâce auquel le procureur général, le 6 octobre 1578, autorise qu'on procède à « l'information sur la vie meurs eage religion et conversation chrestienne et catholique » de Guillaume Maria. Malchance ou mauvaise volonté : le commissaire qui informe sur la bonne vie de Guillaume, le conseiller au parlement Vincent Boyer, s'acquitte de sa tâche, mais quitte la ville sans que le processus de réception du procureur ne soit terminé. Guillaume doit présenter une nouvelle requête au parlement, pour réclamer qu'un autre commissaire soit nommé, pour qu'enfin il puisse être reçu, ce qu'accepte le parlement qui nomme à cet effet le conseiller D'Ardillon, le 19 novembre 1578. L'arrêt à la barre qui fait état de la vérification et de l'enregistrement des lettres de provision et de la réception du procureur, est établi le 27 novembre 1578[6]. Il aura fallu plus d'un an pour que la résignation de son parâtre donne enfin le droit à Guillaume de postuler au parlement de Provence. Même si l'édit des résignations à survivance qui l'a permis

3. ADBR Aix, 4B 30, f° 164 ; 307E 823, f° 1312 v°, testament de Guillaume Maria. Le testament de la mère d'Anne, également veuve de son second mari, Jean André, un marchand d'Aix, indique qu'Anne Imbert est sa fille unique et que son père était Esprit Imbert : 301E 177, f° 1214, 5 décembre 1576. Guillaume conserva le logis de l'Écu de France pour ses filles.
4. ADBR Aix, 302E 516, f° 851, 13 mai 1575, il signe un engagement avec les tambours et les fifres, en tant qu'enseigne, ayant charge du roi de la basoche.
5. ADBR Aix, 307E 823, f° 1531 v°. Inventaire des biens de Guillaume Maria, fait le 30 mai 1599.
6. ADBR Aix, B 3333, f° 687 v°- 693 v°. La quittance indique que le coût de la finance de résignation se montait à 20 écus.

comporte des restrictions de délais, il a été relativement facile de contourner cette obligation.

Quatre filles sont nées de son mariage avec Anne Imbert, deux d'entre elles, Sibille et Marguerite, sont toujours vivantes quand, devenu veuf, Guillaume se remarie en octobre 1592, cette fois avec une veuve de Marseille. Polixène Berger apporte au mariage tous ses biens, ainsi que des avantages nuptiaux obtenus de son premier mari, Jean Rebiere, épousé en 1588[7]. Guillaume aura de ce deuxième mariage, deux autres filles, Jeanne et Anne, et un garçon, Christophe[8]. Quand Guillaume fait son testament, à la veille de sa mort, en 1599, son fils est encore tout jeune, mais il recommande à sa femme de le faire étudier et instruire « aux lettres et bonnes meurs ». La veuve envoie donc son fils au collège de Saint-Maximin, mais l'enfant mourra avant d'avoir pu porter bien loin les espoirs qu'entretenait son père pour lui.

Après une vingtaine d'années comme procureur au parlement, deux mariages et cinq enfants vivants dont aucun n'est encore marié, Guillaume Maria possède, au moment de sa mort, une maison à Aix, rue Riffe Raffe, cinq vignes, dont une lui vient de sa mère, une bastide, deux autres maisons et divers biens à Cruis (région de Forcalquier), dont il a hérité de son oncle Chaffret Maria, après 1589. Ses filles du premier lit entrent en possession de l'héritage de leur mère, le logis de l'Écu de France, qui rapporte une rente perpétuelle de 70 écus par année, une maison à la rue de Juterie et des biens à Saint-Antonin[9]. À Aix, le bruit court que sans l'apport de sa première femme, le procureur aurait eu du mal à vivre décemment[10].

Le procureur peut aussi mettre à son actif ce qu'on lui doit. Certaines de ces dettes sont liées à sa pratique, mais elles permettent moins de dire ce que rapportait cette dernière que les difficultés qu'avait parfois le procureur à se faire payer. Ainsi les 350 écus dus pour des vacations et fournitures que le

---

7. ADBR Aix, 4B 37, f° 460, 10 octobre 1592. La période n'est pas facile pour Guillaume. Au cours de l'année, il a perdu deux de ses filles, Anne le 9 février et Louise le 23 février (information contenue dans son testament, 307E 823, f° 1312 v°, 17 avril 1599). Guillaume, avec d'autres, est alors en procès contre un conseiller au parlement (Nicolas Flote) qui est héritier par bénéfice d'inventaire d'un certain Thomas Raisson. Tous les conseillers et officiers de la sénéchaussée d'Aix ont été récusés par la partie de Maria et les récusations ont été admises. Par ailleurs, Maria a encore récusé 55 avocats du siège d'Aix, récusations qui ont aussi été admises. Flote a donc présenté sa requête au parlement, mais Maria, assigné, a récusé tous les conseillers du parlement sauf cinq, ce qui n'était pas suffisant pour juger ni les récusations, ni le procès principal. Flote a donc dû présenter sa requête au Conseil d'État qui a finalement décidé que la cause serait entendue au parlement de Toulouse et non ailleurs. C'est Charles de Lorraine, duc de Mayenne, lieutenant général de l'État et couronne de France qui signe les lettres d'évocation. ADBR Aix, B 3480, extrait du conseil d'État, les lettres sont datées du 17 janvier 1592.

8. AMA, CC 1178, f° 2.

9. *Ibid.*, f° 12.

10. ADBR Aix, 20B 3478, 1594, procès pour excès, du procureur et sa femme contre la femme de Melchior Ricard, qui avait dit, entre autres, que sans le bien de sa première femme, le procureur serait mort de faim, ce qui était évidemment exagéré. Polixène Berger n'était pas sans le sou, son père lui avait constitué 1 200 écus d'or au moment de son premier mariage, dot qu'il n'avait probablement jamais payée, il est vrai. ADBR Marseille, 380E 82, f° 71, 23 janvier 1588.

procureur a faites aux procès d'Honoré Puget, décédé, dont le premier arrêt de condamnation à payer date du 27 mars 1577 sont-ils toujours en litige, en 1599[11]. Outre certains clients qu'il représente au parlement ou à la cour des comptes et qui lui doivent des vacations, sans que l'on sache le volume des affaires en cause, d'autres, comme Christophe de Couppes, seigneur de Saint-Vincens, ont envers le procureur un passif important qui confond les vacations et les prêts personnels[12]. Même si le procureur a consenti des prêts à quelques personnes, rares sont ceux, comme Estienne Estienne, seigneur de Villemus, contrôleur des finances de Provence, qui lui doit 1 500 livres, à qui il a prêté de grosses sommes[13]. Il ne semble pas non plus avoir investi dans les rentes sur les communautés. Les deux prêts qu'il leur a consentis (Ginasservis et Aix) ne totalisent même pas 400 écus. Ses autres débiteurs le sont pour de petites sommes, parfois obtenues à la suite de plusieurs cédules, portant sur de petits montants à la fois (5 ou 6 écus).

Si l'on exclut le logis de l'Écu de France et les autres biens apportés par sa première femme et qui passent à sa mort à ses deux filles du premier lit, l'avoir le plus important semble être, pour Guillaume Maria, son office de procureur. Il s'agit cependant d'un bien fragile, qui vaut par sa clientèle et par le droit qu'il confère d'exercer le métier. Obtenue alors qu'il s'agissait d'un office royal, la charge de procureur de Guillaume a depuis été rétrogradée. On parle encore d'un office, mais on n'a plus à obtenir de provisions royales pour s'en prévaloir. Son prix quant à lui est négociable et subit les effets du marché et de la conjoncture. Les années qui ont suivi la réunion du parlement ligueur avec le parlement royal ont été extrêmement décevantes pour les avocats et les procureurs qui ont subi les contrecoups d'un « marché » aixois de la justice en baisse. Entre 1595 et 1597, on se plaint que trop pauvre, le peuple ne plaide plus, et que les riches vont ailleurs qu'à Aix[14]. Malade, cloué au lit, Guillaume Maria fait son testament le 17 avril 1599[15] avant de décider de résigner son office quelques jours plus tard[16]. Comme il n'a pas de fils apte à prendre la relève, il doit

---

11. AMA, CC 1178, f° 28.
12. De Couppes doit à Maria, au moment de sa mort, 770 écus (2 310 livres). Je n'ai pas poussé plus loin les relations qui sous-tendent ces affaires, mais il est intéressant de souligner que les procureurs Maria, père et fils, sont les procureurs des avocats de Fauris, père et fils, dont le fils, Pierre, finira par obtenir la seigneurie de Saint-Vincent, propriété de Christophe de Couppes. Les Maria et les Fauris sont originaires de la région de Forcalquier. Voir Archives départementales des Alpes de Haute-Provence (désormais ADAHP), 1E 58, extrait d'une sentence du lieutenant de Forcalquier du 31 janvier 1555, signé Maria. ADAHP, 1E 59, récusation faite par le procureur de Jean de Fauris (le père de Pierre), d'un commissaire du parlement, signée Maria, 11 mai 1598. Sans le livre de comptes de sa pratique, il est impossible de mesurer la place de ce client dans l'ensemble de la clientèle de Maria.
13. L'inventaire de Maria indique que l'oblige pour ce prêt date du 12 novembre 1580. ADBR Aix, 307E 823, f° 1535.
14. Lettre de l'avocat Pierre Fauris à son père, ADBR Aix, 4B 43, f° 643 v°, lettre VIII, sans date, mais entre 1595 et 1597.
15. ADBR Aix, 307E 823, f° 1312 v°.
16. *Ibid.*, f° 1344 v°, 21 avril 1599.

d'abord trouver un acheteur prêt à offrir, pour son état et sa pratique, des conditions avantageuses pour ses héritiers. Malade depuis un long moment, il n'a pu lui-même faire les démarches nécessaires. C'est donc sa femme qui passe, avec l'acheteur, des arrangements négociés par Joseph Estienne, greffier civil au parlement, en qui Guillaume a une telle confiance qu'il en a fait, dans son testament, le conseiller de sa femme pour tous les contrats d'importance. Le rôle du greffier, dans la vente de l'état de procureur de Guillaume, a été crucial et la famille estime même que « sans la providence dud. sr Estienne » l'office aurait été perdu[17].

Les Abesson

L'office, qui n'est plus, faut-il le dire, un office royal, est vendu à un praticien originaire de Châteaurenard, Jean Abesson. Il obtient, avec l'office, les sacs, livres, registres, papiers, procédures, pratiques et émoluments qui en dépendent, ainsi que les « bureaux et restellier servant à l'estude dud. estat[18] ». Pour cet ensemble, il promet payer 1 200 écus soit 3 600 livres, au rythme de 400 écus par année. Normalement, la charge et ses dépendances devraient donc être remboursées en trois ans. Pour assurer le paiement, les Cordurier, oncles d'Abesson, originaires aussi de Châteaurenard, servent de caution à leur neveu. Advenant un défaut de paiement, on s'entend pour que l'état de procureur et les papiers et pratiques l'accompagnant puissent être mis aux enchères. Si l'on ne se fie qu'aux quittances notariées que signent les parties, l'office aurait été complètement payé, le 9 octobre 1604[19]. La réalité est pourtant beaucoup plus complexe.

En effet, les paiements qu'Abesson devait faire pour la charge de procureur, ont en partie servi à constituer les dots des filles de Guillaume, ce qui permet d'avoir des informations complémentaires[20]. Malgré ce que disent les quittances obtenues, Abesson doit encore, en 1607, 600 livres à l'un des maris des filles Maria, et 210 livres à l'autre[21]. Obligé par la cour de payer, il doit de nouveau emprunter, en donnant son office en garantie[22].

---

17. C'est le même Estienne qui est derrière la transaction conclue entre Pierre Ollivier et Sibille Maria. Les deux jeunes gens s'étaient mariés contre la volonté des parents de Sibille et le jeune homme avait été accusé de rapt. C'est en reconnaissance de cette intervention, dit la veuve, qu'elle n'a pas réclamé les 500 écus qu'Estienne Estienne, contrôleur général des Finances, lui devait.
18. Les offices de procureurs à Aix et à Toulouse, sont toujours vendus avec leurs pratiques qui ne sont jamais évaluées à part. ADBR Aix, 307E 823, f° 1346, 21 avril 1599.
19. *Ibid.*, f° 1348 v°.
20. ADBR Aix, 307E 824, f° 1312 v°, mariage de Marguerite Maria avec Mathieu Brun. Michel de Roquebrune, mari de Sybille Maria, est aussi un des créanciers de Jean Abesson.
21. ADBR Aix, 308E 1337, f° 735 v° ; *ibid.*, f° 876.
22. *Ibid.*, f° 690 v°, il emprunte 400 livres à Honoré Sauvecane, enquêteur pour le roi au siège d'Aix, expressément pour finir de payer son état et office de procureur. Il obtient quittance pour le paiement de cette somme le 8 novembre 1608. Ses oncles Cordurier de Châteaurenard ont sans doute contribué à résoudre l'impasse financière dans laquelle il semble être car après avoir poursuivi son neveu pour se faire rembourser et avoir obtenu gain de cause, l'un de ses oncles déclare à

Tant que la charge n'est pas entièrement payée, sa propriété reste précaire. En effet, même si les « compositions d'office[23] » ne le disent pas encore, la charge non complètement payée peut toujours être saisie par les créanciers des vendeurs pour se payer de la somme qui leur est due[24].

Même s'il a du mal à rencontrer les termes de son contrat, Abesson reprend la clientèle de Maria notamment l'affaire qui implique Christophe de Couppes, dont il devient curateur pourvu à la discussion générale des biens. C'est sa plus grosse affaire et elle l'occupe à coup sûr de 1609 jusqu'en 1638[25].

La carrière du procureur Abesson enjambe la barrière chronologique de l'office royal. Abesson exerce en effet une vingtaine d'années avant le changement de statut et une vingtaine d'années après. Faute d'information sur sa pratique, on peut observer, de part et d'autre de cette barrière, deux indices. Il s'agit des conditions d'apprentissage qu'il négocie avec ses clercs, avant et après l'érection en office royal, et de l'évolution du prix de sa charge.

Un indice : les conditions d'apprentissage

Sans être un gros procureur, Abesson est secondé, dans son étude, par des clercs qu'il contribue à former[26]. En suivant les conditions des contrats d'apprentissage qu'il négocie, de part et d'autre des années 1620, peut-être pourrons-nous mesurer l'effet de l'office royal sur l'attrait de la carrière de procureur. Restons prudents toutefois. Parce qu'il dépend de plusieurs critères, on peut difficilement établir le coût moyen d'un apprentissage chez un procureur, ou conclure de ce coût que le métier est plus ou moins recher-

Abesson qu'il ne compte pas se servir de l'arrêt obtenu, à moins qu'Abesson meure sans enfant. *Ibid.*, f° 378, 18 mai 1607. Le fils du procureur sera d'ailleurs, quelques années plus tard, l'héritier par inventaire de ce vicaire perpétuel d'Eyragues, ADBR Aix, 308E 1355, f° 877, 21 octobre 1625 ; 308E 1356, f° 308, 21 mars 1626.

23. On appelle ainsi les ententes entre particuliers qui, à Aix, règlent la vente des offices, des pratiques qui en dépendent ainsi que des registres, liasses et des meubles permettant de les ranger.

24. C'est ce que menace de faire Marc Antoine Beau, un écuyer de Marseille, créancier des héritiers de Guillaume Maria, qui se fait finalement assigner 343 livres qu'Abesson doit lui payer. Ce dernier en paie une partie en 1607 et il n'obtient quittance pour le reste que le 8 février 1611. ADBR Aix, 308E 1341, f° 134 v°.

25. Première mention retrouvée, 17 février 1609, ADBR Aix, 306E 686, f° 224, puis, presque chaque année jusqu'en 1616. La dernière mention se trouve le 15 mars 1638, Abesson est toujours curateur à la générale discussion des biens de feu Christophe de Couppes. Ce rôle l'a conduit à être assigné plusieurs fois devant le Conseil privé, mais également devant le parlement de Dijon et devant la Chambre de l'édit à Grenoble, où il s'est fait représenter par des avocats. En 1611, il se fait payer sur un moulin saisi, 806 livres que De Couppes lui devait, 306E 688, f° 135. À la fin du xvie siècle, Christophe de Couppes possédait plusieurs seigneuries près de Noyers, dans les Alpes de Haute-Provence : Saint-Vincent, Le Grand Gubian, Jarjayes et Malcor. M.Z. ISNARD, *État documentaire et féodal de la Haute-Provence...*, Digne, Imprimerie-Librairie Vial, 1913, p. 187, 190, 211, 371.

26. Les procureurs au parlement d'Aix semblent avoir en moyenne deux clercs chacun. C'est le cas de Toussaint Lestrade, même s'il est criblé de dettes, quand il vend son office, le 18 août 1623, ADBR Aix, 306E 806, f° 784.

ché. Les termes de ces contrats rattachent le prix que paient les apprentis au logement et à la nourriture que leur fournit le procureur, mais il est évident que le prix ne fait pas que répercuter le coût de la vie, même s'il s'y colle davantage qu'au marché de la profession. En effet, ces services se négocient selon la compétence du clerc, son état de préparation, mais également en fonction des modalités de paiement qu'on a conclues. En 1607, Abesson passe deux contrats d'apprentissage. Les deux clercs s'engagent à servir de la même façon, mais l'un paie 180 livres pour deux ans, alors que l'autre ne se voit imposer que 150 livres. Le premier paie un an à l'avance, tandis que le second paie toute la somme dans le mois qui suit son engagement[27]. En 1610, Abesson engage un autre apprenti pour 180 livres pour deux ans, mais en 1613, un autre convient de payer 240 livres pour le même temps, alors qu'en 1614, Arnaud Berneau, de Pertuis, ne se fait demander que 120 livres. Si l'on en juge par la collaboration qu'Abesson établit ensuite avec ce dernier, on peut croire que Berneau n'en était pas au début de sa formation et qu'il pouvait rendre des services qui compensaient en partie le gîte et le couvert qu'on lui fournissait[28]. En 1621, alors que la charge de procureur est redevenue un office formé, le fils Pélissier de Marseille paie 180 livres pour 2 ans d'apprentissage chez Abesson[29]. Le premier février 1633, le fils Rantier paie encore 100 livres pour un an pour apprendre le métier, ce qui n'est que 10 livres de plus que ce que le procureur avait chargé, au début de sa carrière[30]. Chez Abesson, le coût de l'apprentissage semble donc s'être maintenu tout au long de son activité et ne pas avoir subi l'influence des édits érigeant les offices formés, ou accordant l'hérédité. La comparaison des différents contrats d'apprentissage que fait passer le procureur Abesson montre que les coûts chargés par un même procureur varient, selon des impondérables qu'on peut soupçonner, sans toutefois pouvoir les identifier formellement. Elle incite donc à la prudence. On peut néanmoins s'interroger sur cette indifférence à l'office royal que semble manifester le coût de l'apprentissage. Comme pour le contrat de vente d'office, peut-être le changement intervient-il plus tôt.

Pour le vérifier, considérons l'autre point de repère qu'est l'édit de 1572, relativement bien appliqué à Aix et qui faisait, pour la première fois, un office royal de la charge de procureur. Rassemblés de façon tout à fait aléatoire, une vingtaine de contrats d'apprentissage passés par des procu-

---

27. ADBR Aix, 308E 1337, f° 131 ; *Ibid.*, f° 649 v°.
28. ADBR Aix, 29 janvier 1610, 308E 1340, f° 160 ; 15 octobre 1613, 308E 1343, f° 1111 ; 22 septembre 1614, 308E 1344, f° 1212 v°. Le 17 août 1619, Abesson fait Arnaud Berneau, praticien, l'un de ses procureurs pour recouvrer des rentes à Aix, 308E 1349, f° 732. Le 4 septembre 1621, Arnaud Berneau est de nouveau le procureur d'Abesson pour exiger une somme qui lui est due, 308E 1351, f° 835 ; le 31 juillet 1624, Arnaud Berneau, de Pertuis, est de nouveau le procureur d'Abesson, 308E 1354, f° 781.
29. ADBR Aix, 308E 1351, f° 1098 v°, 11 novembre 1621.
30. ADBR Aix, 308E 1360, f° 108, 1er février 1633.

reurs aixois[31], dans la deuxième moitié du xvie siècle, permettent d'établir un ordre de grandeur. Combinés aux contrats d'Abesson, ils définissent deux périodes. La première regroupe les contrats passés entre 1558 et 1566, donc avant l'office royal, et montre que l'apprentissage chez un procureur se négocie en moyenne, à Aix, à 53 livres par année. La deuxième, qui réunit les données de 1594 à 1633, indique qu'il faut désormais débourser 94 livres en moyenne par année, pour le même apprentissage.

Années	Livres	Moyenne	Mode
1558	60		
1558	18		
1562	48		
1563	72		
1563	45		
1566	51		
1566	72		
1566	66		
1566	54		
1566	45		
1558-1566		53,1	
1594	99		
1594	105		
1594	120		
1594	120		
1594	108		
1594	67,5		
1594	90		
1594	82,5		
1594	90		
1607	90		
1607	75		
1610	90		
1613	120		
1614	60		
1621	90		
1633	100		
1594-1633		94,1875	90
Abesson		89,28571429	

TABLEAU 1. – *Coût de l'apprentissage à Aix chez les procureurs par année, en livres.*

---

31. La plupart sont procureurs au siège, mais il y a également des procureurs au parlement, et même un avocat qui exerce aussi le métier de procureur. Ces contrats, à l'origine, ont été relevés dans les archives par Caroline Dubé, dans le cadre de sa maîtrise en histoire, malheureusement inachevée.

On peut donc dire que quelque part après 1567 et même en tenant compte d'une année aussi mauvaise pour la justice que 1594, le coût d'un apprentissage de procureur a presque doublé à Aix. On connaît bien la montée des prix qui touche les années 1590 à Aix[32]. Si cette inflation de l'apprentissage ne s'expliquait que par cette montée des prix, elle aurait subi la même correction que celle des autres prix. Or, entre 1594 et 1633, le coût de l'apprentissage se maintient sans que les années 1620 ne se démarquent. Le statut d'officier royal ne semble donc pas présenter un tournant dans l'intérêt que prennent les familles pour le métier de procureur. Le véritable changement est antérieur, même si l'observation n'est pas ici assez fine pour dire quand exactement il se produit (voir figure 1).

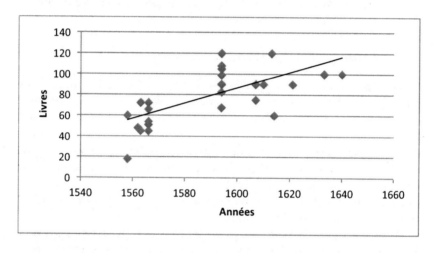

FIGURE 1. – *Coût de l'apprentissage chez les procureurs par année (en livres).*

Abesson ne nous permet pas de mesurer exactement son activité de procureur. Si l'on peut glaner ici et là quelques indices – il est arrivé que deux clercs travaillent pour lui en même temps[33] ; on sait qu'il a participé très tôt à la vie de la communauté des procureurs[34] – on n'en sait guère plus. Il a tout de même réussi, comme les procureurs du XVIe siècle, à se

---

32. Particulièrement les années 1591, 1592 et 1593. Voir René Baehrel, *Une croissance : la Basse-Provence rurale (fin XVIe siècle-1789)*, Paris, Sevpen, 1961, notamment les tableau 1, p. 535, tableau 4, p. 547 et tableau 9, p. 560.

33. En même temps que le fils Rantier, Abesson a un autre clerc, qui est impliqué dans une poursuite devant le viguier d'Aix, pour injures et excès, ADBR Aix, 20B 1282.

34. En 1612, les syndics des procureurs l'envoient ainsi à Paris poursuivre un procès les concernant devant le Conseil privé du roi. Il y reste 5 mois et doit, pour payer ses dépenses et les frais du procès, emprunter 500 livres au garde des munitions en Provence, ADBR Aix, réclamation d'Abesson aux syndics, 308E 1342, f° 588, 18 juin 1612.

faire construire une maison[35] et à s'acheter, en 1621, une bastide au terroir d'Aix. Pour la bastide, il n'a fourni que 300 livres sur les 2 700 livres qu'il devait payer et la vendeuse a insisté pour qu'il rembourse les 2 400 livres qui restaient à payer quand « bon lui semblera ». La pension de 120 livres qu'Abesson acceptait de payer en échange à la vendeuse faisait probablement l'affaire des deux parties puisque le contrat stipule que si Abesson décide de rembourser le capital, il devra, non pas remettre l'argent liquide à la vendeuse, mais plutôt trouver une communauté solvable qui l'acceptera, au denier 20[36]. Les rentes sur immeubles ou les rentes constituées[37] sont alors considérées comme des placements sûrs. La bastide d'Abesson parle certes pour la dette de ce dernier, mais elle dit surtout qu'on veut que l'argent prêté rapporte, régulièrement. Les compositions d'office de procureur, à Aix, se négocient exactement de la même façon.

Deuxième indice : l'évolution du prix des charges

Le contrat qu'a passé Abesson avec la femme de Guillaume Maria pour son office, en 1599, se rapproche beaucoup plus des compositions[38] d'office qu'on trouve en abondance chez les notaires aixois après 1620 que de ceux de la seconde moitié du XVIᵉ siècle, rarement aussi précis. Il signale que, déjà, quelque chose est en train de se passer dans la profession de procureur : elle a désormais un prix qu'on peut estimer, de façon ouverte[39]. Il n'est donc pas nécessaire d'attendre l'érection définitive en office royal pour constater un changement et il semble, *a priori*, que ce soit la confirmation de l'hérédité qui ait eu le plus d'impact.

À partir du XVIIᵉ siècle, les charges de procureurs et les pratiques peuvent être vendues par les familles à qui leur convient, sous réserve que le candidat remplisse les conditions nécessaires pour être reçu par les juges devant

---

35. ADBR Aix, 308E 1343, fᵒ 529, 29 avril 1613. Le terrain sur lequel est construite cette maison a été racheté, le 31 janvier 1611, par Abesson, pour une somme de 900 livres pour laquelle il paie une pension annuelle. Comme le terrain était déjà hypothéqué, Abesson doit défendre ses droits lors de plusieurs procès. 308E 1345, fᵒ 865, 9 novembre 1615 ; 308E 1347, fᵒ 809, 28 juin 1617 ; 308E 1349, fᵒ 724, 13 août 1619.

36. ADBR Aix, 308E 1351, fᵒ 1225, 17 décembre 1621.

37. Bernard Schnapper, *Les rentes au XVIᵉ siècle. Histoire d'un instrument de crédit*, Paris, Sevpen, 1957, p. 40.

38. Les notaires emploient indifféremment les expressions « traité d'office », « composition d'office », ou « convention d'office », pour les conventions entre particuliers qui procèdent au transport d'un office de procureur vers un nouvel officier. Pour tout ce qui concerne les prix des offices et des pratiques de procureurs à Paris, notamment pour les procureurs au Châtelet, pour fins de comparaison, ainsi que pour l'explication des termes qui gravitent autour de l'office, il faut consulter Robert Descimon, « Les auxiliaires de justice du Châtelet de Paris : aperçus sur l'économie du monde des offices ministériels (XVIᵉ-XVIIIᵉ siècle) », Claire Dolan (dir.), *Entre justice et justiciables*, p. 301-325.

39. Est-ce le droit d'exercer que l'on paie, la clientèle qui l'accompagne ou les espoirs d'une situation confortable ? Les documents aixois ne permettent pas de le dire puisqu'ils ne distinguent pas ces divers éléments, contrairement à Paris, par exemple, où les pratiques s'évaluent à part des offices.

lesquels il postule. Même lorsqu'elles sont transmises d'un père à son fils, il n'est pas inutile d'évaluer, dans un contrat, ce que représente cette transmission, ce qui permettra de négocier un meilleur mariage, ou de justifier que les règles d'héritage ont bien été respectées. C'est exactement ce que fait Jean Abesson, père, quand, en 1643, il fait convention avec son fils pour la vente de son office[40]. L'acte se démarque de celui qu'a conclu le père, quarante-quatre ans plus tôt. Si l'objet de la résignation n'a pas changé et comporte l'état, les sacs, les registres et les papiers dépendant de l'office de procureur, les montants en jeu sont bien différents et les clauses cette fois tentent de tout prévoir. Le fils promet de payer à son père la somme de 10 000 livres (contre 3 600 dans le contrat de 1599), en trois années et en trois paies égales (ce qui correspond aux termes du premier contrat). La communauté des procureurs au parlement ayant racheté plusieurs nouveaux offices de procureurs pour éviter une chute des prix, elle en a réparti les coûts sur l'ensemble des membres de la communauté. Le fils promet donc de décharger son père de ces cotisations et de payer lui-même le corps des procureurs. Loin d'être surprenante, cette clause, évidemment absente au XVIᵉ siècle, est récurrente dans tous les traités d'office aixois du XVIIᵉ siècle.

Tant que le fils n'a pas payé les 10 000 livres, c'est le père qui jouira des revenus de l'office, en retour de quoi il nourrira son fils, le vêtira et le tiendra dans sa maison. C'est également le père qui nourrira les clercs dont son fils aura besoin et il retirera pour ce faire les paiements faits par les clercs. Si le fils se marie, au gré du père bien sûr, ce dernier fait donation à son fils des 10 000 livres et des fruits de l'office, mais le père gardera la dot de la femme du fils quelle qu'elle soit, dot qu'il pourra employer au paiement de ses propres dettes et pour marier sa fille Françoise. Le fils, bien sûr, s'il tombe malade ou s'il veut résigner l'office avant d'être marié, ne pourra le faire qu'en faveur de son père ou de la personne désignée par son père, au même prix de 10 000 livres. La montée du prix de l'office depuis qu'il l'a acquise a, certes, été spectaculaire, mais elle n'atteint pas, pour Abesson, les sommets que lui aurait probablement permis la vente de son office à un étranger[41]. Il est clair que l'office sert ici d'appât pour un bon mariage, dans lequel le père Abesson met tout son espoir. Le fait de transmettre son office à son fils ne lui permet pas de compter sur de l'argent neuf. L'apport d'une bonne dot est donc essentiel pour redresser les finances de la famille, avide d'argent frais. Quelques jours avant la rédaction de cette convention, le père Abesson, en effet, a dû envoyer son fils à Marseille, pour y emprunter les

---

40. ADBR Aix, 308E 1440, fᵒ 112 vᵒ.
41. Entre 1599 et 1643, la charge d'Abesson est passée de 3 600 livres à 10 000 livres. Son prix a donc presque triplé. En termes de rendement théorique, cela correspond, *grosso modo*, à 4 % par année, ce qui est au-dessous du rendement du denier 20 que visent au minimum toutes les conventions d'office de procureurs que nous avons retrouvées.

300 livres nécessaires à payer le droit de bonnet qu'exigeaient ces messieurs du parlement pour recevoir son fils comme procureur[42].

Tous les procureurs ne sont pas aussi mal en point financièrement que Jean Abesson[43], mais les conventions d'office permettent de dégager une tendance claire dans l'évolution des prix des offices de procureurs dans la première partie du XVIIe siècle : à partir de 1623 et jusqu'en 1647, les charges de procureur au parlement ont subi une hausse des prix marquée (voir figure 2). Les données nous manquent pour la seconde moitié du XVIIe siècle, d'ailleurs moins pertinentes, le prix des offices de procureur ayant été limité par arrêt du Conseil d'État à 6 000 livres[44]. Celles de la première moitié du XVIIIe siècle illustrent quant à elles une chute des prix spectaculaire. Quant aux quelques prix de vente d'offices et pratiques de procureurs à la sénéchaussée d'Aix que nous avons retrouvés, ils sont bien insuffisants pour permettre des conclusions, bien qu'ils paraissent avoir été plus stables que ceux des procureurs au parlement.

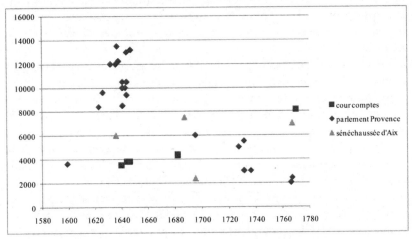

FIGURE 2. – *Prix de vente des charges et pratiques de procureurs à Aix-en-Provence (en livres).*

La figure 2 semble associer la montée des prix de la charge de procureur à son érection en titre d'office royal en 1623. Par ailleurs, l'office royal

---

42. ADBR Aix, 308E 1440, f⁰ 84, 28 février 1643.

43. Les conventions d'office ont pu être retrouvées grâce aux inventaires après décès des procureurs, conservés pour une période limitée dans des registres à part d'inventaires. Ces inventaires précisaient souvent la date de la convention et le notaire chez qui elle avait été faite. Comme on le sait, les lettres de provision de même que les procurations à résigner qui indiquent le nom de la personne à qui on résigne, sans détailler les clauses qui ont présidé à cette résignation, sont inutiles pour connaître le prix payé par le nouveau procureur.

44. Il est vrai que cette contrainte aurait pu inciter les procureurs à évaluer à part leur pratique. Cependant, les quelques conventions de cette période que nous avons retrouvées ne le faisaient pas. Voir Robert DESCIMON, « Les auxiliaires de justice du Châtelet de Paris : aperçus sur l'économie… »

entraîne pour les pourvus des frais supplémentaires. Or, non seulement ces frais ne semblent pas avoir éloigné les candidats de l'office de procureur, mais ces derniers semblent avoir été prêts à payer encore plus qu'avant pour devenir procureurs. À quoi pourrait-on attribuer cette montée des prix, si ce n'est à une augmentation de la demande liée au statut nouveau de l'office de procureur ? Cette demande pourrait aussi s'expliquer par la rumeur d'une limite imposée au nombre de procureurs, risquant de provoquer une pénurie de ce type d'offices, mais si c'eût été le cas, la montée des prix se serait également fait sentir au xviiie siècle, ce qui est loin de s'être produit. Est-ce donc la dignité que reconnaît l'office royal qui exerce sur les candidats une telle fascination qu'ils se trouvent happés dans une bulle spéculative des offices comme on parle aujourd'hui d'une bulle immobilière ?

L'exception toulousaine

Il faut ici comparer avec ce qui se passe ailleurs. On connaît la courbe du prix des charges de procureurs à Paris, grâce aux études de Robert Descimon[45], mais la situation parisienne était-elle vraiment comparable à celle d'Aix ? Restons dans le Midi et considérons le cas de Toulouse, d'autant plus intéressant qu'il fait figure d'exception quant au statut d'officier royal des procureurs au parlement contre lequel les procureurs de Toulouse se sont rebiffés.

La figure 3 rassemble les prix des charges telles que nous les avons retrouvés dans les inventaires, les pactes de mariage et les testaments des procureurs de Toulouse, comparés aux prix obtenus par les procureurs au parlement d'Aix. Elle est étonnante. En effet, on se serait attendu à ce que le parlement de Toulouse, beaucoup plus important que celui d'Aix, offre à ses procureurs la possibilité d'obtenir pour leur charge un plus haut prix. À Toulouse, les charges de procureur des années 1630 n'atteignent pas 3 000 livres alors qu'elles dépassent les 12 000 livres à Aix pendant la même période. Les pointes, constatées pour Aix pour la période qui suit l'érection de la charge en office royal, ne se retrouvent pas du tout à Toulouse.

Il est vrai que la situation des procureurs de Toulouse est bien différente de celle des procureurs-officiers royaux d'Aix. En effet, à la suite de l'édit de 1620, seuls cinq ou six procureurs toulousains ont trouvé l'argent nécessaire pour prendre leurs provisions du roi. Le partisan qui doit s'occuper de la vente de ces nouveaux offices cède. L'édit n'y a donc pas eu d'effet. En 1627, un autre partisan obtient un édit semblable à celui de 1620, ce qui entraîne une autre rebuffade des procureurs. L'édit n'y a pas plus d'effet[46].

---

45. Robert Descimon, « Les auxiliaires de justice du Châtelet de Paris : aperçus sur l'économie… », p. 317-320.
46. ADHG, 1E 1188, pièce 87, non datée et non signée.

Pour les procureurs qui doivent vendre leur office pendant cette période, ces tergiversations ont un effet sur la négociation des prix qu'ils obtiennent. En 1627, quand Pierre Salvat s'entend avec son futur gendre, Jean-François Franques, sur un prix pour sa charge, il doit lui promettre de lui défalquer une somme de 300 livres pour la composition de l'office si jamais l'acheteur devait prendre des provisions royales[47]. Tout repose sur le parlement : il a, il est vrai, accepté de vérifier l'édit de 1620, mais, dans les faits, cela ne l'empêche pas d'admettre les résignations des procureurs sans obliger leurs successeurs à prendre provisions du roi[48]. Il faut attendre 1666 pour qu'un nouvel édit impose une réduction du nombre de procureurs au parlement de Toulouse ainsi que l'obligation de prendre les provisions du roi. Cette fois, les procureurs de Toulouse se soumettent, après avoir de nouveau tenté de plaider leur pauvreté[49].

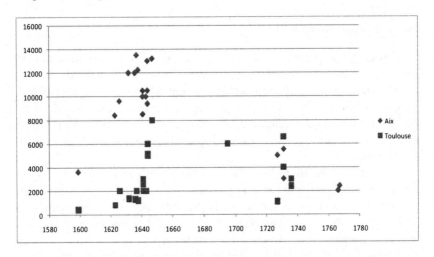

FIGURE 3. – *Prix de vente des charges et pratiques de procureurs au parlement (en livres).*

Contrairement aux procureurs aux parlements d'Aix et de Grenoble, les procureurs au parlement de Toulouse ne prennent donc leurs lettres du roi que tardivement. S'ils paraissent s'accommoder fort bien de leur statut, il semble bien qu'ils n'aient pas eu à subir – ou à bénéficier de – la montée des prix de leur charge, au moment où celles d'Aix atteignent des sommets. Peut-être le nombre de procureurs mal contrôlé joue-t-il sur la dévaluation

---

47. ADHG, 1E 11910, pièce 1, inventaire des papiers de Jean-François Franques.
48. ADHG, 1E 1184, pièce 139.
49. ADHG, 1E 1184 et 1E 1187 pièce 138, mémoire du 3 mai 1667. Quelques-uns avaient cependant pris leurs lettres royales : en 1605, le procureur Jean Dayot par exemple, 3E 11899, pièce 14, inventaire avec quittance du marc d'or ; en 1622, le procureur Pierre Capriol, 1E 1184 ; en 1575, le procureur au sénéchal Jean Fortanier, 3E 11911 pièce 2, inventaire de son fils, autre Jean Fortanier.

des prix de la charge ? Peut-être le statut d'officier royal ajoute-t-il, après tout, une plus value qui manque aux procureurs de Toulouse ?

Il semble bien, en tout cas, que cette situation des procureurs de Toulouse ait eu un effet sur la façon dont ils ont géré leur rapport à la profession. Quand on compare les papiers conservés par les procureurs et que signalent leurs inventaires, on constate que les provisions royales et les diverses quittances des taxes payées par des générations de procureurs ont été, à Aix ou à Grenoble, conservées avec beaucoup de soin. Elles constituent en quelque sorte l'histoire de l'office de chaque procureur et contribuent à inscrire ce dernier dans un temps long qui remonte, pour certains, jusqu'au XVIe siècle. À Toulouse, cette histoire de l'office n'existe pas avant 1666. Quelques procureurs ont gardé leurs propres provisions et les papiers s'y rapportant (l'enquête sur leurs mœurs, l'arrêt de réception par le parlement), mais la plupart se préoccupent fort peu de ce qui s'est passé avant eux. Or, les choses changent à partir de 1666. C'est que désormais, l'hérédité se paie et qu'il faut s'assurer de pouvoir brandir les papiers qui la confirment. En 1698, parmi les papiers de Thomas Durand, on trouve non seulement ses provisions accompagnées des quittances de la finance et du marc d'or, les requête, enquête et arrêt de réception, mais également celles de son prédécesseur, le sieur François Carratié, et celles du prédécesseur de ce dernier François de Chaide, datées du 25 novembre 1666, auxquelles sont ajoutés des extraits d'arrêt du conseil et de l'édit de réduction du nombre de procureurs[50]. Même souci chez le procureur Guillaume Lasalle qui avait acheté son office en 1647 pour 6 000 livres, au prix de grands efforts financiers, et qui a dû prendre des provisions royales à la suite de l'édit de 1666. Les papiers qu'il a gardés reconstituent pour nous le fil des événements de la reddition des procureurs : attachées à ses lettres de provisions royales, datées du 25 novembre 1666, l'arrêt du Conseil d'État portant modération de la finances des offices de procureurs du 10 août 1662, l'édit du roi sur la réduction du mois de septembre 1666, la quittance de 48 livres pour le droit du marc d'or et modération pour la première provision faite à Lasalle le 16 novembre 1666, la quittance de 300 livres pour l'obtention des provisions du 11 avril 1670, l'arrêt d'enregistrement des procurations au greffe de la cour de parlement du 30 juillet 1670, l'arrêt du conseil royal du 20 août 1670 portant que les procureurs du parlement de Toulouse jouiront des privilèges en payant le droit courant, demeurant déchargés des années précédentes omises, la déclaration du roi pour la continuation du droit annuel pour trois années, du 27 novembre 1671, la quittance faite à Lasalle de la somme de 333 livres 6 sols 8 deniers pour la taxe faite, réduite et arrêtée au conseil du 3 mai 1673, pour l'hérédité de l'office, avec l'édit du roi de 1672, et diverses autres quittances pour le droit annuel ou pour le

---

50. ADHG, 3E 11905, pièce 41, inventaire des meubles de Thomas Durand, 17 novembre 1698.

tiers[51]. Non seulement, les procureurs conservent-ils les quittances justifiant qu'ils ont payé, mais, peut-être méfiants face aux changements de politique royale, ils y joignent également les édits et les arrêts qui établissent leurs droits. Les procureurs de Toulouse ont désormais rejoint leurs collègues des autres parlements du Midi, leurs relations avec l'État viennent de prendre un autre tournant.

L'exemple toulousain semble plaider, *a contrario*, pour un effet économique de l'érection des charges de procureurs en office royal. Là où l'office royal est accepté (à Aix), les prix explosent ; à Toulouse, où on le refuse, les prix restent bas. Avant de conclure, sans doute faut-il encore se demander s'il est pertinent de raisonner sur les enseignements de la figure 2 ou de la figure 3 qui ne contiennent que des prix de vente globaux. Les conditions que stipulent les conventions d'offices fournissent en effet des informations qu'il vaut la peine de considérer. Plusieurs facteurs contribuent à établir le prix de l'office : la disponibilité des offices, l'appétit de l'acheteur pour un office de procureur, le capital dont on dispose, le revenu qu'on peut en espérer. Tous ces facteurs entrent en compétition quand il s'agit d'établir un prix, lequel résulte toujours d'une négociation.

Quand le prix ne dit pas tout

L'achat de Jean Séguiran est assez éclairant. Il est praticien au moment de son contrat de mariage avec Marthe Chassignoles, fille d'un apothicaire d'Aix, le 12 mai 1644[52]. Pour constituer la dot de sa fille, son beau-père fournit 4 200 livres auxquelles s'ajoutent 300 livres données par sa belle-mère. Si la dot est payée en partie par des coffres qu'on estime à 600 livres, on s'entend pour que les 3 600 livres restant soient fournies par l'apothicaire dans le cadre de la composition de l'office de procureur que doit acquérir l'époux. Le jour même de ce contrat de mariage, Pierre Bec résigne son office de procureur au parlement en faveur de Jean Séguiran. Les parties conviennent que l'office sera payé 10 500 livres. L'apothicaire débourse 900 livres comptant auxquelles il ajoute 2 700 livres en capital de pension. Les 6 900 livres restant seront quant à elles payées d'ici 7 ans, les intérêts étant calculés au denier 20, ce qui revient à 345 livres par année. On peut rembourser cette somme par versements, mais ils ne doivent pas être inférieurs à 1 000 livres. C'est l'oncle de Jean Séguiran, un greffier de Barjols qui sert de caution pour le paiement de ces 6 900 livres. Les deux clercs qui sont déjà au service de Bec resteront au service de Séguiran et Bec continuera de les nourrir, jusqu'à la fin de leur contrat. La convention ne contient rien d'extraordinaire et se compare aux autres qui sont négociées dans la même période. Or, Jean exerce l'office de Pierre Bec pendant quelques mois,

---

51. ADHG, 3E 11921 pièce 7, inventaire des meubles de Guillaume Lasalle, 18 novembre 1675.
52. ADBR Aix, 306E 793, f° 519 v°, 12 mai 1644.

puis, le 12 août 1644, se disant « indisposé », il rend l'office et tout ce qui l'accompagnait à son propriétaire[53].

Un mois et demi plus tard, nouvelle résignation en faveur de Jean Séguiran, par le procureur au parlement Gaspard Gazel. Les conditions sont cette fois fort différentes : d'abord l'office est moins cher, puisque Gazel accepte de le lui vendre 9 400 livres soit 1 100 livres de moins. 900 livres seront payées comptant, comme dans la première convention, et 2 700 livres dans l'an qui suit. Malgré une diminution du prix, il n'est pas sûr que l'affaire soit plus avantageuse pour Séguiran. En effet, les 5 800 livres restant seront payées d'ici 6 ans, avec intérêts au denier 20. S'il veut payer avant le terme, Séguiran ne pourra faire de versement inférieur à 1 500 livres et devra prévenir le vendeur au moins 6 mois à l'avance. Si sa dette n'est pas éteinte aux termes convenus, les intérêts seront augmentés au denier 16. En plus d'avoir à payer les charges dues au corps des procureurs, Séguiran laisse à Gazel les vacations et fournitures qui lui sont encore dues par quelques clients. Bien qu'on ne puisse pas évaluer cette réserve, elle paraît beaucoup plus importante que ce que l'on trouve dans les autres conventions d'offices de procureurs à Aix. On ne sait pas si Gaspard Gazel a eu le temps d'exercer son office qu'il avait hérité de son père Martin, puisque quand il promet de remettre les registres de présentations à Séguiran, il précise que ces registres sont toujours chez sa tutrice. Quant à Séguiran, l'oncle qui l'avait cautionné lors de la première convention est disparu et c'est son beau-père qui prend le relais, garantissant pour son gendre les 8 500 livres qui restent à payer. C'est donc finalement l'apothicaire qui fournit à son gendre le capital économique et symbolique nécessaire pour acheter son office. Que s'est-il passé ? On ne peut pas être dupe de l'« indisposition » du procureur et on peut supposer que ce sont les conditions de la première vente qui ont été remises en cause. Le beau-père, désormais seul à financer l'office, a sans doute considéré qu'il pouvait obtenir un meilleur prix, quitte à accepter des conditions de paiement plus fermes, qu'il se savait apte à rencontrer.

La conjoncture et des circonstances particulières peuvent aussi expliquer les conditions qu'on arrive à négocier. Trouver un office, comme trouver un acheteur peut parfois être ardu. La femme d'Abesson a bien cru que sans l'aide du greffier Estienne, l'office de son mari aurait été perdu. Certains s'y prennent donc à l'avance.

Pierre Julien, un procureur au parlement assez prospère, si l'on en juge par le fait qu'il entretient dans son étude un maître clerc et deux autres clercs, a obtenu son office en 1627. Il a donc toujours été un officier royal. Il vend aussi son office de procureur en 1644. Son acheteur est un praticien de Saint-Julien-le-Montagnier, Vincent Pellat, gendre d'un audiencier au parlement. Pierre Julien vend son office au prix de 13 000 livres. Pour payer une

---

53. ADBR Aix, 306E 793, f⁰ˢ 523, 524, 847.

telle somme, le praticien doit compter sur son beau-père qui lui a promis 4 000 livres au moment de son mariage, et sur son père avec qui il paiera les 9 000 livres restant d'ici 5 ans, en réglant les intérêts chaque année, à raison de 5 ½ %. Pierre Julien considère la vente de son office comme un placement et non comme un prêt dont il souhaite être remboursé au plus vite. En effet, il refuse que les Pellat lui remboursent moins de la moitié de leur dette à la fois. L'affaire est conclue rapidement, de sorte qu'il s'écoule trois mois entre la convention et le moment où elle entre en vigueur. Pendant cette période, Pierre Julien continue d'exercer sa fonction dont il garde tous les profits, mais il ajoute cette clause de réserve : toutes les pensions, vacations et fournitures qui lui seront dues à la suite des activités accomplies pendant ces trois mois et qui concerneront les communautés, les chapitres, les hôpitaux et les discussions des biens de hauts personnages qu'il nomme demeureront à lui et ne sont pas comprises dans la convention. De son côté, Pellat devra occuper gratuitement en tous les procès que le procureur, sa femme et ses enfants auront, et dont il ne pourra retirer que le droit de présentations. Le contrat est passé en janvier, et l'on convient que jusqu'à la Saint-Michel, l'étude de l'office sera maintenue au même endroit, que le vendeur continuera de nourrir son maître-clerc et ses deux clercs, mais que Pellat paiera pour les aliments du maître-clerc.

Pierre Julien n'est pas le seul à avoir trouvé à l'avance un acheteur pour son office. C'est aussi le cas du procureur au siège d'Aix, Marc Antoine Silvecane, qui a négocié la vente de son office deux ans à l'avance[54], avec le praticien André Eissautier, le jour même de l'émancipation de ce dernier.

Les prix de l'office reflètent certes la demande pour entrer dans la profession, mais ils disent plus aussi. Les conventions montrent que l'office de procureur est davantage qu'une autorisation à gagner un revenu, il est devenu, dans la première moitié du XVIIe siècle, un capital économique. Il faut maintenant essayer de comprendre ce que cela veut dire.

---

54. ADBR Aix, 302E 954, fº 148, 15 avril 1687. Le procureur au siège vend son office 7 500 livres, ce qui est plus élevé que le prix permis pour un office de procureur au parlement.

Chapitre VII

L'office royal, capital ou crédit ?

Le récit en perdra un peu de son humanité, mais je propose, dans les pages suivantes, de troquer les procureurs contre d'autres personnages, qui me semblent plus aptes à nous guider, à cette étape-ci. Plutôt que l'histoire des familles ou celle des praticiens qui cherchent à acquérir un office de procureur, c'est l'histoire de quelques offices de procureurs que je voudrais mettre en scène. Alors qu'un tel circuit narratif n'aurait pas de sens à Paris, où les offices et les pratiques sont vendus séparément, à Aix, on peut « confondre » l'office avec sa pratique et lui attribuer une « personnalité », puisqu'ils ne sont jamais séparés.

Trois histoires d'offices peuvent éclairer notre compréhension du capital économique qu'est devenu l'office de procureur dans la première moitié du XVIIe siècle. D'elles surgissent en effet la trame sans laquelle ce capital ne serait pas : le financement.

Les tribulations du capital des Borrelon

L'histoire de l'office de procureur au parlement d'Arnoux Borrelon commence pour nous quand ce dernier le résigne au praticien Balthasard Rostolan, le 19 mars 1626. C'est Arnoux et la mère de Balthasard, une veuve d'Aix qui achète l'office avec son fils, qui conviennent des conditions de la vente. Les acheteurs acceptent de payer 9 600 livres pour l'office. Les 1 800 livres qu'ils donnent comptant proviennent de l'argent de la mère. Quant aux autres 7 800 livres, la convention stipule que les acheteurs les garderont « tant que bon leur semblera » tout en payant les intérêts, au denier 20 (5 %). Le lecteur comprend tout de suite qu'il ne s'agit pas d'une dette ordinaire puisqu'on ne lui fixe pas de terme. L'impression est confirmée par la clause qui suit : quand ils décideront de payer les 7 800 livres, les acheteurs ne verseront pas la somme à Borrelon, qui ne retirera jamais que les intérêts de la somme « pour l'assurance de la mère et du fils », mais ils la placeront plutôt sur une communauté solvable. Borrelon, en vendant son office, s'est donc acheté une rente.

Outre les conditions financières, la convention prévoit également des clauses liées à la pratique du métier. Comme on le trouve souvent dans les conventions d'offices de procureurs, le praticien fera, dans un premier temps, son étude dans la maison de son prédécesseur, sans payer de rente. Pendant cette période, que précise bien la convention, Borrelon continuera de percevoir les gages que lui donne la communauté d'Aix dont il est le procureur attitré. Il se réserve également ce qu'on lui doit encore comme curateur de la discussion des biens du sire de La Mote les Draguignan. Borrelon s'engage également à céder un office libre des impositions du roi et des emprunts du corps des procureurs, pour lesquels il aura soin d'obtenir quittance pour que Rostolan n'ait pas de problème.

Le jeune Rostolan entreprend donc les procédures pour être reçu par le parlement, mais les choses ne se passent pas comme prévu. En effet, il est aussitôt bloqué dans ses démarches par le fils de Borrelon, qui s'oppose à sa réception au parlement, prétendant avoir sur l'office des droits, ceux de sa mère décédée qui ne lui ont pas été payés. La patrimonialisation de l'office a certes des avantages pour les familles, mais elle peut aussi comporter des inconvénients. Le parlement finit par donner raison à Rostolan et accepte la résignation. Ce dernier peut donc continuer ses démarches pour obtenir ses lettres de provision, mais il est une fois de plus arrêté par le fils Borrelon qui, devant le Conseil privé, s'oppose à leur obtention, pour les mêmes raisons. Les arguments du fils Borrelon sont clairs : il n'a rien contre la vente de l'office, mais il veut être considéré comme un créancier de son père et faire reconnaître qu'il détient une hypothèque sur l'office. Le 14 juin 1627, Rostolan s'estime le dindon de la farce : les enjeux le dépassent, l'opposition du fils Borrelon risque d'entraîner des délais interminables. Pendant ce temps « l'office périclite ». Que le fils conteste, mais qu'il n'empêche pas Rostolan d'exercer son office pendant les procédures[1] !

Les choses ont dû se régler à l'amiable puisqu'en 1632, l'office, finalement exercé pendant cinq ans par Rostolan, change de nouveau de mains. Rostolan décide en effet de s'en départir au profit d'un notaire d'Aix, Jacques Maurel. L'office s'est largement bonifié au cours de ces cinq années puisque Maurel s'engage à payer 12 000 livres pour l'office, les pratiques, sacs, liasses, registres, rateliers et bureaux de Rostolan et de ses prédécesseurs, soit 25 % de plus que ce qu'avait payé Rostolan (5 % par année). Il est intéressant de constater comment la convention gère cette augmentation des prix. Le capital de 7 800 livres que Rostolan pouvait verser « quand bon lui semblera » est maintenu pour Maurel qui prend la rente à son compte, selon les mêmes conditions qu'au moment de sa constitution. L'augmentation du prix de l'office est plutôt appliquée sur le comptant, puisque Maurel s'engage à payer 4 200 livres dans six mois. La convention

---

1. ADBR Aix, 301E 246, fᵒ 373 vᵒ, 19 mars 1626 ; *ibid.*, fᵒ 405 vᵒ, 24 mars 1626 ; 301E 247, fᵒ 895 vᵒ, 14 juin 1627.

précise que Maurel tiendra donc l'office « au nom et constitut de précaire[2] » et qu'il ne peut ni le vendre, ni l'échanger, ni l'hypothéquer, tant que la somme de 12 000 livres, les intérêts, etc. n'auront pas été entièrement payés à Rostolan et Borrelon[3]. L'histoire de l'office est désormais liée à celle de son financement.

Son nouveau propriétaire ne tarde pas à se débarrasser de l'office. Quatre ans plus tard en effet, l'ancien notaire résigne son office en faveur d'un autre Maurel, Jean Étienne, déjà procureur au siège général d'Aix. Le prix n'a pas bougé et demeure à 12 000 livres, mais la convention est passablement compliquée, car elle met en jeu plusieurs niveaux de crédit. Clément Borrelon doit encore recevoir 6 000 livres sur cet office : c'est le niveau le plus ancien. Le capital initial a sans doute été en partie remboursé, car les modalités de la rente sont rafraîchies : Jean Étienne s'engage à payer 3 000 livres à Borrelon dans 10 ans, ou encore à remettre ces 3 000 livres sur des communautés, il tiendra également l'autre 3 000 livres en pension qu'il paiera également à Borrelon, à raison du denier 20. Jean Étienne prend donc sur lui le paiement des 6 000 livres dues à Borrelon par Rostolan et Jacques Maurel et décharge ces deux derniers de cette dette. Deuxième niveau : en plus de la rente due à Borrelon, Jacques Maurel doit encore à Rostolan 600 livres, plus les intérêts, et il a dû emprunter 900 livres à l'avocat Blégier. Jean Étienne s'engage donc à payer aux créanciers de Jacques, ce que ce dernier leur doit, d'ici un an. Le troisième niveau est constitué des 4 500 livres qui complètent le prix. Jean Étienne devra les payer à Jacques d'ici 6 ans, à un intérêt de 6 % par année. Le prix de l'office est donc « composé » de différents types de paiement : pour la moitié, une rente constituée qui n'a pas vraiment de limite de temps, pour l'autre moitié, des dettes à court terme (un an et moins) et une rente à durée limitée, mais dont l'intérêt est maximal[4]. Cette dernière rente s'apparente davantage à un crédit, dans la mesure où le remboursement autorise des versements relativement modestes (des paiements de 300 livres à la fois peuvent être effectués)[5]. Dans cette convention, la seule clause qui concerne la pratique du métier porte sur quelques vacations que se réserve le vendeur, dont celles que lui doit la ville d'Aix dont il est le procureur attitré.

Pour payer cet office de procureur au parlement, Jean Étienne doit vendre l'office de procureur à la sénéchaussée d'Aix qu'il possède déjà,

---

2. La clause est habituelle quand une partie du prix est payée sous la forme d'une rente et elle n'arrête d'ailleurs aucun vendeur. Voir Claude Joseph de Ferrière, *Dictionnaire de droit et de pratique*, Paris, chez la veuve Brunet, 1769, nouvelle édition, t. I, p. 355, article « constitut ».

3. ADBR Aix, 301E 251, fᵒ 209, 9 février 1632.

4. Ces différents types d'instruments de crédit ne sont évidemment pas propres aux ventes d'office entre particuliers. Gilles Postel-Vinay, *La terre et l'argent. L'agriculture et le crédit en France du XVIIIᵉ au début du XXᵉ siècle*, Paris, Albin Michel, 1998, p. 39.

5. ADBR Aix, 307E 731, fᵒ 1020 vᵒ, 15 septembre 1636. On ne sait pas si Jacques et Jean Étienne Maurel étaient parents. Les rentes constituées pour servir de placement portent en général comme conditions qu'une remise sur le capital ne peut être acceptée que si elle est d'au moins 1 000 livres.

ce qu'il fait quelques jours plus tard. L'office est vendu avec ses sacs, sa pratique et toutes ses dépendances, à un commis au greffe de la sénéchaussée, Honoré Pieule qui accepte de le payer 6 000 livres. Un office de procureur à la sénéchaussée, aussi office royal, vaut donc la moitié de ce que vaut un office de procureur au parlement. Le commis paye 1 200 livres au moment du contrat (19 septembre 1636) et s'engage à ajouter 300 livres, 15 jours plus tard. Cela ne semble pas réjouir Maurel qui négocie que ce délai portera intérêts : curieusement quand on considère la petite somme en jeu, le commis devra payer sur la moitié des 300 livres, des intérêts au denier 16, alors que l'autre moitié ne portera intérêts qu'au denier 20.

La vente de son office au siège rapporte donc à Jean Étienne dans un délai qu'on prévoit bref, exactement la somme qu'il s'est engagé à payer dans la première année qui suit l'achat de son office au parlement (1 500 livres). Les 4 500 livres qui lui restent à payer le seront d'ici 6 ans, les intérêts de la somme étant payés annuellement, à partir d'un calcul qu'il a déjà expérimenté (la moitié au denier 16 et l'autre moitié au denier 20). On le sait, lors de l'achat de son office au parlement, Jean Étienne avait obtenu l'autorisation de faire des versements de 300 livres sur sa dette, il accorde la même autorisation à Pieule. On comprend que les versements reçus pour l'office du siège pourront être systématiquement utilisés pour rembourser l'office au parlement[6].

Le prix de vente de l'office de procureur à la sénéchaussée est très élevé par rapport à celui qu'obtiennent les autres procureurs au même tribunal, et l'on peut comprendre que Jean Étienne perde un peu sur le taux d'intérêt qu'il consent à son acheteur. Si l'on oublie la perte de 1 % d'intérêt pendant 6 ans qu'il accepte sur la moitié de la dette de 4 500 livres, on peut dire que, pour Jean Étienne, le passage au parlement lui coûte 300 livres par année (soit la rente au denier 20 de la somme de 6 000 livres payée à Borrelon). Il faudra voir si c'était trop payé pour les avantages que lui apportait ce changement de juridiction. Jean Étienne n'a de toute façon pas été le seul à opérer ce changement. Son prédécesseur Louis Cambon, qui lui avait résigné son office de procureur au siège, avait aussi opté pour un office de procureur au parlement.

On arrêtera l'histoire de l'office des Borrelon, au moment où chute son prix. En octobre 1641, son dernier propriétaire étant décédé, l'office est remis sur le marché, dans des circonstances défavorables cependant. Il est alors acquis à l'enchère par un bourgeois de La Valette, Jean Court, qui l'achète pour son fils. L'office lui a été délivré pour 8 500 livres, qui serviront à payer les créanciers privilégiés, ce qui représente une perte de valeur considérable par rapport au marché de la négociation. La dette due à Borrelon ayant été oubliée de la liste des créanciers, c'est Rostolan qui s'oppose à la

---

6. ADBR Aix, 308E 1361, f° 524, 19 septembre 1636.

réception d'Antoine Court pour protéger son crédit. On évite le procès en s'entendant pour que les Court payent à Rostolan la somme due à Clément Borrelon, somme qu'ils déduiront des 8 500 livres auxquelles l'office leur a été délivré[7]. Il faudra attendre le 7 février 1643 pour que Rostolan s'estime complètement payé de l'office qu'il avait acheté 20 ans plus tôt.

Le « malheur » de l'office des Borrelon est peut-être d'avoir été trop souvent sur le marché. Comme s'il s'agissait plus de profiter de la montée des prix que d'investir dans un office royal, chaque procureur n'a exercé cet office que pendant quelques années, ce qui ne facilitait ni l'accroissement de la clientèle ni la bonification de l'office. Les intérêts à payer sur les crédits que chaque transfert multipliait ont sans doute fini par ronger les bénéfices que la pratique du métier aurait pu entraîner.

Familles de procureurs, offices de famille : les Blanc et les Giraud

L'histoire de l'office des Blanc semble d'un autre type et se compare davantage à celle de l'office des Maria et des Abesson. Elle commence au début du XVIIe siècle, avant que la charge ne devienne un office royal. C'est d'abord une histoire de famille puisque le 10 mars 1603, Jean Blanc, procureur au parlement, résigne son office à son fils Joseph, lui-même procureur à la cour des comptes[8]. La résignation est consignée en bonne et due forme, mais il ne semble pas y avoir eu de convention notariée entre le père et le fils[9]. L'office ne quitte pas la famille de sitôt, puisque Joseph demeure procureur au parlement jusqu'en 1638, moment qu'il choisit pour résigner son office en faveur de Jean Giraud, de Brignoles, qui avait été procureur au siège de cette dernière ville. L'office de Blanc est acheté par Giraud avec les sacs, liasses, registres et pratiques pour 12 250 livres. Ce dernier s'engage à payer 3 250 livres quatre mois plus tard, avec les intérêts calculés au denier 20. Quant aux 9 000 livres restant, il promet de les payer d'ici 8 ans tout en remboursant chaque année les intérêts calculés au denier 20, soit 450 livres par année. Giraud pourra rembourser les 9 000 livres avant le terme de 8 ans, dans la mesure où les remboursements ne seront pas inférieurs à 1 500 livres. Pour les Blanc, il est clair qu'il faudra réinvestir ces remboursements, et il n'est pas question de perdre son temps avec des sommes minimes.

---

7. ADBR Aix, 301E 260, f° 1426.
8. Joseph Blanc avait été l'un des procureurs à la cour des comptes de la première création qui découla de l'édit de juillet 1583. Joseph semble avoir résigné cet office de procureur à la cour des comptes à son père. ADBR Aix, B 7446, registre de délibérations de la communauté des procureurs à la cour des comptes (début du registre). Liste des procureurs à cette cour et leurs successeurs ; quelques rares prénoms et d'aussi rares indications de liens de parenté.
9. ADBR Aix, 309E 999, f° 306 v°, 10 mars 1603.

La convention, si on la compare à celles qui parcourent l'histoire de l'office des Borrelon, semble d'un autre esprit. Giraud reçoit certes les papiers et liasses qui appartiennent à l'office, mais on spécifie que ces papiers ont été gardés depuis 1585. La convention précise également qu'il y a parmi eux, l'arrêt du Conseil d'État portant élection en titre d'office des états de procureurs au parlement du 6 novembre 1623, les quittances de la finance et marc d'or dudit office du 15 juin 1624, les provisions de l'office en faveur de Joseph Blanc du 21 juin 1624, mais aussi l'acte de procuration à résigner faite par le prédécesseur de son père, Antoine Robert, à son père Jean, le 25 juin 1585, la requête présentée par son père pour être reçu et son arrêt de réception, ainsi que la procuration à résigner de Jean à son fils Joseph. Joseph énumère également la requête qu'il a présentée à la cour pour être reçu ainsi que son arrêt de réception, et les quinze quittances du paiement du droit annuel de l'office, celle de l'année en cours et même la quittance du quart denier de la finance de l'office du 16 novembre 1630 qui se montait à 250 livres. Cette nomenclature des papiers qui font l'histoire de l'office va bien au-delà de ce qu'énumèrent les autres conventions d'offices qui se contentent en général de mentionner les lettres de provisions du vendeur et ses quittances des impôts royaux. Ce que vend Joseph Blanc, ce n'est pas n'importe quel office, c'est un bien familial, qui a une histoire et qui a gagné le statut qui est le sien. On n'est guère étonné d'ailleurs qu'il permette à Giraud de faire son étude dans la maison de Blanc pendant les 6 premiers mois, sans payer aucun loyer.

Si Jean Giraud achète l'office, c'est sur la recommandation de son beau-père, maître des postes d'Aix qui lui sert d'ailleurs de pleige pour les 12 250 livres et intérêts qu'il promet payer aux termes[10]. Les Giraud ne font pas que passer dans la carrière de procureur[11]. En ce sens, l'acquisition de l'office des Blanc est plus qu'une opportunité d'affaire, c'est une intégration à la pratique aixoise de la famille de Brignoles. Quelques années plus tard en effet, Jean Giraud est bien installé à Aix où il loge son frère Pierre, praticien qui habite avec lui depuis cinq ans et qui cherche, en 1644, à acquérir à son tour un office de procureur à Aix. Il y trouve un office de procureur à la cour des comptes qu'il achète, non d'un procureur, mais d'un enquêteur pour le roi au siège d'Aix, Jean Rivol, qui a acquis l'office, mais

---

10. ADBR Aix, 307E 733, f° 7 v°, 4 janvier 1638. Giraud prendra un peu de retard dans son premier paiement dont il obtient quittance pour une partie, en novembre seulement.

11. On ne sait pas s'il existait une parenté entre ces procureurs Giraud originaires de Brignoles et des homonymes, dont l'un, prénommé aussi Pierre, acquit l'office et les papiers d'un autre procureur aux comptes, un certain Bandoly, en 1618, ADBR Aix, 308E 1347, f° 868. C'est probablement le même Pierre Giraud, procureur au parlement et fils de François Giraud, de Sisteron, qui devient bachelier dans les deux droits, à l'université d'Aix, en juillet 1620 (ADBR Aix, 2D 1, f° 277). Si l'on se fie à la liste qui ouvre un des registres de délibérations de la communauté des procureurs à la cour des comptes d'Aix, l'office des Giraud de Brignoles en serait un de la deuxième création (en 1597), alors que le Pierre Giraud qui succède à Bandoly aurait plutôt récupéré un office de la première création. ADBR Aix, B 7446 (début du registre).

le fait exercer par un autre, Antoine Bousquier. Moyennant la somme de 3 800 livres, Rivol promet à Pierre de lui faire résigner l'office par celui qui l'exerce. Pierre paie 1 800 livres comptant, dont 1 500 livres lui viennent de sa mère et 300 de son frère Jean, le procureur en parlement, et promet payer les 2 000 livres restant d'ici 4 ans, avec les intérêts. Rivol tient parole et le jour même, Antoine Bousquier procureur à la cour des comptes résigne son office en faveur de Pierre Giraud[12]. Peut-être Pierre Giraud n'avait-il pas la vocation ? Peut-être une meilleure opportunité se présenta-t-elle ? Quoi qu'il en soit, deux ans plus tard, il ne veut plus de l'office et signe chez le notaire une procuration à résigner qu'il laisse en blanc. Le même jour, Charles Giraud, son frère, également praticien de Brignoles qui réside à Aix, promet lui payer, pour son office de procureur aux comptes, la somme de 3 800 livres, soit le même prix que Pierre l'avait payé à Jean Rivol, deux ans plus tôt. Charles remet alors à Pierre 1 800 livres, que sa mère lui doit pour un legs fait par son père. Quant aux 2 000 livres restant, Charles les paiera pour son frère Pierre à Jean Rivol, aux mêmes termes que ceux contenus dans le contrat de 1644. C'est aussi Charles qui paiera ce que Pierre pouvait devoir au corps des procureurs. Certes, l'office n'est pas sorti de la famille, mais tout n'est pas complètement réglé. En effet, Charles est trop jeune pour exercer et il n'est peut-être pas encore suffisamment formé. C'est pourquoi le frère aîné, Jean, intervient, et accepte de se faire recevoir comme procureur en la cour des comptes, et de mettre son nom sur la résignation en blanc. Comme Bousquier qui exerçait pour Rivol, Jean exercera pour Charles et ce, jusqu'à ce que ce dernier ait l'âge et la capacité de se faire recevoir. Jean gardera bien sûr les émoluments de l'office et logera Charles dans sa maison tout en lui apprenant le métier. Puisque Jean retirera les profits de l'office, c'est lui qui assumera les intérêts des 2 000 livres encore dus à Rivol[13].

On ne sait pas ce qui advint du jeune Charles, mais quand Jean meurt, en 1648, il exerce toujours les deux offices[14] et son office de procureur au parlement n'est toujours pas fini de payer, de sorte que les héritiers utilisent l'argent de la vente pour libérer l'office de sa dette. Le capital économique de l'office s'évanouit. La famille Giraud n'avait sans doute pas eu le temps de le faire fructifier.

---

12. ADBR Aix, 303E 295, f° 9 v°, 7 janvier 1644.
13. ADBR Aix, 306E 828, f° 1513, 22 septembre 1646.
14. AMA, CC 1365, compte tutélaire pour Jean-Pierre Giraud, maître chirurgien de Brignoles, tuteur d'Henri Giraud, fils de Jean Giraud, procureur au parlement. Ce compte nous apprend que Pierre Giraud, frère de Jean et de Jean-Pierre, était alors notaire et procureur. Il était peut-être retourné pratiquer à Brignoles (*ibid.*, f° 23 v°). En effet, les archives départementales du Var ont conservé les minutes d'un notaire Pierre Giraud, qui exerça à Brignoles entre 1651 et 1667 (archives départementales du Var, 3E 8/293).

Infortune et mauvaises affaires :
l'office auquel on ne s'attache pas

Chez les Giraud, l'office de procureur n'est pas qu'un vulgaire place-ment. Il mérite certaines considérations. Ce n'est pas toujours le cas et, pour certains, la patrimonialité de l'office se conjugue surtout en termes pécuniaires. Jean Giraud exerce l'office de son frère, en plus du sien, pour qu'il demeure à sa disposition quand le jeune homme sera prêt à l'occuper. Chez les Garnoux, si le fils Laurent, avocat au parlement, s'est fait pourvoir des deux offices de son père, c'est pour éviter qu'ils ne se perdent. À sa mort, Jacques Garnoux exerçait un office de procureur au parlement et un office de procureur aux comptes. Les deux offices n'étaient pas fusionnés et Jacques Garnoux possédait des lettres de provision différentes pour chacun d'eux. Ses deux fils acceptent son héritage sous bénéfice d'inventaire et ils ne tardent pas à mettre les deux offices aux enchères, en 1644, pour régler la succession. Les deux offices finissent par trouver preneur pour 11 700 livres que l'acheteur s'engage à payer ainsi : 3 000 livres, dans les quatre mois suivant l'enchère, et le reste en payes de 1 000 livres par année au denier 20. La famille ne semble pas avoir eu les moyens de négocier de façon très serrée : en effet, comme il faut payer sans tarder les dettes du défunt, l'ache-teur est exempté de la caution et il n'a pas à payer les droits de provision du fils avocat[15]. On ne saura jamais si Laurent aurait gardé l'un des offices si la situation financière de la famille l'avait permis. Le prix obtenu pour les deux offices était en tout cas bien inférieur à ce qu'ils auraient pu en tirer s'ils n'avaient pas été forcés de vendre.

Il arrive en effet que l'office soit tellement hypothéqué que le procu-reur, pris à la gorge, n'a plus le choix de le vendre. C'est probablement ce qui arrive à Toussaint de Lestrade, en 1623. Quand il vend son office de procureur au parlement à Pierre Comte, lui-même procureur à la cour des comptes, il est accompagné de son oncle Pierre Dailhot, un bourgeois de Marseille. Le passif de Lestrade envers son oncle est déjà imposant : il lui doit 2 400 livres pour diverses obligations et tout porte à croire que, pour se faire payer, l'oncle a forcé son neveu à vendre son office. En effet, aux termes du contrat, dans lequel Dailhot se porte garant pour son neveu, l'oncle quitte le neveu des sommes qu'il lui doit et renonce au procès qu'il a contre lui. Comte achète l'office au prix de 8 400 livres. Pour payer les 1 500 livres comptant que lui demande Lestrade, Comte emprunte la somme à Martin Eiguisier, greffier au siège général d'Aix. Les 6 900 livres restant à payer seront remboursées directement aux créanciers de Lestrade, dont les dettes et les intérêts combinés atteignent ce montant. Parmi ces dettes, un capital de 1 000 livres est dû au greffier Eiguisier, qui de ce fait,

---

15. ADBR Aix, 303E 295, fᵒ 726 vᵒ, 9 août 1644.

détient une hypothèque de 2 500 livres sur l'office en question[16]. Il n'est pas de notre propos d'étudier comment certains personnages amassèrent leur fortune en finançant les achats d'office, mais la patrimonialisation, comme le capital, ne profitaient pas qu'aux seuls détenteurs des offices. Rare au début du régime de l'office royal, le surendettement créé par l'office, plus fréquent à la fin du XVIIᵉ siècle, fit et défit les fortunes[17].

Ce ne sont pas les conventions d'offices qui nous renseigneront sur l'importance du capital symbolique généré par l'office royal pour les procureurs. Par contre, elles nous parlent abondamment du capital économique auquel l'office est associé. Avant l'office royal, les procureurs comme les marchands investissaient dans le crédit aux particuliers, ou dans les rentes sur les communautés. Ils achetaient des maisons et des vignes et cherchaient à acquérir une bastide avec les terres l'entourant, comme tous les bons bourgeois. Après l'office, à partir notamment du moment où les prix de leurs charges se sont mis à monter, les procureurs ont continué de se procurer maisons, terres et bastides, mais l'office a drainé les plus gros investissements. En effet, le financement de l'office a canalisé aussi bien l'argent des vendeurs que celui des acheteurs. Le procureur vendeur a transformé le prix de l'office en rente ; l'acheteur a tiré parti d'un récent mariage qui a fourni l'apport qu'il n'aurait pas eu sans cela. La famille – les oncles ou des parents, quand ce n'est pas le beau-père – a servi de caution. Il n'est pas exagéré de dire que, dans la première moitié du XVIIᵉ siècle, avant d'être un capital économique, l'office est une superposition de crédits dont les multiples couches racontent pendant longtemps l'histoire de l'office. Dans ce financement composé, la part des procureurs est grande et l'on peut se demander si les principaux investissements des procureurs ne sont pas devenus, avec les rentes sur les communautés, les rentes sur l'office.

Par ailleurs, la patrimonialité de l'office en fait un bien dont il est difficile de penser la propriété comme individuelle. Vulnérable aux conflits d'héritage, l'office de procureur n'en contribue pas moins à fournir à certaines familles une identité proche de la vocation. C'est ce cas de figure qu'il nous faudra traquer pour poursuivre notre quête de l'office en tant que capital. La rapidité des ventes et des reventes ne permettait pas au capital économique de l'office de se bâtir. Elle ne faisait qu'alimenter ceux qui profitaient du crédit pour s'enrichir, fussent-ils procureurs. Pour que ce capital se construise, il fallait que l'office se combine à l'exercice d'une profession. Il fallait que les procureurs entrent en relation avec des clients.

---

16. ADBR Aix, 306E 806, fᵒ 784, 18 août 1623. La situation économique de Lestrade ne devait pas être reluisante car c'est Comte qui s'engage à payer les 40 livres qui restent à payer d'un impôt sur son office.

17. Par exemple, ADBR Aix, 306E 870, fᵒ 5 vᵒ, 5 janvier 1695. L'office de Joseph Pons, procureur au parlement est vendu pour dettes. Pons qui a acquis son office en 1681, alors que le prix des offices de procureurs au parlement était limité à 6 000 livres, revend l'office au même prix, 14 ans plus tard.

Chapitre VIII

Incursion à Grenoble, le procureur et ses clients

Il faut bien avouer que le terme de procureur, entre les XVIe et XIXe siècles, n'éveille guère l'imagination que de ceux qui ont fréquenté *Le roman bourgeois* de Furetière ou de ceux, peut-être plus nombreux, à se rappeler le premier métier de Balzac[1]. Dans leur présentation des relations des procureurs avec leurs clients, la littérature et le théâtre ont en effet fourni aux préjugés les références nécessaires pour alimenter le mépris.

Comme pour le comédien qui veut rendre la vérité de son personnage, l'empathie nécessaire à l'historien pour comprendre les sujets dont il parle est parfois joueuse de tours. En effet, si l'on accepte de pénétrer dans l'univers quotidien du procureur postulant et de le suivre au travail, on a vite fait de décider qu'un travail aussi ennuyeux ne peut pas avoir fait rêver les hommes d'Ancien Régime, qui ne peuvent avoir exercé ce métier par plaisir. Des raisons de statut social, de profit, ou l'absence d'autre choix expliquent sans doute que des hommes aient consacré leur vie à la fonction de procureur et que les fils aient très souvent repris le métier de leur père. On conçoit mal cependant que tous ces gens aient pu être passionnés par leur travail. Or, les procureurs postulants n'obtiennent pas de gages, et ils ne peuvent compenser la montée des prix de l'office, source d'endettement, que par les revenus de pratique, ou si l'on préfère, par leur travail. Peut-on dès lors conclure à la triste vie des procureurs d'Ancien Régime ? Pour le savoir, il faut confronter le risque de sombrer dans l'ennui et plonger dans les papiers de pratique qu'ils nous ont laissés, en nous demandant s'il n'y avait pas dans ce métier quelque chose de plus que ce qu'il n'y paraît.

Contrairement aux notaires dont les minutes conservées permettent de reconstituer la clientèle, de mesurer l'activité et de chiffrer les types d'actes qu'ils reçoivent, les procureurs postulants n'ont pas laissé d'aussi belles séries. Pour suivre leurs activités, les sources sont d'intérêt inégal. Les archi-

---

1. Antoine Furetière, *Le roman bourgeois, ouvrage comique*. Nouvelle édition avec des notes historiques et littéraires par M. Édouard Fournier, Millwood (N. Y.), Kraus Reprint, 1982, d'après l'édition de 1854.

ves judiciaires fournissent le nom des procureurs qui interviennent dans une cause, mais elles omettent la plupart du temps son prénom. Reconstituer la liste des causes auxquelles participe un procureur est un travail de longue haleine, peu sûr, et surtout, cette liste, une fois établie, ne permet pas d'aller plus loin. Il faut donc se tourner vers les archives privées, celles des familles qui ont engagé des procureurs, ou celles des procureurs qui ont conservé leurs papiers. Pour le XVIᵉ siècle, les archives des procureurs sont pauvres, parcellaires et ne permettent pas une exploitation en série. Pour le XVIIᵉ et le XVIIIᵉ siècle, elles dépendent des politiques de conservation des dépôts d'archives dont la différence empêche, à toutes fins utiles, la comparaison. En effet, contrairement aux actes notariés dont l'efficace se prolonge durant des siècles, les papiers de procureurs ont une utilité relativement courte, qui s'effrite avec le temps. Par ailleurs, alors que les actes notariés donnent au lecteur l'impression qu'il pénètre dans un monde ancien vivant, la lecture des papiers de procureurs est technique et fournit rarement les informations utiles à reconstituer le travail quotidien du procureur, ou même à toujours saisir les enjeux de chacune de ses interventions. Parmi les sources qui traitent du travail des procureurs, les inventaires de pratiques semblent prometteurs.

Toutes les ventes d'office de procureur stipulent que les parties feront dresser un inventaire des sacs, registres et liasses qui viennent d'être vendus avec l'office. Probablement faits sous seing privé, il est rare de trouver ces inventaires dans les actes notariés. Ce n'est peut-être pas une si grande perte, si l'on considère ce qu'ils nous disent. Prenons par exemple celui de Pierre Bandolly, procureur à la cour des comptes d'Aix, dont Pierre Giraud récupère les sacs en 1617[2]. Il énumère 412 sacs « communiqués », 70 sacs « courants » auxquels il faut ajouter 4 sacs « communs » qui comprennent eux-mêmes 30 autres sacs. Ces sacs communs sont probablement ceux des gros clients puisque les sacs qu'ils contiennent concernent des procès différents. L'inventaire des livres qui suit celui des sacs mentionne les livres de présentations faites par le procureur Bandolly dont la première date de novembre 1596 et la dernière d'avril 1617. Deux livres de chargement de messieurs les avocats sont également mentionnés, ces livres commencent aussi en 1596 et se closent en juin 1617. Plusieurs des sacs auxquels réfèrent ces livres de chargement sont encore en possession des avocats qui ne les ont toujours pas rendus. Sur le même principe, on trouve les livres des inventaires de communication et chargement des procureurs. Ils commencent en avril 1597 et cessent en septembre 1604. Après cette date, Bandolly a sans

---

2. ADBR Aix, 308E 1347, fᵒ 868. Pierre Giraud résignataire de l'office de Pierre Bandolly, décédé, reçoit tous ces papiers (juillet 1617). Giraud est identifié comme procureur es cours de parlement et des comptes. Pierre Bandolly n'était que procureur à la cour des comptes et il est donné comme faisant partie de la première crue de procureurs en la cour des comptes survenue à la suite d'un édit de 1583.

doute cessé de constituer des livres avec les inventaires de communication, car on retrouve ces inventaires, énumérés un à un, avec les inventaires de production. On a alors le nom des deux parties et de celui qui a récupéré les pièces[3]. Comme c'était le cas des avocats, plusieurs procureurs détiennent encore entre leurs mains, des pièces qui font pourtant partie des papiers de l'office. Une vingtaine de liasses de « coppies de toute sorte de communication et autres pièces », s'ajoutent aux papiers inventoriés, « dix-neuf autres liasses de papiers et pièces tant originalle que coppie » et deux autres liasses constituent l'ensemble des papiers de l'étude qui couvrent donc une période d'une vingtaine d'années.

Que peut-on tirer d'un tel inventaire ? Il faut d'abord faire quelques remarques : d'une part, on ne sait rien des causes auxquelles chaque sac a été attribué. Si on signale en général le nom des deux parties, l'inventaire n'en dit guère plus. Que faire en effet d'une information de ce type donnée sur un des sacs « communiqués » : « Autre sac de Guilhen Bernard sergent de Mane contre Jacques Laugier dans lequel y a certaines pièces le unes cotté les autres nom » (f° 869) ? Ou même de cette mention pourtant plus précise : « autre sac et pièces de Jehan Aycard de Saint Jehan la Paliere demandeur en requeste d'opposition contre la communauté d'Esparon de Palière et Pierre Ribot le trézorier ensemble le sac dud. Riboti et atache cotté dès A jusques F fort B/C communiqué par Me Coquilhat » ? On apprend, certes, que le procureur de la partie adverse était Coquilhat, mais on ne peut même pas déterminer laquelle des parties représentait Bandolly. Les sacs « courants » ne sont guère plus loquaces. Par ailleurs, un sac qui se trouve dans l'étude d'un procureur s'il permet de dire qu'il existe une relation de travail entre l'une des parties et le procureur, ne présume pas de la fidélité du client et des liens qu'il entretient avec le procureur. Combien de procurations données en blanc à un procureur de la cour des comptes devant laquelle on doit porter sa cause ? Les sacs communs indiquent peut-être une relation plus soutenue entre le procureur et son client, mais cette conclusion se présente plus comme une impression que comme une évidence. Quoi qu'il en soit, même si certains des sacs ne contiennent pas grand-chose, on peut dire que le procureur Bandolly n'a pas chômé pendant les 20 ans d'exercice qu'évoquent ses papiers. Au moment de sa mort, il a encore une centaine d'affaires en cours. Le procureur qui achète son office, en plus d'ajouter une deuxième cour souveraine aux tribunaux devant lesquels il postule, est au moins assuré d'y occuper pour les causes en suspens de son prédécesseur.

Les inventaires de pratiques sont plus abondants dans les archives de l'Isère que dans celles des Bouches-du-Rhône, puisque plusieurs des inventaires de biens y incluent les inventaires des papiers de pratique. Ils n'en sont

---

3. ADBR Aix, 308E 1347, f° 917 ; cela se présente ainsi : « Autre inventaire de communication de Fouquet Bonnet de Sainct Maixemin contre la communauté dud. lieu et Melchion Revest, chargé Me Blanc. »

pas, hélas ! plus intéressants et exigent de l'historien un bon esprit critique. D'une part, il est rarement précisé si les papiers et les sacs énumérés concernent des causes actives, et d'autre part, si ces papiers dépendent de l'office du procureur, il n'est pas indiqué s'il s'agit de procès initiés par ce procureur ou s'ils ont été hérités de la pratique du prédécesseur[4].

Malgré leurs lacunes, les inventaires de procès indiquent néanmoins que les procureurs étaient loin de limiter leur action à la cour dont ils se réclamaient. Michel Raimbaud, procureur au parlement de Grenoble, dont l'inventaire des procès s'étend sur 55 folios en 1574, occupait devant le parlement, mais aussi devant le bailliage et devant de nombreuses cours subalternes[5]. Cette habitude des procureurs de postuler devant diverses juridictions n'est pas exclusive aux procureurs au parlement. Tous les inventaires de procès des procureurs de Grenoble ont cette caractéristique et ce jusqu'au XVIIIe siècle[6].

Certes, les papiers de procureurs sont difficiles à exploiter, mais, dans la mesure où on accepte de ne pas isoler sa pratique du procureur lui-même, ils peuvent fournir des indications précieuses sur les relations qu'il entretient avec ses clients. Ces relations dépendent de divers facteurs qu'on ne peut apprécier qu'en s'immisçant dans l'étude où clients et procureur se rencontrent. Grâce à des dossiers de famille très complets, on peut ainsi suivre, à Grenoble, sur une grande partie du XVIIe siècle, les activités de Georges Charvet, ce qui n'est possible pour aucun procureur aixois – ni aucun procureur toulousain –, dont on a pu suivre le prix des offices.

---

4. Ces inventaires de procès sont très longs à effectuer et ils ont un coût. On comprend que l'on hésite à donner des détails qui allongeraient le processus. Ainsi quand il s'agit de procéder à l'inventaire des procès de Gaspard Chagnard, procureur au parlement, les experts décident-ils de le faire « sans néantmoins numéroter toutes les pièces, ce qui causeroit des frais très considérables à l'hoirie », ADI, 13B 503, 8 juillet 1716. L'inventaire d'André Bizet, procureur au parlement, comprend 1 271 cahiers de procès qui concernent divers tribunaux, 13B 626, 30 janvier 1775. Celui de François Perroud, procureur au parlement, énumère quant à lui 349 cahiers de procès, le même numéro de procès pouvant contenir plusieurs cahiers, 13B 596, 15 décembre 1760.

5. ADI, 13B 439, 25 juillet 1574. Les procès sont ainsi classés : des procès avec ou sans sac, des procès dans des sacs du parlement (1 folio), des procès dans des sacs du bailliage ou autres cours subalternes et ordinaires (11 pages), des procès en liasses sans sac du bailliage (30 pages), autres procès et pièces dans des liasses de la cour commune (6 pages), autres procès dans des liasses des cours ordinaires (53 pages).

6. On pourrait croire que les sacs qui ne concernent pas la cour principale de ces procureurs sont des causes portées en appel. De fait, quand c'est le cas, la chose est indiquée. Pour des exemples parmi d'autres, voir ADI, 13B 569, 25 mai 1750, inventaire de Pierre François Grangier, procureur au parlement de Dauphiné ; 13B 595, 9 juin 1760, inventaire de Pierre Benoit, procureur au parlement. 13B 602, 17 février 1763, inventaire de René Michal, procureur au bailliage de Grésivaudan, dont les sacs peuvent être cotés parlement, bailliage, ou d'une juridiction subalterne (juge).

Georges Charvet, praticien, procureur, officier[7]

En 1570, quand il épouse Barbe Guitard, Jean Charvet est un cordier de Grenoble. Le mariage est modeste et l'épouse n'apporte que 160 florins de dot (96 livres). Quand, après la mort de sa seconde épouse[8], il se remarie, en 1588, avec Louise Oblat, la fille d'un marchand de Grenoble, Jean Charvet, même s'il se dit alors marchand, n'a pas vraiment changé de statut : la dot qu'apporte sa nouvelle femme ne dépasse pas 60 écus (180 livres). Le mariage est un mariage d'artisans, ni les mariés, ni leurs témoins ne savent d'ailleurs signer[9].

Praticien

Lorsque Georges Charvet naît de cette dernière union, en 1593, Jean est toujours marchand cordier, mais il fait aussi dans le prêt d'argent[10]. Il est devenu prieur de la confrérie des cordiers, sous le patronage de saint Paul et est membre de la confrérie de saint Joseph, de celle de saint Sébastien, de celle de saint Antoine, sans oublier celle de saint Jean de laquelle sa femme est aussi membre[11]. L'allégeance catholique des Charvet et des Oblat est alors marquée.

Le temps de l'analphabétisme semble avoir fait son temps chez les Charvet puisque le père Charvet met son fils à l'école dès l'âge de 6 ans. Son maître, un certain Sibille, le garde chez lui à Goncelin, pendant au moins 6 mois[12]. L'année suivante, en janvier 1600, Jean Charvet fait son testament et décède en novembre de la même année. Georges est son héritier universel alors que sa mère est sa tutrice. Pour peu de temps cependant puisqu'elle se remarie en 1602 et confie alors la tutelle de Georges à son

---

7. On peut consulter sur ce procureur et ses registres « matricules », Claire DOLAN, « Les registres matricules du procureur Charvet, à Grenoble, au début du XVIIe siècle », *Histoire et archives*, 18, juillet-décembre 2005, p. 79-101.
8. Claude Grand, dont le testament date du 11 décembre 1587. ADI, compte tutélaire de Georges Charvet, H + GRE/H217, f° 25. Le tuteur se charge du testament de cette seconde épouse.
9. Voir pour le premier mariage ADI, H + GRE/H215 et pour le deuxième, H + GRE/H200, 29 janvier 1588.
10. ADI, H + GRE/H215 et 216. Dur en affaires, Jean Charvet saisit des terres et n'hésite pas à faire emprisonner ceux qui lui doivent de l'argent.
11. ADI, H + GRE/H202. Stéphane Gal énumère les confréries de Grenoble pour la fin du XVIe siècle, à partir des testaments grenoblois. Sauf pour celle de saint Antoine dont il relie la dévotion en Dauphiné à l'abbaye de Saint-Antoine-en-Viennois, cet auteur n'indique pas comment les fidèles grenoblois se sont approprié les dévotions à ces saints. Dans le cas des époux Charvet, tous deux analphabètes, on ne peut en effet associer leur adhésion à la confrérie de saint Jean, au fait que ce saint ait été le patron des libraires et des théologiens, seule information donnée par Gal sur cette confrérie. Stéphane GAL, *Grenoble au temps de la Ligue. Étude politique, sociale et religieuse d'une cité en crise (vers 1562-vers 1598)*, Grenoble, Presses universitaires de Grenoble, 2000, p. 240. Par ailleurs, le travail de Kathryn NORBERG, *Rich and Poor in Grenoble, 1600-1814*, Berkeley, University of California Press, 1985, porte sur une période plus tardive et ne considère pas ce type de confréries.
12. ADI, H + GRE/H202, série de quittances pour cette éducation.

père, Antoine Oblat, qui administre les biens de son petit-fils pendant six ans. Dès que Georges atteint l'âge de 14 ans, il sort de tutelle et passe sous la curatelle de son oncle Claude Charvet, un tisserand de Grenoble, frère de son père. C'est à ce moment qu'Antoine Oblat dresse le compte de sa tutelle, malheureusement peu loquace sur l'éducation qu'il lui a fait donner puisque les dépenses pour cette éducation ont été mises dans un livre journalier qui leur était consacré et qui n'a pas été conservé[13]. On sait néanmoins que le grand-père a fait poursuivre l'éducation de son petit-fils qu'il a d'abord placé chez le maître d'écriture Barroil, pendant au moins un an, en 1604[14], avant de le confier aux bons soins des greffiers du bailliage du Grésivaudan, en 1605, pour qu'il y fasse son apprentissage de la pratique[15]. On ne sait pas combien de temps Georges passe avec les greffiers du bailliage, mais il continue sa formation à la pratique, puisque le 27 janvier 1610, il est mis en apprentissage chez le procureur au parlement Félix Louis. Le contrat d'apprentissage ressemble à ceux qu'on a déjà trouvés pour Aix. Georges paiera à Louis 120 livres tournois, auxquelles il ajoute 12 livres comme étrenne pour la femme de son maître[16]. On peut se demander ce qui s'est passé pour que le grand-père Oblat pousse son petit-fils vers la pratique, alors que les Oblat ne s'y destinaient guère. Les temps changent. Sans doute le grand-père a-t-il cru que l'avenir de son petit-fils avait des chances d'être meilleur si on lui ouvrait les portes de la justice. Il faut dire que la pratique est entrée dans le quotidien de la famille, depuis que la mère de Georges s'est remariée avec Jean Clément dit La Charrière, un praticien de La Roche (mandement d'Allevard). Pour l'insinuation de ce mariage, Jean de la Charrière, a d'ailleurs choisi comme procureur Félix Louis. Les relations entre Félix Louis et la famille Charvet étaient même antérieures à ce mariage. D'abord, Félix Louis avait été tuteur de la nièce de la première femme de Jean Charvet, Benoite Guitard, avant 1588[17] et au moment où il reçoit le jeune Charvet en apprentissage, Félix est le locataire de Georges qui a hérité d'une maison dans le quartier des Très-Cloîtres. Son grand-père, au nom de son pupille, loue en effet les boutiques et les chambres de cette maison à des commerçants et à des hommes de pratique[18].

---

13. ADI, H + GRE/H217, f° 114 v°.

14. *Ibid.*, f° 117 v°. Cette éducation lui coûte 20 livres et 15 sous, sans compter la nourriture et la pension.

15. *Ibid.*, f°s 119 v°-120. L'apprentissage se fait au coût de 6 écus par année, ce qui est un peu moins que chez le précédent maître.

16. ADI, H + GRE/H203, 27 janvier 1610.

17. ADI, H + GRE/H215.

18. *Ibid.* Au moment de la mise en apprentissage de Georges, le procureur Louis doit une année de location à Charvet, ce qui sera déduit du coût de son apprentissage. Ce complément de paiement en nature fait partie des habitudes : les autres locataires paient, en plus des 30 ou 36 livres pour la location, qui, deux chapons par année, qui, deux perdrix rouges.

Georges Charvet reste chez Félix Louis jusqu'en 1614[19]. Il est alors reçu procureur au bailliage de Grésivaudan, selon une procédure en tous points semblables à celle qui attendait les procureurs de la sénéchaussée d'Aix[20]. Il occupe toujours cette charge, en 1617[21], alors qu'il conclut avec son ancien maître, Félix Louis, une association à plusieurs volets. Parce qu'elle permet de comparer avec les cas aixois et de mesurer comment a évolué la charge de Charvet, avant et après l'office royal, nous nous attarderons sur cette association.

Procureur

Le procureur au parlement Félix Louis avait une fille. Elle ne s'opposa pas à ce qu'on la marie à l'ancien clerc de son père, devenu procureur au bailliage. Le mariage fut traité rapidement et consommé, avant même que ne soient rédigées par écrit toutes les conventions verbales sur lesquelles on s'était entendus. Le procureur Louis avait aussi un fils qu'il avait conduit à devenir avocat, ce qui lui ouvrait, certes, de belles perspectives, mais ne faisait pas de lui un successeur potentiel dans la pratique. Quand, en décembre 1617, on résuma les conditions du mariage : on précisa que la dot de Suzanne s'élevait à 1 500 livres tournois (dont 60 % devait être payé d'ici janvier 1620[22]), et le procureur Louis ajouta à cette somme la moitié de ses papiers de procureur, base d'une association de pratique avec son gendre. Les deux hommes partageraient désormais les profits qui proviendraient de la fonction de procureur de Louis ; les revenus de Louis d'autres provenances, ainsi que les pratiques concernant ses parents, amis et alliés étaient exclus de l'entente. Cette association, justifiée comme paiement de tous les droits paternels et maternels auxquels pourrait prétendre Suzanne, n'était pas évaluable en termes monétaires. Elle était pourtant, pour le jeune

---

19. ADI, H + GRE/H203. Les comptes verbaux qu'ils font entre eux portent toujours sur le coût de l'apprentissage, en partie compensé par les coûts de la location de chambres et d'un galetas de Georges par Louis, 5 avril 1612 et 3 août 1614.

20. ADI, H + Gre/H204 : Charvet avait présenté une requête au vi-bailli pour être reçu procureur au bailliage, dans laquelle il avait insisté sur ses années d'apprentissage, sur le fait qu'il avait plusieurs fois plaidé devant lui et devant le juge de Grenoble. Le vi-bailli transmit la requête au syndic des procureurs et au procureur du roi le 8 avril 1614 qui acceptèrent tous les deux Charvet, moyennant qu'il subisse son enquête et prête le serment habituel. Le 10 avril 1614, à la demande du vi-bailli de Grésivaudan, Charvet subit, devant le substitut du greffier du bailliage, son enquête sur sa vie, mœurs et capacité, au cours de laquelle des témoins viennent confirmer mot pour mot tout ce qui est dit dans sa requête (son parcours, le fait qu'il a plaidé plusieurs fois déjà devant le vi-bailli et d'autres juges). La procédure est stéréotypée et probablement généralisée à travers la France.

21. ADI, H + GRE/H201, quittance du 26 janvier 1617. C'est également ainsi qu'on l'identifie quand il épouse la fille de Félix Louis, la même année, ADI, H + GRE/H200, 19 décembre 1617.

22. L'autre 40 % ne devait être payé qu'à la mort de la mère de Suzanne dont c'était l'apport. À l'occasion de la constitution de la dot de sa fille Marguerite, Georges Charvet cède ainsi plusieurs créances au nouvel époux, dont l'une de 600 livres à prendre sur son beau-frère Claude Louis, héritier de sa mère, qui correspondait à une somme impayée de la dot de Suzanne. ADI, H + GRE/H200, papier de transport de dette du 7 juillet 1638.

procureur au bailliage, une belle opportunité. Elle lui apportait une clientèle, qu'il partageait certes avec son beau-père, mais qu'il n'en tenait qu'à lui de s'attacher. Même s'il n'était pas précisé que Louis allait céder à Charvet sa charge de procureur au parlement, il lui offrait sur un plateau, les avantages d'une clientèle déjà faite, impossible à diviser par deux, quoi qu'en aient dit les termes de la convention. C'est d'ailleurs ce que comprit très vite le fils avocat, héritier de la seconde moitié des papiers de son père, à la mort de ce dernier quelques années plus tard. Pour éviter un partage qui aurait consommé plus de temps et d'argent, que ce qu'il aurait rapporté, le fils avocat offrit à son beau-frère de lui vendre, pour la somme de 37 livres et 10 sous, la moitié des papiers dont il avait hérité. À peu près sans valeur pour le fils avocat qui n'avait pas l'intention de continuer dans la pratique, les papiers de l'association Louis-Charvet retrouvaient ainsi une cohérence dont leur clientèle, tout comme Charvet, n'avaient qu'à tirer bénéfice[23].

L'entente du jeune procureur au bailliage et de son beau-père est signée devant ce qu'on pourrait appeler des « collègues ». Le juge royal et épiscopal de Grenoble, Bon de la Baulme, les procureurs au parlement Aleyron et Pascal, et le clerc de Félix Louis, nommé Puissant, attestent de la scène[24]. Dans l'ordre d'ancienneté des procureurs qui prêtent serment au parlement, Félix Louis et Jean Pascal, se suivent. Le procureur Aleyron apparaît, deux noms plus loin. Les témoins de l'entente sont donc là pour Félix Louis dont ils sont de la même génération. En janvier 1619, George Charvet, admis en même temps que des dizaines d'autres candidats, fait son serment devant la cour du parlement du Dauphiné[25]. Il sera, à partir de ce moment, identifié comme procureur à la cour. Les années 1620 sont compliquées pour les procureurs, on le sait. Les édits concernant l'érection de la charge en office royal formé, la réduction imposée du nombre des procureurs, changent leur statut selon une chronologie variable à travers la France. À Grenoble, c'est l'édit de 1620 qui sert de balise au changement de statut des procureurs[26]. Quelque part entre 1625 et 1627, Georges Charvet est touché par ces transformations : comme des dizaines d'autres procureurs,

---

23. La vente est conclue le 29 mars 1624, après la mort de Félix Louis. Charvet est alors procureur à la cour. *Ibid.*

24. *Ibid.*, 19 décembre 1617, contrat de mariage Charvet-Louis.

25. ADI, 2B 55, p. 41. En janvier 1619, ce que les procureurs grenoblois du temps ont appelé « la grand crue » (2B 62), fait de la liste des procureurs qui prêtent serment une liste quasi interminable. À partir de 1619, ces procureurs ne sont pas distingués des autres procureurs. En 1622, la liste des procureurs qui prêtent serment au parlement du Dauphiné atteint presque 350 noms. Georges Charvet prête donc serment au parlement tous les ans à partir de 1619. Le nom de Félix Louis est rayé sur la liste des serments prêtés en novembre 1623. Malheureusement, les listes pour les années 1624, 1625 et 1626 ont été perdues. Quand elles reprennent, en 1627 (2B 56), elles ne comprennent plus que 75 procureurs et Georges Charvet ne s'y trouve plus.

26. C'est à cet édit qu'on réfère au moment des provisions d'office royal, notamment ADI, 2B 62. Il semble n'avoir été appliqué qu'après 1623 cependant.

il perd son statut de procureur au parlement[27]. Tout en maintenant les services à sa clientèle, qui ne l'abandonne pas pour autant, il doit, avec l'aide de collègues qui ont régularisé leur situation et obtenu un office, trouver des expédients pour continuer de mener à bien ses dossiers. Il travaille alors grâce au nom de collègues, pour lesquels il dit signer les procédures que ses clients réguliers continuent de lui confier[28]. Il se définit alors comme « procureur à Grenoble ». La fidélité de ses clients, qui ne semblent pas très perturbés par le fait que leur procureur n'ait point d'office, ne suffit pas cependant à assurer la longévité d'une carrière. L'objectif est donc pour Charvet d'acheter dès que possible un office royal de procureur qui lui permettra de renouveler sa clientèle et donc de l'augmenter[29].

Officier

L'occasion ne se présente qu'en 1631. Le « bailliage et siège présidial de Grésivaudan et cour commune de Grenoble » avait été doté de quarante offices formés de procureurs, dont plusieurs avaient été achetés par des procureurs au parlement qui avaient perdu leur statut avec l'érection de la charge en office et souhaitaient profiter des effets d'une déclaration royale d'août 1623 qui garantissait l'hérédité de l'office[30]. Le procureur Vincent Moret avait payé 770 livres pour la finance de son office de procureur héréditaire au bailliage et siège présidial de Grésivaudan, le 18 septembre 1623, avait obtenu ses lettres de provision le 24 mars 1624 et avait finalement été reçu le 30 octobre 1624[31]. Devenu secrétaire et conseiller du roi et contrôleur en chancellerie du Dauphiné, il résigne son office dès 1628 à son frère Charles qui n'en jouit pas bien longtemps puisque Charles étant décédé en 1630, criblé de dettes, l'office est vendu aux enchères pour payer ses dettes. Sans doute pour protéger la valeur de l'office, c'est Vincent, le frère de Charles, qui rachète alors l'office qu'il obtient pour 2 000 livres. Vincent signe donc, le 12 janvier 1631, une convention avec Georges Charvet, « praticien de Grenoble », mais « cy devant procureur en la cour de parlement », pour la vente de l'office exercé par son frère. La conven-

---

27. Dans sa première matricule (ADI, H + GRE/H206) deux notes que je ne lis pas complètement attirent néanmoins l'attention. L'une indique que le 25 septembre 1624, le vi-bailli a interdit de postuler (probablement à ceux qui ne s'étaient pas conformés à l'édit). La seconde dit quant à elle que le samedi 19 avril 1625, le juge de Grenoble, en audience publique, a interdit aux procureurs qui n'étaient pas sous la forme de l'édit, de postuler.

28. Pour les détails de cette façon de faire, je me permets de renvoyer à Claire DOLAN, « Les registres matricules… », p. 96 et suiv.

29. Le testament du procureur Félix Louis et de sa femme précise que Félix avait peu de bien. Ils habitent d'ailleurs dans une maison appartenant à Georges en la rue des Très-Cloîtres, et insistent pour que le moins de dépenses possibles soient faites pour leur enterrement. ADI, H + GRE/H200, 27 octobre 1623, acte pris par le notaire Jacques Froment.

30. Trente-trois des lettres de provision et enquêtes pour ces officiers ont été conservées par les archives de l'Isère, dans un dossier à part, 2B 62.

31. ADI, 2B 62 et H + GRE/H204.

tion dit que Georges a payé comptant 1 900 livres tournois[32]. Il n'est pas question de pratique, ni de papiers de l'office. Comme pour les procureurs aixois, qui ont acheté leur office à la faveur d'un revers de fortune de leur prédécesseur, on peut croire qu'il s'agit, pour Georges Charvet, d'une bonne affaire. Un délai lui ayant été accordé pour rapporter ses lettres de provision, il commence tout de suite à postuler officiellement aux deux cours et reçoit son premier apprenti dès le 30 décembre 1631. Il accepte alors de prendre sous son aile pour deux ans, la formation de François Bonier, qui, pour apprendre le métier de procureur, lui paiera, comme les Aixois à la même époque, 100 livres tournois par année[33]. C'est donc en tant que procureur héréditaire à la cour commune de Grenoble et bailliage de Grésivaudan qu'exercera, pour les années à venir, Georges Charvet.

Sans doute est-il, comme les autres procureurs de Grenoble, soumis à la conjoncture qui affecte les tribunaux de la ville, mais il est redevenu, à ce moment, un procureur de plein droit. Alors qu'on peut le suivre sur l'ensemble de sa carrière[34], la pratique de Charvet incarne en quelque sorte d'une autre manière l'« avant » et l'« après » qu'on a déjà analysés pour Aix et Toulouse.

La pratique du procureur Charvet

Une étude où l'on circule

Quelques remarques méthodologiques aideront à mesurer ce qu'on peut tirer des données recueillies. Les personnes qui signent la matricule de Georges Charvet, quand il leur remet des pièces ou le plus souvent des sacs de procès, sont des avocats, des procureurs, des greffiers, des clients ou leurs représentants. Si les procureurs sont, la plupart du temps, des collè-

---

32. ADI, H + GRE/H204. Mais elle dit aussi que Charvet a reçu les lettres de provision de Vincent Moret, alors qu'une déclaration contenue dans le même dossier dit que, de fait, Moret n'avait pu retrouver ces lettres dans les papiers de son frère et ne les avait donc pas données au nouvel acquéreur.

33. ADI, H + GRE/H200, 30 décembre 1631, acte passé chez le notaire Sybille.

34. Nous avons les matricules de Georges Charvet pour l'ensemble de sa carrière, soit de 1618 à 1673. Cela constitue un ensemble de six registres pour un total de 867 feuillets (plus de 1700 pages). Chaque page contient deux ou trois acquits de procès qu'ont signés, suivant à qui les pièces ou le sac ont été remis, un greffier, le procureur de la partie adverse, un avocat, ou le client lui-même. ADI, H + GRE/H206, matricule 1618-1623, Charvet est procureur à la cour de parlement ; H + GRE/H207, matricule juillet 1632-décembre 1635, Charvet est procureur héréditaire au bailliage de Grésivaudan ; H + GRE/H208, décembre 1635-novembre 1640 ; H + GRE/H209, septembre 1640-février 1656 ; H + GRE/H210, 1656-1664, Charvet se départ de son office en 1657 ; H + GRE/H211, 1664-1677, mais Charvet est décédé en 1673. On peut ajouter à ces matricules un petit registre, tenu à part, commencé en 1624 et prévu pour inscrire les décharges de procès des clients de feu Félix Louis (H + GRE/H214). Ce registre, fort abimé, et en partie dérelié, ne peut offrir que quelques informations. S'ajoute à ces documents qui permettent d'approcher le travail quotidien du procureur, l'inventaire des papiers qu'il a vendus à l'acquéreur de son office en 1657 et qui, à travers les 168 pages nécessaires pour les énumérer, servent en quelque sorte de bilan de cette pratique (H + GRE/H214).

gues qui travaillent pour la partie adverse, les avocats quant à eux travaillent soit pour la même partie que Charvet, soit pour la partie opposée. Quant aux greffiers, ils sont aussi nombreux que les greffes avec lesquels Charvet travaille pour ses clients, mais on peut facilement identifier les plus importants (ceux du bailliage de Grésivaudan, ceux du greffe de la cour épiscopale ou ceux de la cour royale de Grenoble). Il n'est pas toujours aisé de distinguer, par les signatures, les avocats des procureurs. Ces derniers, tout comme les greffiers ou les notaires, font toujours suivre leur signature d'un paraphe, ce qui n'est pas le cas des avocats. Par ailleurs, comme la raison pour laquelle le procès est retiré des mains de Charvet est à peu près toujours indiquée, on comprend que le même procès sort plusieurs fois de l'étude du procureur, et qu'il y revient, sans que cela soit toujours précisé[35]. Les principales raisons invoquées pour emprunter un sac de procès, outre la « communication originelle » des pièces à la partie adverse, sont nombreuses : les avocats empruntent pour « contredire », « pour défendre », « pour écrire », « pour consulter », « pour conférer », « pour délibérer », « pour conclure », « pour plaider », ou pour voir le procès. Les procureurs en ont besoin « pour bailler griefs », pour « bailler diminution » aux dépens qui ont déjà été calculés, « pour dresser les lettres royaux », ou même pour en faire des extraits, le client ayant égaré sa copie. On trouve aussi des procès qui ont été récupérés « pour arbitrer » ou « pour traiter ». Pour les dépôts aux greffes, deux raisons sont alléguées : s'il s'agit de pièces isolées (des cédules, par exemple), le procureur s'en départ pour qu'elles soient « reconnues ou déniées » par le débiteur ; mais la plupart du temps, un procès remis au greffe l'est « pour être jugé ». Ce qui ne veut pas dire que l'affaire soit pour autant terminée. On le sait : un même procès donne souvent lieu à plusieurs sentences, selon le nombre de points pour lesquels on demande l'avis des juges. C'est pourquoi la plupart du temps, le greffier qui reçoit ainsi un procès « pour être jugé », promet de rendre le sac au procureur, comme c'est le cas pour tous ceux qui lui signent ainsi un acquit de papiers.

Les sacs de procès circulent donc entre gens de justice, mais les clients eux-mêmes interviennent dans ce ballet de papiers. Il n'est pas toujours facile de savoir exactement pourquoi un client vient récupérer son procès. Parfois, il dit clairement ne prendre que quelques pièces, « pour s'en servir pour un autre procès ». Bien sûr, dans certains cas, l'affaire est close et la récupération du sac de procès correspond au moment où le client et le procureur font leurs comptes. Mais les choses ne sont pas toujours aussi simples et on peut croire qu'à d'autres moments, la récupération de ses

---

35. Une note dans la marge indique parfois la date du retour du procès chez Charvet, mais la mention n'est pas systématique. L'inventaire des papiers que vend Charvet à son successeur comprend toute une partie qui reprend les papiers confiés aux greffes, aux avocats ou aux autres procureurs et qui n'ont pas été rendus. La matricule semble avoir servi de document officiel pour constituer cette liste. ADI, H + GRE/H214, à partir du f°s 60 v° et suiv.

procès par un client peut aussi signifier un changement de procureur, alors que l'affaire continue. Quoi qu'il en soit, entre le procureur et son client, la formule de décharge de la matricule, par sa force et son caractère formel, ne se confond pas avec celle qu'utilisent les gens de justice entre eux[36].

Quel volume de pratique ? Quel effet de l'office ?

Est-il possible d'établir, à partir de cette circulation des procès qui entrent et sortent de l'étude du procureur, le volume de sa pratique ? À la condition de comparer des choses comparables, on peut, en tout cas, mesurer cette pratique dans le temps. Comparer des choses comparables : voilà bien une maxime inutile quand il s'agit de procès ! Surtout quand à peu près tout ce qu'on sait des procès en question est le type de requête qui leur a donné lieu et le nombre de pièces que contiennent les sacs. Néanmoins, faute de mieux, et tout en étant bien consciente du caractère artificiel de la démarche, j'ai détaché deux variables qui me semblent les moins mauvaises pour donner à la pratique de Georges Charvet une certaine épaisseur temporelle. J'ai d'abord isolé les remises aux greffes de procès, pour être jugés. Il m'a semblé qu'elles constituaient une étape dans le travail du procureur et qu'elles étaient plus comparables entre elles que ne l'étaient les autres causes de circulation. Par ailleurs, dans le même esprit de construire des « étapes » de pratique avec les données des matricules, j'ai considéré avec attention les décharges de procès que les clients avaient signées au procureur. Présumant que la décharge mettait un terme à cette relation particulière entre le client et le procureur, je croyais pouvoir identifier ainsi la fin d'une collaboration pour une cause donnée. L'objectif était, je l'avoue, de quantifier une pratique autrement insaisissable.

La déperdition est grande, si l'on compare les procès remis pour juger à l'ensemble des mentions que contiennent les matricules. En effet, sur les 2 301 mentions inscrites dans les matricules qui couvrent les trente années analysées (1618-1647), 506 seulement concernent la remise d'un procès au greffe pour être jugé. On comprend donc qu'on n'a là qu'une faible part de l'activité du procureur, sans compter que tous les procès dont il s'occupe ne sont pas tous « jugés » ou encore que ce n'est pas toujours sa partie qui effectue le dépôt au greffe pour que cela soit[37].

---

36. ADI, H + GRE/H206, f° 184, 18 avril 1632 : « Lesquels procès actes et procédures, employés en iceulx procès, je quitte et descharge ledict Charvet et promets ne les luy jamais demander à peyne de tous despans, dommages et inthérests. » La formule pour les gens de justice est celle-ci : « Lequel procès, je promets randre. » (*Ibid.*, f° 183 v°, 5 avril 1632.)

37. Il faut préciser ici que ce sont les mentions que j'ai comptées et non le nombre de procès. Ainsi, on pouvait indiquer dans la même mention, que quatre procès d'un même client avaient été remis au greffe pour être jugés. Quand le procureur remettait en même temps au greffe des procès pour divers clients, on avait l'habitude cependant de faire des mentions différentes pour chaque client.

Néanmoins, la moyenne mobile arithmétique des procès déposés aux greffes pour être jugés et celle des mentions matriculées, laissent voir que les deux courbes ne sont pas indépendantes l'une de l'autre (figure 4). Observons pour l'instant la montée fulgurante du nombre de mentions matriculées au lendemain de l'acquisition, par Charvet, de l'office de procureur héréditaire au bailliage de Grésivaudan, la chute de ce nombre dans les années qui entourent la création du présidial de Valence (1635-1637), la remontée trompeuse des années 1638-1639 et la chute puis le plafonnement qui caractérisent la décennie suivante. La courbe du nombre de procès déposés aux greffes pour être jugés ne se comporte pas autrement.

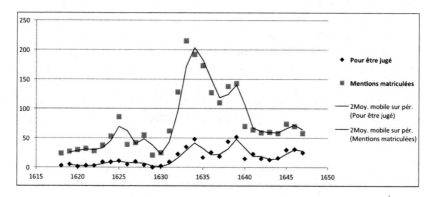

FIGURE 4. – *Procès déposés pour être jugés et mentions matriculées du procureur Charvet 1618-1647.*

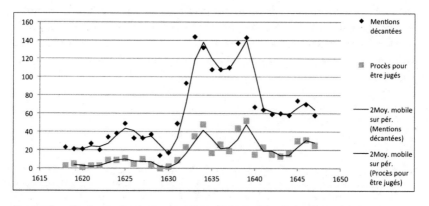

FIGURE 5. – *Procès pour être jugés et mentions décantées (Matricules Charvet).*

Le fait d'avoir considéré à part les procès prêts à être jugés a contribué à aplatir considérablement une courbe, autrement fort aiguë. C'est que les tourmentes de l'office de procureur et la réduction de leur nombre pendant cette période ont contribué à l'agitation qu'a alors connue l'étude de Charvet. Il s'agit d'ailleurs de placer côte à côte la courbe du nombre total de mentions et celle qui indique les mentions de procès rendus aux clients pour constater que jusqu'en 1636, les deux courbes s'entraînent l'une, l'autre. Pour mesurer avec plus de rigueur la pratique de Georges Charvet, il faut donc soustraire les mentions de procès qu'il a remis à ses clients du nombre total des mentions, pour obtenir un nombre de mentions décantées (figure 5).

On constate alors assez clairement les effets de sa situation sur sa pratique. L'obtention de sa charge de procureur au parlement n'a que peu d'effet tant que la mort de son beau-père, en 1623, ne lui laisse pas l'espace nécessaire pour augmenter un peu sa clientèle. Les expédients utilisés, pour continuer à pratiquer bien qu'il n'ait officiellement plus de charge, s'épuisent en 1630 et l'on voit par la courbe des mentions, qu'il se devait d'acquérir un office s'il voulait cesser de végéter. L'effet de l'office est spectaculaire, pour le nombre de procès jugés comme pour le reste de son travail. Ces courbes corrigées n'amoindrissent pas cependant la chute provoquée par la création du présidial[38]. Conjoncture confirmée par une lettre du père d'un apprenti à Charvet, en 1636, qui fait état des rumeurs sur le « peu de pratique » qui se fait alors à Grenoble[39]. Les pointes des années 1638 et 1639 demeurent, et la stabilité des années 1640 est confirmée.

Peut-on conclure de ces chiffres que l'office a changé l'avenir professionnel de Georges Charvet ? Sans aucun doute, mais cet avenir professionnel n'était pas assuré du seul fait de posséder un office. On le voit par la pratique de Charvet dans les années 1640. Ici s'arrête ce qu'on peut tirer du volume de pratique de Georges Charvet. Mais les matricules ne nous ont pas encore tout révélé.

---

38. En 1636, la création du présidial de Valence a dû laisser croire que les tribunaux à Grenoble perdraient des clients. Pourtant, cette création ne se fait pas au détriment de Grenoble, mais plutôt de Puy en Velay. Par la création du présidial de Valence, il s'agit, il est vrai, de contrebalancer l'influence de Grenoble et de son parlement. Christophe BLANQUIE, *Les présidiaux de Richelieu…*, p. 128, 178-179.

39. Maximilien Raymond avait été confié par son père à Charvet, le 29 novembre 1635. En juillet 1636, le père change d'idée et décide plutôt d'envoyer son fils étudier le droit à Orange où on « lui lira les Institutes ». En effet, on lui a donné avis qu'il se « faisoit si peu de chose dans la pratique à Grenoble », que le père a conclu que le clerc était inutile au procureur, ADI, H + GRE/H203, lettre du 2 juillet 1636 et quittance faite par le clerc pour l'annulation du contrat d'apprentissage, le 16 juillet 1636.

Quelle pratique ?

Malgré le fait que Georges Charvet ait porté le titre de procureur héréditaire au bailliage de Grésivaudan et à la cour commune de Grenoble, il est loin d'avoir limité son action à ces tribunaux.

Un mot d'abord sur l'organisation de la justice à Grenoble. Sans entrer dans une histoire des institutions par ailleurs bien connue[40], disons simplement que pendant la carrière de Georges Charvet, le parlement de Grenoble se vit doter d'une quatrième chambre, en 1628 et même d'une cinquième en 1658, bientôt supprimée. Alors que la cour des aides était jusqu'alors intégrée au parlement, elle en fut séparée de 1638 à 1658 et siégea, pendant cette période à Vienne[41]. Événement qui dut avoir son effet sur le travail des procureurs : un présidial fut instauré à Valence en 1636. Deux grands bailliages et une sénéchaussée divise le ressort du parlement de Dauphiné. Le grand bailliage du Viennois comprend les bailliages particuliers de Vienne, du Grésivaudan (celui qui siège à Grenoble) et de Saint-Marcellin. Si l'on s'arrête au bailliage du Grésivaudan, on y trouve l'élection et le présidial de Grenoble. Le personnage principal du bailliage de Grésivaudan est le vice-bailli au siège de Grésivaudan et depuis Francois 1er, on y juge en première instance les causes des officiers du parlement, de la chambre des comptes et du bureau des finances de Grenoble, le parlement de Grenoble n'ayant pas de chambre des requêtes[42]. Par ailleurs, le bailliage du Grésivaudan n'a pas juridiction sur les habitants de la ville qui ne sont pas officiers.

Les habitants de Grenoble doivent en effet se présenter devant la justice ordinaire de la ville et des faubourgs de Grenoble, laquelle est exercée à tour de rôle, une année par le juge royal et l'autre année par le juge épiscopal, c'est ce qu'on appelle, la cour commune de Grenoble[43]. On fait appel des décisions de cette cour directement au parlement.

Finalement, 420 seigneuries juridictionnelles aux compétences diverses sont réparties à travers le Dauphiné. Elles donnent lieu à autant de tribunaux formés d'un juge (en général un avocat de Grenoble), d'un procureur juridictionnel, d'un greffier et de sergents. Le châtelain du seigneur, l'un des seuls à demeurer sur place, participe activement à cette justice seigneuriale : il reçoit notamment les plaintes et fait les enquêtes. La plupart de ces hommes de justice ont acheté leur charge du seigneur. Ils siègent en général

---

40. Marcel MARION, *Dictionnaire des institutions de la France aux XVIIe et XVIIIe siècles*, Paris, A. & J. Picard, 1972 (réimpression de l'édition originale de 1923). René FAVIER (dir.), *Le Parlement de Dauphiné. Des origines à la Révolution*, Grenoble, Presses universitaires de Grenoble, 2001.

41. René FAVIER, « Le Parlement de Dauphiné et la ville de Grenoble aux XVIIe et XVIIIe siècles », René FAVIER (dir.), *Le Parlement de Dauphiné...*, p. 195.

42. Jean-Joseph EXPILLY, *Dictionnaire géographique, historique et politique des Gaules et de la France*, vol. 2, Nendeln/Liechtenstein, Kraus Rerpint, 1978, p. 591-593.

43. Jean-Joseph EXPILLY, *Dictionnaire...*, vol. 2, p. 593. Plusieurs des justices ordinaires du Dauphiné sont exercées alternativement par le roi ou l'autorité ecclésiastique (évêque ou archevêque).

dans la ville de Grenoble, ce qui contribue à faire des activités de justice l'un des leviers de l'économie locale[44].

Normalement, un procureur habilité à agir devant un tribunal l'est également devant tous les tribunaux qui se situent au-dessous de ce tribunal, dans la hiérarchie judiciaire. C'est ainsi qu'un procureur au parlement devrait pouvoir postuler devant tous les tribunaux inférieurs, alors que le contraire n'est pas vrai. Au début de sa carrière, alors que Georges Charvet est l'un des procureurs au parlement, il peut donc intervenir pour ses clients devant tous les tribunaux du Dauphiné. Comme il partage alors ce privilège avec des centaines d'autres procureurs, il répartit en fait son action à peu près également entre le bailliage de Grésivaudan, la cour royale de Grenoble, et la cour de parlement. Même s'il ne s'agit pas d'une pratique importante, il intervient également auprès de quelques justices seigneuriales. Après l'obtention de son office, on pourrait considérer qu'il a en quelque sorte été rétrogradé par rapport à son précédent statut, puisque le bailliage est un tribunal hiérarchiquement inférieur au parlement. Or, si l'on observe sa pratique, après l'obtention de son office, on constate, certes, que les procès qu'il conduit au parlement ont à peu près disparu, mais que la proportion de ses interventions au bailliage comparée à l'ensemble de sa pratique n'a pas vraiment bougé. C'est la double juridiction royale et épiscopale de Grenoble qui est devenue le tribunal de prédilection de ses clients car elle retient plus de 50 % de son activité judiciaire. Par ailleurs, les justices seigneuriales, en recueillant presque 18 % de sa pratique, jouissent d'une place beaucoup plus importante que lorsqu'il était procureur au parlement (voir tableau 2).

Greffes	avant 1632	%	de 1632 à 1647 inclus	%	Total	%
greffe du bailliage de Grésivaudan	20	27,03	120	27,78	140	27,67
greffe royal de Grenoble	20	27,03	126	29,17	146	28,85
greffe épiscopal de Grenoble	6	8,10	95	21,99	101	19,96
greffe civil de la cour du parlement	20	27,03	3	0,69	23	4,54
greffe de l'élection	0	0	11	2,54	11	2,17
Total greffes importants	**66**	**89,19**	**355**	**82,18**	**421**	**83,2**
autres greffes	8	10,81	77	17,82	85	16,8
Total des procès jugés	**74**	**100**	**432**	**100**	**506**	**100**

TABLEAU 2. – *Les greffes où sont déposés les « procès pour être jugés » du procureur Charvet.*

---

44. Bernard Bonnin, « Parlement et communautés rurales en Dauphiné, de la fin du XVIᵉ au milieu du XVIIIᵉ siècle », René Favier (dir.), *Le Parlement de Dauphiné*, p. 56-58. Grâce aux affirmations de voyage, étudiées par René Favier, cette importance de la justice dans l'économie locale a été bien démontrée : René Favier, *Les villes du Dauphiné*, p. 77-82.

L'importance des juridictions seigneuriales, dans l'ensemble des procès qu'il soumet, invite à chercher ailleurs que dans son habilitation les moyens d'interpréter les données du tableau 1. Reprenons les choses autrement et observons cette fois, les clients de notre procureur.

Les clients du procureur Charvet

Les informations que contiennent les mentions de circulation, inscrites dans les matricules du procureur Charvet, laissent entrevoir de jolies histoires, mais elles ne les racontent jamais[45]. Il faut donc faire avec ce que l'on a et accepter qu'environ 70 % des acquits nous permettent de savoir laquelle des parties est cliente de Georges Charvet[46] et laquelle est la partie adverse. Les clients identifiés, il ne s'agit ni de décortiquer leur affaire, ni de montrer les liens entre eux, toutes choses que les matricules ne permettent pas de faire et qui demanderaient de recourir aux méthodes de la micro-histoire qu'il n'est pas pertinent de mettre en œuvre ici[47]. Pour éviter d'insister sur l'accessoire, je m'arrêterai donc aux types de clients que sert Charvet et qui donnent la couleur à sa pratique.

Le procureur Charvet a, pendant quelques années, des clients qu'on pourrait qualifier de clients réguliers. Le sieur de Saint-Véran, Antoine de la Porte, en est un exemple. Entre 1619 et 1631, les matricules de Charvet contiennent 33 mentions de circulation de ses affaires : 7 concernent des procès qu'il a récupérés de son procureur, et 6 des procès déposés pour être jugés. Parmi ces derniers, 4 l'ont été au bailliage et 2 au parlement. Deux avocats s'occupent tour à tour de ses procès : l'avocat Dubois, jusqu'en 1625, puis l'avocat Claude Louis. Si l'on se fie uniquement au nombre de mentions des matricules, le sieur de Saint-Véran n'accapare pas beaucoup le procureur Charvet. Une mention de circulation de procès ne dit toutefois rien du travail qu'a demandé la cause au procureur quand le procès était dans son étude, ni les patrocines qu'elle a pu lui rapporter.

Des clients accaparants : les marchands

Les clients qui accaparent le plus le procureur Charvet sont, on l'aura deviné, des marchands qui n'hésitent pas à poursuivre les mauvais payeurs,

---

45. Même pour en supputer les tenants et les aboutissants, les informations fournies par les matricules sont insuffisantes. En plus d'une bonne dose d'imagination, il aurait fallu consulter un grand nombre de sources complémentaires, ce qui aurait largement dépassé les objectifs de ce chapitre.

46. La mention l'indique parfois clairement, mais il arrive fréquemment qu'il faille user de déduction. La méthode est quelque peu risquée, notamment quand les deux parties ont déjà utilisé Charvet comme leur procureur.

47. J'avoue n'avoir pas toujours résisté à la tentation de mieux connaître ces clients. Les travaux des meilleurs généalogistes à l'œuvre aux archives de l'Isère m'ont rendu alors de grands services, ainsi que les possibilités offertes par les moyens numériques de recherche dans les textes, d'outils comme Google livres ou Gallica.

ce qui génère un important volume de circulation des pièces. Les marchands Brun de Grenoble, par exemple, font travailler Charvet, au moins de 1621 à 1641, et leurs affaires donnent lieu à 138 mentions de circulation pendant cette période. Guigues Brun[48], le père, et ses deux fils, Philippe et Pierre, s'assurent les services du procureur pour les procès qu'ils ont en commun, mais le procureur travaille aussi pour chacun d'eux individuellement. À la mort de Guigues, autour de 1632, le fils Pierre Brun continue de recourir au procureur Charvet. Or, si on observe attentivement les pièces que fait circuler Charvet pour les Brun, on se rend compte que bien peu de leurs procès sont déposés pour être jugés (11 procès), que la cour commune de Grenoble reçoit sept de ces procès, tandis que le bailliage en traite trois et le parlement un seul. Toutes les autres mentions de circulation concernent des cédules qu'on dépose au greffe pour les faire reconnaître par les débiteurs, des demandes en dépens, dommages et intérêts ou des lettres de *debitis* qu'on cherche à faire exécuter. Si les pièces circulent autant, c'est que le procureur de chaque débiteur cherche à faire diminuer le montant à payer aux Brun[49]. Les procureurs interviennent pour protéger les intérêts de leurs clients respectifs, mais on peut croire que la plupart des affaires ne se sont pas rendues au bout du processus judiciaire. Chez les Brun, le peu de procès déposés pour être jugés, en regard du nombre de mentions de circulation des sacs ou des pièces, montre bien que le travail des procureurs ne se limite pas à leurs interventions devant les tribunaux.

Les procès du marchand Claude Chouvin ne diffèrent guère de ceux des marchands Brun. Dans les matricules de Charvet, il se trouve mentionné 109 fois entre 1623 et 1640. Dans son cas, 14 procès sont déposés pendant cette période pour être jugés. Bien qu'il se dise marchand de Grenoble, les tribunaux auxquels il s'adresse sont divers : en 1623 et en 1627, il est devant le parlement, mais il est aussi devant la cour royale de Grenoble en 1627. Par la suite, ses procès sont déposés devant la cour royale, ou devant le bailliage, mais ses affaires le conduisent aussi devant le greffe d'Uriage, en 1638 et 1640, et devant celui de Theys, en 1639. Tantôt il poursuit un client pour être payé, tantôt il subit les foudres d'un autre qui veut faire diminuer les dépens qu'on lui a attribués. Comme pour les Brun, les mentions de circulation de leurs pièces sont rarement signées par des avocats. On n'a guère besoin d'« écrire » ou de « plaider » dans le commerce

---

48. Guigues Brun avait été l'un des membres du conseil des quarante notables de Grenoble qui avaient reconnu Henri IV comme roi de France, le 20 décembre 1590. Parmi ces notables se trouvaient également Anthoyne Catillon, dont les héritiers doivent reconnaître à Brun une cédule de 1 480 livres, en 1625 (ADI, H + GRE/H206, f° 71 v°) et Michel Aleyron, un procureur au parlement qu'on a déjà rencontré pour avoir assisté au contrat d'association entre Félix Louis et son gendre. Pour la liste des membres de ce conseil des quarante notables, voir *Actes et correspondance du connétable de Lesdiguières*, Grenoble, Édouard Allier, 1878, vol. 1, p. 145 (Documents historiques inédits pour servir à l'histoire du Dauphiné).

49. 34 % des mentions de circulation qui concernent les Brun portent la justification « pour bailler diminution ».

de Claude Chouvin. Lui-même ne sait pas écrire, et son commerce ne semble pas s'en porter plus mal.

Un autre marchand, Didier Cayol, accapare également le procureur Charvet, puisqu'on retrouve 96 mentions de circulation de ses affaires, entre 1633 et 1640. Parmi ces mentions, 18 concernent 49 procès que le procureur rend à son client, la plupart ayant été jugés, et 17 sont des procès remis au greffe pour être jugés. Cayol est un marchand de Grenoble et il porte ses causes devant la cour royale ou épiscopale de Grenoble (7), mais également devant la judicature de Noyarey (4) ou de sa voisine Sassenage (2). Des quatre causes qu'il remet au greffe du bailliage, trois sont des appels du juge ordinaire de Noyarey.

Les avocats n'ont pas beaucoup à intervenir dans les affaires de ces deux derniers marchands. Pour Chouvin, comme pour Cayol, à partir de 1630, les deux mêmes avocats, Claude Disdier et Claude Louis, se partagent l'écriture juridique que commandent leurs procès.

La pratique du procureur que réclament les marchands et qui encombre ses matricules est donc technique et rapide, peu exigeante en débats juridiques, et l'on peut croire que les clercs du procureur pouvaient en exercer sans mal la plus grande partie.

Les conflits familiaux

Les autres types d'affaires dont s'occupe le procureur Charvet concernent des conflits familiaux liés au patrimoine (dot ou héritage) auxquels se greffent différentes procédures dont la discussion générale des biens, le bénéfice d'inventaire, l'interposition de décret, ou l'entérinement de lettres royaux. Ces procédures, visant à récupérer des biens, sont évidemment aussi exercées en dehors des affaires familiales. La fidélité des clients à leur procureur peut sans doute s'expliquer par le fait que ce qu'on pourrait considérer comme une même affaire exige souvent plusieurs « procès ». Le terme « procès » est en effet tour à tour employé pour désigner un ensemble de procédures autour d'une affaire, ou pour désigner une procédure spécifique à l'intérieur d'une affaire (ex. une demande pour être considéré comme un intervenant dans une discussion générale de biens)[50]. On peut donc comprendre que les mêmes clients apparaissent plusieurs fois dans les matricules du procureur Charvet.

La famille Flory, par exemple, croise fréquemment le procureur Charvet. C'est Claude Flory, le fils de l'avocat consistorial Flory, qui utilise d'abord le procureur, à plusieurs reprises, en 1631 et en 1632. À la mort de Claude Flory, vers 1633, ses héritiers sont poursuivis par les créanciers de ce dernier.

---

50. En général, le nombre de pièces transmises sous la mention « procès » peut être déduit, puisque la mention réfère à l'inventaire des pièces en cause en indiquant que ces dernières sont cotées de A à V, par exemple, ou encore de A à double F.

Le procureur Charvet s'inscrit alors comme intervenant en la générale discussion des biens de son ancien client[51]. Au même moment, il récupère comme cliente la mère de Claude Flory, Monde Roybon, qui le charge de préparer pour elle sa demande comme intervenante en la générale discussion des biens de Claude. Dans la circulation des pièces et des sacs de procès qui concernent la famille Flory, il est difficile de départager à coup sûr ceux qui concernent la veuve Monde Roybon comme cliente de Charvet et les affaires personnelles du procureur Charvet. Comme Claude Flory était aussi en procès contre l'official Hugues Brun, fils du marchand Guigues Brun, dont Hugues était l'un des héritiers, la confusion entre les affaires et les clients est, pour l'historien, un risque difficile à contrer.

Les clients du mandement d'Allevard

Les affaires commerciales et familiales fournissent sans doute les pôles autour desquels s'organise la pratique de tous les procureurs. Pourtant celle du procureur Charvet a une spécificité. On est frappé en effet par la place tenue par la région d'Allevard, pour les clients qui font appel à lui. Son plus gros client en provenance d'Allevard est le marchand Louis Moncenis, pour lequel il inscrit 56 mentions de circulation de procès et de pièces, entre 1618 et 1639. Elles suivent le modèle de ses autres clients marchands. Deux seulement concernent des procès déposés pour être jugés et six, des cédules ou des comptes qu'on souhaite faire reconnaître par les débiteurs, tandis que 14 mentions représentent des occasions de circulation liées à des tentatives de faire diminuer les dépens ou les intérêts. Toutes ces affaires se font avec le greffe du bailliage de Grésivaudan. Par ailleurs, 22 mentions concernent 35 procès que Moncenis a lui-même retirés des mains de Charvet, soit qu'il y ait eu sentence, soit que le procès ait été réglé autrement. Le marchand d'Allevard, Claude Tarantesin, recourt quant à lui au procureur davantage pour des affaires familiales : dans une affaire d'héritage de ses parents (en 1631 compromis, affaire qui continue néanmoins en 1635 et en 1636), ou en 1633, dans une affaire avec l'oncle de Charvet, Domenget Oddoz (continuée en 1636), ou après 1636, dans des affaires qu'ils partagent avec sa femme, Jacquemoz Papet.

La famille de sa mère, les Oblat, fournit la clé de ce lien entre Charvet et Allevard. Domenget Oddoz, marchand originaire du Bourg d'Oisans, habitant d'Allevard, avait épousé en 1592, Françoise Oblat, sœur de la mère de Georges. Cette dernière, Louise Oblat, avait également épousé en secondes noces, en 1602, Jean de la Charrière, fils du notaire Sébastien, de La Roche d'Allevard. Pendant toute la première partie de sa carrière, Charvet a agi à Grenoble comme l'homme de confiance de son oncle Oddoz[52], alors

---

51. ADI, H + GRE/H207, f⁰ˢ 89 v⁰-90, 17 janvier 1634.
52. Voir notamment les nombreuses quittances de ADI, H + GRE/H220.

personnage en vue à Allevard, où il est notamment consul en 1623[53]. En effet, Charvet s'occupe de ses affaires judiciaires dès 1618, au bailliage, au parlement, mais aussi à la judicature de Theys et à celle d'Arvillard. L'on peut croire que l'oncle Domenget a aidé le neveu à se constituer une clientèle dans la région, tout comme d'ailleurs la famille Charrière[54].

Quand il s'agit d'Allevard, la pratique de Georges Charvet s'entremêle toutefois avec ses propres affaires. En 1639, sa tante Françoise fait de son neveu Georges son héritier universel, ce qui rend l'oncle débiteur de son neveu quand sa femme décède en 1640. Les affaires d'Oddoz, si elles furent jamais prospères, dépérissent dans les années 1640. Ses biens (une petite maison, une grange et quelques terres à Pinsot, mandement d'Allevard) lui coûtent plus en tailles et rentes de toutes sortes qu'ils ne lui rapportent. Il s'entend donc avec Charvet pour lui transférer ses biens de Pinsot, ce qui le libère du remboursement de la dot de sa femme dont Charvet a hérité. En retour, son neveu accepte de lui payer une pension de 30 livres par année, à partir de janvier 1647. L'entente coûte peu à Charvet puisque Oddoz, alors âgé de 80 ans, meurt la même année. L'oncle Oddoz habite alors à Pinsot chez le fils de sa sœur qui répudie son héritage. Le procureur Charvet déclare alors accepter l'héritage de son oncle par alliance, par bénéfice d'inventaire, sans préjudice toutefois de ce que lui doit encore Oddoz[55]. Par la suite, les affaires de Charvet se conjuguent avec celles de son oncle et le mandement d'Allevard devient pour Charvet l'objet de toutes ses attentions.

Le lien avec Allevard est encore renforcé par le fait que Charvet est devenu, avant 1642, procureur d'office du mandement d'Allevard[56]. Le juge ordinaire d'Allevard et son lieutenant, siègent certes dans la ville de Grenoble, mais le fait que Charvet fréquente le mandement pour ses affaires, n'a sans doute pas nui à son choix. Tout étant une question de relations, soulignons que c'est l'avocat Claude Disdier, collaborateur de Charvet dans les procès de ses clients, qui est lieutenant du juge ordinaire du mandement d'Allevard, en 1647[57].

---

53. ADI, H + GRE/H220, compte de l'administration consulaire. En 1623, le consul fut François Raffin, que l'on retrouve dans les matricules de Charvet. La fonction de consul n'était pas sans inconvénient : elle imposait en effet que le consul avance à la communauté l'argent nécessaire aux dépenses, ce qui exigeait que le consul puisse supporter des créances qui mettaient parfois des années à être remboursées. Il n'était pas exclu, évidemment, que la fonction puisse aussi enrichir son détenteur, surtout s'il savait user de corruption. Bernard BONNIN, « Parlement et communautés rurales… », p. 60-61.
54. L'un des clients de Charvet est le marchand d'Allevard, Pierre Plat, de 1624 à 1628. La sœur de Jean Charrière avait épousé un marchand du même nom. ADI, H + GRE/H226.
55. ADI, H + GRE/H224.
56. ADI, H + GRE/H209, f° 22 v°, 17 janvier 1642, Charvet est procureur d'office de Jacques de Commiers, seigneur de La Roche d'Allevard ; H + GRE/H201, 19 janvier 1646, quittance d'un archer en la prévôté, d'un paiement reçu de Charvet, pour avoir transféré des prévenus des prisons d'Allevard aux prisons de Grenoble. En 1657, même liasse, « Estat des procès de la judicature de la Roche d'Allevard ausquels mes droits me sont deubs comme procureur d'office dud. lieu… »
57. Il siège d'ailleurs à Grenoble dans sa maison, tout comme, en 1648, le juge ordinaire du mandement d'Allevard, l'avocat Guigues Penon. ADI, H + GRE/H225.

Cette fonction de procureur d'office du mandement d'Allevard change en quelque sorte la portée des actions de Charvet dans cette région. Alors qu'il continue d'aider ses clients dans leur poursuite ou leur défense, il peut, en plus, poursuivre lui-même, « au nom » de la moyenne et de la basse justice pour laquelle il agit. Certes, il est précisé dans les matricules quand il agit comme procureur d'office, mais les matricules ne disent pas comment son statut dans le mandement en a été modifié.

Un autre marchand d'Allevard, Pierre Pomine dit Bertas, est client de Charvet qui le défend au bailliage d'abord, puis au parlement. Alors que la plupart des causes dont s'occupe Charvet sont des cas d'héritage, de dot impayée ou de dettes, l'affaire Pomine est un peu différente. Pomine est en effet accusé par François Raffin, un aubergiste d'Allevard, de violence envers lui[58]. L'affaire se règle à l'ordinaire, mais comme d'autres parties sont impliquées, elle revient dans les matricules à quelques reprises. Charvet intervient aussi dans un autre procès pour violence intenté cette fois par le capitaine et châtelain d'Allevard, Pierre de Morard. L'affaire sera elle aussi réglée à l'ordinaire.

Au service de la Justice ?

Alors que, dans les deux cas précédents, Charvet agit en tant que procureur de l'une des parties, la position qu'il occupe dans le procès concernant la mort d'Antoine de Bressieu, en 1640, est moins claire. François Baron a été accusé de la mort de Bressieu mais il a obtenu des lettres de pardon. On ne sait pas pour quelle partie travaille Charvet, ni s'il agit en tant que procureur d'office, mais c'est lui qui transmet les informations et autres procédures, ainsi que les lettres de pardon obtenues par le sieur Baron.

Charvet s'occupe rarement de procès criminels, mais ce n'est pas exclu. Entre 1634 et 1637, il poursuit cinq fois au criminel pour ses clients, la plupart du temps pour des cas d'excès. Comme son procureur d'office, il remet de plus, à la requête de Jacques de Commiers, seigneur de La Roche d'Allevard, en 1642, au greffe du bailliage de Grésivaudan, un procès criminel contre les frères Rosset, de Pinsot, dans le mandement d'Allevard, accusés de meurtre[59].

Bien qu'il ait surtout, au cours de sa carrière, représenté les parties civiles, Georges Charvet a aussi agi comme représentant de la justice. Dans ce cas,

---

58. Charvet laisse à son successeur de très nombreux procès concernant Pierre Pomine. Le personnage est l'un des protagonistes du roman historique de Marie-Paule Arribet-Dubost qui prend prétexte d'une association, en 1630, entre Jacques Barde, Jean et Joseph Chassendas, Jean Raffin, Maxime Vachier, Pierre Pomine et Louis Moncenis, pour l'édification et l'exploitation d'un haut-fourneau à la Ferrière, *Le fer, la terre et le sang. Chronique de la vallée du Haut-Bréda au XVII° siècle* [1998], p. 47-48. Ces hommes, dont le roman raconte le quotidien sur quelques générations, sont tous partie prenante d'un conflit ou un autre qui figurent dans les matricules de Charvet.

59. ADI, H + GRE/H209, f° 22 v°. Les frères Rosset avaient obtenu des lettres de pardon.

les mentions de circulation se confondent avec la centaine de mentions identifiées à Charvet en tant que demandeur ou défendeur. Charvet, dans les causes qui le concernent, se représente lui-même, tant qu'il détient son office, mais il agit également en son propre nom quand on lui confie une curatelle. La pratique de Georges Charvet comprend donc des clients qui ne l'ont pas toujours choisi. C'est le tribunal en effet qui nomme le curateur, peut-être à la suggestion des parties, mais pas toujours.

Charvet a ainsi été curateur des enfants de Jean de Revel, en 1635[60], mais il ne fit pas carrière dans ce domaine. On le trouve plutôt comme curateur à l'hoirie (celle de Madeleine Jacquin, celle de Laurent Riban – ou Ribon –, celle de Dominique Aymard, châtelain de La Combe de Lancey, celle de Sophie Guichard et celle d'Antoine Mottet, procureur à la cour). Et surtout, comme curateur à l'absence et à la défense des biens de Jules Michel avocat en la cour, de Jean-Claude Brun, de Jean Meysanc, procureur à la cour, de Baptiste Mignet notaire royal d'Allevard, des frères Ennemond et Claude Baccard, de Louis Gonin Arthaud, et d'Yves de Michel avocat en la cour de parlement.

Il est difficile d'établir à coup sûr les liens entre Charvet et ses clients. Comme il s'occupe des affaires du libraire Pierre Charvis de 1633 à 1639, on ne s'étonne pas qu'il soit aussi le procureur des libraires et imprimeurs de Grenoble dans le conflit qui les oppose aux consuls de la ville en 1641[61], mais il est aussi procureur des maîtres orfèvres de Grenoble qui se défendent contre des compagnons orfèvres[62], sans qu'on ait pu déceler de liens privilégiés avec un orfèvre en particulier.

Les matricules nous ont fait découvrir la pratique quotidienne du procureur. Des tribunaux qui l'accueillent, la cour commune de Grenoble est la plus fréquentée par ses clients qui ne négligent pas pour autant les justices seigneuriales. Il ne peut pas postuler au parlement de Grenoble ou à la cour des aides, mais son office lui ouvre toutes les autres portes. Si les sources ne laissent paraître que les relations professionnelles qu'il entretient avec ses clients, certaines formules attestent de la fidélité et de la confiance nécessaires pour que ces relations durent. Qu'un client parle de Charvet en disant « mon procureur », comme on dit aujourd'hui « mon » médecin, « mon » avocat ou « mon » dentiste, suggère la régularité d'une relation et une prise en charge inconditionnelle. Au-delà de l'office qui avait sans doute dans la société une valeur symbolique non négligeable, c'est cette relation de confiance qui importe entre le client et son procureur. Comment pouvait-il

---

60. ADI, H + GRE/H207, f° 160 v°.
61. ADI, H + GRE/H209, f° 6.
62. ADI, H + GRE/H208, f° 11 v°, 1636, le compagnon est Jean Eynardon ; 1637, le compagnon est André Gerlat. Il est vrai que le fils d'un client de Charvet, le notaire Jean Dauric, est orfèvre à Grenoble, mais il n'est reçu maître qu'en 1656, donc bien après le moment où Charvet défend les maîtres orfèvres. Gisèle GODEFROY et Raymond GIRARD, *Les orfèvres du Dauphiné : du Moyen Âge au XIX° siècle*, Genève, Librairie Droz, 1985, p. 195.

en être autrement quand le procureur accomplit pour le client des tâches si ennuyeuses qu'on a du mal à comprendre qu'il leur ait consacré sa vie. Les matricules, en déroulant l'activité quotidienne du procureur, fournissent peut-être une explication au fait que les praticiens n'aient pas tous fui le métier quelques mois après avoir commencé à le pratiquer. La boutique du procureur nous est apparue un lieu très fréquenté. Les clients, les avocats, les procureurs et les clercs s'y croisent dans un chassé-croisé qui devait être assez distrayant. Et les visites au greffe, certes concentrées pour y déposer en même temps plusieurs procès, permettent aussi de sortir de la boutique et de socialiser. Tous les procureurs ne trouvent certes pas dans ce foisonnement de relations une compensation suffisante à l'ennui que peut leur inspirer la pratique. Ainsi s'explique peut-être que quelques-uns vendent leur office quelques années seulement après l'avoir acquis. Ce n'est pas le cas de Georges Charvet qui demeure procureur de 1618 à 1657, et continue jusqu'en 1673 de tenir une matricule pour ses propres procès.

Quand il vend son office au praticien Claude Robert, c'est donc une pratique diversifiée qu'il lui offre, et surtout un ensemble de possibilités. La convention de résignation qu'ils passent ensemble, le 6 mai 1655 éclaire le chemin parcouru depuis l'acquisition par Charvet de son office, une vingtaine d'années plus tôt.

La bonification de l'office

L'office est vendu, en 1655, 3 600 livres, alors que Charvet l'avait payé 1 900 livres, en 1631. On s'entend pour que la moitié du prix soit payée au moment du contrat, l'autre moitié, deux ans plus tard. Pendant les deux années qui suivent la signature du contrat, Charvet garde la jouissance de son office. Pour le statut social qu'il procure sans doute. Robert travaille dans le cabinet de Charvet pendant ces deux années et fait les procédures sous le nom de ce dernier, mais toutes les pratiques que Robert acquiert pendant cette période demeurent sa propriété. Charvet avait lui-même, quand il n'avait pas d'office, travaillé sous le nom d'un collègue. Les procureurs Faure et Villat lui avaient ainsi prêté leur accréditation pour faire ses procédures[63] et Charvet avait même partagé une boutique avec le procureur au parlement Villat à partir de 1628. Au moment où il vend son office à Claude Robert, Charvet partage depuis 9 ans la location d'une boutique,

---

63. « [S]igné Charvet, pour me Villat » : ADI, H + GRE/H206, f⁰ 71, 6 mars 1625 ; f⁰ 87, 25 septembre 1625 ; f⁰ 92 v⁰, 14 janvier 1626 ; f⁰ 106 v⁰, 1ᵉʳ février 1627 ; f⁰ 101 v⁰, 26 août 1626 : « que ledit Charvet avoit poursuivi sous le nom de Me Jacques Villat procureur en ladite cour ». Le 17 mai 1629 Claude Chouvin retire un de ces procès et décharge « ledit Charvet ensemble me Jacques Villat aussi procureur en ladite cour sous le nom duquel les fornitures dudit procès avoient esté faites », *ibid.*, f⁰ 138 v⁰. « Signé Charvet pour me Faure » : *ibid.*, f⁰ 69 v⁰, janvier 1625 ; f⁰ 80, 2 juillet 1625 ; f⁰ 85, 27 août 1625 ; f⁰ 88, 8 novembre 1625 ; f⁰ 88 v⁰, 11 novembre 1625 ; f⁰ 91, 12 décembre 1625, etc. Le 30 août 1628, un client identifie Charvet comme « substitut de me Loys Faure », *ibid.*, f⁰ 129.

place Saint-André, avec un procureur au parlement, le procureur Ruynat[64]. Je n'ai pas trouvé trace qu'il ait jamais utilisé le nom de ce dernier pour faire des procédures au parlement, mais on peut croire que le procureur Ruynat prenait la relève du procureur Charvet quand ses clients décidaient de porter leur cause au parlement[65].

Pendant les deux années qui suivent la vente de son office, Charvet n'a plus intérêt à recruter de nouveaux clients : il a conclu de prélever le cinquième de ce que rapporteront les nouvelles causes pour lesquelles il occupera, alors que les quatre autres cinquièmes seront divisés entre lui et Robert. Comme c'est souvent le cas dans les conventions d'office, Charvet exclut du contrat les procès et les patrocines d'un certain nombre de clients. On n'est guère étonné de trouver dans la liste de ces clients réservés, ses plus anciens clients et ceux pour qui les mentions des matricules sont les plus nombreuses : Pierre Brun, Claude Chouvin, Francoise Pasquet et son fils Pierre Didier, Didier Cayol, Monde de Roybon la veuve de l'avocat Flory, Claudine de Fillon, femme d'Adrien de la Place et une damoiselle Michel. Aucun client d'Allevard dans cette liste. À la fin de la période et quand l'acheteur aura complété le paiement de l'office, Charvet remettra à Robert les procès restant pour qu'il puisse en retirer « paiement s'il peut[66] ». Pendant ces deux années, et de plus en plus souvent en 1657, les pièces, au lieu d'être signées Charvet, sont désormais signées Robert. La transmission de la clientèle se fait ainsi en douceur. Par la suite, la matricule de Charvet, désormais redevenu simple « procureur à Grenoble », ne contient que des procès pour lesquels il est lui-même en cause, soit pour des dettes qu'il veut se faire rembourser, qu'il s'agisse de patrocines ou autres, soit pour de vieilles affaires encore litigieuses, concernant les biens de la famille de sa femme. Plusieurs de ces causes le mettent aux prises avec les héritiers de ses gros clients dont il avait jadis accepté de garantir les emprunts, montrant ainsi que son rôle ne s'était pas borné à rédiger pour eux, des pièces de procédure[67]. Il n'hésite pas alors à porter ses causes au parlement. À partir

---

64. ADI, H + GRE/H201, quittance du 17 mars 1655, et quittance du 6 février 1657. Henri-Jean MARTIN, *Livres et lecteurs à Grenoble. Les registres du libraire Nicolas (1645-1668)*, Genève, Droz, 1977, t. 1, p. 247, signale un Daniel Ruynat, ancien procureur à la cour comme faisant partie des nouveaux convertis en 1686. Il faut cependant être très prudent avec les identifications de Martin, basées en général sur des déductions et des sources secondaires (il parle de Charvi de Voreppe, en mentionnant le procureur Charvet, p. 164).

65. Bernard Bonnin a montré toutefois que le Parlement était loin de se prononcer uniquement sur des sentences portées en appel devant lui par les tribunaux subalternes. Ces appels, entre 1600 et 1735, n'atteignaient même pas 60 % des arrêts criminels du parlement. Bernard BONNIN, « Galères, pendaisons, têtes et poings coupés : le parlement de Grenoble dans sa défense de la loi royale, la religion et la morale publique au XVIIᵉ siècle », René FAVIER (dir.), *Le Parlement de Dauphiné...*, p. 100.

66. ADI, H + GRE/H204.

67. Deux exemples : procès contre le fils d'Antoine de la Porte, sieur de Saint-Véran, toujours en litige en avril 1666 ; deux autres procès contre le même, l'un concernant la garantie demandée par Charvet du cautionnement fait par Charvet pour Antoine, et l'autre concernant le paiement des patrocines et fournitures faites par Charvet en diverses procédures du feu sieur de Saint-Véran,

de novembre 1665, la matricule le donne comme ci-devant procureur à Grenoble[68].

Les revenus de pratique

Si les matricules dressent un portrait grossier de la circulation à l'intérieur de l'étude de Charvet, elles ne disent pas grand-chose de ce que rapportait chacune de ces activités. Quelques rares mentions font état des sommes dues au procureur, sans distinguer les remboursements des sommes payées au greffe par le procureur, du salaire payé à ce dernier. Le type d'affaire, sa complexité, le nombre d'interventions sont autant de facteurs qui jouent sur les coûts du travail du procureur.

Rarement conservées, les conventions avec les clients comme celle que Charvet signe avec Adrien de La Place, le 15 septembre 1648, montrent que les procureurs adaptaient leurs services et les frais de ceux-ci à chacun de leur client. Dans le cas qui nous occupe, il s'agit de la discussion des biens de la belle-mère de La Place, la dame de Sillans, Huguette Bonne de Laporte, veuve de Pierre de Fillon conseiller au parlement. L'affaire est déjà en cours et il s'agit, d'une part de s'entendre sur ce qui reste à faire, et d'autre part d'établir un forfait qui règlera les frais qui n'ont pas encore été payés et ceux à venir. C'est La Place qui fera ou fera faire à des avocats les écritures et avis en droit qu'il reste à faire, mais c'est Charvet qui portera les procès aux avocats pour écrire, c'est lui qui s'occupera de les récupérer, lui qui les communiquera aux procureurs des parties adverses, lui qui « plaidera les causes », qui fera les inventaires de production, les communiquera au greffe du bailliage, lui qui les retirera après la sentence de discussion, lui qui dressera les parcelles des frais qui seront adjugés à La Place et à son épouse contre le curateur aux biens de la belle-mère, lui qui assistera à la taxe de ces parcelles, « et pour reste de toutes patrocines et vaccations tant du passé que de l'advenir pour les causes que dessus lesdicts sieurs et damoyselle de La Plasse payeront audit sr Charvet la somme de 200 livres sans qu'il soit tenu de faire aucune fornitures[69] ». On retrouve dans cette convention les procédures familières aux matricules déjà analysées. Le forfait dont ces

---

ADI, H + GRE/H211, f°s 4 v°-5, 30 juin 1666. En 1669, le fils de Didier Cayol s'était engagé à payer le reste de la dette de son père à Charvet (180 livres), ce qu'il fit le 9 septembre 1670, mettant ainsi un terme au procès qu'avait entrepris Charvet contre l'un de ses plus importants clients. *Ibid.*, f° 13.

68. *Ibid.*, f° 3 v°.

69. ADI, H + GRE/H203. Adrien de La Place est donné en 1658 et 1663 comme « avocat en la cour », dans un procès qui l'oppose à un parent de sa femme, lieutenant particulier au bailliage de Grésivaudan (M. PILOT-DETHOREY, *Inventaire sommaire des archives départementales antérieures à 1790. Isère, archives civiles, Séries A et B*, t. I, Grenoble, F. Allier, 1864, p. 136 et 150). Il est également défini ainsi en 1631, *Inventaire sommaire*, p. 86, mais se fait appeler sieur de Sillans, en 1646, *Inventaire sommaire*, p. 112. Il semble n'avoir jamais prêté serment au parlement du Dauphiné comme avocat (ADI, 2B 56). Dans cet acte, il n'est identifié que comme « noble Adrian de La Plasse ».

procédures font l'objet conclut une négociation dont on ne peut mesurer à qui elle profite le plus, mais qui n'est pas unique en son genre. À la fin du XVIIᵉ siècle, le procureur au parlement d'Aix, Pierre Agnellier est en procès contre la communauté de Noves pour le paiement de vacations. On apprend alors que la communauté avait passé une entente avec les devanciers d'Agnellier : pour les procès où la communauté devait payer les dépens, elle ne payait à ses procureurs (au parlement et à la cour des comptes) que les fournitures, tandis que pour les procès où la communauté gagnait et obtenait des dépens, elle payait aux procureurs non seulement les fournitures, mais également les vacations des procureurs, à condition de payer chaque année une pension de 40 livres à chacun des procureurs. Les procureurs étaient donc, en partie salariés, en partie payés selon les succès qu'ils obtenaient en cour[70].

Quoi qu'il en soit, il semble bien que les tarifs établis par arrêts de règlement pour chacun de ces actes soient longtemps restés un simple indicatif, chacun pouvant, au moment du paiement, user de son pouvoir de négociation[71].

Les riches offrent au procureur de se payer avec les biens que les procès leur permettront de récupérer[72], les plus pauvres échangent avec le procureur des services : des patrocines et fournitures contre des habits, des travaux de construction, ou même des services domestiques[73].

---

70. ADBR Aix, 20B 5863. Pour les avocats, cette pratique proche du pacte de *quota litis*, était interdite et l'interdiction était appliquée, selon Lucien KARPIK, *Les avocats*, p. 40.

71. Pour les tarifs à Aix pour les procureurs à la sénéchaussée : *Règlement & taux faict par Monsieur le Lieutenant General, en la tenue des assizes generales de ce Pays de Provence, assistans & ouys les Consuls d'Aix, Procureurs du Pays, les Scindics de la Noblesse, du Tiers Estat, les Scindics des Advocats & Procureurs du Siege general d'Aix, & les Greffiers assistans ausdites assizes tenues audit Aix, en l'année 1596*, Aix, Jean Tholosan, 1620, p. 23-26. Pour les tarifs à Toulouse, voir Gabriel CAYRON, *Styles 1630*, p. 208 et 555. Les procureurs au parlement de Toulouse semblent avoir pris ces tarifs au sérieux à partir de la fin du XVIIᵉ siècle, puisqu'ils sentent le besoin de les défendre. ADHG, 1E 1184, pièce imprimée où les procureurs défendent le droit d'assistance à la plaidoirie des avocats taxé à 3 livres 4 sols et qui, disent-ils, comprend tout ce qui conduit à cette assistance et n'est pas taxé (la connaissance du procès, le fait d'aller plusieurs fois chez l'avocat pour l'instruire, lui faire faire le brevet, examiner avec lui les actes communiqués et ceux dont on doit se servir, lui faire signifier, demander l'audience, etc.). À Aix, où ces tarifs sont souvent établis en même temps que les règlements généraux de procédure (Louis WOLFF, *Le Parlement de Provence au XVIIIᵉ siècle*, p. 335, ex. 15 mars 1672), un règlement de la cour fixe les honoraires des procureurs et des huissiers le 5 novembre 1722, ceux des procureurs aux sénéchaussées et autres juridictions inférieures, sont réglementés le 5 octobre 1740 pour l'assistance aux audiences, B. Méjanes, MS 991 (876), table des délibérations du parlement. L'article 161 de l'édit de justice de 1579 avait pourtant obligé les avocats et les procureurs à indiquer sous leur paraphe posé aux inventaires et autres écritures, ce qu'ils avaient reçu pour leur salaire. ADBR Aix, B3333 f° 1152 v°.

72. C'est le cas d'Adrien de La Place qui permet à Charvet de se payer avec la vente d'un des biens récupérés, ADI, H + GRE/H203.

73. *Ibid.*, 9 février 1654, quittance de Marcellin Besson maitre tailleur d'habits de Grenoble ; même procédé avec un peintre qui a fait des travaux à son cabinet pour payer ses procès, ou avec un vitrier dont les travaux ont payé les procès que Charvet a poursuivis pour lui. Le procureur au sénéchal du Puy, Jean Antoine Brun, laisse par testament à son cousin germain, « estant à son service et assistance » « tous les frais et droits que puis avoir exposé pour lui en qualité de son procureur ».

Les matricules de Charvet laissent croire qu'un procès pour une affaire de dot, pouvait rapporter au procureur autour de 5 livres[74]. Une demande présentée au juge de Vizille pour intervenir en la générale discussion des biens ne coûtait que 36 sous[75], alors qu'un procès pour l'entérinement de lettres royaux pouvait monter jusqu'à 12 livres[76]. La même année, en 1634, des clients ont payé à Charvet, pour un procès lié à un héritage, plus de 7 livres pour ses patrocines et fournitures, alors qu'elles ont coûté 10 livres à un autre qui réclamait le paiement d'arrérages de rentes et autres devoirs seigneuriaux[77].

On peut s'étonner du faible rapport de chacun de ces procès. En fait, il est difficile de savoir ce que couvraient exactement ces paiements. Même les états de patrocines que contiennent certains dossiers, ou encore les livres de raison de cabinet ne sont pas très révélateurs. Que nous disent-ils, en effet ? Ils énumèrent, certes, l'argent dû par les clients au procureur, mais ne disent pas toujours ce qui reste au procureur sur ces sommes. L'état des droits, patrocines et fournitures dus par les époux Bouchet au défunt procureur Jordan comprend pour une requête présentée au parlement le 7 septembre 1723, « inthimation, signification, droit du greffier[78] ». Alors que dans certains cas, on peut estimer que certains items reviennent claire-ment au procureur : « écritures dressées par me Jordan du 8e février 1724, 20 livres 8 sols », il n'est pas toujours aisé de départager ce que le procureur se fait rembourser parce qu'il a déjà avancé l'argent (le droit du greffier par exemple) et ce qu'on peut considérer comme son salaire.

Au début du XVIIIe siècle, un autre procureur au bailliage de Grésivaudan, Yves Bonnefoy, nous a laissé un livre de raison dans lequel il a marqué ce qu'il recevait de ses parties. La plupart des mentions de son livre de raison sont celles de clients qui lui donnent, pour « fournir à leur procès », des sommes qui ressemblent à des avances en prévision de ce qu'il devra débourser aux greffes[79]. Deux livres, quatre livres, cinq livres sont ainsi versées au procureur, sans qu'il ne précise à quoi doivent servir ces sommes.

En retour, le cousin ne peut rien demander au procureur pour l'avoir accompagné et servi dans sa maladie à Toulouse. ADHG, 3E 11817, testament du 16 août 1677, notaire Jacquet.

74. Les quittances de fournitures et patrocines se trouvent en marge des matricules. Elles sont payées au moment où le procureur rend les sacs de procès à ses clients. Dans une affaire de paiement de biens dotaux, pour deux procès, toujours pendants, l'un devant le juge de Grenoble, l'autre devant le vi-bailli de Grésivaudan, 10 livres pour patrocines et fournitures, ADI, H + GRE/H206, f° 128, 28 août 1628 ; pour un procès, 5 livres pour fournitures et patrocines, ibid., f° 146, 6 décembre 1630 (Marguerite Gaillot).

75. La demande est toujours pendante devant le juge de Vizille au moment où le client récupère le procès et paie les patrocines dues à Charvet. ADI, H + GRE/H207, f° 5, 22 août 1632.

76. Dans ce cas, les procédures n'étaient pas terminées puisque le procès rendu au client était toujours pendant devant le juge de Grenoble. ADI, H + GRE/H206, f° 168 v°, 26 janvier 1632.

77. Cette somme de 7 livres est due pour « reste » des patrocines et fournitures, ADI, H + GRE/H207, f°s 92 v°-93, 26 janvier 1634 ; la somme de 10 livres correspond au coût total des fournitures et patrocines pour ce procès, ibid., f° 98-98 v°, 22 février 1634.

78. ADI, 13B 522, 20 avril 1729, inventaire d'Isaac Jourdan, procureur en la cour.

79. Bibliothèque municipale de Grenoble (désormais BMG), MS R7485, f° 5.

Plus rarement, les choses sont claires : pour faire sa présentation au bailliage, 20 sols dans un cas, 25 sols dans d'autres[80]. Les clients semblent lui verser de temps à autre, des sommes leur permettant de réduire leur compte : ainsi une veuve lui donne 10 livres, « a conte de [ses] vaquations ou patrocines » dans une affaire d'hoirie. Bressieu lui donne une « centaine de fagots de soles ou peupliers que peut valloir 4 livres – je ne scay si c'est par présent – de même qu'une charge de charbon, qu'il contera s'il veut[81] ». On peut croire que la plupart des clients payaient le procureur quand l'ardoise affichait entre 5 et 10 livres, mais dans certains cas, le procureur devait lui-même utiliser les grands moyens pour obtenir paiement de son dû[82]. Chacune des procédures entamées par le procureur n'est pas onéreuse, c'est l'ensemble de ces procédures qui finit par l'être : à la fin du xvie siècle, 22 sols 6 deniers, pour représenter un client lors d'un ajournement ; entre 5 et 10 sols pour une requête présentée en cour, selon qu'elle comprend une recharge ou non[83].

Il est fort à parier par ailleurs que le procureur ne fait pas crédit très longtemps à ses clients et que leurs affaires avancent au rythme où l'argent lui parvient[84]. Cela peut expliquer le grand nombre de procès conservés par le procureur dans son étude. En effet, quand on compare l'inventaire des papiers vendus à son successeur par Georges Charvet aux matricules qu'il a tenues pendant toute sa carrière, on est frappé de constater comme les mêmes causes s'y trouvent, et depuis combien de temps elles durent. À Toulouse, au début du xviie siècle, le procureur a trois ans à compter de la dernière expédition qu'il a faite pour son client, pour réclamer son dû, tandis qu'à Aix, au xviiie siècle, les procureurs ont deux ans après la fin du

---

80. BMG, MS R7485, fᵒˢ 5 vᵒ-6-6 vᵒ.
81. BMG, MS R7485, fᵒ 7. Charvet aussi était parfois payé en service, ADI, H + GRE/H201.
82. Cela se produit notamment quand le client est décédé et que les héritiers contestent les frais dus au procureur. ADI, H + GRE/H207, fᵒ 165, 30 avril 1635. Charvet demande les patrocines et fournitures pour les procès qu'il a conduits pour feu Claude de Morard contre diverses personnes, ce à quoi la mère et administratrice de ses enfants, Louise de la Porte, s'oppose. Le procureur Gardet poursuit un client de Berre pour une somme minime de 8 livres (ADBR Aix, 20B 2248, 1640-1642). Les comptes impayés pouvaient atteindre des sommes importantes : à sa mort en 1599, le procureur Maria, d'Aix, est créancier d'Honoré Puget, pour les vacations et fournitures qu'il lui a faites comme son procureur, pour une somme de 350 écus. La somme est due depuis 1577 (AMA, CC 1178, fᵒˢ 29-37 vᵒ). Au xviiie, les poursuites concernent des montants parfois importants : 116 livres (ADBR Aix, 20B 5698, 1781), 204 livres (20B 1230, 1745-1769), 1 233 livres (20B 1231, 1740). Un procureur de Marseille retient les titres d'un client qui lui doit pour ses vacations et fournitures un montant de 3 751 livres. ADBR Aix, C 3549, 23 mai 1780.
83. AMA, CC 1178, fᵒˢ 153-157, Compte tutélaire de la veuve du procureur Guillaume Maria, dépenses effectuées entre 1599 et 1604.
84. Voir Antoine Follain, « Les juridictions subalternes en Normandie, 2. Entre service et commerce : honneur et perversité de la justice aux xvie et xviie siècles », *Annales de Normandie*, 49, nᵒ 5, décembre 1999, p. 539-566 ; Antoine Follain, « L'argent : une limite sérieuse à l'usage de la justice par les communautés d'habitants (xvie-xviiie siècle) », Benoît Garnot (dir.), *Les juristes et l'argent. Le coût de la justice et l'argent des juges du xive au xixe siècle*, Dijon, Éditions universitaires de Dijon, 2005, p. 27-37.

procès, pour demander le remboursement de leurs fournitures[85]. Jusqu'à ce que le client ait payé, le procureur peut retenir dans son étude les pièces du procès, et si nécessaire, user de l'hypothèque sur les biens de son client venue en garantie avec sa procuration[86]. Tous les procureurs ne pensent pas qu'à l'argent que rapportent leurs clients et il arrive que la relation de confiance prenne le pas sur les impératifs financiers. Dans son testament, le procureur au parlement de Toulouse, Antoine Boet, lègue à son fils avocat, son office et toute sa pratique. Il lui interdit cependant de faire assigner aucun de ses clients pour le paiement de ce qui lui est dû[87]. Pour les clients, le coût des auxiliaires de justice n'est certes pas négligeable, mais de là à croire que ces derniers vivent grassement de leur métier, il y a loin.

Encore faut-il s'entendre sur ce que signifie « vivre de son métier ». En effet, le métier de procureur, s'il consiste à suggérer et à préparer la procédure la plus favorable pour les clients, à négocier pour eux les arrangements souhaitables et même, dans certains cas, à user des arguments qui emporteront la décision du juge, est aussi une profession de rencontres et de confiance. Même si sans doute moins que le notaire dont les sources d'information sur la situation de ses clients sont constamment renouvelées, le procureur est aussi dans une position privilégiée pour profiter des bonnes affaires. On peut donc se demander s'il suffit, pour bien comprendre ce qu'ils sont, d'analyser la pratique à laquelle ils s'adonnent. Les à-côtés du métier, pour un peu qu'on s'y intéresse, risquent de nous montrer les procureurs sous un jour plus surprenant.

---

85. La Roche-Flavin, *Treze livres...*, p. 140. Louis Wolff, *Le Parlement de Provence au XVIIIe siècle*, p. 164.
86. Louis Wolff, *Le Parlement de Provence au XVIIIe siècle*, p. 164.
87. ADHG, 3E 11814, 19 mai 1686.

Chapitre IX

Les à-côtés du métier

On aurait pu, pour approcher les activités économiques des procureurs, écrire l'histoire de quelques-uns d'entre eux. J'ai opté pour une approche plus large, qui, tout en s'appuyant sur de nombreux cas, ne fait pas de la statistique son principal argument. Aux inventaires après décès, souvent utilisés pour estimer les fortunes ou dresser le cadre de vie[1], je n'ai pas demandé d'évaluer la fortune des procureurs, ni d'estimer leur pauvreté, la variation d'un procureur à l'autre semblant la conclusion évidente d'une telle mesure.

Ce qui m'a intéressée dans l'inventaire après décès du procureur, c'est moins l'état de sa fortune au moment de sa mort que la dynamique de cette fortune. J'ai ainsi concentré mon analyse sur les renseignements que contenait la liste des papiers personnels que la plupart des procureurs avaient conservés et que les familles prenaient la peine de faire énumérer dans l'inventaire. Mémoire de famille, sans aucun doute, dont les livres de raison sont l'emblème, ces papiers servent surtout aux héritiers à récupérer les créances du défunt ou à prouver que le procureur a payé son dû. Mémoire partielle donc puisque seuls les papiers « utiles » sont inventoriés, les autres étant laissés de côté pour éviter des frais superflus. Mémoire tout de même puisque l'élasticité que les familles consentent au concept d'utilité est parfois surprenante.

L'office étant toujours considéré à part, les papiers des inventaires après décès ne se confondent jamais avec ceux des parties que représente le procureur. Ils concernent ses affaires à lui, et les relations économiques qu'il entretient avec les uns ou les autres, qu'ils soient clients ou non. Grâce à ces papiers personnels, et pour un peu qu'on n'oublie jamais que la mort du procureur en a fait des papiers familiaux, on peut reconstituer non

---

1. Des mémoires de maîtrise en histoire ont déjà exploité certains inventaires après décès des procureurs, à Toulouse et à Grenoble, par exemple : Vanessa JENNI, *Le cadre de vie des procureurs toulousains au XVIIe siècle*, Mémoire de maîtrise d'histoire moderne, université de Toulouse-Le Mirail, 1999 ; Olivier Tarakdjioglou, *Les procureurs au parlement de Grenoble au XVIIIe siècle*, mémoire de maîtrise en histoire, université Pierre Mendès France-Grenoble II, 1998. Même si je les ai lus, je ne les ai pas utilisés, ayant opté pour une toute autre approche que la leur.

seulement les activités économiques du procureur, mais aussi dessiner une partie de son réseau de relations.

Parce qu'ils étaient les plus faciles à rassembler, j'ai placé les inventaires après décès des procureurs de Toulouse au cœur de la démarche. Ils servent à parcourir l'ensemble de la période. Moins nombreux, les inventaires de procureurs d'Aix, Grenoble et Marseille viennent compléter le corpus[2].

Tribunal	Sénéchal*	Parlement	Comptes	Double tribunal**	Autres	Total
Toulouse	13	90			3	106
Grenoble	7	27				34
Aix	4	10	2	3		19
Marseille	17					17
Total	41	127	2	3	3	176

*   Toulouse = sénéchal et présidial ; Grenoble = bailliage de Grésivaudan
** parlement et comptes, sénéchal et comptes, sénéchal et généralité

TABLEAU 3. – *Répartition par tribunal des procureurs dont les inventaires ont été analysés.*

On peut croire que tous les métiers dont l'exercice supposait une connaissance non seulement du droit, mais également des affaires des clients, offraient à ceux qui les pratiquaient un observatoire privilégié dont ils pouvaient tirer parti pour leur propre compte. Néanmoins, la position des procureurs semble d'autant plus favorable qu'ils ne font qu'observer les affaires. Habitués à agir pour leurs clients, ils ne manquent ni de compétence, ni d'expérience pour profiter des occasions.

L'exemple des Marseillais

Ce sont les procureurs à la sénéchaussée de Marseille qui ont d'abord attiré mon attention sur cette position privilégiée. Certes, du point de vue de

---

2. Les archives départementales de la Haute-Garonne possèdent, dans le fonds de la communauté des notaires de Toulouse, une série intitulée « Inventaires après décès ». Ces liasses sont organisées par ordre alphabétique de patronymes et comprennent à la fois les inventaires faits par autorité de justice et ceux effectués par les notaires. J'ai consulté un à un ces dossiers pour en extraire les inventaires de procureurs (ADHG, 3E 11871 à 11966). À Aix, les inventaires après décès sont dispersés dans les registres de la sénéchaussée (ADBR Aix, 4B), dans les sacs de procédure (20B), et dans les protocoles des notaires. Pendant une courte période, de 1640 à 1669, les inventaires après décès faits par autorité de justice ont été regroupés et mis en registres (ADBR Aix, 303E 555 à 570). Le corpus comprend donc des inventaires trouvés un peu par hasard, et ceux recueillis dans les registres qui les regroupaient. Pour Grenoble, je me suis limitée aux inventaires de procureurs mis en évidence par le répertoire des ADI, 13B. J'ai exclu cependant les inventaires après décès de procureurs effectués après 1730, mon principal souci étant de préserver une possible comparaison avec Aix. Finalement, j'ai consulté tous les inventaires de procureurs trouvés à Marseille, et signalés par le relevé des inventaires de biens effectué par les étudiants de Gabriel Audisio, consultable aux Archives départementales des Bouches-du-Rhône à Marseille.

l'exercice de la profession, leurs inventaires après décès sont fort décevants. Pourtant, plusieurs font état d'activités originales, tout en se réclamant de la fonction de procureur. Ainsi la participation du procureur Pierre Dubellis à l'assurance maritime, dans les années 1620[3], jure-t-elle, si on la compare aux activités des procureurs d'une ville comme Aix-en-Provence. On peut croire par ailleurs qu'elle est conforme à celle de bien d'autres Marseillais soucieux de profiter du commerce maritime alors florissant. Il est difficile, en isolant ce type de sources, de déterminer quelle place la profession de procureur tenait dans les activités maritimes de Dubellis. En effet, son inventaire mentionne trois cahiers de « mémoires des asseuretés que ledit deffunt prenoit de diverses personnes » (f° 847). Il n'en dit pas plus. Par ailleurs, ce procureur a fourni de petites sommes pour des avaries arrivées sur des vaisseaux. Agissait-il comme intermédiaire pour réunir des capitaux ou s'il participait directement au commerce maritime ? Il faudrait traquer le personnage dans les archives marseillaises pour le savoir.

Dubellis n'est pas le seul procureur à arrondir ses fins de mois grâce au commerce. L'inventaire d'Antoine Morard, en 1601, signale que le procureur finance abondamment des capitaines ou des mariniers, mais également qu'il participe personnellement au commerce des bonnets de Marseille, dont on connaît la place dans le commerce avec le Levant[4].

Un siècle plus tard, l'inventaire de Pierre Deanays est particulièrement intéressant, dans la mesure où le procureur décède alors qu'il est encore en pleine activité, pendant la contagion, en 1721[5]. C'est un procureur d'influence puisqu'il a été premier syndic du corps des procureurs de Marseille quelques années auparavant, ce qui ne l'a pas empêché d'être impliqué dans le commerce maritime, de participer au nolisement de barques, et de fournir des capitaux qu'il n'arrive d'ailleurs pas toujours à récupérer[6]. À la même époque, Pierre Derue décède de maladie aussi dans sa bastide. Il a longtemps été procureur, mais il a quitté l'office avant sa mort en ayant bien pris soin de ne laisser aucun compte ouvert, la plus grande partie des articles de ses livres de comptes de procureur étant bâtonnés. Son inventaire est celui d'un homme d'argent : outre des billets de la banque royale (un billet de 1 000 livres, 7 billets de 100 livres et 9 billets de 10 livres), son inventaire fait état d'importantes créances dont l'une de 11 110 livres que lui doit la communauté de Marseille, ou l'autre, d'un courtier royal, qui lui doit 10 000 livres. Entre 1703 et sa mort, l'ancien

---

3. ADBR Marseille, 2B 797 f° 822, inventaire après décès de Pierre Dubellis procureur au siège de Marseille, 22 février 1624. Il s'agit d'un bel inventaire, détaillé, mais qui semble révéler une fortune exceptionnelle comparée à celle des autres procureurs de cette ville.
4. ADBR Marseille, 2B 793, 30 juillet 1601.
5. En comparaison, le procureur Jean-Baptiste Moural, procureur au parlement de Grenoble, meurt après deux ans de maladie pendant laquelle il a englouti tous ses biens. Son inventaire le montre pauvre et endetté, l'office et sa pratique perdus, ce qui n'aurait sans doute pas été le cas s'il était mort deux ans plus tôt. ADI, 13B 516, inventaire du 26 janvier 1723.
6. ADBR Marseille, 2B 827, pièce 164.

procureur a ainsi prêté de grosses sommes à de nombreux débiteurs, en utilisant son propre nom ou celui des autres, comme le précise la liste des dettes sur lesquelles les héritiers peuvent compter[7]. Quel fut le déclencheur de sa fortune ? L'acquisition d'une fabrique de savon qu'il fait encore fonctionner au moment de sa mort, ou le crédit qu'il sut offrir aux Marseillais ? L'inventaire ne le dit pas et l'on ne sait pas davantage quel sens on peut donner au prêt qu'il fait à un officier de galères qui lui laisse en gage 53 livres portant sur « diverses matières ».

Quelques années plus tard, en 1730, l'inventaire du procureur Pierre Jean attire aussi l'attention sur le milieu des affaires auquel participent certains procureurs. C'est le fils du procureur, négociant, qui demande l'inventaire, et les papiers qu'on y énumère sont d'abord des livres de comptes de compagnie (livre de caisse, grand livre, journal, etc.). Certes, on mentionne bien deux livres contenant les comptes de quelques « vacations et fournitures » dues à l'hoirie du défunt du temps où il avait l'office de procureur, mais les affaires les plus importantes ont trait au commerce d'Espagne, concernent des balles de drap chargées par le défunt sur un vaisseau en partance pour Constantinople, ou des lettres adressées à la Martinique. Les papiers sont d'ailleurs bien classés en trois portefeuilles : l'un portant sur le commerce de la Morée, l'autre sur le commerce de l'Amérique (Martinique, Guadeloupe) et le troisième sur le commerce d'Espagne. Aucun doute n'est possible : il s'agit bien de l'inventaire d'un négociant. N'eût été de l'allusion à l'office jadis détenu par le négociant et des livres de compte qui témoignent qu'il l'a bien exercé, rien, dans l'inventaire, n'aurait fait appel au premier métier de Pierre Jean[8].

Tous les inventaires de procureurs de Marseille ne sont pas ceux de riches hommes qui ont profité de la situation économique de la ville. Certains sont, au contraire, ceux de pauvres hommes, qui ont eux-mêmes mis en gage des objets au mont de piété pour réussir à traverser des périodes difficiles[9]. D'autres ont dû recourir au bureau charitable[10]. Comme ailleurs, on peut donc croire que certains procureurs ont mieux profité des opportunités, alors que d'autres ont joué de malchance. Il est possible aussi que ces opportunités se soient présentées sans qu'elles aient à voir avec le métier de procureur. Comment savoir ? Certes, au XVIIIe siècle, la fonction de procureur au siège de Marseille les entraînait à intervenir devant le tribunal de l'amirauté, où se disputaient patrons et capitaines ; le tribunal de la sénéchaussée traitait quant à lui des soumissions, de la police, de la matière des ports. Peut-on s'étonner alors que les papiers personnels des procureurs soient, comme leurs papiers de pratique, truffés d'obligations maritimes, de

---

7. ADBR Marseille, 2B 828, pièce 205, 18 septembre 1721.
8. ADBR Marseille, 2B 838, pièce 40, 13 avril 1730.
9. ADBR Marseille, 2B 842, pièce 15, 25 février 1734, inventaire de Hyacinthe Icard.
10. ADBR Marseille, 2B 843, pièce 95, 11 novembre 1735, inventaire de Jérôme Gasquet.

promesses et de billets à ordre, d'acquits de retour de voyage, ou d'inventaire d'agrès sauvés du naufrage[11] ? Peut-on s'étonner que les procureurs aient eux-mêmes eu envie de participer aux bénéfices ?

Que les procureurs marseillais aient inscrit leurs diverses activités dans l'économie locale n'est pas une grande découverte, à moins qu'on refuse d'attribuer aux procureurs d'autres intérêts que juridiques. L'exemple marseillais rappelle qu'aucune des villes du Midi ne se résume à l'activité de ses tribunaux et incite à appliquer aux inventaires des procureurs des autres villes une grille d'analyse qui interroge les signes d'une activité économique diversifiée. Les exemples abondent alors de procureurs qui s'inscrivent au cœur de réseaux de crédits qu'il faudrait étudier pour eux-mêmes et qui semblent parfois supplanter leurs activités juridiques[12].

Les activités de crédit

Bien sûr, les affaires juridiques ne se conçoivent pas sans argent et l'on peut comprendre que les procureurs aient été entraînés par leurs gros clients dans de grosses affaires. On ne compte plus les voyages que fait le procureur de Toulouse, Étienne de la Croix, pour sa cliente, la dame de Maurens, qui finit par lui signer une obligation de 1 500 livres dont on ne sait s'il s'agit de remboursement de ses frais, de patrocines ou d'un prêt d'argent frais qu'il lui a consenti[13]. Et que dire des autres procureurs à qui on signe des obligations aussi importantes sans qu'on puisse établir de quoi il s'agit[14] ? Les livres de comptes de frais et fournitures que nous avons par ailleurs retrouvés incitent à voir dans ces innombrables obligations que conservent les héritiers des procureurs, autre chose qu'une rémunération pour leur travail de procédure.

Les nombreux inventaires de procureurs de Toulouse qui détaillent leurs papiers domestiques contiennent presque systématiquement des cédules, ou des obligations notariées qui montrent que les procureurs, tout comme les notaires, fournissaient qui le menu crédit, qui le financement nécessaire à de plus gros investissements[15]. Antoine Dumas, le procureur au parle-

---

11. ADBR Marseille, 2B 847, pièce 102, 9 novembre 1739, inventaire de papiers du procureur Gabriel Arnaud, demandé par son successeur en l'office.

12. Il faut toutefois interpréter avec prudence les créances que signalent les inventaires de procureurs. On peut croire en effet que certaines créances sont en fait des sommes liées à la vente d'une charge de procureur qui n'a pas encore été payée. Cette hypothèse est d'autant plus plausible si aucun papier de pratique n'est signalé par l'inventaire. Peut-être est-ce le cas de Jacques Garnoux, procureur au parlement et à la cour des comptes d'Aix, en 1645, dont les créances sont importantes alors qu'il n'a aucun papier de pratique. ADBR Aix, 303E 556 f° 548, 7 avril 1645.

13. ADHG, 3E 11920, pièce 5, inventaire du 6 décembre 1644.

14. Par exemple, une obligation de 1 500 livres établie en faveur du procureur Raymond Laparre, procureur au parlement en 1642, ADHG, 3E 11920 pièce 7. Ou encore celles qu'énumère l'inventaire des biens de Raymond Baules, en 1647, 3E 11874, pièce 15.

15. Plusieurs procureurs, tout en conservant les obligations signées par leurs débiteurs, indiquent qu'ils tiennent des objets en gage, alors que d'autres possèdent des sacs de petites pièces de monnaie

ment, prête plutôt de petites sommes (10 ou 12 livres), tout comme son collègue Pierre Seneyragel (50 sous, 2 écus, 2 testons)[16]. Antoine Croset, aussi procureur au parlement, manipule beaucoup d'argent : de petites sommes (3 livres, 3 écus) qu'il prête à des clients ou à d'autres individus, de plus grandes (1 000 livres que lui doit Jean Gineste, au moment où il devient juge-mage de Toulouse), mais il sert aussi d'intermédiaire pour le transfert d'argent entre Toulouse et Paris[17]. Il n'est pas le seul procureur de Toulouse à servir ainsi d'intermédiaire. Le procureur au parlement Gratien de Lafont qui décède *ab intestat* en 1611 a aussi facilité le transfert d'argent entre divers personnages. Les papiers que contient l'inventaire de ses biens sont d'ailleurs à ce point nombreux et complexes qu'on finit par ne plus savoir ce qui le concerne et ce qui ne concerne que ce rôle d'intermédiaire[18]. L'inventaire de Michel Merle, en avril 1654, est tout aussi complexe. Des obligations, des promesses, des déclarations qui confirment que ce procureur, en plus de servir ses clients au tribunal, administrait les revenus d'un autre, et effectuait pour lui les paiements nécessaires, lui avançant l'argent quand il le fallait[19].

On pourrait multiplier les exemples à l'infini tellement il se dégage des inventaires de procureurs que la plupart d'entre eux étaient partie prenante de réseaux de crédit dont les notaires étaient loin d'être les seuls agents[20].

De fait, le procureur paraît, à travers tous ces inventaires de papiers, comme un homme de confiance : celui à qui on peut confier son argent (pour qu'il le garde, ou qu'il le prête[21]), celui qui peut prêter sa crédibilité quand il s'agit d'emprunter de l'argent à quelqu'un d'autre[22], celui dont on

---

qui peuvent être prêtées. Barthélémy Mazeret gardait ainsi, dans un sac, 1 200 pièces de 21 sous. ADHG, 3E 11931, pièce 72, 6 février 1651.

16. ADHG, 3E 11905, pièce 4, inventaire du 20 juin 1593 ; 3E 11951, pièce 56, inventaire du 26 octobre 1598.

17. ADHG, 3E 11893, pièce 12, inventaire du 18 mai 1609. Jean Gineste aurait été pourvu de son office de juge-mage le 17 septembre 1607, selon Alphonse Brémond, *Nobiliaire toulousain*, Toulouse, Bonnal et Gibrac, 1863, p. 399. Comme l'inventaire de Croset révèle que le 2 mai précédent il s'était obligé envers le procureur Croset pour une somme de 1 000 livres, on peut penser que ce prêt n'était pas étranger à l'acquisition de cet office. Le même procureur avait également servi d'intermédiaire entre François de Clary, alors maître des requêtes habitant Toulouse et qui deviendra plus tard premier président au parlement de Toulouse, et le receveur général des amendes à Paris, Jean Bertrand, pour des transferts d'argent de Toulouse à Paris.

18. ADHG, 3E 11922, inventaire du 20 novembre 1611.

19. ADHG, 3E 11931, pièce 71, inventaire du 19 avril 1654.

20. Gilles POSTEL-VINAY, *La terre et l'argent*, p. 16.

21. ADHG, 3E 11929, pièce 3, inventaire du 20 juin 1662 du procureur au parlement Antoine Michelet.

22. C'est ce qui se produit quand le procureur Jean-François Franques signe une obligation alors que l'argent est destiné à son frère, alors à Paris, ADHG, 3E 11910, pièce 1, inventaire du 17 juillet 1632. Le procureur Guillaume Lasalle quant à lui emprunte de grosses sommes d'argent pour la dame de Foyssac, pour laquelle il se porte garant, ADHG, 3E 11921, 18 novembre 1675. Au XVIIIe siècle, ces prêts de nom sont beaucoup plus complexes et imposent des jeux d'argent qui profitent des multiples modes de paiement alors en vigueur : ADHG, 3E 11897, pièce 23, inventaire du procureur Bertrand Decamps, du 3 octobre 1722.

peut emprunter le nom quand on veut faire des prêts discrets[23]. Le modèle est le même à Grenoble où les procureurs fournissent aussi du crédit de toutes sortes[24] tout en représentant non seulement leurs clients dans leurs opérations juridiques, mais également dans leurs affaires.

S'acheter des revenus

Sans doute certains procureurs ajoutent-ils à ces activités de procureurs d'autres sources de revenus. Ainsi, pour Jean-Claude Cabassol, toujours procureur au siège d'Aix quand il décède en 1647, la pratique tient bien peu de place dans son inventaire après décès[25] et il se distingue par le type de dettes actives qu'il a constituées. Il a en effet acquis l'office de greffier des enregistrements des exploits de saisies qu'il a ensuite vendu, par morceau, à des sergents des diverses localités concernées. Avant de mourir, il a vendu cet office à son beau-fils, lui-même procureur, qui a sans doute continué le petit commerce de son beau-père. À Grenoble, le procureur Jean Amat s'est associé au substitut du procureur général au parlement, Jean-Baptiste Mailhet, pour la recette des consignations et la charge de commissaire aux saisies réelles[26]. D'autres procureurs ont pris à ferme des greffes de judicature : c'est le cas de Claude Sappey, de Grenoble[27], du procureur Salomon qui prend le greffe des terres du duc de Lesdiguières[28], du procureur Cholat qui a la direction générale des affaires du comte de Clermont-Tonnerre et exerce diverses charges de procureur juridictionnel[29], du procureur Merle de Toulouse qui administre les revenus du commandeur de Burgaud[30], du procureur Begon de Toulouse, qui exerce la fonction de greffier de viguier[31]. Le procureur au bailliage de Grésivaudan, Charles Pain, gère la recette des droits des offices de priseurs, les droits dus au roi par les propriétaires des offices qui en jouissent sans provision, et les droits de la marque de l'étain dont il a sans doute acheté les revenus[32]. Quant à Alexandre Arnoux Baud, procureur au parlement de Grenoble, il est aussi receveur et payeur des

---

23. Plusieurs papiers de procureurs mentionnent des déclarations où ils avouent n'avoir que prêté leur nom au moment de tels prêts, l'argent appartenant en fait à quelqu'un d'autre. ADHG, 3E 11905 pièce 18, inventaire de Jean Jacques Dumestre, procureur au parlement, du 20 août 1615 ; 3E 11891, pièce 45, inventaire de Gaillard Corvier, procureur au parlement de Toulouse, 1653.

24. ADI, H + GRE/H33, inventaire de Chalvet Badon, procureur au bailliage de Grésivaudan, 1er août 1650. Pour des exemples de procureurs qui prêtent leur nom, ADI, 13B 446, inventaire de Jean Boys, 25 avril 1675, ou encore 13B 455, inventaire de Jean Deydier, 2 janvier 1680, ce dernier gérant également les affaires du seigneur et de la dame des Adrets.

25. ADBR Aix, 303E 557 f° 603 suiv.

26. ADI, 13B 485, inventaire du 20 décembre 1707.

27. ADI, 13B 460, inventaire du 5 novembre 1683.

28. ADI, 13B 490, inventaire du 9 décembre 1710.

29. ADI, 13B 490, inventaire du 9 décembre 1710.

30. ADHG, 3E 11931, pièce 71, inventaire du 19 avril 1654.

31. ADHG, 3E 11877, pièce 1, inventaire du 15 juillet 1603.

32. ADI, 13B 499, inventaire du 21 février 1715. Ces revenus ne semblent pas lui avoir tellement rapporté puisque l'héritage a été abandonné.

gages des officiers du Dauphiné et semble vivre plutôt de ses autres affaires que de son métier de procureur[33]. Il a néanmoins été procureur juridictionnel de la vicomté de Trièves et a géré le greffe de la judicature de Noyarey. Tout en profitant de leur statut de procureur, plusieurs ont donc acheté des charges complémentaires ou sont passés au service personnel de grands personnages, montrant qu'être procureur, c'était aussi administrer.

L'énumération des activités des procureurs ne vise ici qu'à bien montrer que la charge de procureur remplit rarement à elle seule la vie de ces hommes. Tous ces inventaires, comme d'ailleurs tous les actes notariés qu'ils rappellent, les identifient comme des procureurs, quels que soient les autres services qu'ils assument, comme si les autres activités qu'ils exercent ne suffisaient pas à les caractériser. Le danger pour l'historien est donc de relier tout ce qui leur arrive à cette fonction et de confondre causes et conséquences. Les inventaires après décès ne permettent pas d'échapper à ce risque même s'ils placent le défunt au cœur d'une nébuleuse plus riche que la seule procédure. Est-ce à dire que la situation du procureur, au croisement du droit et des affaires, n'a d'intérêt que lorsqu'il choisit l'un ou l'autre ? Bien sûr que non. Si l'on considère les indices des diverses activités économiques du procureur que fournissent les inventaires, on peut se demander si l'intérêt de la fonction ne se trouve pas aussi dans les multiples relations qu'elle permet au procureur d'entretenir. Je croirais pour ma part que c'est exactement cette position que recherchent les praticiens qui réclament une charge de procureur et qui acceptent, pour l'obtenir, de passer des années à servir les conseillers au parlement tout en raffinant leur connaissance de la procédure. Vivre de son métier pour un procureur, c'est en effet bien plus que de s'adonner à la procédure. C'est, en agissant pour les autres, agir aussi pour soi.

Les effets de l'office : un faux problème ?

On peut alors se demander si la démarche suivie pour cerner les effets de l'intervention de l'État dans la destinée des procureurs n'était pas un peu factice. Jusqu'ici, j'ai traité des procureurs en utilisant leur métier pour définir et tracer les contours d'une cohérence sociale façonnée par la fonction. C'était en quelque sorte imiter l'État moderne qui s'est aussi servi de la fonction pour identifier, contrôler et régler. D'autres cohérences auraient pu nous servir à organiser le propos : celle de l'ordre social[34], celle de l'argent[35] mais, sans qu'on les ait complètement évacuées, ces configura-

---

33. ADI, 13B 516, inventaire du 20 décembre 1723.
34. Fanny COSANDEY (textes réunis par), *Dire et vivre l'ordre social en France sous l'Ancien Régime*, Paris, Éditions de l'École des hautes études en sciences sociales, 2005.
35. Antoine FOLLAIN, « Les juridictions subalternes en Normandie… » Christophe BLANQUIE, *Justice et finance sous l'Ancien Régime. La vénalité présidiale*, Paris, L'Harmattan, 2001.

tions n'ont jamais supplanté la fonction, comme instrument de définition. Même si, comme on vient de le voir, les procureurs étaient loin de limiter leurs activités à l'exercice de la justice, c'est à travers la place de la justice dans l'espace urbain que nous avons fait leur connaissance. Cheminant à travers un espace tantôt ouvert, tantôt fermé, ils ont montré que si la justice s'exposait volontiers, il fallait néanmoins, pour y avoir accès en avoir les codes. La gestion de ces codes est théoriquement une affaire d'État. C'est lui au bout du compte qui réglemente la procédure, et l'on peut admettre qu'il donne également les clés du métier de procureur dont il limite ou accroît le nombre. Dans les faits, cette gestion des codes est beaucoup plus décentralisée qu'on ne le croit souvent, du moins jusqu'au milieu du XVIIe siècle. Les charges se vendent et leur prix se négocie. Les procureurs sont reçus par l'autorité judiciaire locale et par la communauté des procureurs qui veille à préserver la qualité du recrutement. Certes, l'État impose des frais pour transmettre l'accord royal et confirmer l'hérédité de la charge, mais ces mesures n'ont de conséquence que si les parlements exigent cet accord. Au cours du XVIIe siècle, la charge de procureur est devenue un capital, mais les procureurs de Toulouse ont montré que l'office royal n'expliquait pas à lui seul cette transformation. Ce qui a été déterminant, c'est moins les provisions royales que le passage dans les mœurs de la vénalité et surtout l'hérédité qui lui a été associée.

Dans la mesure où l'État effectue, au début du XVIIe siècle, une offensive de contrôle de la fonction de procureur, il fallait vérifier les effets de ce contrôle. Or, ce qui frappe quand on considère le parcours de ces hommes qui acquièrent la fonction, c'est à quel point elle se conjugue avec le maniement d'argent. De là à penser que l'office de procureur y trouvait son plus grand attrait, il n'y a qu'un pas. Légitimé par une organisation de la justice qui lui donne accès à de nombreuses informations privilégiées, le procureur du XVIIe siècle est l'intermédiaire par excellence. Il ne tient qu'à lui de s'inscrire personnellement dans les affaires de ses clients et de profiter de sa position. Il peut aussi opter pour une posture de service et faire comme si tous les ressorts de ses actions n'avaient que la justice comme moteur. C'est un peu cette position que j'ai moi-même adoptée en cherchant à décrire le « monde » du procureur. Procédure artificielle où le point de départ est aussi le point d'arrivée, elle formule la réponse dans la question et empêche de « voir ». C'est tout le problème de la construction des catégories historiques, essentielles pour que les historiens communiquent. Les procureurs sont au cœur du propos, ils vont le rester. Mais, il faut maintenant tenter de vérifier si ce regroupement a un sens, pour ceux qu'on identifie par cette fonction.

Troisième partie

QUEL ENJEU IDENTITAIRE ?
LE DISCOURS DES PROCUREURS
SUR EUX-MÊMES

Chapitre X

Les traces de la fonction

Première étape d'une démarche visant à saisir comment se formule l'identité chez le procureur d'Ancien Régime, il faut se demander si cette identité est inhérente à sa personne ou si elle en est aisément détachable. Au moment où la mort force au bilan, la fonction laisse-t-elle des traces ? C'est encore aux inventaires après décès qu'on aura recours pour suggérer des pistes.

D'abord répartis chronologiquement pour tenter de saisir l'effet du temps entre un « avant » et un « après » l'office, les inventaires après décès des procureurs ont confirmé la vacuité d'un tel regroupement. Je croyais intéressant de comparer les inventaires de la période qui s'étend juste avant que la charge de procureur ne soit définitivement élevée en office royal, à Aix et à Grenoble, à ceux de la période qui a suivi. Or, ni à Aix, ni à Grenoble, je n'ai retrouvé d'inventaire de procureurs pour cette période. Toulouse quant à elle en a fourni 23 qui auraient pu être réunis, pour cette ville, à ceux de la période allant de 1623 à 1665, l'office n'ayant été admis à Toulouse qu'après cette date. Les Aixois ayant fourni une douzaine d'inventaires pour la période de 1623 à 1665, la tentation de les comparer à ceux trouvés pour la même période à Toulouse, la rebelle, était forte. Je croyais ces derniers susceptibles de me permettre de comparer le lendemain d'offices pour Aix (1623-1665) avec la situation sans office de Toulouse (1623-1665), mais également la période sans office de Toulouse (1623-1665) avec celle de l'office qui a suivi dans la même ville (1666-1735). C'était donner beaucoup trop d'importance à l'office royal et présumer qu'il avait eu plus d'effets qu'il n'en a eus réellement.

Période	Aix	Grenoble	Toulouse	Marseille	Total
1572-1599	3	2	7	1	13
1600-1622	0	0	24	1	25
1623-1665	12	1	34	2	49
1666-1735	4	31	35	13	83
1736-1780	0	0	6	0	6
Total	19	34	106	17	176

TABLEAU 4. – *Répartition chronologique des inventaires analysés.*

De fait, les inventaires ont révélé une périodisation beaucoup plus simple, mais néanmoins révélatrice. La ligne de fracture ne suit pas le moment de l'office, elle s'inscrit plutôt quelque part entre la fin du XVIe siècle et dans les premières années du XVIIe. Tout se passe en effet, comme si, au XVIe siècle, être procureur était davantage un statut qu'une profession, alors que plus tard, la profession s'était détachée de la personne qui l'exerçait, qu'elle avait existé de façon autonome.

Au XVIe siècle, une profession invisible

Il faut certes attribuer au hasard la progression géométrique que contient le total des inventaires analysés pour chaque période jusqu'en 1666 (tableau 4). Néanmoins, le XVIe siècle, dans ces chiffres, fait piètre figure. Peu nombreux, les inventaires de procureurs de cette période doivent être regardés avec circonspection. Du métier de procureur, ils révèlent peu. Parmi les vêtements, un procureur aixois a conservé un chaperon de velours noir et une robe longue à grand manches avec le bord de velours[1]. Un autre a une robe longue de cadis de Nîmes, demi usée avec des parements en taffetas noir[2]. À Toulouse, où la moisson est un peu plus abondante, le procureur Lescac a aussi une robe longue en serge, mais c'est le silence complet sur sa charge de procureur comme sur son étude[3]. Ce qu'on appellera plus tard la « robe de palais » et qu'on peut reconnaître dans les descriptions du XVIe siècle, n'est jamais associé au Palais, c'est une robe parmi d'autres. Si l'on en croit leur silence, les inventaires de procureurs du XVIe siècle ne considèrent pas la charge de procureur autrement que comme un identifiant pour le défunt. Dans le bilan que suppose l'inventaire du XVIe siècle, cette charge ne prend aucune place.

Vers la fin du siècle, les inventaires de Toulouse commencent à faire quelques allusions à l'office de procureur, en précisant ce qu'il est advenu

---

1. ADBR Aix, 20B 6656, 19 novembre 1572.
2. ADBR Aix, 307E 823, f° 1521, 30 mai 1599.
3. ADHG, 3E 11927, pièce 50, 2 mai 1584.

de la charge laissée par le défunt[4]. Parmi ces quelques inventaires, celui du procureur au sénéchal de Toulouse, Jean Fortanier, en 1599, semble exceptionnel. D'abord, les Jean Fortanier y sont nombreux : quatre personnages portent le même nom dont deux ont été procureurs (le père et le fils). Alors que les procureurs toulousains ont refusé de s'accommoder des édits qui faisaient de la charge de procureur un office royal, les Fortanier s'y sont conformés. Comme ce sera le cas pour d'autres procureurs lors des périodes postérieures, les Fortanier ont même dû défendre leurs droits devant la justice et ils ont conservé avec minutie les provisions concernant leur état de procureur à partir de 1549[5]. Seul un autre procureur au sénéchal de Toulouse, dont on inventorie les papiers en 1601, a aussi conservé des papiers ayant trait à sa charge de procureur[6].

Dès le XVIe siècle, par ailleurs, les documents grenoblois accordent aux papiers de la pratique une place particulière. L'inventaire du procureur Solon Gallatrin ne dit pas grand chose de sa charge de procureur, mais il énumère ses papiers de pratique, comme il inventorie d'ailleurs les protocoles liés à la fonction de notaire royal que cumule ce procureur[7]. Dans les inventaires du XVIe siècle, quand les papiers de pratique sont définis comme tels, ce sont eux qui ont une valeur, bien plus que la charge qui en autorise la production[8].

Une profession qui laisse des traces : des papiers de pratique à l'office

Ce silence des inventaires du XVIe siècle sur la profession de procureur se métamorphose dans la période postérieure. Certes, la profession de procureur sert, bien sûr, à situer socialement le défunt, mais elle y est aussi mentionnée quand on parle de l'office, quand on réfère aux documents qui légitiment son exercice, quand on décrit la boutique où travaillent le procureur et ses clercs, quand on fait mention des papiers de pratique, ou qu'on décrit la robe de palais qu'on l'oblige à porter quand il exerce son

---

4. ADHG, 3E 11931, pièce 7, 11 février 1598, inventaire d'Antoine Montal, procureur au parlement ; 3E 11951, pièce 56, inventaire de Pierre Seneyragel, procureur au parlement décédé le 15 octobre 1598.
5. ADHG, 3E 11911, pièce 2, 7 mai 1599. Le don de l'office de procureur est fait par le roi au fils Jean, le 7 mars 1575, mais ils ont aussi gardé les provisions du 9 novembre 1549, 23 mai 1571, 16 janvier 1573, et les autres papiers concernant l'office du 25 décembre 1573, 2 janvier 1574, 5 juillet 1574, 13 décembre 1575, etc.
6. ADHG, 3E 11882, pièce 24, inventaire de Pierre Bach, procureur au sénéchal décédé le 11 septembre 1601.
7. ADI, H + GRE/H57, inventaire des sacs de procès, liasses et protocoles délaissés par Solon Gallatrin, vivant notaire royal et procureur au parlement, 23 avril 1587. Ce cumul pour un procureur au parlement est particulier à Grenoble et ne se retrouve ni à Aix ni à Toulouse.
8. ADHG, 3E 11951, pièce 56, inventaire de Pierre Seneyragel, 1598. On ne trouve dans sa boutique que les sacs et papiers de sa pratique, ainsi qu'un comptoir de corail où il y avait une armoire que l'acheteur a emportée dans sa maison.

métier. Presque inexistantes au XVIᵉ siècle, ces allusions deviennent banales dans les inventaires de procureurs du XVIIᵉ siècle : c'est là presque la seule périodisation que permettent les inventaires !

La boutique du procureur

À Toulouse, à partir de 1610 et durant toute la première moitié du XVIIᵉ siècle, la boutique du procureur fait partie des lieux inventoriés. Elle est bien distinguée de l'étude, qui sert à étudier ou à travailler sur les causes, et non à recevoir les clients. Dans les inventaires toulousains, quand on parle d'une étude, c'est que des fils sont écoliers ou que, devenus avocats, ils habitent toujours la maison du père où ils travaillent. À Aix, le terme d'étude désigne le lieu où le procureur fait ses affaires[9], tandis qu'à Grenoble, on n'hésite pas à parler du cabinet du procureur pour désigner non seulement l'endroit où il travaille, mais également la raison sociale de ses affaires[10]. Toutes les boutiques de procureur sont équipées de la même façon : un pupitre ou un comptoir pour le procureur, un autre pour les clercs quand les affaires sont bonnes, parfois simplement une vieille table longue ou quelques planches assemblées, pour écrire. Le mobilier est élémentaire : un banc avec ou sans dossier, une échelle ou un marche-pied, quelques chaises, des coffres qui ferment à clé pour ranger les papiers des clients, des planches qui font office d'étagères où les liasses de procès en cours sont empilées, des râteliers qu'on utilise pour ranger les sacs et les registres. À la fin du siècle (1692), on sépare encore, à Toulouse, les fonctions de l'étude et celle de la boutique et c'est ainsi qu'on précise, pour le procureur Guillaume Bessier, que sa boutique lui sert également d'étude[11]. La boutique est l'espace de l'office. C'est un lieu qu'on ferme à clé comme les armoires ou les coffres qu'elle contient et qu'on n'ouvre qu'en présence de l'acquéreur de la charge.

Les papiers de pratique

C'est dans la boutique du procureur que sont gardés les papiers de sa pratique. Ces derniers, dans le Midi, font corps avec l'office de procureur. Qu'il s'agisse d'un office royal ou qu'il vienne du parlement, l'office de

---

9. ADBR Aix, 307E 823, fᵒ 1521, inventaire de Guillaume Maria, 13 mai 1599. Ou encore 303E 555, fᵒˢ 603 vᵒ suiv., « à la boutique où le deffunt faisoit estude », inventaire de Jean-Étienne Maurel, 22 août 1641 ; 303E 569, inventaire de Jean Ailhaud, procureur à la cour, 4 juin 1669.

10. « Dans la chambre [...] où le deffunt tenoit son cabinet de procureur », ADI, 13B 455, inventaire de Jean Deydier, 2 janvier 1680 ; « dans la chambre qui servoit de cabinet audit feu me Alzas », 13B 457, inventaire de me Jacob Alzas, procureur en la cour, 11 août 1681 ; « où ledit défunt tenoit son cabinet », 13B 466, inventaire de François Farconnet, 25 juin 1687 ; on parle également des papiers dépendant du cabinet du défunt, 13B 490, levée des scellés de Jean Salomon, 9 décembre 1710.

11. ADHG, 3E 11878, pièce 1.

procureur se transmet avec les papiers en dépendant. C'est pourquoi il n'est jamais question, à Toulouse, d'inclure dans l'inventaire du défunt celui des papiers de l'office. Dès le début du XVIIe siècle, l'inventaire des papiers de pratique est confié à l'acquéreur de la charge, et jamais il ne se trouve avec celui des autres meubles du défunt, contrairement à ce qui se passe à Grenoble, où les inventaires de pratique sont joints aux inventaires de meubles[12].

Ce sont les papiers de pratique qui figurent concrètement la fonction de procureur du défunt et à Toulouse, jusqu'en 1644, ils sont toujours mentionnés, même si c'est pour les exclure de l'inventaire. Au début du siècle, la charge de procureur n'est en effet évoquée qu'à l'occasion de la mention de ces papiers. Par la suite, alors qu'on signale les rôles de frais qu'ont conservés les procureurs, il n'est plus question des papiers de pratique dont il semble bien qu'on n'ait plus besoin de préciser qu'on ne les inventorie pas. La charge de procureur semble avoir gagné son autonomie sur les papiers de pratique dont elle n'a plus besoin pour figurer le procureur.

Les lettres de provision de l'office

C'est peut-être qu'on accorde désormais à l'office lui-même plus d'importance qu'au début du siècle. La chronologie de l'intérêt accru pour la charge est toutefois difficile à établir. Certes, le procureur au parlement Jean Dayot qui semble l'un des rares procureurs de Toulouse à avoir obtenu des provisions royales, en 1605, a conservé contrat de composition, quittance du marc d'or, enquête de vie et de mœurs, et arrêt de réception[13]. Son collègue, François Savenier a aussi conservé des documents semblables, en 1614, même si rien n'indique qu'il ait obtenu des provisions royales[14]. Il faut cependant attendre les inventaires des années 1630 pour découvrir des procureurs qui ont conservé avec minutie les documents liés à l'obtention de leur charge. Les inventaires signalent alors, conservées souvent dans une boite en fer blanc, les 8 ou 9 pièces qui accompagnent les provisions du procureur[15].

---

12. À Toulouse, les familles, déjà lourdement chargées de frais, craignent de payer inutilement pour un inventaire que l'acquéreur de l'office pourrait décider de faire reprendre. ADHG, 3E 11922, pièce 11, inventaire de Jean Larrieu, 19 novembre 1631.
13. ADHG, 3E 11899, pièce 14, inventaire du 7 janvier 1612.
14. ADHG 3E 11949, pièce 1, inventaire du 31 juillet 1614.
15. ADHG, 3E 11918, pièce 58, Pol Holier, 3 août 1630 ; 3E 11953, pièce 21, Antoine Tempere, 22 octobre 1630 ; 3E 11888, pièce 9, Bertrand Cluset, 18 novembre 1631 ; 3E 11922, pièce 11, Jean Larrieu, 19 novembre 1631 ; 3E 11929, pièce 5, Mathieu de Mondomier (la famille signe Mondomye ou Mondomys), 20 décembre ; 3E 11910, pièce 1, Jean-François Franques, 17 juillet 1632 ; 3E 11920, pièce 5, Étienne de la Croix, 6 décembre 1644 ; *Ibid.*, pièce 7, Raymond Laparre, 28 octobre 1644 ; 3E 11887, pièce 20, Jacques Chausse, 6 septembre 1645 ; 3E 11874, pièce 15, Raymond Baules, 18 janvier 1647.

L'intérêt porté à ces pièces par le procureur est révélé par les inventaires des années 1630, mais les inventaires sont loin de toujours préciser la date de ces provisions qui pourrait seule permettre d'interpréter cet intérêt. Ainsi, parmi les procureurs qui décèdent dans les années 1630, certains ont été pourvus en 1598, d'autres en 1605, et d'autres en 1625. La situation ayant conduit à conserver les provisions de 1625, alors que les procureurs de Toulouse craignaient d'avoir à prendre un office royal, est bien différente de celle de 1598 où rien de tel ne se pointait à l'horizon. À divers moments, entre la date de la provision et celle de l'inventaire, le procureur, une fois le danger de contestation passé, aurait pu égarer ces papiers. Comment alors raffiner la chronologie ? Tout ce qu'on peut dire, c'est qu'à Toulouse, le premier tiers du XVIIᵉ siècle a vu la charge de procureur acquérir une valeur qui, même sans l'office royal, incitait à conserver toutes les pièces qui pouvaient certifier qu'on avait droit de l'exercer.

Les procureurs aixois dont on fait l'inventaire des biens au XVIIᵉ siècle ont tous été soumis au régime de l'office royal. Leur nombre n'étant pas très élevé, il est difficile de tirer des tendances de leurs inventaires. Néanmoins, si on les compare aux procureurs toulousains, ils ne semblent pas accorder à la charge de procureur plus d'importance que ne le font leurs collègues. Plusieurs se contentent de mentionner les compositions d'office alors que d'autres ne signalent ni les provisions ni les compositions d'office parmi les papiers conservés[16].

Plus nombreux à Grenoble après la mi-XVIIᵉ siècle, les inventaires de procureurs permettent de nuancer la signification de cette amnésie de l'office. Ils rapportent en effet que des procureurs ont conservé non seulement leurs propres provisions, mais aussi celles de leurs prédécesseurs, ainsi que les quittances de leurs taxes[17]. Ces dossiers remontent parfois fort loin. Ainsi, quand on effectue l'inventaire du procureur au bailliage de Grésivaudan, Étienne Jullien, le 21 janvier 1712, trouve-t-on, dans un sac, en plus des papiers d'une vente de l'office datée de 1704, des provisions pour cet office datant de 1637, 1647, 1674, 1688, 1691, sans compter les diverses quittances pour la confirmation de l'hérédité[18].

On trouve aussi à Aix, après 1640, quelques-uns de ces dossiers historiques de l'office[19]. Transmis à l'acquéreur de l'office pour garantir ses droits,

---

16. ADBR Aix, 303E 562, inventaire de Jean Jujardi, procureur à la cour des comptes, 4 décembre 1655 ; 303E 565, fᵒ 52, inventaire d'Henri Benetton procureur au parlement, 9 novembre 1662.

17. ADI, 13B 446, inventaire de Jean Boys, procureur en la cour, 25 avril 1675 ; 13B 455, inventaire de Jean Deydier, procureur en la cour, 2 janvier 1680 ; 13B 460, inventaire d'Antoine Brun, procureur au bailliage de Grésivaudan, 11 septembre 1683 ; 13B 466, inventaire de François Farconnet, procureur en la cour, 25 juin 1687 ; 13B 490, inventaire de Guillaume Gorgeron, procureur en la cour, 5 mai 1710.

18. ADI, 13B 492.

19. ADBR Aix, 303E 555, fᵒ 603 vᵒ, Jean-Étienne Maurel, inventaire du 22 août 1641, par exemple, ou encore 303E 557, fᵒ 691, Jean Giraud, inventaire du 20 juillet 1648 ; 303E 569, fᵒ 293, Jean Ailhaud, procureur en la cour, inventaire du 4 juin 1669.

ces dossiers accompagnent le transfert de la charge et des papiers de pratique chez l'acquéreur. On comprend dès lors que les papiers familiaux ne conservent plus trace des provisions de l'office de procureur du défunt, qui partent chez l'acquéreur dès que l'office a été vendu. À Grenoble comme à Aix, ne subsistent donc dans les papiers de famille que les actes qui règlent l'achat ou la vente de l'office et leurs différents paiements[20]. À Toulouse, après comme avant l'office, il n'en est pas autrement.

La robe de palais

Attribut vestimentaire évocateur de la figure de la justice, la robe de palais du procureur est le dernier signe de la profession que nous avons recherché dans les inventaires. Bien qu'on les reconnaisse dans les descriptions qu'on en fait au XVIᵉ siècle, il faut attendre le XVIIᵉ siècle pour qu'elles soient précisément identifiées comme des robes de palais. Et encore, ne le sont-elles pas toujours[21]. Quelle que soit la symbolique qu'on lui a accordée et la place qu'on lui a donnée dans les cérémonies de la justice, la robe de palais trouvée dans les coffres du XVIIᵉ ou du XVIIIᵉ siècle ou celle qu'on accroche derrière la porte de l'étude, ne semble pas bénéficier d'un respect particulier. Il est frappant de constater que la plupart sont vieilles, usées, voire « rompues », celle d'un procureur au parlement décédé en 1709 est même « mangée des vers[22] ». Bien que certains procureurs en possèdent plusieurs, la plupart n'en laissent qu'une, ce qui explique sans doute l'état de celles qu'on décrit. Il semble bien que l'importance qu'on ait accordée au port de la robe longue et du bonnet, au Palais, tout comme dans les cérémonies où les procureurs marchent en corps, n'ait pas affecté le vêtement lui-même[23]. On pourrait croire par ailleurs que l'état de la robe

---

20. ADI, 13B 452, inventaire de Charles Richier, procureur au parlement, 2 mars 1679 ; 13B 455, inventaire d'Antoine Allard, procureur à la cour, 15 février 1680.

21. « Une robe longue de raze noire demi usée plus une soutane de camelotte noire » ADHG, 3E 11922, inventaire de Gratien de Lafont, 20 novembre 1611 ; « une robe longue de razette noire et une soutane de sarge aussi noire », 3E 11915, pièce 5, inventaire de Pierre Gautignol, 10 octobre 1613. En 1618, « un autre coffre de bant fort vieulx dans lequel a esté trouvé une méchante robe de palais de sarge fort vieilhe et rompue une chemisete de cordeilhat blanc ensemble une soutane de burat doublée de raze le tout fort vieulx que ladite veuve a dit vouloir donner pour aumosne pie », mais ce procureur avait aussi une autre « robe de palais de burat à demy usée » et rangée avec les serviettes et les garnitures de lit, « une robe de palais de sarge les parements de taffetas neuvfe plus une petite sotane de damas doublé de sarge d'escot vieille », 3E 11908, pièce 8, inventaire de Guillaume Channelier. En 1619 le procureur Desbaldit avait rangé dans un coffre bahut fermé à clé, trois robes noires « les deux de rase avec leurs paremans de tafetas et l'autre de burat vieulx, une sotanne de camelote noire vieille », 3E 11897, pièce 6. En 1629, Bernard Mesples avait une robe de palais de « raze noire vieille », plus une « sotane de raze », 3E 11929, pièce 16. Au XVIIIᵉ siècle, les robes de palais sont plutôt des robes de burat.

22. ADHG, 3E 11947, inventaire de François Robert.

23. Les procureurs processionnent toujours en robe quand ils le font en corps. *Relation des réjouissances qu'on a faites à l'occasion de la cérémonie du Te Deum…*, Aix, Charles David, 1687, p. 24. Ils portent la robe quand ils prêtent serment chaque année au parlement, La Roche-Flavin, *Treze livres…*, p. 135.

de palais du procureur reflète sa fortune ou l'image qu'il voulait donner de lui-même. Rien n'est moins sûr. Le procureur au parlement Géraud Larroche est un ancien capitoul. On trouve chez lui trois robes de palais, quand il décède en 1705 : l'une d'étamine noire « usée et trouée », une autre « de rase fort usée, noire, trouée en plusieurs endroits », une troisième « de burat noir, vieille, toute rompue[24] ». Les procureurs, loin de considérer leur robe comme un objet d'apparat, semblent plutôt s'en être servi comme d'un vêtement de travail.

La robe de palais est donc un simple morceau de tissu, auquel on n'accorde aucun traitement particulier et dont on se départit sans état d'âme. Comme ces robes étaient noires, les veuves n'ont pas hésité à les utiliser pour en faire les vêtements de deuil de leurs enfants[25]. Parfois la robe de palais a suivi les papiers de pratique qu'elle a accompagnés chez l'acquéreur de l'office[26]. Parfois, elle a été vendue à un jeune procureur[27].

Le sort que réservent les procureurs à leur robe de palais ne varie pas d'une ville à l'autre, il ne varie pas vraiment non plus d'une période à l'autre. Une seule curiosité mérite d'être signalée : à Aix, on distingue la robe de palais et la robe d'étude[28], mais si l'on se fie à la description de cette dernière, il semble bien que ce soit là une autre manière de nommer ce qu'on appelle dans les autres villes, la robe de chambre du procureur.

Les traces de la fonction de procureur que signalent les inventaires ne permettent pas d'aller très loin. Elles excluent en tout cas tout développement sur la valeur symbolique que l'on pouvait accorder à la tâche. Le titre de procureur, qu'il vienne du roi ou d'une autorité locale, est un titre temporaire qui ne s'attache ni à la personne qui l'a porté, ni à sa famille, même si la charge elle-même acquiert une matérialité plus forte à partir du XVIIe siècle.

On peut donc se demander si l'identité qu'on cherche ici à mettre au jour se confond avec les personnes exerçant la profession ou si elle n'est pas une autre façon de circonscrire la façon de l'exercer. Peu loquaces, les

---

24. ADHG, 3E 11927, pièce 75.
25. C'est le cas de la veuve d'Amier Salanier, en 1617, ADHG, 3E 11940, pièce 15, et de celle de Pierre Bassemaison en 1693, 3E 11878, pièce 37.
26. C'est ce que déclare la veuve de Pierre Beffara qui dit avoir baillé la robe de palais du défunt à son successeur, en décembre 1630. Ce procureur possédait une autre robe de palais « assez usée ». ADHG, 3E 11881, pièce 8. En 1764, la veuve de Jean Pierre Lafon a compris dans la vente de l'office, la pratique, les bureaux et râteliers et la robe de son mari, 3E 11925, pièce 17.
27. En 1729, la robe de palais en étamine du procureur Isaac Jourdan est délivrée à un autre procureur pour 8 livres, ADI, 13B 530.
28. En 1648, inventaire de Jean Giraud : dans une caisse, une robe longue de palais de camelot noir fort usé, plus une « robe longue d'estude couleur amarante cordelhat de maison dudit défunt », ADBR Aix, 303E 557, fᵒ 691 ; inventaire de Charles Vincent, en 1640, « une robe longue du défunt de sargette avec de parements de taffetas noir pour pourter au palais », « une robe longue du défunt verte pour l'estude garnie de passement », 303E 555, fᵒ 336. La robe d'étude, comme la robe de chambre, est en général de couleur. Celle de Jean Ailhaud, en 1669, était « couleur canellat fort vieille et usée », 303E 569, fᵒ 293.

procureurs nous offrent, pour répondre à cette question, deux types de voix. La première s'exerce en solo et, dans la première moitié du XVIIᵉ siècle, cherche à inscrire la fonction de procureur dans l'ensemble de la justice. Elle produit un discours qui se transforme tout au long du XVIIᵉ siècle, à mesure que la Pratique, s'arrogeant la qualité de « science », finit par englober des professions auparavant autonomes. Parti d'une parole porteuse d'une vision personnelle au service de la justice, ce discours révèle une identité qui se dissout finalement dans la Pratique.

Quelle place prend cette identité dans la culture du procureur ? De cette culture, les procureurs ne nous fournissent que des traces, qu'il faut décoder malgré les stéréotypes d'une littérature qui semble s'évertuer à brouiller les pistes. Bien qu'on ne leur ait jamais prêté une réputation d'intellectuels, les procureurs n'en ont pas moins réfléchi sur le monde dans lequel ils vivaient et sur la place qui leur était octroyée. Qu'ont-ils pensé du système ? Jusqu'à quel point y ont-ils adhéré ? Peut-on saisir chez eux quelque chose comme une « culture de procureur » qui les caractériserait ? Reprenant le fil conducteur de l'espace qui nous a déjà guidés, nous poserons au décor de leurs maisons, à leur environnement culturel, les questions sur leur imaginaire, au risque que les procureurs, enfouis dans le silence, n'y répondent jamais.

La deuxième voix s'exerce en chorale et sert en quelque sorte de conclusion à notre périple. Elle franchit le temps pour déborder sur le XVIIIᵉ siècle. En effet, pour les juridictions subalternes, le métier de procureur semble, au XVIIIᵉ siècle, s'effriter en de multiples combinaisons, montrant à quel point le métier dépend, en fait, de l'espace juridictionnel qu'on lui accorde. Au même moment, le discours collectif des communautés de procureurs aux cours souveraines se formalise et s'organise, porteur d'une mémoire procédurale qu'on leur demande de codifier au jour le jour, mais également d'une action collective au service du financement de l'État. On a construit pour eux les raisons de leur existence, tout entière tournée vers le service de l'État.

Chapitre XI

Une identité dissoute dans la pratique, le discours du procureur Cayron

Dans le domaine juridique, les procureurs agissent au sein d'une nébuleuse où se croisent plusieurs professionnels. Du strict point de vue de leurs compétences, ils partagent avec les avocats ou les notaires, des savoirs. Les premiers ont des compétences en droit, ils ont suivi les lectures universitaires des juristes et ont consacré quelques années à l'étude. Au XVIe siècle, ils prêtent serment au parlement, comme les procureurs, et ils peuvent espérer une charge de conseiller, ce qui est exclu pour les procureurs. Ces derniers doivent connaître la procédure, mais ils n'ont pas besoin de s'appuyer sur les interprétations du droit pour poser tel ou tel geste. Leur travail est technique et n'exige pas une réflexion sur les fondements juridiques des gestes qu'ils posent. En France à tout le moins, la séparation entre avocat et procureur est claire.

Dans la vraie vie toutefois, et notamment quand il s'agit de travailler auprès des juridictions inférieures, cette distinction peut alourdir les démarches et augmenter indument la note des clients. C'est pourquoi, en 1547, des lettres patentes accordent aux avocats des sièges de Provence, la permission de procurer devant ces juridictions[1]. Au lieu de devoir engager un avocat et un procureur, les clients qui le souhaitent peuvent donc ne recourir qu'à un avocat qui accomplit alors la fonction de procureur. Nul doute qu'il ne le faisait pas gratuitement, évidemment. À l'occasion de l'édit de 1572 qui oblige les procureurs à se doter de lettres de provision royale, les avocats qui combinent les deux charges doivent également se doter de lettres de provision[2]. Il est difficile de savoir combien d'hommes coiffent ainsi les deux chapeaux, mais il est attesté, quand il ne s'agit pas du parlement, que les avocats ont usé de cette possibilité pour arrondir leur fin de mois.

Les procureurs qui deviennent, par la suite, avocats ne sont pas des cas fréquents, au XVIe et XVIIe siècle. En général, les procureurs confient plutôt cette aventure à leurs fils qu'ils engagent dès que possible dans les études

---

1. ADBR Aix, B 3324, f° 880 v°, 27 novembre 1547.
2. ADHG, 1E 1184, f° 132, 20 janvier 1573.

de droit. Au XVIᵉ siècle, Guillaume Palarin, originaire de Sauveterre en Rouergue, devient procureur au parlement de Toulouse, assoit ensuite l'avenir de ses enfants sur l'accumulation d'un capital foncier dont les revenus lui permettent de faire de ses fils des avocats. Son cas ressemble à celui de Jean Garcin, procureur au parlement d'Aix, qui combine à une pratique active la mise en valeur de plusieurs terres et confie à ses fils avocats de poursuivre l'ascension de la famille[3]. Les avocats fils de procureur sont nombreux, mais leur succès en regard de l'ambition de leur père est inégal : l'un des fils avocats Palarin devient capitoul, mais les avocats Garcin meurent ruinés. Le passage de procureur à avocat sur une génération semble au XVIᵉ siècle l'ambition des procureurs. Pourquoi ? Les études historiques sur l'honneur, la hiérarchie sociale et le statut fournissent de nombreuses pistes pour répondre à cette question, mais les procureurs eux-mêmes taisent les véritables raisons de cette ambition. À moins d'adhérer sans nuance aux interprétations qui expliquent tous les itinéraires par une incompressible volonté de promotion sociale, ce schéma présentant des procureurs mettant tout en place pour que leurs fils ne restent pas dans le métier et deviennent avocats a besoin d'être éclairé. Il pose en effet la question de l'identité professionnelle des procureurs et de sa chronologie, indispensable pour rendre compte de leur fonction d'intermédiaire entre les justiciables et l'État.

Peu prolixes, les procureurs, individuellement, n'ont guère eu l'occasion de se prononcer sur ces questions. Quand ils ont écrit, ils se sont faits surtout poètes ou historiens[4] et l'on a souvent déduit leur monde des écrits de leur entourage plus qu'on a analysé les leurs[5]. Dans le secret de leur cabinet, quand ils ont, pour leur famille, raconté l'histoire de leur vie[6] ou plus tard, quand ils ont offert au public les *Praticiens* rédigés à partir de

---

3. Mathieu FRASER a analysé le livre de raison de Guillaume Palarin (ADHG, 12J 30, 1556-1594), dans le cadre de son mémoire de maîtrise, *Exploitation et enrichissement fonciers chez un procureur au parlement de Toulouse à la fin du XVIᵉ siècle : l'exemple de Guillaume Palarin*, mémoire de maîtrise, histoire, université Laval, 2006 ; Isabelle COULOMBE a fait de même pour le livre de raison de Jean Garcin (Aix, Musée Arbaud, MQ 401), *Écriture et gestion chez un procureur au Parlement de Provence : analyse du livre de raison de Jean Garcin (1574-1588)*, mémoire de maîtrise, histoire, université Laval, 1997. Jamais ces livres de raison ne réfèrent aux revenus fournis par la pratique, et les livres de raison de cabinet de ces procureurs n'ont pas été retrouvés.

4. Les auteurs qui sont procureurs ne sont pas toujours identifiés comme tels, contrairement aux avocats qui mettent de l'avant leur profession. On peut citer néanmoins pour Aix, Jean de Nostredame dénoncé au XIXᵉ siècle par les littéraires médiévistes pour ses falsifications (Jean-Yves CASANOVA, *Historiographie et littérature au XVIᵉ siècle en Provence ; l'œuvre de Jean de Nostredame*, thèse pour le doctorat ès lettres, université Paul Valéry-Montpellier III, octobre 1990) ou Fouquet Sobolis dont on a publié au XIXᵉ siècle le récit : *Histoire en forme de journal de ce qui s'est passé en Provence depuis l'an 1562 jusqu'à l'an 1607*, publiée par le Dʳ F. CHAVERNAC, Aix, Achille Makaire, 1894. Plusieurs des œuvres publiées par les procureurs sont des ouvrages techniques, utilisés comme manuels pour les praticiens (procureurs ou notaires).

5. Le père de Racine était procureur, ce qui ne permet pas pour autant de considérer les *Plaideurs*, comme une peinture réaliste de leur travail.

6. C'est le cas de Guillaume Palarin qui consacre une dizaine de pages au début de son livre de raison à tracer son parcours (ADHG, 12J 30, fᵒˢ 2-10), tout comme Fouquet Sobolis qui parsème son *Histoire en forme de Journal...* de notations sur sa vie personnelle.

leur expérience, ils ont laissé paraître si peu d'eux-mêmes que la moindre allusion devient inestimable.

Et pourtant, comment rester sourd aux voix de procureurs qui s'élèvent et disent ce qu'ils sont, ou veulent être, dans un monde où tout change ? Les écueils sont nombreux pour l'historien en mal de scruter l'« âme » de ces hommes dont l'intention n'est jamais de se laisser connaître.

Gabriel Cayron est l'une de ces voix. Exceptionnel du point de vue de son parcours professionnel, Cayron est d'autant plus intéressant qu'il est l'un des rares procureurs à avoir formulé les objectifs de son itinéraire personnel et le rapport à l'État des procureurs. Il a, certes, construit un procureur idéal, vite rattrapé par la réalité, dès la fin du XVIIᵉ siècle, alors que les procureurs ne semblent plus avoir les moyens d'être jaloux de leur identité.

Si les nombreux *Praticiens* chargés d'accompagner les procureurs tout au long de leur carrière contribuent à définir l'image des procureurs, le parcours personnel de Gabriel Cayron explique la modification, au cours du XVIIᵉ siècle, de l'image qu'il a fournie aux procureurs. Parce qu'ils m'ont semblé reliés, j'ai choisi de confronter les différentes éditions de ses textes, aux éléments de sa biographie.

Gabriel Cayron, le procureur[7]

Sur la page frontispice de l'édition de 1611 de son *Style*, Cayron se présente : il est né à Figeac en Quercy, et a 40 ans. Bien que la première page de cette édition le présente comme ancien procureur, c'est par son lieu de naissance et son âge qu'il fait identifier le portrait gravé en frontispice de son ouvrage.

Le juriste Géraud de Maynard (1537-1607) qu'il présente comme son oncle semble l'avoir incité à entreprendre une carrière dans la pratique et à devenir procureur, peut-être est-ce grâce à lui qu'il a pu être investi de cette charge puisque Maynard était, depuis 1573, conseiller au parlement de Toulouse[8].

---

7. Deux textes ont fait connaître Cayron. Le plus récent, celui de Jean-Paul Poisson, « *Le Parfait praticien françois* de Gabriel Cayron. Introduction à une analyse de son contenu et plaidoyer pour l'étude des ouvrages de pratique juridique », Jean-Luc LAFFONT (dir.), *Visages du notariat dans l'histoire du Midi toulousain*, Toulouse, PUM, 1992, p. 163-205, a analysé l'édition de 1645 de son ouvrage, notamment la partie concernant les notaires, sans savoir que l'auteur avait été procureur. Poisson ne connaissait pas non plus le petit texte de 21 p. de Florentin ASTRÉ, « Gabriel Cayron et son livre », *Extrait du Recueil de l'Académie de Législation*, Toulouse, t. XX, sans date mais vers le milieu du XIXᵉ siècle, qui fait le point sur le personnage à partir des pièces que gardent encore sur lui les ADHG. J'ai utilisé les mêmes sources qu'Astré mais n'en ai pas retenu les mêmes choses. J'ai par ailleurs laissé de côté les actes notariés concernant Cayron que j'ai retrouvés aux ADHG dans la mesure où ils ne faisaient que confirmer les analyses retrouvées dans les 1E 66 et 67.
8. Gabriel CAYRON, *Stil* 1611, « Épistre a Monseigneur Messire Nicolas de Verdun » p. aii. Pour Maynard, voir Michel CASSAN, « Formation, savoirs et identités des officiers "moyens" de justice aux XVIᵉ-XVIIᵉ siècles : des exemples limousins et marchois », Michel CASSAN (études réunies par)

Cayron devient donc procureur au parlement de Toulouse autour de 1590 et se marie en 1595. La conjoncture politique est alors fort compliquée et Cayron se range du côté des politiques ce qui lui vaut, dit-il, d'avoir été fait prisonnier par les ligueurs. Il fuit à Castelsarrasin où le parlement s'est déjà réfugié[9]. Son épouse est la fille aînée d'un marchand de Toulouse, Jeanne de Coste, fille de Jean Coste, dont la deuxième fille a épousé un marchand de Toulouse, Pierre Servis, et qui a une troisième fille, Françoise, à qui il donne en dot la même chose qu'à ses sœurs, soit 2 000 livres sans compter ses robes et joyaux[10]. En 1598, quand Jean Coste fait son testament, cette dernière fille est mineure comme d'ailleurs son unique fils Jean, qu'il fait son héritier universel et dont il confie la tutelle à Gabriel Cayron, son gendre. Le beau-père souhaite que son fils soit instruit au collège ou dans une maison particulière, sans préciser le type d'études qu'il envisage pour son fils, alors que sa fille doit être mise en pension chez les religieuses de Sainte-Claire du Salin jusqu'à son mariage. Cette famille a des parents en Béarn où les neveux de Jean Coste vivent encore et le père a été en affaire un moment avec un marchand de Saint-Étienne (Forez) (Denis Allard) dont le fils, Jean, est devenu contrôleur général des finances en la généralité du Lyonnais. Le procureur Cayron reste proche de sa belle-famille, puisqu'il fait enterrer au tombeau de son beau-père en l'église de la Dalbade, l'un de ses enfants et qu'il choisit lui-même d'y être enterré.

De son mariage avec Jeanne Coste qui dura au moins 52 ans – ce qu'il a d'ailleurs comptabilisé lui-même –, Cayron eut deux fils et trois filles. Comme son collègue Guillaume Palarin, Cayron achète au début de son mariage (en 1600) une métairie appartenant à un autre procureur en la cour, situé près de Toulouse, à Seysses. La métairie est assortie de terres, de vignes et l'ensemble lui est cédé pour le prix de 3 150 livres. Cayron est d'ailleurs dispensé des droits de lods et ventes dus au seigneur du lieu, Henri de Noailles, « en considération des services qu'il nous a faits et continue de fere journellement de quoy l'avons vouleu gratiffier[11] ». Cayron continue d'acheter des pièces de terre autour de sa métairie et à l'exploiter, comme le faisait Guillaume Palarin. En 1604, alors qu'il vient d'avoir un deuxième garçon, Charles, il est dit bachelier en droits, mais toujours procureur au

---

Les *officiers « moyens » à l'époque moderne : pouvoir, culture, identité…*, p. 300. Léon CIEUTAT, *Un magistrat du XVIe siècle, Gérauld de Maynard, Discours*, Agen, Imprimerie Fernand Lamy, 1879. Christophe Blanquie a beaucoup utilisé ses arrêts dans *Justice et finance…*

9. Cayron raconte les choses comme si elles étaient toute simples. De fait, à partir d'avril 1595, il y eut trois parlements : à Toulouse, à Castelsarrasin et à Béziers. Ceux de Béziers rejoignirent le parlement siégeant à Castelsarrasin en mai 1595, et le 1er avril 1596, tous les parlementaires furent réunis à Toulouse. Maurice PRIN et Jean ROCACHER, *Le château narbonnais*, p. 32.

10. ADHG 1E 67. La femme de Guillaume Palarin, fille d'un procureur, avait apporté 1 000 livres, en 1573 (ADHG 3E 7042, f° 988). Jean Garcin procureur au parlement d'Aix avait reçu de sa seconde épouse, en 1579, une dot de 3 600 livres en créances – ce qui était énorme (Aix, musée Arbaud, MQ 401, f°s 59 suiv.)

11. ADHG, 1E 66, pièce 24.

parlement[12]. Plus pour longtemps cependant puisque l'année suivante, en 1605, il résigne sa charge à un praticien[13]. C'est alors qu'il entreprend de rédiger son travail sur les *Styles du palais, de la chancellerie et autres cours*[14], terminé en mai 1610, si l'on en croit la dédicace.

C'est également l'époque où il rend compte de la tutelle de son beau-frère devenu majeur. Les choses sont compliquées puisque le beau-frère doit payer la dot de sa sœur Françoise. Cette dernière, qui a épousé un écuyer de Toulouse, Barthélémy de Jully, réclame une maison appartenant à son frère, mais dans laquelle habite Cayron. Après avoir fait traîner la cause autant qu'ils l'ont pu pour gagner du temps, disent-ils, les avocats et procureur du jeune Coste suggèrent à sa sœur Jeanne, l'épouse de Cayron, de payer la somme à la place de son frère qui pourrait lui laisser la maison en garantie, ce qu'elle fait en 1606[15].

Le 6 avril 1607, Cayron est dit « licencié en droits » mais n'a pas d'autre titre, sauf celui d'avoir été « jadis procureur à la cour[16] ». Il faut attendre 1610 pour le voir apparaître comme secrétaire ordinaire de la chambre du roi et c'est ainsi qu'il se présente quand il signe la première édition de son ouvrage en 1611, ajoutant avoir jadis été procureur à la cour.

La vision du royaume d'un procureur instruit

L'ouvrage s'ouvre sur le portrait de l'auteur et sur un sonnet que Cayron adresse aux procureurs et aux praticiens du Palais. Suit un poème de son fils Henri, qui doit avoir, à ce moment, quinze ou seize ans. D'autres stances sont signées E. Molinier et De Maynard[17].

Le livre est un livre de pratique, il est donc normal que Cayron s'adresse d'entrée aux procureurs et aux praticiens pour demander leur indulgence. Il définit du même coup la différence entre les avocats et ces derniers qui se forment dans le concret des causes plutôt qu'en frayant avec la théorie que prodiguent les études. Pour Cayron, les procureurs ne font pas qu'un travail technique, ils exercent aussi leur esprit, mais ils le font dans le Palais plutôt qu'à l'école.

En s'adressant aux procureurs et aux praticiens, Cayron se place à l'extérieur d'un groupe dont il s'exclut.

---

12. *Ibid.*, pièce 32.
13. ADHG, 1B 234, f° 28. Je n'ai trouvé aucune information sur les conditions de cette résignation.
14. Gabriel Cayron, *Stil* 1611.
15. ADHG, 1E 66, pièce 32.
16. *Ibid.*, pièce 34.
17. Peut-être François, le fils poète de son protecteur alors décédé. Ce fils aurait été président au présidial d'Aurillac à partir de 1611, il avait une dizaine d'années de moins que Cayron. S'il s'agit du poète, son talent ne semble pas s'être complètement révélé dans ses stances qui sont sans relief et disent en des termes très simples qu'il est content de voir paraître le livre que tout le pays attend « avec inquiétude ».

> « Vous qui laissant l'Escolle, Avec sa théorique
> Allez dans le Palais exerçant vostre esprit
> Continuez tousjours, & mettez en praticque
> Le stil que j'ay voulu vous mettre par escrit. »

Le livre est le tribut d'un ancien procureur à un monde qui l'a accueilli et qu'il ne renie pas, lui qui a pratiqué le métier pendant une quinzaine d'années. Ce monde est celui de l'expérience plus que celui de l'étude. Pour Cayron, l'ouvrage est le résultat naturel d'une étape de sa vie, désormais terminée.

> « La nature faict l'eau vers sa source couler ;
> Ce livre parmy vous a prins sa nourriture :
> Ce qui le faict vers vous maintenant revoler
> N'est pas l'ambition, mais la loy de nature. »

La dédicace s'adresse au premier président au parlement Nicolas de Verdun et elle insiste sur l'expérience de procureur de l'auteur. Une expérience bonifiée par le fait qu'il a parcouru « une partie des barreaux des Courz Inférieures & Souveraines du Royaume ». Remarque surprenante s'il en est, car Cayron ne peut espérer pour son *Style* un public qui s'étende à l'ensemble du royaume. Ce qu'il veut rendre crédible en insistant sur sa connaissance des « cours inférieures et souveraines du royaume », c'est l'esprit qui préside à son *Style*. Parce qu'il sait ce qu'est le Royaume, qu'il sait comment on y pratique la justice, son ouvrage n'est pas qu'un ouvrage technique. Il s'inscrit dans une pensée qui s'articule autour d'une vision du Royaume et donne sens à la procédure comme les juristes donnent alors sens au Droit[18].

Cayron ne se contente pas en effet de livrer à ses anciens collègues un ensemble de recettes qui font le « bon praticien ». Il ouvre plutôt son ouvrage sur un avant-propos assez curieux dans lequel notre ancien procureur traite de l'État ecclésiastique et séculier du Royaume de France et de « ce qu'il est requis de garder en l'exercice & administration d'icelle […] pour conserver la paix & société des hommes ». Alors que Figon avait utilisé l'arbre pour représenter les différentes branches de l'État, Cayron imagine que le royaume de France est la main droite du corps mystique. Dieu, législateur universel et tout puissant étant représenté par le bras qui soutient et donne sa force à la main qui figure le royaume de France que Cayron introduit sous le terme générique de monarchie de France.

---

18. Jean HILAIRE et Juliette TURLAN, « Les mots et la vie. La "pratique" depuis la fin du Moyen Âge », *Droit privé et institutions régionales. Études historiques offertes à Jean Yver*, Paris, Presses universitaires de France, 1976, p. 374-375 : « [L]es plus éclairés parmi les gens de pratique – ceux qui ont allié l'expérience à la formation universitaire – sentent la nécessité de faire, à côté du droit, la *théorie de cette science* de la pratique, désignée clairement comme la procédure. »

La main de Cayron

Tout en utilisant un vocabulaire familier aux juristes du XVIᵉ et du XVIIᵉ siècle, Cayron en détourne le sens. Le « corps mystique » dont le roi serait la tête alors que les trois ordres seraient les membres, indivisibles et inséparables, tous souffrant dès qu'une des parties souffre, n'est pas le corps mystique de Cayron. Et pourtant c'est bien d'une unité ontologique qu'il est question quand il parle du Royaume de France, unité qui tire sa force du Dieu éternel et tout-puissant qui la soutient et qui en est le tronc. C'est un corps disséqué qui sert ici à Cayron pour son propos, celui de l'anatomiste qui observe et transpose ce qu'il voit dans l'ordre politique. Le bras et la main qui servent pour la démonstration de Cayron forment un tout indissociable sans que le reste du corps soit même évoqué. Loin du corps fictif, abstrait même, auquel réfèrent les juristes de l'époque[19], Cayron cherche une image concrète qui, tout en fixant la place de chaque partie, insiste sur son rôle dans l'action de l'ensemble. La figure de la main qu'il choisit est celle d'un État intégrateur de tous, dans lequel certes les rôles sont précisément répartis, mais où les forts s'associent pour protéger le faible. C'est l'État idéal, l'État « perdu » qu'a décrit Guy Coquille dans son Discours aux États généraux de Blois dont Hélène Merlin a jadis redonné une juste interprétation, mais auquel Cayron croit toujours. Au moment où il écrit son avant-propos, Cayron est plein d'espoir sur l'avenir du royaume encore guidé par Henri IV.

La place de la justice et de ses serviteurs est centrale dans cette conception. Justice temporelle tout autant que justice spirituelle. Justice assurée par l'Église comme par le roi, « personne sacrée et mixte, premier fils de l'Église très-chrestien & chef de la justice séculière, soustien & deffenseur de l'un & l'autre estat, spirituel et séculier, comme ces deux doigts le sont par connexité ». Le roi est ainsi associé à la base de l'index qui prend sa racine du côté de celle du pouce que Cayron utilise pour représenter l'Église.

La deuxième jointure de l'index figure la reine et les princes du sang, alors que le bout du doigt « prenant sa force & son mouvement du tronc & racine d'iceluy » représente les officiers de la couronne, les lieutenants et gouverneurs des villes et des provinces et plus généralement toute la noblesse qui tous œuvrent pour la « conservation de cest Estat, administration & exécution de la justice Ecclésiastique & séculière, pour la conservation de la paix & unité, à l'advancement de la religion & service de Dieu ».

Comme un leitmotiv, Cayron répète que la racine et le tronc de chaque doigt prennent leur force du doigt qui le précède. Le troisième doigt figure

---

19. Hélène MERLIN, « Fables of the "Mystical Body" in Seventeenth-Century France », *Yale French Studies. Corps mystique, corps sacré : Textual Transfigurations of the Body from the Middle Ages to the Seventeenth Century*, n° 86, 1994, p. 126-142. Et évidemment Ernst KANTOROWICZ, *Les deux corps du roi : essai sur la théologie politique au Moyen Âge*, Paris, Gallimard, 1989, et les débats que ce livre a suscités.

les officiers de la justice de tous niveaux dont la racine et le tronc sont les cours souveraines dirigées, après le roi, par le chancelier. Cayron y place Conseils privé, d'État et des Finances, les maîtres des requêtes, puis les cours de parlement qu'il nomme en insistant sur le fait que la première est celle de Paris, mais que la seconde est celle de Toulouse. Coup de chapeau aux conseillers au passage, qui leur rappelle en même temps leurs devoirs : « lesdicts courts sont composés de si grands & rares personnages, & ont un tel & si grand pouvoir & autorité, qu'ils sont censez estre les tuteurs de nos Roys, les protecteurs de l'Estat, les conservateurs des privilèges du Royaume & de l'Église ». Bref, ce qui constitue la racine et le tronc du médius, ce sont tous les juges souverains de toutes causes, tant civiles que criminelles, ainsi que les cours souveraines des aides aux villes de Paris, Montpellier et Montferrand et le grand Conseil du roi à Paris : voilà qui donne la force à la justice.

Le doigt de la justice est complété, pour la deuxième jointure par les prévôts ou sénéchaux, les juges royaux et inférieurs, les cours des élus, les recteurs et docteurs régents des universités dont descendent les avocats et écoliers. Avec eux les procureurs, huissiers, notaires, greffiers, clercs et sergents « qui tiennent la main à l'accellération & exécution de la mesme justice, chascun en sa charge & selon son devoir ». La troisième jointure tient le bout du doigt, elle représente les échevins, capitouls, consuls, magistrats populaires qui ont charge des villes et de la police et qui, même s'ils sont inférieurs en juridiction, servent de sentinelles. Ils surveillent et exécutent les édits et les arrêts, font eux-mêmes les règlements pour la conservation de la discipline et des bonnes mœurs et veillent à la répartition et à l'exaction des deniers royaux et municipaux.

Curieux ensemble qui ne s'articule pas uniquement selon la hiérarchie des juridictions. En effet, chacune de ces positions a une fonction qui permet au système de se maintenir. Certes, la juridiction des villes, la plus éloignée de la base, est la plus faible, mais elle est en quelque sorte les yeux et les oreilles des autres juridictions. Elle surveille et exécute, tout en maintenant les bonnes mœurs et la discipline. Au centre, faisant le lien entre les protecteurs de l'État et les gestionnaires du quotidien, se situent tous les tribunaux royaux. C'est là que Cayron place les procureurs qui s'y trouvent, sans surprise, avec les huissiers, les notaires et les greffiers, mais curieusement aussi avec les sergents. C'est que tous sont rassemblés par leur fonction dans le système : ils sont des exécutants sans lesquels la justice ne serait pas. Pour Cayron, en effet, la justice n'est pas qu'une vue de l'esprit. Elle s'incarne dans les hommes qui l'exercent.

Le quatrième doigt est celui des finances. Constitué, à sa base par « Messieurs de la Chambre des comptes et cour des Monnaies », cours égales en puissance au parlement, et qui jugent aussi souverainement en leurs domaines que les cours de parlement et des aides dans les leurs. Mais

Cayron ne manque pas d'insister sur le fait que la cour de parlement tient la « partie droite » alors que la Chambre des comptes tient la « partie gauche », ce qu'il appuie sur le fait que la cour de parlement est considérée, à l'enterrement du roi, comme représentant la Majesté vivante du roi, raison pour laquelle la cour de parlement s'y présente sans porter le deuil.

Suivent ensuite, associés à la seconde jointure, les trésoriers généraux de France, les maîtres des eaux et forêts, les receveurs généraux et particuliers des tailles et des décimes et ceux qui en dépendent, puis au bout du doigt les secrétaires d'état et officiers du grand sceau et des autres chancelleries. Que font les secrétaires d'État et les officiers du grand sceau au point le plus faible du doigt des finances ? Il est difficile de dire si Cayron voulait souligner par là qu'ils n'étaient pas grand-chose sans une Chambre des comptes et une cour des monnaies fortes et qu'ils dépendaient absolument du travail de ceux qui ramassaient l'argent. La logique de son système pourrait porter à le croire, mais lui-même ne fait aucun commentaire dans ce sens.

Le cinquième doigt n'est pas inintéressant dans cette main où chaque doigt prend sa force dans sa connectivité à celui qui le précède. C'est le tiers état, dont la source et la racine sont les bourgeois, marchands, artisans et personnes des manufactures qui doivent être « estimés & protégés par tout les autres estats en leur fonctions & négociations, en ce qu'on recognoist, que par leur industrie & diligence, les villes & pays sont assortis, munis & entretenus de vivres, denrées & marchandises de toutes sortes ». Du point de vue de la justice, les bourgeois peuvent juger en matière de marchandises. Mais là où Cayron montre son originalité est quand il s'attarde à la seconde jointure du petit doigt, « simple et imbécille » [faible]. C'est là qu'il manifeste son intérêt pour la médecine qu'il convoque alors clairement : les médecins et chirurgiens disent en effet qu'en cette partie du petit doigt se trouve une petite veine qui répond au cœur, « laquelle estant offancée, il est croyable que le cœur s'en ressentiroit si fort, que le corps seroit bien tost abbatu ». C'est pourquoi cette partie est si importante à la vie des hommes : elle figure les laboureurs, vignerons, jardiniers et tous ceux qui font profession d'agriculture. Peu importe que Cayron ne fasse ici qu'adapter une croyance venue de l'antiquité, il s'inscrit dans la fascination de sa génération pour l'anatomie et fait étalage de son « savoir[20] », pour renforcer l'analogie qu'il utilise.

Le bout du petit doigt semble le moins utile et il semble qu'on pourrait le perdre sans trop de conséquence. Cayron associe le bout de ce doigt aux pauvres mendiants et autres personnes souffrantes, de grand prix aux

---

20. Un lien entre une veine qui répond au cœur et un doigt est en général rapporté pour expliquer d'où vient la tradition de porter l'anneau de mariage au quatrième doigt, mais Cayron associe ici ce lien avec l'auriculaire et non avec l'annulaire. Le *Dictionnaire encyclopédique des sciences médicales*, deuxième série, t. 6, publié en 1873, p. 15, fait remonter aux Égyptiens la croyance que « du petit doigt part un nerf ou un tendon qui remonte jusqu'au cœur ». C'est Pline qui aurait rapporté cette croyance.

yeux de Dieu qui a versé son sang précieux pour les riches comme pour les pauvres. Si les pauvres doivent être unis à cette main, c'est qu'ils dépendent du même créateur que les autres. Sur cette référence aux pauvres, s'arrête la métaphore anatomiste que Cayron substitue à celle du corps mystique.

Son sens de l'observation s'est un peu perdu dans le calcul des articulations de la main à laquelle il prête 15 parties (en fait 14) dont chacune tire sa force de celle d'une autre. L'image ne se réduit pas à une carte de la société et de l'État français, elle est vision universelle. En effet, Dieu, le créateur, représenté ici par le bras qui est « le tronc, la force & le soustien de ceste main dextre & monarchie de France » est au centre de l'allégorie. C'est lui « par la grâce duquel la main dextre de ce corps universel auroit esté attribué à nos Roys ». Le tout se termine dans une image d'unité, celle de la main serrée sous le pouce et autorité de l'Église, image qui présente les doigts tous égaux entre eux, concordant sous la majesté du roi à ce que les petits obéissent aux grands par les voies ordinaires de la justice.

Le choix de Cayron de présenter les 5 parties de son livre et les 15 sous-parties qui le constituent à travers la métaphore d'une main droite, devenue allégorie pour le royaume de France tout entier est curieux. L'anatomie, on le sait par les travaux de Rafael Mandressi[21] fut partout au XVIe et au XVIIe siècle, à tel point que l'histoire culturelle peut la revendiquer tout autant que celle de la médecine. En parlant de l'homme, l'anatomie sert à une meilleure connaissance de soi, elle sert aussi de véhicule pour atteindre Dieu.

Alors que l'utilisation de la main a été mise au jour par les spécialistes des « arts de mémoire[22] », on ne trouve pas chez les auteurs qui se servent de cette image le type d'analogie qu'exploite Cayron. Certes, les cinq doigts de la main ont été plusieurs fois utilisés pour organiser les ouvrages publiés au XVIe siècle[23] et la main a servi à des fins pédagogiques pour aider à calculer, comme pour mémoriser les fêtes des saints, mais, sauf erreur, jamais les auteurs n'ont usé de la main pour exprimer de cette façon l'interdépendance des composantes de l'État. Il n'est pas exclu que Cayron ait eu en tête l'usage de la main comme support mnémotechnique, pour servir aux praticiens. Cet usage a pris au cours des ans diverses formes[24] et les

21. Rafael MANDRESSI, *Le regard de l'anatomiste. Dissections et invention du corps en Occident*, Paris, Le Seuil, 2003.

22. Un grand merci à Igor Melani pour m'avoir suggéré cette piste. Pour un bilan, voir William E. ENGEL, « What's New in Mnemology », *Connotations, A Journal for Critical Debate*, 11, n° 2-3, 2001-2002, p. 241-261.

23. W. E. ENGEL, « What's New… » cite notamment Daniel MARTIN, *Rabelais, mode d'emploi : avec le plan du* Pantagruel *suivant les jours de la semaine et des saints sacrements de l'Église*, Tours, A.-G. Nizet, 2002.

24. Claire Richter SHERMAN, *Writing on Hands. Memory and Knowledge in Early Modern Europe*, [catalogue d'exposition], The Trout Gallery, Dickinson Collège, with the participation of The Folger Shakespeare Library, s. d. Merci à Michèle Fogel de m'avoir signalé l'existence de cet ouvrage.

exemples d'association des diverses composantes de la main à des concepts ne manquent pas. Pourtant, la complexité de l'organisation de Cayron laisse croire qu'il ne fait pas que transposer à l'écrit une méthode qu'il avait peut-être déjà expérimentée à l'oral.

On ne sait rien des lectures, ou de la bibliothèque de Gabriel Cayron, qui contrairement à La Roche Flavin qui multiplie les digressions pour faire état de son érudition, ne réfère jamais à des auteurs précis ou à ses lectures. Peut-être avait-il lu l'*Historia Anatomica* d'André Du Laurens, parue à Paris en 1598, dont l'auteur, docteur de Montpellier, avait fait une partie de sa carrière dans cette ville. Quoi qu'il en soit, Cayron ne semble pas avoir été étranger à la façon de penser de ce médecin pour qui l'anatomie servait à la connaissance de soi-même, comme à la connaissance de Dieu[25]. Cette place donnée à la connaissance de soi apparaît dès le frontispice de l'œuvre qui réfère à l'« oracle delphique ».

Issu de son expérience, l'ouvrage de Cayron est une façon de tirer de sa pratique des leçons qui la dépassent mais qui la valorisent aussi. Ce qu'il livre à ses anciens collègues est un manuel de procédure, mais c'est aussi une réflexion sur la raison d'être de cette procédure dans un système plus large qui englobe l'ensemble des institutions de justice. Intégrés à cet ensemble, les procureurs et les praticiens à qui il est destiné, ont sous les yeux, pour se le rappeler, une image qu'ils peuvent reproduire à tout moment. Il est facile de contempler un poing fermé et il n'est point besoin, pour en comprendre le sens, d'avoir étudié la théorie du droit. De ce point de vue, l'avant-propos du *Style* de Gabriel Cayron de 1611 trace, pour les procureurs à qui il s'adresse, tout un programme. Il leur donne, dans le royaume, une place que les justifications de l'office n'ont pas encore brouillée.

Cayron avocat

Entre la parution du *Style* de 1611 et l'année 1613, Cayron devient avocat au parlement de Toulouse. La publication de son ouvrage ne semble pas avoir favorisé ses affaires, mais son goût pour les voyages ne s'est pas affaibli. Ainsi le retrouve-t-on, le 2 avril 1613, à Paris, négociant un emprunt de 630 livres auprès d'un marchand bourgeois de Paris, Vincent Voiture, qui doit être le père du poète[26].

Son beau-frère, le jeune Coste, qualifié alors d'écuyer de la ville de Toulouse, meurt le 19 avril 1613 à la suite d'un coup de pistolet au ventre que lui a asséné un valet de monseigneur de Noailles. Dans son testament fait quelques heures avant sa mort, il laisse tout à la femme de Cayron, à la charge qu'elle poursuivra en justice le valet qui l'a assassiné[27].

---

25. *Ibid.*, p. 219.
26. ADHG, 1E 67, pièce 3.
27. ADHG, 1E 66, pièce 38.

L'héritage, surtout constitué de maisons à Toulouse, ne tombe pas si mal puisque l'année suivante, le 7 février 1614, Jeanne Coste et Gabriel Cayron concluent pour leur fille Marguerite, un mariage avec le fils d'un receveur des décimes au diocèse de Toulouse, Pierre de Blandinières, lui-même trésorier de la maison commune. Cayron en paie la dot avec une lettre de change qu'il a négociée à Paris le 27 septembre précédent[28]. La dot de Marguerite, 4 000 livres, est deux fois plus importante que celle apportée par sa mère, mais il semble que Cayron eut bien du mal à la payer.

Cayron profite-t-il un peu trop des attraits de Paris ou s'il choisit mal son camp ? Il est sûr en tout cas que ses affaires commencent à péricliter, puisqu'en 1620, il doit engager l'une de ses maisons pour payer ses dettes, puis une deuxième en 1624. Il n'a probablement alors pas l'argent pour marier sa seconde fille Marie, qui entre, cette année-là, au couvent du tiers ordre de Saint-François, avec une dot de 1 600 livres, plus les habits et les frais du festin, ce qui est loin des 4 000 livres qu'exigent les dots des filles qu'il marie[29]. Il continue néanmoins à étudier puisqu'en 1625, il ajoute à ses titres celui de docteur en droits. Il soutient, quand il publie la deuxième édition de son livre en 1630, en précisant cette fois qu'il est avocat au parlement et secrétaire ordinaire de la chambre du roi, qu'il a parcouru « de tous côtés le royaume de France ». Peut-être ces voyages l'ont-ils ruiné quoi qu'en pense sa femme qui met plutôt la faute sur « le malheur des guerres et celluy de ses affaires[30] ». Il est d'ailleurs difficile de savoir en quoi consistent exactement ces affaires. On sait qu'il a servi de caution à son gendre Blandinières, puisqu'il est poursuivi par les créanciers de ce dernier, en plus d'être poursuivi lui-même pour ne pas avoir payé les tailles sur les maisons qu'il possède à Toulouse et qu'il a données à pacte de rachat. Ses fils sont toujours aux études. Ni l'un, ni l'autre n'est alors prêt à voler de ses propres ailes.

C'est alors que paraît la deuxième édition de son *Style* dont le titre tient compte des remaniements et des informations qu'il a cru bon d'ajouter[31].

Presque vingt ans se sont écoulés depuis la parution du premier *Style*, vingt-cinq ans depuis qu'il a quitté ses fonctions de procureur au parlement. La situation politique a bien changé et notre homme ne se qualifie

---

28. ADHG, 1E 67, pièce 7.
29. ADHG, 1J 1003, pièce 37, testament de Gabriel Cayron, notaire Jean Arnaud, 2 juin 1647.
30. ADHG, 1E 66, pièce 19.
31. Gabriel Cayron, *Styles de la Cour de Parlement, Chambre des requestes, Seneschal, & autres Juges Royaux subalternes & politiques du ressort de Tolose. Soubs lesquels sont compris et conferez les styles & forme de proceder, tant au Privé & grand Conseil du Roy, & en ses Chancelleries, qu'aux autres Cours Souveraines & inférieures du Royaume de France ; suivant les Ordonnances Royaux, Arrests & reglemens sur ce faicts & donnez ; Ausquels sont conformes les actes judiciaires, Requestes, Lettres de Chancellerie, exploits, procez verbaux, & autres y descrits au long ; Avec Annotations sur ce qui est des actions & leurs differences. Et des formes de juger, pronocer, dresser & executer les Sentences & Arrests qui s'en ensuivent, tant en matiere Civile, que Criminelle : Et ce qui est des charges, droicts & devoirs d'un chacun des Officiers servans lesdites Cours, Bureaux des Finances, & l'art Militaire. Le tout divisé en cinq Livres, enrichis de plusieurs choses memorables en cette seconde edition : avec deux Tables des Titres, & matieres* (Toulouse, 1630).

plus d'ancien procureur au parlement, mais plutôt d'avocat au parlement. Comme plusieurs de ses collègues avocats, il a été juge ordinaire d'une juridiction inférieure, celle de Seysses où il possédait des biens, une charge qu'il avait sans doute obtenue grâce à la protection des Noailles[32]. Il est toujours secrétaire ordinaire en la chambre du roi.

L'optimisme perdu

L'allégorie de la main droite n'est plus qu'un souvenir. Il y fait une timide allusion pour justifier le déploiement de la nouvelle édition comme la main qu'il avait décrite dans le premier livre « estendue largement en cette seconde édition, pour faire voir en gros & en général ce qui est de l'estat & puissance du Roy, & du Royaume ». Sans renier l'ancienne allégorie, il ne la reproduit pas. L'ouvrage se contente de décrire sans émotion les différents pouvoirs et leurs attributions. Les artifices pédagogiques pour faire comprendre l'idée qu'il se fait du royaume sont devenus inutiles. Du coup, cette idée ne nous est plus accessible.

Il adresse cette fois son sonnet d'ouverture aux avocats et aux procureurs. Le bien public, l'utilité publique justifient le travail des uns comme des autres, « grands esprits », qui ne dédaignent pas l'étude. « Ce Livre qui du Droict enseigne la pratique » a eu des effets surprenants. L'un des auteurs qui lui rend hommage par un sonnet au début de la deuxième édition insiste sur les conséquences du premier ouvrage qui, en expliquant la pratique, a mis la chicane au désespoir, en révélant « toutes ses ruses… pour nous deffendre de ses coups et de la rage de ses loups, Cayron, il ne faut que te lire ». Le sonnet qui prend à partie la chicane s'inscrit dans une littérature qui personnalise la chicane alimentée par les gens du palais. La vogue des opuscules imprimés nourris par ce thème n'est pas encore à son zénith, mais le sonnet qu'on imprime en tête d'un livre aussi officiel qu'un Style de la cour de parlement indique que les gens de justice eux-mêmes souhaitent un assainissement des pratiques dans ce domaine[33].

Les parties de l'ouvrage de 1630 qui en constituent le cœur et font qu'il mérite son titre n'ont pas été tellement modifiées pour cette deuxième édition. Des arrêts postérieurs à la parution de la première édition ont été ajoutés ; l'histoire du royaume qu'il terminait avec Henri IV en 1611 intègre désormais des événements du règne de Louis XIII. Quelques passages ont été relocalisés. La plus grande différence entre les deux éditions tient dans

---

32. Cayron ajoute à l'édition de 1630 un « Règlement faict en la cour ordinaire de Seysses par Cayron Juge, autheur de ce Livre », p. 51. Il ne mentionne évidemment pas les Noailles.
33. Voir Claire DOLAN, « Gens de chicane ou de justice ? », p. 231-245. Sur la littérature de basoche : Sara BEAM, *Laughing Matters : Farce and the Making of Absolutism in France*, Ithaca, Cornell University Press, 2007 ; Marie BOUHAÏK-GIRONÈS, *Les clercs de la basoche et le théâtre politique (Paris, 1420-1550)*, Paris, Champion, 2007.

la dégradation de l'image des procureurs qu'y dessine Cayron par rapport à celle qu'il donnait d'eux quand il venait à peine de les quitter.

Dans l'édition de 1611, il avait déjà fustigé la communauté des procureurs qui avait refusé de lui fournir le texte d'un règlement qu'elle s'appliquait à faire approuver concernant la discipline à l'intérieur de la communauté. Cayron ne s'était pas gêné alors pour dire que « la malice des parties & l'avarice de certains Procureurs est préférée au devoir, aussi il s'en treuve peu qui vueillent fléchir à cette obeïssance ; ains se tiennent à leurs opinions erronées, sans vouloir recevoir ny advis ny correction de leurs anciens compagnons, estimant qu'ils sont autant qu'eux ». L'ancien procureur désormais rompu aux études ne semble pas avoir reçu de son ancienne communauté la considération espérée. En 1630, il reprend la remarque à laquelle il ajoute une topique bien connue qui accuse de tous les maux l'édit de Villers-Cotterêts qui a supprimé le latin des actes.

> « On a tellement abusé dudit langage [le français], qu'un chacun s'estimant capable de l'entendre, on a prins au rebours, & changées les formes & stils que les anciens gardoient, observoient & expliquoient religieusement aux parties, & qu'icelles parties sans plus enquérir acquiesceoient et gardoient aussi exactement ; d'où sont engendrez & sortis un si grand nombre d'officiers & d'affaires, Advocats, Procureurs, Notaires, Sergens & Solliciteurs, que pour s'adonner comme on a fait à cette chicane en tous lieux, la terre est quasi délaissée sans culture, les estudes sans fruict, le commerce & les manufactures sans ouvriers, & conséquemment les familles en désolation par tant de meschans contracts & advis que telles personnes incapables donnent et mettent dans la cervelle des ignorans. Que de là, & de l'adveu & support que les Procureurs leur donnent, advoüant les actes qu'ils font à leur nom supposé, sans observer ny forme ny ordre de Justice, & qui par leur avarice & malice engagent si avant leurs cliens en procez, qu'il est quelquesfois impossible aux plus advisez de les entendre pour s'en démesler dignement, ny de mettre jamais fin à tels différents[34]. »

Mais il propose aussi des solutions.

> « Ce qui n'arriveroit s'il estoit usé de ses gens là comme des artisans aux maistrises jurées ; sçavoir qu'avant de contracter de leurs charges & offices ils se présenteroient devant les anciens Procureurs & Notaires capables en nombre suffisant pour les examiner & cognoistre de leur aage, bonne vie & expérience aux affaires, & retiroient certificat du tout, & qu'ils avoient de quoy vivre sans cela ; veu qu'aussi avec cela les capables, s'ils sont pauvres, se portent volontiers à la concussion, aux faussetez & prévarications, & à la malice des parties qui désirent se venger ou descharger par un moyen ou par autre de ce en quoy ils se voyent condamnez : & ainsi le nombre de tels chicaneurs & trompeurs n'en seroit pas si grand, & seroient les stils & règlemens anciens restablis & gardez à la plus grand gloire de Dieu & de la Justice. »

---

34. Gabriel CAYRON, *Styles* 1630, p. 678 et suiv.

Le texte qui précède est particulièrement intéressant. D'une part, par la place qu'il donne aux anciens, il annonce l'emprise de plus en plus forte que les communautés de procureurs prendront sur la gestion de la discipline. D'autre part, le lien entre la pauvreté du procureur et la concussion à laquelle il s'adonnerait sera aussi un argument récurrent au XVIIIe siècle quand les procureurs et les notaires réclameront de pouvoir combiner leurs fonctions. Avoir de l'argent, selon ce que Cayron laisse entendre, est donc un gage d'éthique. Comment expliquer cette nouvelle façon de voir ? Cayron serait-il désormais plus près des valeurs des avocats dont on connaît l'importance pour eux de ne pas être associés à l'idée de rémunération ? La situation économique personnelle de Cayron le rend-elle davantage sensible à ces considérations ? Cayron traduit-il ainsi les discussions qui ont lieu au moment où les procureurs soutiennent que leur pauvreté les empêche de prendre leurs provisions du roi ? Toutes ces hypothèses sont plausibles et concourent probablement à expliquer les positions de l'ancien procureur, mais l'intérêt de ce texte se trouve davantage dans la pérennité des arguments qui justifient un contrôle accru du travail des hommes de pratique. Le discours de la communauté des procureurs au parlement de Toulouse, plus d'un siècle plus tard, semble avoir puisé ses justifications dans le même catalogue d'arguments que Cayron.

Contrairement à l'édition de 1611 où les procureurs avaient été présentés par Cayron comme des hommes de pratique pour qui l'étude était moins nécessaire que la pratique, cette dernière ne se conçoit plus 20 ans plus tard, sans l'étude. Les *Remontrances aux jeunes praticiens* qu'il ouvre en prenant son propre exemple, lui que les malheurs des guerres ont empêché de poursuivre ses études, mais qui a tout de même réussi à monter des plus bas aux plus hauts degrés de la justice, sont placées sous le signe de l'étude. Cette dernière est encore très élémentaire. S'il semble évident que les jeunes praticiens doivent d'abord respecter leurs maîtres, les autres préceptes qu'il leur livre ne sont pas moins évidents. Apprendre à bien lire et à comprendre ce qu'ils lisent, puis, chez quelque bon écrivain, apprendre à écrire et à bien former les lettres, à utiliser les abréviations, à éviter l'abus des grandes lettres qu'on trouve à cette époque et qui rendent les écrits confus. Ensuite, ils doivent apprendre à compter, tant avec les jetons qu'avec les chiffres, et finalement choisir de bons maîtres qu'ils serviront et auxquels ils obéiront, en étant attentifs à bien recopier ce qu'ils leur dicteront. Devenus clercs de notaires, autres facteurs ou secrétaires, ils passent à l'étape suivante. Ils doivent en effet

> « apprendre à bien lire & escrire le Latin, & François, mesmement les vieux manuscrits, avec les abréviations des mots, & clauses des actes publiques, pour les expliquer & estendre lorsqu'il en sera besoin, d'observer les accens & ortographes des escrits : & en cet endroit apprendre les styles des

lettres avec la différence des actes, comme des obligations aux promesses, de procurations à résigner, permutter, recevoir ou constituer à gérer… [suit une liste d'actes] [35] ».

Pauvre programme d'étude pourrait-on dire, dans lequel aucun auteur n'est recommandé. Mais Cayron ne se trompe pas de cible, il s'agit de développer les outils qui serviront à la pratique, non de former des avocats. L'université de Toulouse se charge de ces derniers, et leur programme, même si les historiens de la Faculté de droit estiment qu'elle est alors en décadence par rapport à ce qu'elle avait été au XVIe siècle, est d'une toute autre ampleur.

Les changements apportés par Cayron à l'édition de 1630 peuvent-ils dès lors être attribués à son éloignement du statut de procureur et à son adhésion aux valeurs des avocats ? Peut-être, mais pas uniquement. Alors que les objectifs de l'ouvrage demeurent les mêmes, le contexte s'est transformé et le personnage a subi les difficultés de la vie. Optimiste, voire enthousiaste face à la justice en 1611, il semble un peu désabusé quant à son fonctionnement en 1630. Pourtant s'il dit, dès 1630, qu'il lui reste peu de bien de ce que lui a apporté la pratique de la justice, il n'en reste pas moins fier des connaissances qu'il a acquises. Savoir dresser un acte selon les règles de l'art est encore pour lui objet de fierté, comme c'est le cas des autres procureurs producteurs de « Style », à la même époque, même si aucun d'entre eux n'a eu le souci d'organiser la présentation de la procédure avec le raffinement de Cayron.

Entre la première et la deuxième édition du *Style* de Cayron (1611 et 1630), Jean Malessaigne, un autre procureur, avait ainsi fait paraître son *Stil*, en 1625[36]. Son ouvrage s'ouvrait aussi sur une lettre aux praticiens : « Me treuvant sans occupation, je me serois résolu de repasser par ma mémoire, ce que je pouvois avoir veu, & apprins en la pratique & ordre judiciaire[37]. » Comme Cayron, il justifie sa compétence par une pratique largement assise sur l'ensemble des parlements de France : « en la plus part desquels j'ay pratiqué peu ou prou, à tout le moins pour en retenir les parties plus nécessaires ». Dans son cas, la mention porte un peu à sourire quand on sait que Malessaigne n'a pas usé des « parlements de France » qu'en tant que procureur. En effet, procureur en cour de parlement de Toulouse et chambre de l'édit à Castres, Jean Malessaigne s'est trouvé, en 1602, mêlé à une curieuse affaire. Sa femme, Anne Viguerac, accusée d'adultère et d'excès, avait alors été condamnée au fouet, et à être bannie

---

35. Gabriel CAYRON, *Styles* 1630, p. 812.
36. Jean MALESSAIGNE, *La forme et ordre judiciaire observé en la Cour de Parlement de Tolose, et Chambre de l'Édict, pour le ressort d'icelle seant à Castres, tant en l'introduction que instruction de toutes matieres civiles & criminelles…* J'ai consulté un exemplaire de cet ouvrage à la bibliothèque municipale de Toulouse dans son édition de 1625 (Montpellier, Jean Pech, imprimeur ordinaire du Roy et de ladite ville). Cet ouvrage est habituellement cité dans sa 2e édition, celle de 1645.
37. Jean MALESSAIGNE, *La forme…* p. 3.

à perpétuité du ressort du parlement de Toulouse. La menace assortie à la condamnation qu'elle serait pendue si elle ne quittait pas le ressort n'avait pas eu d'effet et la femme avait continué sa vie dissolue. Jusqu'au jour où l'un de ses amants, Pierre Du Bac, la tue. Poursuivi par Jean Malessaigne, Du Bac est condamné à mort en 1604, mais avant sa mort, l'amant, comme il se doit, est passé à la question pour qu'il livre ses complices. Il donne alors le nom de Malessaigne qu'il accuse d'avoir commandité le meurtre de sa femme. Malessaigne est donc condamné aux galères à perpétuité, ses biens et son office saisis. Malessaigne s'adresse alors au roi pour obtenir son « rappel » des galères, eu égard au fait qu'il a plusieurs enfants mineurs et qu'il s'est toujours bien comporté. Le roi, touché par l'intervention en faveur de Malessaigne d'un de ses « plus especialus serviteurs », lui accorde sa grâce et le remet en possession de ses biens et de sa réputation, le 14 janvier 1606. Ces lettres sont finalement vérifiées au parlement d'Aix, à la barre, le 30 octobre 1606[38].

Quoi qu'il en soit, il est significatif que Malessaigne cherche, comme Cayron, à justifier l'écriture de son Style par une connaissance générale des pratiques de la justice dans le Royaume. Au moment où il écrit son Stile, Malessaigne est procureur en la cour des Aides de Montpellier, mais il insiste sur l'« affection particulière que j'ay [au parlement] de Tolose, & Chambre de l'Edict de son ressort, où je me suis formé & advancé plus qu'aux autres ». S'il livre aux praticiens son expérience, c'est moins parce qu'il a une vision claire de leur place dans le système judiciaire que parce que l'observation de l'ordre et du style est « proffitable aux parties, pour retrancher une infinité des longueurs qui se rencontrent » là où ils ne sont pas suivis[39]. On retrouve là, en termes plus simples, les justifications fournies par Cayron, dont on peut également trouver l'inspiration dans les nombreux édits pour « l'abbréviation des procès » dont nous avons déjà parlé. Technicien qui cherche l'efficacité, Malessaigne poursuit ensuite avec un discours sur l'institution et la juridiction du parlement de Toulouse où, sans originalité, il donne une certaine épaisseur historique à son traité[40].

Façon d'exorciser leur sentiment d'infériorité face à ceux à qui ils dédient leur travail, les procureurs qui rédigent des styles à cette époque insistent sur les limites de leur instruction. Malessaigne dit que son peu d'étude et expérience du reste des affaires le confine à ne parler que de ce qu'il a appris, « en l'exercice de [sa] charge[41] ». André Verney, procureur aux

---

38. ADBR Aix, B 3342, f° 803. Je suis tombée par hasard sur cette histoire à laquelle je n'aurais probablement pas porté attention si je n'avais pu identifier en ce galérien, l'auteur du Style de 1625. L'aventure n'est signalée ni par Malessaigne, ni par Astré qui a pourtant mentionné Malessaigne comme l'un des continuateurs de Cayron. Florentin ASTRÉ, « Cayron et son livre », extrait du Recueil de l'Académie de Législation, t. XX, p. 20.
39. Jean MALESSAIGNE, La forme..., p. 3
40. Ibid., p. 5-25.
41. Ibid., p. 5.

cours de Lyon, aborde son incapacité à bien écrire « pour avoir esté distraict et retiré des escholes (logé seulement aux principes de grammaire) par les troubles de la sainct Michel[42] ». Même Cayron insiste sur les efforts qu'il a dû déployer pour reprendre des études dont les guerres l'avaient d'abord détourné, ce qui l'avait conduit à devenir procureur[43]. Effet de rhétorique destiné à opposer l'expérience de la pratique à la théorie que fournit l'étude du droit ? Quoi qu'il en soit, leur manque d'études semble, pour les procureurs, en ce début du XVIIe siècle, ce qu'ils regrettent le plus.

Il est possible que le statut d'avocat que Cayron a décidé d'acquérir reflète sa volonté de retrouver un statut social qu'avait jadis tenu sa famille, en Quercy (famille des plus nobles, dit-il lui-même) et qu'elle avait perdu à la suite des guerres de religion. Toutefois, l'intérêt qu'il porte à l'étude et sur lequel il insiste dans l'édition de 1630 peut également expliquer les choix qu'il a faits. Le cheminement suivi par ses fils montre l'importance accordée à l'étude dans cette famille, comme dans bien d'autres, malgré de graves difficultés financières.

En 1631, Henri, le fils aîné, est bachelier en théologie. Il se démet de ses droits sur les biens de ses parents, tout en souhaitant continuer à vivre avec eux. Ces derniers lui constituent, pour son titre clérical, la somme de 3 000 livres à prendre sur leurs biens[44]. L'année suivante, il prend possession de deux obits fondés dans une église de Toulouse, mais il passera plusieurs années à tenter de faire reconnaître la provision que l'évêque lui en a faite[45]. En 1632, Charles, le second fils, âgé de 29 ans, est encore écolier quand un conflit éclate entre lui et le procureur général au parlement qu'il poursuit jusque dans la cour de sa maison pour l'insulter. Le procureur général porte plainte et c'est l'occasion de voir défiler une série de témoins qui rendent compte de la place que tient toujours Cayron parmi les procureurs. Ce dernier est rencontré au Palais en compagnie de plusieurs procureurs de la cour qui lui parlent de la témérité de son fils. Le procureur Bosignac, âgé de 50 ans, est à ses côtés, en la salle de la Grande Chambre de l'audience, un autre, Compaing, âgé de 52 ans y est aussi, de même que le procureur Rocher. Il s'agit peut-être d'un hasard, mais Cayron semble toujours fréquenter le Palais et avoir gardé des amis parmi les procureurs de son âge[46].

S'il avait tiré peu de bien de la pratique de la justice quand il avait publié la deuxième édition de son *Style*, en 1630, il ne réussit pas à redresser ses affaires avant sa mort. En 1638, il hypothèque une troisième maison et les informations qu'on a sur lui pour les années qui suivent ne concernent

---

42. André VERNEY, *Le Stil ordinaire de la seneschaucée et siège presidial de Lyon*, recueilli par M. André Verney procureur es Cours dudit Lyon, Lyon, Thibaud Ancelin, 1599, p. 3 (épître dédicatoire).
43. Gabriel CAYRON, *Styles* 1630, « Remontrances de l'autheur aux jeunes praticiens », p. 811.
44. ADHG, 1E 67, pièce 9.
45. *Ibid.*, pièce 11.
46. *Ibid.*, pièce 15.

que ses difficultés financières et les problèmes qu'il rencontre avec le trésorier de la ville qui le poursuit pour tailles impayées. Il trouve cependant le moyen de marier sa dernière fille, Jeanne, en 1644, avec un marchand toulousain, Des Innocens, fils d'un secrétaire du roi, à qui il offre une dot de 4 000 livres. C'est dans ce contexte que paraît en 1645, le *Parfait Praticien français*, qui reprend l'essentiel des trois livres principaux de ses deux premiers *Styles*, et pour lequel il est surtout connu. Il fait deux ans plus tard, en 1647, son testament. Il a entre temps fait passer avocat son fils Charles et l'a émancipé, sans rien lui donner, dit-il[47]. Il doit mourir vers 1650. Son fils Henri qu'il a institué son héritier universel refuse l'héritage qui revient alors à son fils Charles, l'avocat, qui continuera toute sa vie à tenter de régler les affaires de son père[48]. À 56 ans (en 1659), Charles a tout de même des biens d'une valeur de 50 000 livres et de 2 000 livres de rente, quand il en fait donation à son beau-frère, Des Innocents, sous réserve de 800 livres de pension et de payer les charges et hypothèques desdits biens, notamment de quatre maisons situées dans le capitoulat de la Dalbade[49]. Les affaires tournent mal encore une fois puisque Des Innocens ayant pris la recette du diocèse de Rieux accumule les dettes et quitte le royaume pendant deux ans, laissant sa femme et ses 11 enfants, et les dettes sur les biens des Cayron impayées. Le *Praticien* de Cayron sera réédité après sa mort, mais il ne semble pas que l'ouvrage lui ait apporté autre chose qu'une satisfaction personnelle. Sa veuve a bien essayé de jouer sur « les services que ledit feu mr de Cayron a rendeus au public par son livre ou [la] justice et authorité se voyent très utillement déduittes », mais sans succès.

En 1645, quand paraît le *Parfait praticien françois*[50], les procureurs et les praticiens de 1611 ne sont plus l'objet de l'adresse d'ouverture. La Pratique s'est ouverte, elle n'est plus le fait de gens qui n'ont pas pu étudier. Le Sonnet d'ouverture de l'ouvrage destiné aux « pratiquans », a changé de ton : « O vous qui de l'Escholle aux charges eslevés, Devés par vostre soin régir la République, Comme par le sçavoir vous estes cultivez, Il vous faut devenir parfaits par la Pratique. » Et il continue :

> « Car quelque fonction que vous ayez en main, De Juge pedanée, ou Juge souverain, Que vous soyez Notaire, Huissier ou Secrétaire, Financier, ou Soldat, vous trouverez icy Pour bien vous gouverner en tout genre d'affaire, De toute la Pratique un Tableau racourcy. »

---

47. ADHG, 1J 1003, pièce 37, testament.
48. ADHG, 1E 66, nombreuses pièces d'un procès entre Charles Cayron et son beau-frère Des Innocens. 1E 67, pièce 25, pour le refus par Henri de l'héritage et son transfert à son frère Charles.
49. ADHG, 1E 66, pièces 60 et 61.
50. Gabriel CAYRON, Le *Parfait Praticien françois...*, Toulouse, Jean Boude, imprimeur ordinaire du Roy, 1645.

Le *Parfait Praticien françois* de Cayron, dont le titre reprend celui de l'ouvrage de Jean Le Pain, s'adresse donc à un plus large public que les styles qu'il avait d'abord publiés. Mais l'esprit qui est le sien diffère complètement de celui de Le Pain, dont l'épitre à Tuillier, écrite en 1622, et reprise dans les éditions subséquentes cherche la polémique. Le Pain, qui n'est pas un procureur, mais dont on ne connaît pas la profession, justifie son entreprise en 1622 par son désir de « communiquer au public [les questions de pratique] voyant que ceux qui les sçavent ne les veulent divulguer, ains les retiennent par devers eux, & semblent estre marris & jaloux si quelques-uns les apprennent par autre voye que par leur moyen[51] ». Malgré ses jugements à l'égard de ses anciens collègues, jamais Cayron n'a fait preuve d'un mépris de ce type pour les procureurs et s'il cherche à toucher un public plus large qu'en 1611, il ne fait pas mystère de s'adresser malgré tout aux gens du palais et aux notaires[52].

Quels furent les lecteurs de Cayron ? Des procureurs, des avocats, des greffiers[53], des juges ? Si le *Parfait Praticien français* peut être confondu dans les inventaires de bibliothèque avec les nombreux autres *Praticiens français* qui ont été publiés au XVIIe siècle[54], le *Style* de Cayron de 1611 est facilement identifiable. À Toulouse, le livre fait encore partie des bibliothèques de procureurs un siècle plus tard. Ainsi, le procureur Jacques Calmettes, procureur au parlement décédé en 1706, avait-il rangé le livre dans une armoire fermée à clef, avec le *Corpus Juris Civilis* (1620), la *Conférence des Ordonnances royaux* par Guenois (1607) le *Code Louis* (1667) et le *Code criminel* (1670), plusieurs exemplaires de l'ordonnance de 1667, de la Coutume de Paris, un Recueil des édits, mais aussi les *Annales* de Tacite. Le *Style* de Cayron était le seul ouvrage de procédure toulousaine de cette bibliothèque. En plus de servir à la pratique au Palais, il fournissait une histoire du royaume de France et une interprétation optimiste de l'organisation de l'État. Comment savoir ce qu'a retenu le procureur Calmettes du *Style* de Cayron et comment il a réconcilié sa vision avec celle de Tacite ?

---

51. Jean LE PAIN, *Le Practicien françois, ou Livre auquel sont contenues les plus frequentes et ordinaires Questions de Practique tant en matiere civile & criminelle, que beneficiale & profane : digerées par demandes & responses avec un Formulaire de plusieurs Lettres Royaux*, Paris, chez Jean Gosselin, 1625, p. 1, « Épître à Tuillier ». L'épître est datée du 1er janvier 1622. Elle est reprise telle quelle, sans la date, dans les éditions augmentées par Vincent Tagereau, qui, lui, est avocat au parlement.

52. Le *Nouveau Praticien, contenant l'art de procéder dans les matières civiles, criminelles, & bénéficiales, suivant les nouvelles ordonnances*, de l'avocat Claude de Ferrière, publié en 1681 (Paris, chez Denys Thierry et Jean Cochart), se compare davantage au *Praticien* de Cayron.

53. Un exemplaire de l'édition de 1611 qu'on peut consulter à la bibliothèque municipale de Toulouse avait été la propriété du greffier au parlement de Toulouse, Étienne Malenfant, qui l'avait reçu de l'auteur.

54. On trouve notamment, *Le Practicien françois* par Jean Le Pain, publié en 1622, *Le Vray practicien françois…* publié par Jean Le Pain et augmenté par Vincent Tagereau, en 1633, *Le très-parfaict praticien françois…* rédigé par Jean Le Pain et augmenté par Vincent Tagereau, en 1654, *Le Parfait praticien françois…* publié par Vincent Tagereau et augmenté par F. Des Maisons, en 1663. Ces *Parfait praticien* reposent sur l'ouvrage de Jean Le Pain, organisé en questions et réponses simplifiées.

Il faudrait, pour qu'on puisse aujourd'hui répondre à cette question, que ce procureur ait eu l'idée de nous laisser ses réflexions sur la politique de son temps, ce que, comme la plupart de ses collègues, il n'a pas fait. Les procureurs ont si peu parlé d'eux-mêmes qu'il est bien difficile d'apprécier la place qu'ils ont accordée aux idées de Cayron. La rareté des écrits personnels des procureurs a de lourds effets pour l'histoire : elle fragilise notre interprétation de leur identité professionnelle, mais surtout, elle nous prive de l'épaisseur humaine qui surgit quand le silence se brise. On peut certes critiquer l'illusion de proximité que produit l'écriture de soi, qui ne révèle de toute façon que ce qu'elle veut. Il reste qu'elle est un matériau sur lequel l'analyse peut s'exercer. Les procureurs du Midi nous refusent obstinément cette fenêtre sur leur intimité. Jusqu'à la fin, il aura fallu les regarder de l'extérieur sans qu'ils ne nous laissent aller plus loin.

L'œuvre de Cayron et l'interprétation qu'on peut en donner offrent finalement plus de questions qu'elles ne fournissent de réponses. La théorisation de la pratique et son ouverture à un ensemble plus large de professions ont-elles enlevé aux procureurs leur spécificité[55] ? En réduisant l'écart entre la pratique et le droit, cette théorisation a-t-elle joué en faveur des avocats qui n'ont plus vu l'achat d'un office de procureur comme une déchéance ? A-t-elle contribué à valoriser la profession aux yeux des familles qui n'ont plus hésité, dès lors, à investir des sommes énormes pour que l'un des leurs l'exerce ? Elle n'a pas nui en tout cas à la perception que les diverses parties du Droit s'unissaient pour fournir à l'organisation de la justice sa pleine justification.

Par ailleurs, en évoluant, le discours du procureur Cayron finit par nier l'ignorance du procureur, à mesure que la Pratique, en devenant une partie du Droit, prend du galon. Il suggère ainsi que, dans la deuxième partie du XVIIᵉ siècle, la distinction entre les procureurs et les avocats ne se résumera plus au manque d'étude des procureurs, ni au fait que les procureurs soient d'abord des exécutants. De ce point de vue et quoi qu'en disent les avocats, avocats et procureurs se rejoignent de plus en plus. Le nombre de procureurs étant désormais limité, la vénalité et l'hérédité assurées, il est désormais plus facile de devenir avocat qu'il ne l'est de devenir procureur. L'avocat, dans ce contexte, a sans doute davantage besoin de justifier sa place que le procureur.

Le silence du procureur sur lui-même empêche de dessiner l'image qu'il se faisait de lui. On ne sait pas ce qu'avait lu Cayron, ni quels étaient ses goûts, mais on sait comment il a choisi d'organiser le monde. On ne sait pas comment les procureurs auraient organisé le monde, mais on peut déterminer ce qu'ils lisaient et quels étaient leurs goûts. Même s'il est impossible de fusionner ce qu'on sait de l'un et des autres pour entrer vraiment dans la

---

55. Jean HILAIRE, « Les mots et la vie… », décrit cette théorisation en se basant surtout sur Cayron, p. 374-375.

tête des procureurs, il n'est pas inutile d'observer les productions culturelles dont ils se sont entourés. Cela nous permettra peut-être de déterminer de quelle « culture », ils se réclamaient.

Chapitre XII

Dans les yeux et la tête du procureur

Je ne sais pas exactement ce que veut dire le fait d'avoir dans son environnement des livres, des tableaux, ou des armes. Je ne sais pas non plus si ces objets étaient, pour la plupart des procureurs, un décor auquel ils étaient relativement indifférents, s'ils reflétaient leurs goûts ou leur façon de voir le monde, s'ils suggéraient leur statut social ou s'ils influençaient leurs idées. J'ai postulé toutefois que la présence ou l'absence de ces objets dans la maison des procureurs pouvait être interprétée comme un signe de leurs rapports au monde. Dans un premier temps, je me suis laissé pénétrer par les descriptions de l'environnement dans lequel les procureurs vivaient. Ces descriptions, aussi nombreuses que sèches, parcourent toute la période qui nous intéresse et touchent les procureurs de tous les tribunaux. Puis, comme un étranger qui observe furtivement la décoration de la maison où il est invité à la recherche de l'objet familier, j'ai cherché, dans ces énumérations, des choses précises : les livres, les tableaux, les objets religieux.

Le procureur prend alors des allures de héros ordinaire. Parmi les chaises, les lits, les fourchettes et les draps qu'on compte un à un, en précisant s'ils sont presque neufs, à demi usés, ou « rompus », et qui donnent à l'historien l'impression de parcourir toujours la même maison, surgit l'inattendu. Tout à coup, ce qui avait les allures d'un fourbi sans intérêt ouvre la porte d'un autre univers, bien loin de celui dans lequel le procureur s'est jusqu'ici présenté à nous.

Les inventaires après décès étant un document fascinant, je n'ai pas toujours résisté à la tentation d'observer également l'environnement de quelques avocats, de quelques praticiens. Si j'ai veillé à ce que le corpus permette la comparaison entre les procureurs de différentes villes et de différents tribunaux, à des époques qui me semblent avoir un sens pour l'histoire des procureurs, je me suis abstenue de m'abriter derrière l'analyse quantitative. Tous les historiens qui ont consulté des inventaires après décès, ont été confrontés à la façon dont on pouvait les mettre en œuvre. Compter les fourchettes, les serviettes, les chaises et les lits ne m'est pas apparu utile pour ce que je cherchais. Mais, pour reconnaître la pièce unique qui bouleverse l'image des procureurs qu'on est en train de fabriquer, encore faut-il qu'on puisse établir qu'il s'agit là d'une exception. C'est ce qui m'a guidée dans l'utilisation que j'ai faite de ces inventaires, en espérant que le document puisse disparaître derrière ce qu'il permet de constater.

Intriguée par la position de Cayron qui met en question l'image contradictoire attachée aux procureurs, d'hommes ignorants, sans culture, qui ne pensent qu'à vider les poches de leurs clients, j'ai d'abord cherché à vérifier leur intérêt pour les livres. Quels livres ont-ils ? Quelle place tiennent-ils dans la maison ? Deux questions qui, à travers l'objet livre, nous dévoilent une facette des procureurs qui nous est jusqu'ici restée cachée. À l'objet livre, j'ai joint l'image. Moins pour le sens qu'on peut donner à la présence de telle ou telle représentation sur les murs de la maison du procureur que pour reconstituer l'environnement visuel dans lequel les procureurs évoluaient.

Les anciens travaux sur les bibliothèques ont bien mis en évidence la futilité d'interpréter de façon univoque le fait de posséder un livre[1]. Le livre hérité, celui qu'on n'a pas lu, sont autant de conditions qui troublent les analyses et conduisent à la surinterprétation. Quelques précautions élémentaires sont donc nécessaires avant d'interpréter la présence des livres dans la vie des procureurs. Une vérification systématique des dates d'édition des ouvrages mentionnés dans un inventaire donné m'a d'abord permis de dessiner une nébuleuse chronologique à l'intérieur de laquelle les risques de transfert par héritage étaient modérés[2]. Par ailleurs, même si la comparaison d'une ville à l'autre a été précieuse, j'ai opté pour faire des procureurs de Toulouse le fil d'Ariane de ce chapitre. Après tout, c'est l'un des leurs, Cayron, qui a esquissé les premiers traits de leur identité. Ce choix a eu pour effet de donner la part belle au XVIIe siècle et de fournir un contexte à la résistance des procureurs toulousains face à l'office royal. Les procureurs de Toulouse étant devenus fort discrets sur leurs bibliothèques au XVIIIe siècle, les procureurs de Grenoble, de loin les plus loquaces pour cette période, auraient pu prendre la relève. J'y ai renoncé, sauf pour effectuer quelques comparaisons. Je m'en expliquerai, en temps et lieu.

Dernière remarque avant d'entrer dans le vif du sujet : l'esthétisme de l'image, comme le contenu de l'ouvrage, n'ont guère d'importance pour ceux qui produisent ces inventaires dont l'objectif ultime est une évaluation économique de l'objet. Il ne faut donc pas s'étonner que les scribes privilégient la reliure du livre aux renseignements bibliographiques et que l'encadrement du tableau ou sa taille soient systématiquement décrits alors que son sujet ne l'est pas toujours. Frustrants, cette volubilité et ces silences

---

1. D'une bibliographie très élaborée, je ne cite ici pour mémoire que Roger CHARTIER, *Lectures et lecteurs dans la France d'Ancien Régime*, Paris, Le Seuil, 1987.
2. Il va sans dire que j'ai exclu de l'analyse les belles bibliothèques du XVIIIe siècle qui semblaient cumuler les acquisitions de plusieurs générations de collectionneurs.

forcent toutefois à ne pas négliger la matérialité qui s'attache à ces objets et qui porte, elle aussi, un sens.

À la recherche d'une « culture de procureur » : chronologie ou géographie ?

Même s'il s'agit d'un découpage chronologique grossier, isolons d'abord le xvie siècle. Les inventaires de procureurs y sont peu nombreux, mais leur discours est éloquent. Le Christ en croix ou l'Ecce homo parent quelques murs[3], et rares sont les procureurs qui, comme Guillaume Maria, d'Aix, donnent à l'image une place de choix. Pourtant, la maison de Guillaume Maria offre en quelque sorte un décor prémonitoire à ce que seront les intérieurs de procureurs au xviiie siècle. En effet, les histoires profanes, les paysages et les portraits ornent sa maison. Au-dessus de la porte d'une petite chambre, on trouve même un petit portrait de Zanni et Arlequin, ce qui étonne, à cette date, à moins de considérer les liens entre la Provence et le nord de l'Italie. Dans une chambre où sont rangés les papiers de famille, le procureur a fait suspendre son portrait sur toile, devant lequel il a fait mettre une pièce de taffetas vert qui lui sert de rideau ; à côté de cette image de lui se trouvent un petit portrait en taille douce et un autre portrait, plus petit où est peinte sa première femme, Anne Imbert. Dans une chambre, à côté du lit : une Notre-Dame peinte en relief. Une douzaine de tableaux, la plupart de sujets profanes, chez ce procureur, catholique, qui recommande son âme à Dieu, à la Vierge et à tous les saints, sans pourtant payer de messe. Des tableaux, et un seul livre, *Les Quatrains de Pibrac*, auquel s'ajoute, au moment de l'encan pour vendre les meubles du procureur, une bible couverte de basane rouge dont la veuve réussit à tirer 11 florins, ce qui est deux fois le prix d'une bonne chaise faite en noyer[4]. Exceptionnel par le nombre de tableaux qu'il possède, le procureur Maria se compare aux autres procureurs aixois du xvie siècle en ce qui concerne les livres qui ne partagent l'environnement matériel d'aucun d'entre eux.

Alors que les procureurs aixois semblent indifférents à l'humanisme ou aux poètes de la Pléiade, la situation est complètement différente, à la même époque à Toulouse. Certes, Antoine Dumas, procureur au parlement de Toulouse, avant 1593, a une *Histoire d'Isaïe* en français, une *Bible* en Latin, *L'histoire des rois de France* de Philippe de Commynes, et un cahier de vieilles ordonnances, mais on trouve aussi chez lui deux tomes de Ronsard et de Drusac[5].

---

3. Augier Alby, procureur au parlement d'Aix (ADBR Aix, 20B 6656, 19 novembre 1572) et Antoine Montal, procureur au parlement de Toulouse, (ADHG, 3E 11931, pièce 7, 1598), possèdent tous deux un tableau de crucifix et un tableau représentant un ecce homo.
4. ADBR Aix, 307E 824, f° 761 v°.
5. ADHG, 3E 11905, pièce 4, 20 juin 1593. L'inventaire ne dit pas de quel ouvrage il s'agit. Drusac, lieutenant général de la sénéchaussée de Toulouse, a été à l'origine, il est vrai, de l'expulsion de

La bibliothèque d'Antoine Montal[6], un autre procureur au parlement de Toulouse, est toutefois beaucoup plus intéressante. Il garde, rangés dans une armoire, avec un vieux pistolet rouillé, la *Bible* en français et *La vie de Notre Seigneur Jésus Christ*, mais il a aussi des ouvrages de Plutarque (*Les œuvres morales* et *La vie des hommes illustres*), les œuvres de Cicéron, et celles d'Ovide (*Pub. Ovidi Nasonis*). Il possède de plus l'abrégé de Justin des histoires de Trogue Pompée (*Justini ex Trogi Pompey historiis externis libri XXXXIIII*), et la *Chronique des rois de France*, mais aussi *Les diverses leçons de Pierre Messie*, le *Décaméron* de Boccaccio, et les *Comptes du monde aventureux*, sans oublier *La semaine ou création du monde* de Du Bartas. Il détient aussi des ouvrages de droit : *Enchiridion juris scripti Galliae* de Jean Imbert, le *Traicté des peynes et amendes* de Jean Duret, les *Arrêts de Papon* et les ordonnances royaux. On voit déjà apparaître les livres qui seront chez les procureurs toulousains, au XVIIe siècle, des incontournables : la Bible et la vie du Christ. *La semaine* de Du Bartas et les *Arrêts* de Papon auront quant à eux une belle carrière chez les procureurs. Le premier figure l'intérêt des procureurs toulousains pour la poésie mais aussi pour les propositions d'interprétation du monde ancré dans la tradition religieuse[7], le second pour les compilations dans lesquelles ils pouvaient puiser pour l'exercice de leur métier.

Montal n'est pas le seul procureur de Toulouse à s'intéresser aux livres. Son collègue, Pierre Seneyragel[8], n'a, à sa mort, en 1598, qu'un petit crucifix sur la cheminée, mais il fait preuve d'une curiosité bien de son temps. On s'étonne moins de trouver chez lui une *Bible* en français que *Le Pimandre de Mercure Trimegiste* en français, *La cosmographie du Levant* d'André Thevet, et Le *Brief Discours des choses plus necessaires & dignes d'estre entendues en la Cosmographie* (que le scribe abrège en Discours en la cosmographie). Ces ouvrages voisinent avec *De la vicissitude ou variété des choses en l'univers* de Le Roy, et l'*Arithmétique* de Pelletier. Seneyragel ne néglige pas pour autant les ouvrages de pratique (*Le trésor de pratique*, *Le stille de pratique*, *Le guidon des praticiens* en un petit volume, *Le stille et protocolle de la chancellerie de France*), mais il ne possède aucun ouvrage de procédure spécifique au parlement toulousain. Sans doute a-t-il quelque intérêt pour

---

Toulouse d'Étienne Dolet en 1534. Céline MARCY, « Antiféminisme et humanisme dans les *Controverses des sexes masculin et femenin* de Gratien Du Pont [de Drusac] », Nathalie DAUVOIS (actes réunis par), *L'humanisme à Toulouse (1480-1596)*. Actes du colloque international de Toulouse, mai 2004, Paris, Honoré Champion, 2006, p. 374.

6. ADHG, 3E 11931, pièce 7. Dans ce chapitre, pour identifier les ouvrages que les inventaires mentionnaient en général de façon très abrégée, j'ai utilisé le Catalogue collectif de France : http://www.ccfr.bnf.fr.

7. Étienne Pasquier avait associé *Les Quatrains* de Pibrac et les deux *Semaines* de Du Bartas et considérait que « jamais chose ne fut plus utile et agréable au peuple » que ces ouvrages. *Les Recherches de la France*, VII : 6 ; Paris, Champion, 1996, t. II, p. 1422, cité par Loris PETRIS, « Introduction », Guy DU FAUR DE PIBRAC, *Les Quatrains. Les Plaisirs de la vie rustique et autres poésies*, Genève, Droz, 2004, p. 25.

8. ADHG, 3E 11951, pièce 56.

la théorie du droit (*Bref recueil du droit écrit, Le traité des tailles,* publié maintes fois entre 1575 et 1598, *Le livre des exceptions et défenses du droit, Les commentaires sur les ordonnances royaux,* d'autres *Commentaires sur les ordonnances du roi Charles IX*) mais il semble également bien au fait des débats politiques de son temps (*La harangue d'Henri III faite à l'ouverture des États de Blois)* ou juridiques *(La « response contre Charles de Molins[9] »).*

Comme les autres procureurs toulousains, il semble particulièrement intéressé par les ouvrages publiés à Toulouse, par des Toulousains ou des intellectuels qui y ont séjourné : Jacques Faye d'Espeisse et *Les remontrances faites en la cour de Parlement de Paris aux ouvertures des plaidoiries*[10], Georges Bosquet et son récit des troubles de Toulouse de 1562 (*Hugoneorum hereticorium tolosa*), en latin, *Les remontrances de Philippe de Canaye, faites à Castres* et publiées en 1598[11] semblent en effet l'attester. Il a dans sa bibliothèque *l'Altercation, en forme de dialogue, de l'Empereur Adrian et du Philosophe Épictète* de Jean de Coras, mais il sait aussi apprécier la poésie comme l'indiquent les *Paraphrases des psaumes de David,* mises en vers par Philippe Desportes (6 éditions dont l'une de 1593) et les *Tragédies* de Robert Garnier, qui avait fait ses études de droit à Toulouse. Un *Discours de la conférence* est probablement un des ouvrages de ce titre issu de la controverse entre catholiques et protestants. On trouve aussi chez lui *Les méditations des zélateurs de piété,* de saint Augustin, saint Anselme, saint Bernard[12] qui l'inscrivent parmi les catholiques. Sa bibliothèque se referme sur *Les Sentences de Ciceron en latin et francois* en deux volumes et un autre petit en latin alors que ce que le scribe a noté comme un « dixionnaire à 8 lengues petit couvert parchemin blanc » devait être le « Dictionnaire de huit langues : latin, françois, flamen, alleman, espa[…]gnol, italien, anglois, portuguez », publié en 1585 (in-16 oblong) et que possède la Bibliothèque nationale[13]. Le procureur Seneyragel ne peut pas avoir été un ignorant, le spectre des livres qu'il a conservés le montre assez.

---

9. Il s'agit probablement de la réponse que fit le juriste Pierre Grégoire de Toulouse aux arguments de Du Moulin concernant la publication du Concile de Trente en France.

10. Bruno FORAND, « Des "sacrificateurs" au milieu des hommes : les avocats au temps des troubles de religion », Claire DOLAN (dir.), *Entre justice et justiciables...,* p. 329 suiv.

11. Les historiens ont retenu la remontrance de ce dernier de 1595 dans laquelle il dresse, pour les avocats, les règles de leur profession, mais il n'a pas pour autant négligé les procureurs qui, comme à l'habitude, sont accusés, sous sa plume, de tous les maux de la justice, Jean-Baptiste DUBÉDAT, *Histoire du Parlement de Toulouse,* t. 1, Paris, Librairie nouvelle de droit et de jurisprudence, 1885, p. 707-708.

12. Les œuvres espagnoles ou italiennes, ou les rééditions des œuvres mystiques du Moyen Âge, « satisfont [alors] aux besoins dévotionnels des catholiques », Klára ERDEI, « La littérature de culpabilisation et de repentir », Tibor KLANICZAY, André STEGMANN, *L'époque de la Renaissance, 1400-1600,* t. IV, *Crises et essors nouveaux (1560-1610),* Amsterdam/Philadelphia, John Benjamins Publishing Company, 2000, p. 701.

13. Bibliothèque nationale de France, X 9121.

Parmi les procureurs à la sénéchaussée, Jean Fortanier[14], contemporain des deux procureurs précédents (1599), nous a aussi laissé un inventaire. Dans une chambre, parmi les nappes, et avec un marteau, le *Traité de la hiérarchie céleste* côtoie des ouvrages de syntaxe et de grammaire latine et « neuf autres livres petits rompus ». Il garde aussi, rangés dans une petite caisse, deux ouvrages sur *La vie de Notre Seigneur*, un *Sanctum Jesu Christi evangelium*, trois livres d'heures, dont l'un en latin. Pour se distraire : la *Chronique abrégée, ou Recueil des Faits, Gestes et Vies illustres des Rois de France, jusqu'à Charles IX*, dont on trouve une édition en 1569, et pour le plaisir ou de manière tout à fait utilitaire, le *Guide des chemins pour aller et venir par tous les pays et contrées de France*, sans doute une édition de 1588. Un petit *recueil des édits et ordonnances des rois* de l'an 1571 est le seul ouvrage ayant quelque lien avec le métier du procureur.

Sans qu'on ose parler de « tendance », au regard de ces quelques inventaires, il est clair que les procureurs toulousains ne sont pas des ignorants. Sans être sans doute des érudits, plusieurs, en cette fin du XVIᵉ siècle, connaissent le latin, s'intéressent à la poésie, à l'histoire, aux controverses politiques et religieuses. Alors qu'à Aix, Grenoble et Marseille, les procureurs du XVIᵉ siècle n'ont pas de livre, ceux de Toulouse, à la même époque, en ont presque tous. Cette spécificité toulousaine attire l'attention sur le contexte culturel de la ville : une université florissante qui a accueilli au XVIᵉ siècle les plus grands juristes, en a formé d'autres[15] et à laquelle on a même prêté d'avoir fait « école[16] », une imprimerie active qui nourrit les clients toulousains d'une abondante production[17], des Jeux floraux qui sont loin de se limiter à un concours littéraire et qui, en couronnant Ronsard ou Baïf, témoignent de la volonté de rayonnement de la cité[18]. Toutes caractéristiques dont sont dépourvues Aix, Marseille ou Grenoble, à la même époque.

Cet intérêt des procureurs toulousains pour les livres pourrait n'être que le fruit d'un hasard lié à la minceur de l'échantillon. En poursuivant

---

14. ADHG, 3E 11911, pièce 2.
15. Loris Petris, « Foi, éthique et politique dans *Les Quatrains* de Pibrac », Nathalie Dauvois (actes réunis par), *L'humanisme à Toulouse…*, p. 509-533. Parmi ceux qui y étudient notons Bodin, Dolet, Pibrac, Du Bartas. Parmi les enseignants : Cujas, Budé, Caturce, Coras, Boyssoné.
16. Patrick Arabeyre, « L'"École de Toulouse" a-t-elle existé ? », Nathalie Dauvois (actes réunis par), *L'humanisme à Toulouse…*, p. 23-41 a réévalué l'utilité d'un tel concept.
17. Joseph-Léonard de Castellane, « Essai d'un catalogue chronologique de l'imprimerie à Toulouse », *Mémoires de la Société archéologique du midi de la France*, t. V, *De 1841 à 1847*, Toulouse, 1847, p. 1-94 ; « Supplément de l'essai de catalogue de l'imprimerie de Toulouse, dans les XVᵉ, XVIᵉ et XVIIᵉ siècles », p. 137-156. Les travaux de Marie-Thérèse Blanc-Rouquette, notamment *La presse et l'information à Toulouse des origines à 1789*, Toulouse, Association des publications de la faculté des lettres et sciences humaines de Toulouse, 1967, concernent surtout le XVIIIᵉ siècle, qui ne fait pas l'objet de notre attention.
18. Isabelle Luciani, « Jeux floraux et "humanisme civique" au XVIᵉ siècle : entre enjeux de pouvoir et expérience du politique », Nathalie Dauvois (actes réunis par), *L'humanisme à Toulouse…*, p. 333 note 4.

l'enquête plus avant dans le xviiᵉ siècle, non seulement la disparité des procureurs des autres villes se confirme, mais elle se précise. Baromètres culturels dans leur contenu, les inventaires après décès le sont aussi dans leur forme. En effet, non seulement ils disent ce que possèdent les procureurs, mais ils pointent aussi l'importance accordée, dans une région donnée, à la possession de tel ou tel objet. À Marseille, au xviiᵉ siècle, ou bien les procureurs n'ont pas de livre, ou bien les familles ne perdent pas leur temps (et leur argent) à les faire inventorier. L'image prend toute la place dans les inventaires marseillais, et ce, dès le début du xviiᵉ siècle. À la même époque, à Aix, les tableaux prennent aussi une grande place et les quelques inventaires aixois qui signalent des livres se contentent d'en donner le nombre, alors qu'à Toulouse, dans les mêmes circonstances, on donne les titres de chacun d'eux. Quant à Grenoble, il faut attendre le xviiiᵉ siècle pour trouver chez les procureurs plus qu'un ou deux livres. On y reprendra alors le temps perdu, les Grenoblois décrivant avec précision des bibliothèques qu'on ne pourra comparer avec celles d'aucune autre ville du Midi, faute d'y retrouver les mêmes précisions.

On a vite fait de schématiser les divisions françaises en insistant sur l'opposition entre Parisiens et Méridionaux. Or, ce qui apparaît avec les procureurs, c'est qu'au début du xviiᵉ siècle, la différence de sensibilité peut être détectée entre Méridionaux. Les procureurs du Midi qu'on a réunis dans cette étude sont alors loin d'être réductibles à un seul modèle culturel.

Une culture de procureur ?

L'on sait toute la prudence qu'il faut déployer avant de tirer des livres possédés des conclusions sur leur possesseur. Si le contenu des bibliothèques des procureurs ne permet pas de présumer de leur religion, ni de leurs options politiques, par exemple, il permet, à tout le moins, de laisser paraître leurs intérêts. Ainsi Thomas Begon[19], procureur à la cour et chambre de l'édit établi à Castres, y décède-t-il en 1603. La collection de livres qu'on trouve dans sa maison de Toulouse est composée de vieux ouvrages, mais de plus récents aussi. Un vieux livre d'histoire universelle, sans titre, coexiste avec les *Chroniques et annales de France*, de Nicole Gilles (que le scribe note comme les « Canoniques et annales de France »), une *Histoire de Lazare ressuscité*, un *Traité des vices et des vertus*, le *Nouveau Testament*, un épitomé de la Bible, un vieux missel, et un livre d'heures à l'usage de Rome. Le procureur possède aussi les *Leçons catholiques sur les doctrines de l'Église* du franciscain Francesco Panigarola[20] (Pignarole selon le scribe),

---

19. ADHG, 3E 11877, pièce 1.
20. Utzima Benzi, « De la transgression à la règle. Itinéraire et conversion de Francesco Panigarola (1548-1594) », *Italies* [en ligne], 11, 2007, mis en ligne le 16 juillet 2009, consulté le 1ᵉʳ septembre 2011. URL : http://italies.revues.org/1986.

connu pour son hostilité face aux protestants, mais aussi pour ses qualités oratoires, et les *Sermons* de François Le Picart (Sermons de Piquart selon le scribe), « prédicateur de la violence de Dieu et de la fin des Temps[21] ». À Toulouse, il a laissé un exemplaire de *l'Histoire tolosaine* d'Antoine Noguier, mais aussi un *Passetemps de la fortune des dés* et les *Paradoxes de la cure de la peste* du médecin Claude Fabri. Deux livres de droit et *Les ordonnances royaux* accompagnent un *Stille des praticiens* (« livre nommé ustille des praticiens ») qu'il est impossible d'identifier à coup sûr, *Les Institutions forenses* de Jean Imbert, en français, et un formulaire de notaire en latin. Un peu perdu parmi ces livres religieux, ces ouvrages d'astrologie et ces outils de travail : *Le courtisan* de Castiglione. Quelques tableaux sont aussi énumérés : ils ont tous des sujets religieux : Le sacrifice d'Isaac, un tableau de crucifix en papier, un tableau de l'Annonciation et un énigmatique petit tableau de Lescolus pape[22].

Le procureur Begon et ses confrères Montal et Seneyragel, partagent, certes, un intérêt pour les livres, mais, alors que l'Édit de Nantes vient à peine de calmer les esprits, on constate que leurs lectures ne permettent pas encore de circonscrire une « culture » du procureur. Dans ce qui semble des choix individuels, voire familiaux, il est difficile de voir l'effet d'une identité professionnelle commune. S'il le fallait, on pourrait peut-être associer Montal à l'étude des Anciens, Seneyragel à une curiosité humaniste ouverte tandis qu'il serait facile de conclure des lectures de Begon que les procureurs catholiques de la Chambre de l'édit s'adaptaient mal à la tolérance. À leur face même, leurs bibliothèques montrent toutefois que la « culture » de ces procureurs n'est pas réductible à des catégories. En effet, si l'on cherche à nommer les intérêts dont font preuve les procureurs, on est vite confronté à un dilemme : la catégorisation qui gomme, par définition, les particularités, ou la liste, qui aura tôt fait de lasser.

Au risque de rendre la démonstration fastidieuse, je n'ai pu renoncer complètement à la liste, car ce qui émerge des bibliothèques de procureurs toulousains du XVIIᵉ siècle, relève de la fragmentation. Certains ouvrages se retrouvent, certes, chez plusieurs d'entre eux : ce sont des ouvrages de pratique, des livres d'heures, la Bible et la vie du Christ. En dehors de ces indispensables, il n'est pas facile de déterminer ce qui constitue le socle de la « culture d'un procureur » au XVIIᵉ siècle. On peut l'expliquer par la grande variété de formation qu'ils ont reçue. Au XVIIᵉ siècle, certains ont sans doute suivi l'enseignement des jésuites, d'autres ont fait quelques cours de droit, certains sont devenus bacheliers, d'autres ont dû se contenter d'apprendre auprès de leur maître. Autant de formations possibles ne favorisent pas

---

21. Denis CROUZET, *Les guerriers de Dieu : la violence au temps des troubles de religion, vers 1525-vers 1610*, Seyssel, Champ Vallon, 2005 [c1990], 2 vol. en 1, vol. 1, p. 208.

22. Je n'ai pas réussi cette fois à décoder ce que le scribe avait cru entendre.

la construction d'une culture uniforme, ni d'ailleurs celle d'une identité professionnelle.

Sans demander à un environnement culturel de définir cette identité, il peut néanmoins surgir de cette promenade entre leurs livres et leurs images ce qu'on pourrait appeler, bien simplement, la cohérence des procureurs. Cette cohérence s'articule autour d'une périodisation qui, même sans une compilation statistique rigoureuse, se définit par des choix partagés.

Les choix des procureurs de Toulouse dans le premier quart du XVIIe siècle

Si on les compare aux autres procureurs du midi de la France, les collègues de Gabriel Cayron semblent donc un peu à part. Peut-on lier la particularité de leur parcours institutionnel et leur refus prolongé de se conformer à l'office royal à ce qui semble une originalité culturelle ? Pour le découvrir, il faut les considérer dans la période qui précède la généralisation de l'office royal pour l'ensemble de la France[23].

En 1609, on fait des biens du procureur au parlement Jean Bellot[24] un petit inventaire. Il n'a pas vraiment de livre, bien qu'il possède deux formulaires de « lettres de plusieurs sortes ». Par ailleurs, la salle de sa maison est riche en tableaux, tous à l'huile : un saint François, une Samaritaine, une Madeleine, Les Trois rois, le portrait de la Vierge Marie, un petit crucifix doré enlacé dans le bois. Les sujets religieux dominent cette salle qui contient encore deux petits tableaux à l'huile figurant chacun une courtisane et un dernier tableau consacré au portrait du procureur défunt. Dans une autre salle joignant la grande salle : un vieux tableau de toile où l'on voit encore un portrait de la Madeleine, et deux autres vieux tableaux de toile, un crucifix de pierre blanche et le portrait de la Vierge Marie de pierre « estant à ung petit tableau ». Outre son propre portrait et peut-être celui des courtisanes, l'environnement visuel du procureur Bellot est entièrement religieux. Une religion somme toute très simple où la Vierge et la Crucifixion dominent, comme d'ailleurs La Madeleine. Déjà, en ce début du siècle, le procureur Bellot illustre la réduction du « champ iconographique chrétien » au XVIIe siècle, « aux sujets extrêmement limités et répétitifs, dominés en grande partie par les mêmes épisodes de la Passion[25] ». La plupart des procureurs du XVIIe siècle se conformeront à ce modèle.

---

23. Le procédé n'est pas sans faille. Pour ne pas être critiquable, il aurait fallu qu'on puisse comparer les inventaires des procureurs toulousains avec ceux des autres régions, pour cette période. La comparaison a été possible pour Aix et Marseille, mais elle reste tout de même assez limitée.
24. ADHG, 3E 11875, pièce 51.
25. Frédéric Cousinié, *Le peintre chrétien. Théories de l'image religieuse dans la France du XVIIe siècle*, Paris, L'Harmattan, 2000, p. 80.

Comparé à son collègue, le procureur au parlement Antoine Croset[26], qui meurt la même année, n'a que peu de tableaux. Ceux qu'il a ont été peints à la détrempe sur de la toile[27], mais ils permettent de reconnaître les sujets à la mode : la Crucifixion et Notre-Dame. Le procureur a une autre image de Notre-Dame, et possède, rangées, dans un cabinet, neuf petites images enluminées dont on ne sait pas ce qu'elles représentent, mais qui devaient servir de support à ses dévotions. S'il a peu de tableaux, le procureur Croset a plusieurs livres dont le scribe a d'ailleurs bien du mal à traduire les titres, qui lui sont visiblement peu familiers. Si on reconnaît deux tomes de *La vie des saints*, de Jacques Tigeon, il est plus difficile de comprendre que le « Libre Latrie uguennote » est en fait *L'idolâtrie huguenote* du jésuite Louis Richeome. En 1609, Croset a déjà le *Tableau d'inconstance et instabilité de toutes choses*, que Pierre de Lancre, conseiller au parlement de Bordeaux, a publié en 1607. *Le triomphe de Jésus* (probablement de Pierre Crespet) s'ajoute à deux livres d'heures dont l'un est traduit en français et à *L'image de la vie chrestienne*, d'Hector Pinto[28], que le procureur tient probablement dans la traduction de Guillaume de Cursol, dans sa seconde édition (1584) ou dans son édition de 1603. Sans doute l'ouvrage que le scribe note comme « Flores Ludovicq », est-il les *Flores* de Louis de Grenade[29], grand vulgarisateur de l'oraison chez les laïcs.

Arrêtons-nous là pour l'instant : chez ce procureur, sont combinées deux sortes de savoir qui s'articulent l'un à l'autre dans une parfaite cohérence et dont *L'idolâtrie huguenote* donne la clé. L'ouvrage fait en effet partie des nombreux textes de Richeome qui polémiquent contre les protestants pour la défense des images[30]. Selon la théorie des images que soutiennent alors les catholiques (et notamment Richeome) ces dernières produisent un « savoir » activé en quelque sorte par les livres ou les sermons qui fournissent la base nécessaire à leur efficacité. L'image qui « rend sensible l'énoncé doctrinal et le fait vivre » comme le disait Alphonse Dupront, fixe la mémoire et le savoir fourni par les « vies de saints […], les sermons et les offices alors publiés[31] ». Richeome destinait cet enseignement au « menu peuple », mais on peut croire que le procureur Croset et ses collègues en ont combiné les effets pour eux-mêmes. Les quelques images dont s'entoure le

---

26. ADHG, 3E 11893, pièce 12.
27. Les tableaux des procureurs sont faits à partir de deux techniques : la peinture à la détrempe ou la peinture à l'huile. On peut croire que les tableaux faits à la détrempe avaient moins de valeur que ceux faits à l'huile, mais les critères du marché de l'art ne se limitent pas à la peinture ou à la technique utilisées.
28. Le scribe entend et écrit « Allector par Jutor », au lieu d'Hector Pinto.
29. François Marie PERENNÈS, *Dictionnaire de bibliographie catholique présentant l'indication et les titres complets...*, vol. 2, chez J. P. Migne, 1839, col. 254 : « Flores Ludovici Granatensis, ex omnibus ejus opusculis spiritualibus excerpsi, et in octo partes distributi […] 1588. »
30. Frédéric COUSINIÉ, *Le peintre chrétien...*, note 17, p. 153.
31. Je suis ici Frédéric COUSINIÉ, *Le peintre chrétien...*, p. 80-81, qui cite lui-même Alphonse DUPRONT, *Du Sacré, Croisades et pèlerinage, Images et langages*, Paris, Gallimard, 1987, p. 120.

procureur Croset s'expliquent peut-être par le fait qu'elles ne portent pas sur elles l'ensemble de la dévotion du procureur. Les ouvrages religieux qu'il possède remplissent sans doute une fonction plus précise que ne le font les images. Quand on considère le reste de sa bibliothèque, on peut penser qu'il n'est pas de ceux dont la réflexion est conditionnée par les images.

En effet, *La cité de Dieu* de saint Augustin, les *Œuvres* de Plutarque en français, ou celles de Joseph en français côtoient, dans cette bibliothèque, les *Mémoires* de Du Bellay. Les *Essais* de Montaigne y figurent aussi, sans compter une *Expositio des Adages d'Érasme*, en latin. Le procureur possède aussi les *Histoires* de Paul Jove[32] et il a la traduction latine de l'hébreu faite par Sébastien Castellion et intitulée *Moses Latinus ex Hebraeo factus : et in eundem praefatio, qua multiplex ejus de doctrina ostenditur*[33]... Son intérêt pour la politique et les institutions doit être comblé par le premier volume de *L'histoire de France* de Pierre Matthieu, à la gloire d'Henri IV ou encore par l'ouvrage de Jean Duret *L'Harmonie et conférence des magistrats romains avec les officiers françois...* dans lequel ce dernier relie les institutions romaines à celles de la France[34]. Ces deux ouvrages semblent d'ailleurs en bien meilleur état que *La vie des empereurs* en français, qu'il possède aussi, mais qui est « déchirée et rompue ». On peut imaginer mille raisons au fait que lui, un procureur, homme de l'écrit, possède l'ouvrage de Guillaume Du Vair, *De l'éloquence française*. On ne serait assuré d'aucune. Par contre, la présence dans cette bibliothèque des *Consuetudines Tolosae* de Jean Casevielle (ou Casaveteri) éditées en 1544 et des *Arrêts* de Papon trouve sa raison d'être dans le métier même du procureur.

Croset est-il un humaniste dévot ? Sa bibliothèque pourrait le laisser croire, mais il s'intéresse aussi aux problèmes politiques de son temps. Quant au rôle du droit savant, dans cet ensemble, il n'est guère plus qu'utilitaire.

Parlement et présidial, une même sensibilité

Les intérieurs des procureurs au parlement et ceux des procureurs au présidial ne présentent pas de différences fondamentales. Les procureurs au présidial ont moins de livres, mais on ne peut pas dire que leurs intérêts divergent de ceux des procureurs au parlement. Bertrand Michel[35], procureur au présidial, en 1614, n'a qu'un « Stille du sénéchal » manuscrit, mais il garde dans un coffre, dans la chambre où il est décédé, *Les dix livres*

---

32. Le scribe indique « les histoires de Paule Jaulio traduit en français » que je traduis à mon tour par Paolo Giovio, soit Paul Jove.
33. Que le scribe essaie de rendre tant bien que mal par « Mozes ex hebreo Latinus factus », sans évidemment référer à Castellion.
34. Olivier CHALINE, « Sénat romain, assemblée germanique, concile général, trois modèles des parlementaires français au XVIIIᵉ siècle », Bernard BARBICHE, Jean-Pierre POUSSOU et Alain TALLON (études réunies par), *Pouvoirs, contestations et comportements dans l'Europe moderne : mélanges en l'honneur du professeur Yves-Marie Bercé*, Paris, PUPS, 2005, p. 436.
35. ADHG, 3E 11935, pièce 106.

de *Valere Le Grand*, *L'histoire de Chelidonius Tigurinus sur l'institution des princes chrestiens des royaumes*[36]…, un Suétone, sans plus de précisions, les ordonnances royaux d'Henri IV et un recueil d'ordonnances. Un peu d'histoire de l'Antiquité, pour les modèles qu'elle contient et y puiser des lieux communs, les ordonnances et le style semblent lui suffire. Peu de tableaux chez ce procureur, dont la décoration est cependant conforme à celle des intérieurs des autres procureurs : un petit tableau avec l'image de Notre-Dame, un autre avec saint Jérôme et un crucifix avec son « couvercle ».

Exactement contemporain du procureur Croset, Pierre de Salanier[37] est aussi procureur au présidial de Toulouse, fils d'un procureur à la même cour. Son inventaire ne contient pas grand-chose, mais on signale chez lui un tableau représentant la figure de saint Pierre. Dans cet inventaire peu loquace, on se contente d'indiquer que le procureur possédait treize petits livres vieux, tant en latin qu'en français, de peu de valeur. On énumère cependant les grands livres que sont les *Arrêts* de Papon et les *Ordonnances des feus rois*, une bible en latin et un manuel d'oraisons. Qu'aurions-nous pu dire des intérêts du procureur Salanier, si les treize petits livres avaient été précisés ? Nous ne le saurons jamais. Encore une fois cependant le procureur n'est pas un ignorant puisqu'il possède des ouvrages en latin. Avec sa Bible, son manuel d'oraisons et son tableau de saint Pierre, il confirme la place que prend la dévotion dans l'environnement culturel des procureurs toulousains de cette époque.

Un intérêt que la famille ne partage pas

Si on ne connaît pas le contenu de la bibliothèque de ce procureur, c'est qu'on a considéré qu'elle ne valait pas la peine d'être inventoriée de façon précise. Cette décision elle-même peut être interprétée comme un indicateur culturel. Dans ce cas-ci, la personne qui demande l'inventaire est la sœur du procureur. Bien qu'elle soit elle-même fille de procureur au présidial, elle ne sait pas écrire[38]. On peut imaginer qu'elle s'intéresse peu aux livres et incite à ce qu'on passe plus vite sur les « détails ». En comparaison, ceux qui assistaient à l'inventaire d'Antoine Croset avaient sans doute un rapport aux livres bien différent : c'était son fils, lui-même procureur au parlement, le frère de la veuve, procureur au parlement aussi, et le gendre, docteur et avocat au parlement de Toulouse.

Il ne faudrait pas croire à la suite de l'exemple qui précède que les familles plus proches du parlement étaient plus sensibles aux livres que ne l'étaient celles des procureurs au présidial. Le procureur au parlement Jean

---

36. L'édition in-16 de 1578 comprend aussi un traité de paix et de guerre et un autre de l'excellence et dignité du mariage.
37. ADHG, 3E 11948, pièce 1.
38. ADHG, 3E 11948, pièce 1, p. 15.

Jacques Dumestre[39], qui décède en 1615, était membre de la confrérie des pénitents gris de Toulouse. On aurait bien aimé connaître les titres des 20 petits livrets qu'il a laissés derrière lui, mais, sous prétexte qu'ils étaient vieux, « en partie rompus », et de fort peu de valeur, la famille ne s'en est pas souciée. Seuls les livres utiles pour son métier ont été dignes de mention : un petit livre d'*Ordonnances royales*, *Les édits et ordonnances d'Henri II*, et la *Pratique de Masuer* (qui couvrait à la fois la procédure civile et criminelle).

Guère plus de description dans l'inventaire d'Amier Salanier[40], procureur au sénéchal de Toulouse, commandé par sa veuve, en 1617, et dont la formulation laisse paraître le peu d'intérêt qu'elle porte aux livres : dans un petit cabinet, on a trouvé la *Conférence des ordonnances*, *Les ordonnances du roi Charles*, et deux méchants petits livres (« l'ung escrit à la main et l'autre avec le moule »). Les autres livres sont réduits à des « livres de peu de valeur », ils sont une trentaine – dont dix « fort petits » et « dont l'intitulation est perdeue ». Puis, dans cette indifférence, surgit, identifiée, « La Mer des croniques de France », sans doute *La mer des croniques et miroir historial de France* de Robert Gaguin dont l'impression en caractères gothiques explique sans doute la remarque : « rompu avec le dedans aussi de vieille impression ». Le premier volume de la *Vita christi,* venait également d'être décrit comme de « vieille impression ». Par ailleurs, pour la veuve d'Amier Salanier et ses témoins, les tableaux de son mari ne sont rien d'autres que des objets dont on peut tirer quelque chose. On les compte et on précise s'ils ont une moulure et dans quel état elle se trouve. Il est possible que les images de ce procureur n'aient eu aucune valeur. Quoi qu'il en soit, outre la Vierge ou le crucifix, on semble bien en peine de nommer ce que représentent ces tableaux (« un homme et une femme »), ce qui confirme l'importance pour qu'ils portent sens, qu'ils soient soutenus par l'écrit ou un discours oral qui les inscrive dans la mémoire.

C'est aussi la veuve de Guillaume Channelier[41], procureur au parlement, qui demande son inventaire en 1618. Elle-même possède, rangés dans le haut de l'armoire du cabinet dans la salle où son mari est mort, quelques livres de dévotion, et son fils a aussi quelques livres. Quant au procureur, on lui trouve dans une petite corbeille, la sixième édition de l'ouvrage de Jean Papon intitulé *Recueil d'arrêts notables des cours souveraines de France* (1586). D'autres livres, de fort peu de valeur, dont on n'a ni les titres ni le nombre, intéressent moins la veuve qu'un livre d'heures à la tranche surdorée écrit sur du parchemin de « lettres anciennes », ou la *Vie des saints* en 3 tomes. Deux autres livres d'heures imprimés à Paris sont ainsi décrits : l'un vieux et l'autre assez grand à la tranche surdorée avec des images de

---

39. ADHG, 3E 11905, pièce 18.
40. ADHG, 3E 11949, pièce 15.
41. ADHG, 3E 11908, pièce 8.

taille douce. Les tableaux de dévotion répartis dans la maison sont par ailleurs soigneusement notés. Ici, les livres qu'on a choisis de décrire en disent plus sur la veuve que sur le procureur lui-même[42]. L'inventaire de François Desbaldit[43], procureur au parlement, en 1619, est quant à lui très détaillé. Y assistent outre sa veuve, sa sœur, son frère et son neveu, son gendre, aussi procureur au parlement. Aucun d'entre eux ne s'intéresse aux 23 livres « de petites histoires » et « fort vieux » que le procureur gardait dans un petit cabinet et les tableaux ne les mobilisent guère plus. Ces silences sur les livres sont révélateurs. Ils indiquent que ceux qui paient sont maîtres des détails qu'ils souhaitent faire consigner dans l'inventaire qui pointe aussi les intérêts de ces commanditaires. Ils laissent aussi entendre que les goûts des procureurs n'étaient pas nécessairement partagés par leur famille qui ne comprenait souvent pas de quoi il s'agissait.

Notre méconnaissance des bibliothèques des procureurs n'a pas toujours pour cause un désintérêt des héritiers pour les livres. Les circonstances l'expliquent parfois. L'inventaire de Gratien de Lafont procureur au parlement, en 1611, a presque 200 pages[44]. Le neveu qui demande l'inventaire, marchand boutonnier de Toulouse, n'a donc pas lésiné sur les détails à relever, quelle qu'ait été la valeur des objets. On décrit, par exemple, qu'on a trouvé dans les poches d'un haut-de-chausse de camelot usé du procureur, un dizainier et deux livres de dévotion, dont on ne dit pas les titres. Leur présence dans les poches du haut de chausse atteste de leur utilisation fréquente par le procureur. Deux précautions valent mieux qu'une cependant, car les poches contiennent aussi un anneau de laiton « utile pour la colique », un mouchoir et une paire de gants[45]. Chez le procureur Lafont, comme chez tous les hommes de son temps, le recours à la dévotion côtoie les remèdes de bonne femme. Ce qu'il a mis sur ses murs ne diffère pas non plus du décor des maisons de ses collègues : trois petits tableaux représentant un Christ, un crucifix, une Notre-Dame. Ailleurs, un autre « tableau de crucifix » et une sainte Madeleine. Dans une de ses métairies : un grand tableau cloué où est l'image de Notre Dame tenant notre Seigneur dans ses bras. On trouve aussi des petits livrets : *La passion d'amour*, les scolies d'Hermannus Torrentinus sur les évangiles et les épitres[46] et un livre d'heures. Or, arrivés au cabinet où sont, non plus des livrets, mais des livres, un écolier s'interpose et obtient de pouvoir les retirer au nom de son père à qui le procureur les a légués par testament. C'en est fait de notre promenade

---

42. Le testament de Guillaume Channelier (ADHG 3E 11821, n° 1926, 7 janvier 1606) ne contredit cependant pas l'impression de dévotion qui ressort de l'inventaire.
43. ADHG, 3E 11897, pièce 6.
44. ADHG, 3E 11922.
45. *Ibid.*, p. 9. Le procureur Gratien Lasserre avait quant à lui, en 1630, dans une bourse de velours orangé, des grains de jaspe rouge « servant à arrester le sang ». ADHG, 3E 11927, pièce 19, p. 10.
46. L'*Evangelia et Epistolae breviculis quibusdam Hermanni Torrentini scholiis illustrata*.

dans la tête de Gratien Lafont. Il vient de nous échapper. On n'en saura pas plus.

Des bacheliers sans livre

Cayron a beaucoup insisté sur le fait qu'il soit devenu procureur faute d'avoir pu faire des études. Ces dernières, si elles présument d'un intérêt pour les livres, ne s'accompagnent pas toujours de la constitution d'une bibliothèque. Jean Dayot[47], par exemple, décédé en janvier 1612, est procureur au parlement, fils d'un notaire, toujours vivant. Il a fait des études puisqu'on trouve avec son arrêt de réception comme procureur en 1605, ses lettres de bachelier. Chez lui : cinq tableaux qu'on ne décrit pas sauf pour dire que deux d'entre eux sont petits et vieux, et un livre d'heures de l'office de la Vierge Marie qui appartient à sa femme. Ses livres à lui sont rangés dans un petit comptoir. L'un est la *Conférence de Nérac*, l'autre, la *Muse Gasconne* (composée de pastorales que Larade fait paraître à Toulouse en 1607) et le troisième, *L'introduction de philosophie divine*. Doté de peu de meubles, le jeune procureur, au moment de sa mort, ne faisait qu'amorcer la constitution d'une bibliothèque. Peut-être son père lui avait-il fourni jusque-là les livres utiles à ses études ? Les habitudes, à ce sujet, varient d'une famille à l'autre. Quand décède, en 1613, un autre procureur au parlement, Pierre Gatignol[48], on trouve certes des livres de classe, dans une petite chambre servant d'étude à ses deux fils, mais ces livres appartiennent aux fils et non au procureur. Une grande pierre blanche plate où il y a une image de saint Antoine est la seule représentation mentionnée dans cet inventaire, qui ne contient aucun autre livre.

Utile, informative et distrayante : la bibliothèque du procureur

Même si plusieurs procureurs ne nous ont pas laissé aller très loin, dans leur tête et dans leurs yeux, d'autres semblent nous avoir attirés dans un labyrinthe. Le procureur au parlement François Savenier[49] est mort en 1614, même s'il a fallu attendre quelques années avant que son inventaire ne soit terminé. Cet ancien clerc du conseiller au parlement Melet dont il avait gardé chez lui des sacs et des papiers se démarque de ses collègues. Contrairement aux autres procureurs, on ne trouve chez lui aucun tableau. Alors que sa bibliothèque est bien fournie, elle exclut les livres de dévotion proprement dits, sans pour autant bannir les ouvrages de morale. Dans sa maison, pas de style écrit à la main, mais les *Observations de M. Jacques Leschassier* dont une édition de 1602 portait sur les hypothèques, les hérita-

---

47. ADHG, 3E 11899, pièce 14.
48. ADHG, 3E 11915, pièce 5.
49. ADHG, 3E 11949, pièce 1.

ges et les dots, le *Guidon des praticiens* et un livre de *Pratique judiciaire des causes criminelles*. Il a aussi *Les Questions diverses et discours* de Louis Charondas Le Caron. Les *Mémoires de Pierre de Miraulmont sur l'origine et institution des Cours souveraines et justices royales estans dans l'enclos du palais Royal de Paris* lui fournissent une histoire des cours souveraines. « L'estat de l'Église » ou l'« Histoire de France » ne comportent pas assez de détails pour qu'on sache à coup sûr de quoi il s'agit. Même ambigüité pour ce livre sur les funérailles et sépultures des rois. Les *Chroniques* de Jean Carion montrent par ailleurs qu'il s'intéresse à l'histoire générale, alors que l'histoire récente lui est rappelée par l'*Histoire de la mort déplorable de Henri IV*, de Pierre Matthieu et, de façon surprenante, par l'opuscule de Marie de Gournay, publié en 1608, *Bienvenue de Monseigneur le duc d'Anjou*[50].

Le reste de sa bibliothèque est assez éclaté. Il possède par exemple Les *Cinq livres d'Artemidore*, réduits en épitomé au XVIe siècle, et qui portent sur l'interprétation des songes. *Les bigarrures du seigneur des Accords* par Étienne Tabourot, qu'on a fait « rabelaisien[51] » semblent indiquer qu'il ne refusait pas l'occasion de se payer une pinte de bon sang. Il est difficile de dire toutefois s'il lisait pour s'en amuser ou avec rage « Les actes du sinode » qui sont sans doute les *Actes du synode universel de la saincte reformation, tenu à Mompelier le quinziesme de may 1598*. *Satyre Menipaee*, parus en 1600 et qui ridiculisent les protestants[52]. Parmi ses livres, l'ouvrage d'Artus Désirée, *Les disputes de Guillot le porcher et de la bergère* qui ne venait pourtant pas d'être réédité[53], rappelle peut-être le passé du procureur, avant qu'il ne s'adonne à la philosophie : l'ouvrage de Pierre Le Charron, *De la sagesse*, qui s'ouvre, dès l'édition de 1601, sur une épitre au duc d'Épernon, *Les sages enseignements et sentences d'or de Pythagore* (paru en 1608) et La *Philosophie d'amour* de Léon Hébreu, sont assez loin, en effet, des histoires d'Artus Désirée. On lui connaît également un petit livre en latin qu'on dit intitulé Anthonius Arena, mais dont on ne sait de quel ouvrage de ce poète qui pratiquait le latin macaronique il s'agit. Un dictionnaire français et italien fait aussi partie de ses possessions. On ne voit pas, à travers la liste de ses livres, à quoi il a pu lui servir, à moins que le scribe n'ait ici confondu italien et latin, ce qui, venant de passer sur le livre d'Arène, aurait pu se comprendre.

Sa bibliothèque contient aussi de la poésie dont il peut user à diverses fins, ainsi *Le premier livre de la flamme d'amour* de Claude de Trellon, mais

---

50. Michèle FOGEL, *Marie de Gournay*, Paris, Fayard, 2004, p. 161-167.

51. Marcel GRÈVE, « Tabourot "rabelaisien" et "rabelaisant" », Marcel GRÈVE, Claude DE GRÈVE, Jean CÉARD, *La réception de Rabelais en Europe du XVIe au XVIIIe siècle*, Paris, Honoré Champion, 2009, p. 61-68.

52. Ils sont l'œuvre de Reboul et contenaient, semble-t-il, des passages en langue d'oc, P. DESCHAMPS et G. BRUNET, *Manuel du libraire et de l'amateur de livres...*, *Supplément*, t. 2, Paris, Librairie de Firmin-Didot, 1880, col. 406.

53. La dernière édition retrouvée dans le Catalogue collectif de France avant 1617 date de 1586. Pour l'importance de cet auteur dans la mobilisation catholique et la violence de la seconde moitié du XVIe siècle, voir Denis CROUZET, *Les guerriers de Dieu...*, vol. 1, p. 191-201.

surtout les *Mimes, enseignements et proverbes* de Jean Antoine Du Baïf, bel exemple de poésie gnomique appréciée par les adeptes de littérature morale, qui y trouvent également ce que Jean Vignes appelle une « esthétique du lieu commun[54] ». Esthétique qui ne le laissait sans doute pas indifférent, puisqu'il possédait de Boaistuau, *Le théâtre du monde*, sorte d'encyclopédie de la misère humaine, où les avocats pouvaient puiser exemples et lieux communs[55], maintes fois éditée depuis le milieu du XVIᵉ siècle, et un « théâtre des bienheureux », qui doit être le *Temple des bienheureux* de Jacques Doublet, paru à Lyon en 1606, et qui prétendait décrire la vie, les miracles et les martyres de tous les saints.

Comme le procureur Antoine Montal, le procureur Savenier possède la *Semaine ou création du monde* de Du Bartas. Comme son collègue Seneyragel, il possède les *Paraphrases des psaumes de David*. Que fait le *Mépris de la cour avec la vie rustique* de l'auteur espagnol Antonio de Guevara, dans sa bibliothèque ? Probablement la même chose que *Le courtisan* de Castiglione dans celle du procureur Bégon. Certes, le procureur Savenier ne reproduit pas la bibliothèque de ses collègues procureurs, mais comme pour la leur, il veille à ce qu'elle soit utile, informative, et distrayante. Quant à tirer de cette liste ou des ouvrages qui n'y sont pas, des informations sur ses croyances religieuses, il vaut mieux s'en abstenir si on ne veut pas le plonger complètement dans les contradictions.

Bernard Subreuille[56], procureur au parlement, est décédé en 1620. Même si on ne décrit pas les quelques tableaux qu'il possède, les auteurs qui garnissent sa bibliothèque méritent d'être mentionnés. Comme plusieurs collègues, il a le *Recueil des arrêts* de Papon, mais on ne trouve que chez lui, les « Remarques du droit par un savant avocat de Toulouse[57] ». *La Somme rural, ou le grand coutumier général de pratique, civil et canon, composé par J. Bouteiller, revu, corrigé sur l'exemplaire manuscrit, et illustré de commentaires et annotations, etc.* par Louis Charondas le Caron, s'y trouve aussi. Il possède

---

54. Jean Vignes, *Mots dorés pour un siècle de fer. Les Mimes, enseignemens et proverbes de Jean-Antoine de Baïf : texte, contexte, intertexte*, Paris, Honoré Champion, 1997, p. 18-19. « [L]e goût de la citation, de la paraphrase, de la réécriture, qu'illustre peut-être jusqu'à l'excès la démarche anthologique de Baïf, constitue à n'en pas douter l'une des caractéristiques majeures de la poétique humaniste », p. 19.

55. Guy Demerson, « Compte rendu de Pierre Boaistuau, *Le théâtre du monde (1558)*, Michel Simonin (éd.), Genève, Droz, 1981 », *Bulletin de l'Association d'études sur l'humanisme, la réforme et la renaissance*, nᵒ 16, 1983, p. 86-87. On trouvera d'innombrables informations sur plusieurs de ces œuvres et auteurs dans Michel Simonin, *L'encre et la lumière, Quarante-sept articles (1976-2000)*, Genève, Librairie Droz, 2004.

56. ADHG, 3E 11921, pièce 28.

57. Sans doute les *Remarques du droict françois, confirmees par loix, ordonnances royaux, arrest des cours souveraines, & authorizes des plus celebres decisionaires de nostre temps. Recueillies des escrits & memoires de plusieurs hommes doctes par un sçavant & fameux advocat au parlement de Tolose, n'agueres decedé. Oeuvres meslé de diverses matieres civiles, canoniques, beneficialles, feudalles & criminelles, qui se tractent ordinairement au Palais. Avec une table des titres*, édité pour la troisième fois en 1618 mais dont il possède sans doute la deuxième édition, de 1614, qui mentionnait, sans le nommer, ce « savant et fameux avocat au parlement de Toulouse ».

également les *Arrêts notables du Parlement de Toulouse* que La Roche-Flavin a fait paraître chez l'imprimeur Colomiez, à Toulouse en 1617[58]. S'ajoutent à ces ouvrages de droit, des livres d'études : un Despautère (une grammaire), un Dictionnaire latin, grec et français. On ne sait pas trop s'il utilisait les *Colloques de Cordier* comme un ouvrage pédagogique permettant d'améliorer son latin ou celui de ses enfants, ni comment il appréciait les œuvres en vers français de Clément Marot qu'il possédait aussi.

Seul un livre d'heures de Notre Dame le rapproche des procureurs dévots du début du siècle, mais comme son collègue Savenier, il semble apprécier Reboul, dont il a *Les Salmonées*, pamphlet contre les protestants, publié en 1597 par un ancien protestant[59]. Le procureur Subreuille semble en effet s'intéresser aux polémiques du temps, puisqu'on trouve chez lui le *Mercure français*, dont le premier volume *Le Mercure françois ou la Suitte de l'histoire de la paix commençant l'an 1605 pour suite au septenaire de P. Cayer, et finissant au sacre du très grand Roy de France et de Navarre Louis XIII*, est paru en 1611. Il s'agit alors d'un ensemble de « diverses sortes de textes déjà parus : des déclarations royales et d'une manière plus générale des pièces officielles, des libelles, des récits d'abord publiés sous la forme "d'occasionnels"[60] ».

On serait bien en peine de dresser, à partir de la liste des ouvrages qui circulaient parmi les procureurs de Toulouse dans les deux premières décennies du XVIIᵉ siècle, un portrait crédible de leurs fidélités politiques ou de leurs tendances à la rébellion. Dévots au début du siècle et sans doute, comme la plupart des Toulousains au sortir des guerres de religion, prêts à défendre le bastion catholique qu'était leur ville, les procureurs toulousains sont loin de limiter leurs lectures aux ouvrages de pratique dont ils avaient besoin pour exercer leur métier. Certes, les compilations et les styles constituent leurs principales ressources juridiques, mais ils ne négligent pas les ouvrages qui débordent la technique et fréquentent à la fois les Anciens, la littérature morale, et Montaigne.

---

58. Carole DELPRAT, « Officiers et seigneurs chez Bernard La Roche-Flavin », *Les Cahiers du Centre de Recherches Historiques*, 27, 2001, [en ligne], mis en ligne le 23 novembre 2008. URL : http://ccrh.revues.org/1193, consulté le 05 septembre 2011. Elle signale que La Roche-Flavin était marié à Hélix de Begon (avant 1576) d'une famille de marchands impliqués dans les offices de la ville. Voir aussi dans Jacques POUMARÈDE et Jack THOMAS (études réunies par), *Les parlements de province : pouvoirs, justice et société du XVᵉ au XVIIIᵉ siècle*, Toulouse, Framespa, 1996 ; Jacques POUMARÈDE, « Les arrêtistes toulousains », p. 369-391 ; Jacques KRYNEN, « À propos des *Treze Livres des Parlemens de France* », p. 691-705 ; Carole DELPRAT, « Magistrat idéal, magistrat ordinaire selon La Roche-Flavin : les écarts entre un idéal et des attitudes », p. 707-719.

59. Frank LESTRINGANT, « Une liberté féroce. Guillaume Reboul et *Le nouveau Panurge* », Isabelle MOREAU et Grégoir HOLTZ (études réunies par), « *Parler librement* ». *La liberté de parole au tournant du XVIᵉ et du XVIIᵉ siècle*. Lyon, ENS Éditions, 2005, p. 117-131.

60. Christian JOUHAUD, texte de présentation du fac-similé numérique du *Mercure français*, http://mercurefrancois.ehess.fr/presentation.php, consulté le 5 septembre 2011.

Une « *culture du palais* »

Cette ouverture nous conduit à reformuler le problème. Plutôt que de s'interroger sur l'existence d'une culture de procureur, il faudrait peut-être se demander si les procureurs toulousains ne participaient pas plutôt d'une « culture du palais ». Cela pourrait expliquer qu'ils aient soutenu si longtemps, contre les traitants, leur position de ne devoir leur office qu'au parlement, sans pour autant négliger leur loyauté à l'État. Cela pourrait expliquer aussi que cette culture n'ait pas toujours trouvé écho dans leur famille, quand cette dernière, notamment, n'y participait pas.

L'existence d'une culture du Palais pourrait être soutenue par les résultats d'une comparaison systématique entre les inventaires des procureurs et ceux des avocats ou des huissiers. Les seuls livres que l'on trouve chez le procureur Michel Merle[61] sont ceux qui appartiennent à son fils aîné, Jean Merle, avocat. Parmi ces ouvrages, notons les *Arrêts notables* de La Roche Flavin que possédait déjà le procureur Subreuille en 1620, *La Conférence des ordonnances royaux* de Guénois que possédait Amier Salanier, procureur au sénéchal en 1617 et Louis Jacquemet en 1613. La bibliothèque de Gabriel Martin, l'avocat, fils du procureur Jean Martin, est une belle bibliothèque, si l'on considère le nombre de bouquins qu'elle contient : il faut pour les énumérer quatorze pages pour les titres en français et quinze pages et demi pour les titres en latin. Plusieurs des titres qu'on énumère nous sont déjà connus pour avoir fait partie des bibliothèques plus modestes des procureurs. Il est vrai que les livres mentionnés pouvaient être d'un usage collectif et servir autant le père procureur, le fils avocat, ou l'écolier qui occupait aussi la maison, mais on y trouve autant d'ouvrages de pratique que d'ouvrages de droit, de philosophie, d'histoire ou de littérature. Citons simplement, puisque ce n'est pas si fréquent, *Le parfait praticien françois* de Cayron et le *Vray praticien françois*, du même auteur[62]. En 1630, le praticien au palais Guy Moyen, avait aussi dans sa bibliothèque, un ouvrage de Cayron[63].

En attendant qu'une étude systématique permette de valider ces premiers résultats, l'hypothèse n'est pas infirmée par ce qu'offre à ses clients Martin Malebiou[64], libraire au palais, dont la boutique était juste à côté de l'entrée du greffe civil. Quand il meurt en 1616, il n'a pas eu le temps de mettre ses affaires en ordre et n'a pas fait de testament. On trouve dans sa boutique, des ouvrages qui nous sont maintenant familiers[65] : cinq *Coutumes de Toulouse*,

---

61. ADHG, 3E 11931, pièce 71, 1654.
62. Il est vrai que le procureur Martin avait prêté de l'argent à Cayron en 1623, qui l'avait peut-être remercié en lui donnant ses livres. ADHG, 3E 11932, pièce 9.
63. ADHG, 3 E11935, pièce 15.
64. ADHG, 3 E11932, pièce 51.
65. On peut comparer son inventaire de librairie à celui du couple Langelier et Louvain, libraires au palais à Paris, et daté de 1621 : Jean BALSAMO et Michel SIMONIN, *Abel L'Angelier et Françoise de Louvain (1574-1620). Suivi du catalogue des ouvrages publiés par Abel L'Angelier (1574-1610) et La veuve L'Angelier (1610-1620)*, Genève, Droz, 2002. L'inventaire du libraire Duham à Aix

un *Suétone* en français, les *Résolutions du droit* de Carondas (Charondas Le Caron), une bible en français déjà relié en basane, une *Vanité du monde*, une *Pratique* de Mazuer, des grammaires grecques en plusieurs exemplaires, un *Triomphe de Jésus* de Crespet, prêt à couvrir, un *Essais* de Montaigne, mais aussi un *Don Quichotte* espagnol et français, deux *Tableaux sacrés* du père Richeome, une seule *Vie des saints*, une *Métamorphose* d'Ovide in-12, un *Guide des pécheurs*, in-16, deux autres *Métamorphoses* d'Ovide in-16 reliés en parchemin. Des livres en blanc in-8, parmi lesquels une autre *Pratique* de Mazuer, quatre *Recueils des édits du roi concernant les tailles*, plusieurs *Questions et décisions* de La Rochette. Parmi les livres in-12 en blanc, des catéchismes, les *Leçons* de Panigarolle, des *Méditations*. Parmi les livres en blanc in-16, un autre *Triomphe de Jésus* de Crespet, un abrégé de Grenade, et de lui encore un mémorial et supplément, deux *Théâtre du monde*. Pour répondre aux besoins de ses clients, le libraire tient autant de livres usagés que de livres neufs. Parmi les « livres vieux » : des manuels de classe (cours de philosophie, rhétorique, grammaire), des pratiques, *Les arrêts donnés et prononcés en robe rouge au parlement de Bretaigne*, recueillis par Guillaume de Lesrat. Le libraire offre également de relier les ouvrages au goût de ses clients et sa boutique est dotée de tous les outils nécessaires pour faire le travail sur place.

Comme les bibliothèques des procureurs de la même époque, la librairie de Malebiou contient un peu de tout. Elle répond à la demande qu'elle anticipe sans doute aussi un peu. On peut croire que Malebiou n'avait pas les procureurs pour seuls clients au Palais. La coïncidence de ses stocks avec les bibliothèques de ces derniers plaide pour une adhésion des procureurs à un goût du Palais dont la librairie n'est ici qu'un reflet.

Consommateurs d'images de dévotion ou amateurs d'art ?

Alors que les livres se répètent rarement, d'un inventaire à l'autre, la récurrence des sujets des tableaux ne nous présente pas les procureurs comme des amateurs d'art, mais plutôt comme des consommateurs d'images de dévotion dont il est difficile de mesurer la qualité. En 1613, l'inventaire de Jean Nante[66], procureur au sénéchal comprend *La vanité du monde* du franciscain espagnol Diego de Estella et un livre d'heures. Dans une autre pièce, deux autres livres d'heures, l'un du Concile presque neuf et un autre, fort usé. Puis, trois grands livres : les *Trois notaires* de Jean Papon. Parmi les papiers, dans la salle, et dans une armoire : l'*Apologie et défense de*

---

est beaucoup plus tardif (1668) et il ne s'agit pas d'un libraire du palais, ADBR Aix, 303E 568, f° 816.

66. ADHG, 3E 11936, pièce 61.

Lysias[67], qui contrairement à ce que son titre indique est un livre de droit. Quatre formulaires du style du sénéchal doivent par ailleurs n'être que des copies manuscrites. Si l'on trouve six grands tableaux à la détrempe, dont on ne croit pas nécessaire de dire ce qu'ils représentent, les petits tableaux à l'huile méritent quant à eux cette attention : l'un représente un saint, l'autre, qui appartient à la veuve, un Christ, et deux autres, chacun un homme et une femme. Sur une tapisserie, on a illustré l'amour de Suzanne avec les vieillards. Ailleurs, deux grands tableaux à la détrempe où sont peints les quatre évangélistes et un autre tableau où on a peint, à l'huile, le portrait du défunt. Ce portrait, dans cet ensemble, témoigne d'une attitude chez le procureur qui n'est pas isolée.

Un an plus tard, en 1614, l'inventaire de Louis Jacquemet[68] aussi procureur au parlement, la confirme. Son originalité ne tient pas à sa bibliothèque qui ne contient que deux livres : *La conférence des ordonnances royaux* et les *Réponses du droit françois*, mais à ses tableaux. Certes, trois tableaux de plate peinture commune sur toile dont les moulures sont usées et vieilles n'intéressent pas ceux qui font l'inventaire. Mais, dans une chambre, un tableau à l'huile, représentant une descente de croix au bas duquel le procureur est peint, mérite leur attention. Une salamandre en tableau de velours noir rappelle, certes François 1er, mais l'animal a un bien plus large pouvoir d'évocation. Un petit tableau de saint Jérôme, usé, rappelle les intérieurs des autres procureurs et la faveur du saint dans la ville sous la protection duquel, entre autres, on avait placé les pénitents bleus[69]. Ailleurs, quatre autres tableaux de plate peinture commune ne sont pas identifiés.

Ces deux derniers procureurs, auxquels on peut ajouter le procureur Bellot, ont choisi de se mettre en représentation. Par définition, ces portraits sont des commandes[70] ; ils attestent donc d'une relation personnelle de ces procureurs avec un peintre. Les portraits de Bellot et de Nante, représentés seuls, sont inclus dans un ensemble de tableaux dont on ne sait trop s'ils ont

---

67. Le titre complet est *Excellente apologie et défense de Lysias, orateur, sur le meurtre d'Eratosthène surpris en adultère : où est traictée et comprinse toute la matière des adultères insérée dans le droit Civil* ; traduicte du grec par Jacques DES COMTES DE VINTIMILLE et commentée par M. Philibert BUGNYON. L'ouvrage paraît à Lyon en 1576.

68. ADHG, 3E 11919, pièce 5.

69. Marie-Hélène FROESCHLÉ-CHOPARD, *Dieu pour tous et Dieu pour soi. Histoire des confréries et de leurs images à l'époque moderne*, Paris, L'Harmattan, 2006, p. 128.

70. Les peintres pouvant remplir ce type de commandes à Toulouse sont nombreux. Il y en aurait soixante-cinq environ dans la première moitié du XVIIe siècle, selon les archives notariales. Stéphanie TROUVÉ, « La peinture religieuse à Toulouse au temps de Nicolas Tournier », *Nicolas Tournier 1590-1639. Un peintre caravagesque*, Toulouse, musée des Augustins, 2001, p. 55. Il va sans dire qu'aucun des tableaux que possèdent les procureurs n'a pu être attribué à un peintre en particulier. Axel Hémery a cru déceler une certaine division du travail entre le peintre Jean Chalette, nommé peintre des capitouls en 1612 et Nicolas Tournier. À Toulouse, Chalette se serait consacré aux portraits et aux tableaux de dévotion. « Nicolas Tournier, peintre de l'introspection. État de la question et essai de reconstitution de sa carrière », *Nicolas Tournier 1590-1639...*, p. 25.

été faits en série ou s'ils ont été commandés par le procureur[71]. Ces procureurs ont ainsi choisi de s'« auto-commémorer[72] » et de prendre place parmi les scènes religieuses qu'ils exposent, sans y être intégrés. La décision du procureur Jacquemet l'a écarté de cette voie. Sa représentation est intimement associée à une scène religieuse, elle prend ainsi un tout autre sens. Il ne s'agit pas ici d'interpréter un tableau qui ne nous est pas parvenu. On peut néanmoins insister sur deux points : premièrement, l'auto-commémoration du procureur Jacquemet est en quelque sorte justifiée moralement par le caractère dévotionnel de l'image. Le tableau montre d'abord une descente de croix ; le portrait du procureur n'en étant pas le principal sujet, il a un rôle utilitaire, en reliant le Christ à la prière du fidèle. Deuxièmement, le portrait du procureur profite de la mise en scène fournie par la descente de croix, puisque même s'il n'est pas vraiment intégré à la scène principale, il occupe avec elle, le même espace clos qui en définit le sens (le tableau).

Dans l'histoire du marché de l'art, l'intérêt pour le portrait que manifestent les procureurs de Toulouse n'est pas précoce. Le procureur Maria d'Aix et sa femme avaient montré, une trentaine d'années plus tôt, le même souci de se représenter. Maria, probablement mu par une volonté d'éviter de pécher par orgueil, avait cependant fait mettre un rideau devant son portrait, comme l'Église recommandait qu'on le fasse avec les images religieuses pour éviter de tomber dans l'idolâtrie[73]. Réapparu au XIVe siècle, le portrait a été le premier « genre » à profiter de la peinture de chevalet, avant que ne reviennent les paysages, les natures mortes et les peintures d'histoire[74] qui ont tour à tour délogé les sujets religieux. Au moment où les procureurs toulousains se le permettent, au XVIIe siècle, le portrait connaît son âge d'or. Les théoriciens le placent, certes, au bas de l'échelle des genres[75], puisque leur point de vue est celui du peintre, mais pour les procureurs, son arrivée signale leur volonté de laisser une trace et leur conscience d'exister comme individu. Le sens du décor des procureurs toulousains apparaît cependant davantage dans ce qu'il exclut qu'à travers leur timide inscription dans la veine du portrait.

En effet, au même moment, les procureurs marseillais n'ont toujours pas de livre, mais ils rivalisent d'originalité dans le décor de leur maison. En 1624, le procureur Pierre Dubellis a fait de ses murs, un hommage à la royauté : un tableau d'Henri IV, un autre de Louis XIII, un autre tableau d'Henri IV, un autre où est peinte la « reyne mère de notre Roy » partagent

---

71. Les tableaux à la détrempe pourraient avoir été faits en série. Il n'est pas rare en effet que même les grands tableaux faits « à la détrempe » ne soient pas décrits. C'est aussi le cas par exemple de ceux du procureur Pierre Goffre, procureur au parlement, en 1614, dont on sait seulement qu'il a cinq tableaux de ce type, ADHG, 3E 11916, pièce 15, p. 3.
72. Patricia SIGNORILE, *Le cadre de la peinture*, Paris, Éditions Kimé, 2009, p. 103.
73. Frédéric COUSINIÉ, *Le peintre chrétien...*, p. 133.
74. Patricia SIGNORILE, *Le cadre de la peinture*, p. 62-63.
75. Frédéric ELSIG, *L'art et ses marchés. La peinture flamande et hollandaise (XVIIe et XVIIIe siècles) au musée d'Art et d'histoire de Genève*, Paris, Somogy Éditions d'art, 2009, p. 29.

les murs avec une Décollation de saint Jean-Baptiste, saint Pierre, Notre Dame de Pitié, Notre Dame des Anges et Notre Dame d'Espérance, saint François, la Nativité, avec aussi le Ravissement de Lucrèce par Tarquin et avec une Turque[76]. Les procureurs toulousains ont privilégié d'autres vocables pour leur dévotion, mais ce qui frappe surtout au regard de cet exemple marseillais est l'absence complète de la famille royale sur les murs des Toulousains[77].

Dans le premier quart du XVIIe siècle, les procureurs toulousains, sans doute plus dévots qu'humanistes, semblent trouver dans les productions culturelles toulousaines ce qui les intéresse. Pour le métier, ils s'abreuvent à des sources qui inscrivent la justice dans le cadre du royaume mais s'ils adhèrent à la réconciliation obligée qui suit l'avènement d'Henri IV, ils ne semblent pas encore prêts à remplacer leur attachement au parlement toulousain par une allégeance aux visées plus centralisatrices.

Curiosité, diversité et littérature dans le second quart du XVIIe siècle

Dans la période qui suit, les procureurs toulousains ont un statut particulier. Ils ont résisté à l'office royal alors que leurs collègues d'Aix, de Grenoble ou de Marseille ont cédé. Les procureurs toulousains n'ont pas perdu pour autant leur attrait pour la littérature, bien au contraire, ils semblent comme jamais au diapason des tendances littéraires.

Les procureurs à la page

Deux témoins : l'un, le procureur au parlement, Pierre Pradier[78] possède la plus belle bibliothèque de procureur pour cette époque. Exceptionnelle, sa bibliothèque est tellement touffue qu'on peine à discerner un axe dans la curiosité de ce procureur. Cet axe apparaît clairement dans la bibliothèque plus restreinte de son collègue Jean François Franques[79], procureur au parlement, lui aussi décédé en 1632.

Qui oserait encore traiter les procureurs d'ignares, après avoir fait le tour de la bibliothèque du procureur Pradier ? Une telle curiosité mérite en tout cas d'être dévoilée, même si l'énumération de ces titres risque d'ennuyer. S'il a, comme quelques collègues, les *Œuvres* de Justin, il s'intéresse aussi aux sujets du jour, et ses livres, pour les uns, formulent les questions et pour les autres y répondent : *L'Histoire admirable de la possession et conver-*

---

76. ADBR Marseille, 2B 797, fᵒ 822.
77. Il n'est pas établi que la salamandre qu'affichait un des leurs était couronnée. L'eût-elle été, c'est à François 1er qu'elle aurait rendu hommage et non aux Bourbons.
78. ADHG, 3E 11941.
79. ADHG, 3E 11910, pièce 1.

sion d'une pénitente... raconte l'exorcisme de Madeleine de La Pallud par Sébastien Michaelis, alors que *Les controverses et recherches magiques* de Martin Del Rio, fait partie de la littérature jurisprudentielle qui s'élabore alors autour des cas de sorcellerie[80]. *De la démonomanie des sorciers* de Jean Bodin figure aussi dans cette bibliothèque, à côté des *Essais* de Montaigne, plaisamment rebaptisés par le scribe « Les excès de Montaigne ». Aux *Essais* viennent s'ajouter la *Théologie naturelle de Raymond Sebond*, traduite par Montaigne.

D'histoire ou de politique, les ouvrages qui traitent de la période récente prennent une bonne place : *Les dialogues de Jacques Tahureau, L'histoire des choses les plus mémorables de ce qui s'est passé en France depuis la mort de Henri le grand*, par Pierre Boitel, ou *L'inventaire général de l'histoire de France, depuis Pharamond jusque présent illustré par la conference de l'Église et de l'Empire*, par Jean de Serres, l'ouvrage de Platine sur *Les vies, faictz et gestes des saincts pères, papes empereurs et roys de France*, les *Commentaires de messire de Montluc*, qui décrit les campagnes des armées catholiques dans le sud-ouest de la France ou encore *La Chronologie ou Histoire de la Paix entre les Rois de France & d'Espagne, contenant les choses mémorables, depuis l'an 1598...* de Pierre Victor Cayet[81]. *Les Pléiades du sieur de Chavigny beaunois, divisées en sept livres*, et éditées de nombreuses fois dans la première décennie du XVIIe siècle, correspondent à son intérêt pour l'astrologie judiciaire, mais comme l'ouvrage prédit à Henri IV de régner sur l'univers[82], il pourrait aussi être classé avec les ouvrages ayant trait à ce roi. Comme celui du père Richeome d'ailleurs dont *La plainte apologétique au roi très chrétien de France, pour la Compagnie de Jésus, contre le libelle intitulé : Le franc et véritable discours...* appelle la fin d'une éloquence religieuse agressive pour adopter plutôt, comme les Jésuites l'ont fait, une attitude de paix[83]. Ouvrage politique encore que le *Traité de la naissance, durée et chute des États*, de René Lucinge, seigneur des Alymes et de Montrozat[84].

Pradier n'est pas le seul procureur à posséder les *Œuvres morales* de Plutarque en français, mais elles prennent un autre relief quand on observe ce qui les entoure. *L'académie d'honneur* de Louis Richeome a aussi des accents moraux. *La Pratique chrétienne* est d'un autre jésuite, François

80. Henri-Jean MARTIN, Roger CHARTIER, *Livre, pouvoir et société à Paris au XVIIe siècle*, t. 1, Genève, Droz, 1999, p. 189. Henri-Jean Martin met ici sur le même pied que Del Rio, *Le Tableau de l'inconstance et instabilité de toute chose*, de Pierre Lancre que possédait Antoine Croset en 1609. Les deux auteurs sont considérés par Martin comme « des allumeurs de bûchers » (p. 188).

81. Jacques LELONG (*Bibliothèque historique de la France contenant le catalogue des ouvrages imprimés et manuscrits...*, nouv. éd., revue corrigée et augmentée par M. Fevret de Fontette, t. 2, Paris, Imprimerie de Jean-Thomas Herissant, 1769, p. 372) dit qu'on inséra cette chronologie dans le *Mercure français* « qui en est une suite et qui commence en 1605 ».

82. Louis-Gabriel MICHAUD, *Biographie universelle ancienne et moderne...*, nouv. éd., vol. 8, Paris, chez Madame C. Desplaces, 1854, p. 62.

83. Marc FUMAROLI, *L'âge de l'éloquence*, p. 240-241.

84. Louis-Gabriel MICHAUD, *Biographie universelle ancienne et moderne...*, nouv. éd., vol. 25, Paris, chez Madame C. Desplaces, s. d., p. 432.

Bonald[85]. Il possède par ailleurs, en deux exemplaires, l'ouvrage de Laurent de Paris, *Le Palais de l'amour divin entre Jésus et l'âme chrestienne...*, qui promet de fournir une méthode de perfection. Si le procureur a lu *l'Académie française* de Pierre de la Primaudaye qu'il possède, il a dû réfléchir à la corruption qui s'est acharnée sur l'homme[86]. Il a aussi deux tomes de *La Semaine ou Création du monde* de du Bartas, comme les procureurs Montal et Savenier avant lui, et possède *Le triomphe de Jésus* de Pierre Crespet, comme le procureur Antoine Croset (en 1609).

Il s'intéresse aux Anciens, à leurs dieux et à leurs philosophes comme le montrent *Les images des dieux des anciens de Vincent Cartari*, « produites par Anthoine Verdier », sorte de catalogue mythographique illustré qui connut un grand succès dans les dernières années du XVIe siècle[87] et *Le Diogène françois tiré du grec ou Diogène Laertien traduit et paraphrasé par Francois de Fougerolles.*

Il possède le traité de Galien, *De l'usage des parties du corps humain, livres XVII*, en français et s'intéresse certainement à la médecine puisqu'il détient l'ouvrage de Sébastien Colin, médecin du Poitou, *l'Ordre et régime qu'on doit garder et tenir en la cure des fièvres...* suivi d'un *dialogue contenant les causes, jugemens, couleurs & Hypostases des urines*, dont le privilège a été obtenu en 1557. *La généalogie de l'amour divisée en deux livres* de Jean de Veyries fait partie des traités médicaux sur le mal d'amour qui se répandent à cette époque[88]. Dans la même veine, le *Traité de l'essence et guérison de l'amour, ou de la mélancholie érotique*, de Jacques Ferrand, publié à Toulouse en 1612 considère aussi l'amour d'un point de vue médical[89]. Il a également le *Traité de la peste* du chirurgien Labadie, publié à Toulouse en 1620 et le *Trésor des pauvres* (d'Arnaud de Villeneuve) qualifié de « fort vieux », ce qui peut simplement signifier qu'il a beaucoup été utilisé puisqu'il contenait « plusieurs remèdes, bruvages, oignemens, emplastres... et receptes contre toute sorte de maladies » comme son sous-titre l'indique.

Dans un tout autre domaine, les ouvrages de poésie dévote sont représentés par *L'imitation des psaumes de David* qui doit être l'ouvrage de Jean de la Ceppède, publié en 1612 à Toulouse[90] et auquel furent joints les *Théorêmes*

---

85. Selon Charles Louis RICHARD, *Bibliothèque sacrée ou Dictionnaire universel historique, dogmatique,... des sciences ecclésiastiques*, t. 5, Paris, Méquignon fils ainé, 1822, p. 146.

86. Denis CROUZET, *Les guerriers de Dieu*, vol. 2, p. 163.

87. Hervé T. CAMPANGNE, « Mythographie et discours du plaisir : Antoine du Verdier et la traduction des *Imagini de i dei de gli antichi de Vincent Cartari* », *Bulletin de l'Association d'étude sur l'humanisme, la réforme et la renaissance*, n° 35, décembre 1992, p. 29-45.

88. Tony GHEERAERT, *Saturne aux deux visages : introduction à l'Astrée d'Honoré d'Urfé*, Mont-Saint-Aignan, Publications des universités de Rouen et du Havre, 2006, p. 42, note 33.

89. Voir ce qu'en dit Pierre SERVET, dans le *Bulletin de l'Association d'étude sur l'humanisme, la réforme et la renaissance*, 56, n° 56, 2003, p. 146, pour rendre compte de l'édition parue chez Anthropos en 2001.

90. Paul CHILTON, « Jean de la Céppède (1550 ?-1623) », David LEE RUBIN, *La poésie française du premier XVIe siècle : textes et contextes*, 2e éd. rev. et augm., Charlottesville, VA, Rookwood Press, 2004, p. 54.

qui ont plus inspiré les historiens de la littérature que son imitation des psaumes. Pour animer ses oraisons, il a par ailleurs *Les saintes voluptés de l'âme* de Jacques Corbin, alors que pour méditer, il peut utiliser *L'exercice spirituel pour tous les jours de la semaine* de Louis de Grenade[91], mais aussi *Le paradis des prières*, et le *Mémorial de la vie chrétienne* et le *Second traité des additions du mémorial*, du même auteur. Il a le *Traité de l'amour de Dieu de Christophe Fonseca, traduit par Nicolas Maillard* et *L'Adieu du pêcheur au péché*, du théologien Pierre Dublanc. Comme son collègue Antoine Croset, il possède *L'image de la vie chrétienne* d'Hector Pinto, traduit par Cursol. Comme le procureur Seneyragel avant lui, sa bibliothèque contient *Les méditations des zélateurs de piété, recueillies de plusieurs et divers livres des saincts et anciens Pères, avec autres méditations... le tout mis en français par Jean Guytot,* livre ancien sans doute puisqu'on n'en retrouve pas d'édition peu de temps avant sa mort, mais dont la tranche dorée et sa couverture de basane rouge indiquent l'intérêt de l'objet. S'ajoute à tout cela *La violette de l'âme* de Raymond Sebond republiée en 1617. Le « petit livre de la sempmaine sainte de Nervèze » est sans doute Les *Méditations sur les mystères de la Sepmaine saincte* dont on connaît une édition en 1603. Le procureur possède par ailleurs aussi *L'office de la semaine sainte en latin* et le *Traicté du Sainct Sacrifice de la messe* de Jacques Suarez de Sainte-Marie, dont la seconde édition publiée à Paris en 1605, est classée par Louis Desgraves parmi les ouvrages de controverse entre catholiques et protestants[92]. *La vérité de la réalité du corps de Jésus-Christ au Sacrement de la Cène et de l'Eucharistie*, par Antoine de Lestang, catholique qui fut président de la Chambre de l'Édit de Castres, a par ailleurs été éditée à Toulouse en 1611, tout comme *Les merveilles du Sacré Rosaire de la très Sainte Vierge*, par Réginald Cavanac, du couvent des dominicains de Toulouse et dont la première édition fut celle de Toulouse en 1613[93]. Les *Leçons catholiques* d'Antoine Hourdel, un religieux minime du couvent de Toulouse, s'adressait aux jeunes enfants, si l'on en croit la dédicace qu'il fait au prévôt de l'église métropolitaine de Toulouse[94]. Puis *l'Exposition morale sur ce cantique « Mulierem fortem »* à qui les catalogues donnent comme auteur un religieux de la réformation de l'ordre de Fontevrault, le *Novum Jesu Christi testamentum avec les épitres de saint Paul et autres* en latin, le *Cercle de l'amour divin*, couvert de papier bleu, a probablement été publié à Montpellier en 1623. Deux exemplaires des *Psaumes de David en latin et en français, L'histoire*

---

91. Antoine Croset, en 1609, possédait aussi un ouvrage de Louis de Grenade.

92. Louis DESGRAVES, *Répertoire des ouvrages de controverse entre catholiques et protestants en France (1598-1685)*, t. I *(1598-1628)*, Genève, Droz, 1984, p. 88.

93. Christian MOUCHEL, « Les nouveaux Innocents : étude iconographique de la Madone du Rosaire du Dominiquin », *République des lettres, République des arts : mélanges offerts à Marc Fumaroli*, Genève, Droz, 2008, p. 205.

94. *Biographie toulousaine ou Dictionnaire historique des personnages...*, t. I, Paris, chez L. G. Michaud, 1823, p. 452.

prodigieuse du docteur Faust avec sa mort épouvantable, et *La réponse apologétique à l'Anti-Coton* viennent compléter la partie « anti-Réforme » de sa
bibliothèque[95].

Les religieuses amours de Florigene et Méleagre d'Antoine de Nervèze
devait lui servir à se distraire tout en restant dans le domaine religieux.
Il en avait aussi *Les chastes et infortunes amours du Baron de l'Espine et de
Lucrèce de la Prade, du pais de Gascogne* ainsi que *Les amours d'Olimpe et
de Birene*.

L'ouvrage de Gabriel de Minut, sénéchal de Rouergue, *De la Beauté.
Discours divers... avec la Paule-Graphie ou description des beautez d'une dame
tholosaine, nommée la Belle Paule* est un peu étonnant dans cet ensemble
sauf si l'on considère que le procureur s'intéresse à tous les événements
toulousains, ou du moins, à l'édition toulousaine. L'ouvrage était paru en
1587.

Il possède le *Remerciement au roi*, de Louis Dorléans, qui publie en
1605 un éloge à Henri IV aussi soutenu que sa hargne avait auparavant été
violente. Il a aussi *L'exposition de la prophétie de l'ange Gabriel touchant les
septante sepmaines descrites par le prophète Daniel* de Pierre de Belloy, avocat
général à Toulouse, catholique anti-ligueur, et dont une édition est parue à
Toulouse en 1608. Aussi publié à Toulouse, un opuscule de 40 pages, publié
en 1618, *Le Panégyrique du roy S. Louis, sur le sujet de la Célébration de sa
fête, ordonnée par notre S. Père, à la requête du roi très chrétien Louis XIII...
avec une oraison en vers* par le Père Étienne Molinier, Toulousain.

Le bouclier de la foi est difficile à identifier exactement. Je n'ai pas trouvé
non plus le petit livre *du vray moyen de se préparer a la mort du père de Nosges*
(sans doute Noguès, qui était peut-être un prêtre de Toulouse). Que sont les
« deux petits livres bouquets spirituels de l'âme » ? Des recueils de pensées
qu'il avait construits lui-même ? Dans le même ensemble : un petit livre
d'oraisons rompu en langue castillane, un almanach et des matines couver-
tes de basane noire avec la tranche dorée.

Dans cette bibliothèque, si les auteurs sont souvent des avocats, aucun
livre ne concerne proprement le domaine juridique. *Les Œuvres du sieur Du
Vair* peuvent s'y rattacher, mais la bibliothèque du procureur Pradier n'est
pas à proprement parler une bibliothèque de travail.

La bibliothèque de Jean François Franques[96], procureur en la cour de
parlement, aussi décédé en 1632, est beaucoup moins riche, mais elle nous
éclaire davantage du fait même qu'elle soit moins cumulative que celle de
Pradier. Franques avait obtenu son office de Pierre Salvat, en 1625, par
contrat de mariage avec Isabelle Salvat, exactement au moment où se jouait

---

95. Pour reprendre une formule apposée aux Pénitents, mais qui s'applique tout à fait aux titres religieux
plus récents que possède le procureur Pradier. Marie-Hélène Froeschlé-Chopard, *Dieu pour tous
et Dieu pour soi...* p. 122, qui emprunte elle-même la formule à Marc Vénard.
96. ADHG, 3E 11910, pièce 1.

le bras de fer entre les traitants et les procureurs pour l'office royal. À sa mort, en 1632, son frère Jean est bachelier en droit, il se trouve à Paris où le procureur lui envoie sans cesse de l'argent pour payer ses créanciers. On ne connaît pas l'âge du procureur Franques, mais il est tout récent dans la profession quand la mort le frappe. Dans sa bibliothèque, le procureur a des livres tout neufs : *La vie des saints* et *La Sainte Bible*. *Les Observations des coutumes de Toulouse* (sans doute de François François, lieutenant particulier en l'auditoire de la ville et viguerie de Toulouse), sont aussi presque neuves. S'y ajoutent *Les Ordonnances du roi Louis XIII* avec l'arrêt de vérification, *Le praticien françois* qui, si le titre est complet, devrait être l'ouvrage de Le Pain. *La pratique des cours de France avec les instructions impériales de Justinien,* de Pierre Fons dont on trouve une édition à Rouen en 1620. *Les Treze livres des Parlements de France* de La Roche Flavin font aussi partie de sa bibliothèque. Comme le procureur Pradier, il possède également les *Œuvres de Monsieur du Vair.*

Si on n'avait, pour comparer, la bibliothèque de Pradier, on pourrait s'étonner de son intérêt pour les histoires d'amour, qu'elles se passent dans l'antiquité ou plus récemment, car il possède *Les Amours de Théogène et Chariclée d'Héliodore, Les amours de Lozie* d'Antoine Du Périer, *L'histoire du ravissement d'Hélène* qui doit être cet ouvrage publié à Rouen en 1615. *Les amours de Lysandre et de Caliste*, de Vital d'Audiguier (dont le privilège date de 1615). La bibliothèque comprend ensuite deux volumes de *L'inventaire général de l'histoire de France* par Jean de Serres, que possédait aussi Pierre Pradier, *L'Illiade d'Homère* traduite par le sieur Du Souhait (une édition à Paris en 1627) et *Le commentaire de Jules César* en français.

Si l'on s'en tient à la liste de ses livres, on constate que chez le procureur Franques, les ouvrages dévots ont été remplacés par les romans d'« inspiration morale et humaniste » que « sous la Régence et jusqu'à l'avènement de Richelieu de nombreux romanciers continuent d'exploiter[97]... » Il n'est pas étonnant que ce soit les procureurs décédés autour de 1629 qui manifestent de l'intérêt pour cette littérature dont on a montré qu'elle explose à partir de 1600 pour atteindre son paroxysme entre 1621 et 1630[98]. Les spécialistes de cette littérature ont questionné cet intérêt, qui semblait associer le retour à la paix, l'idéal politique incarné par Henri IV et la Contre-Réforme à un changement des sensibilités qui mettait en relief notamment la « valorisation du sentiment amoureux » et l'« émergence d'un individualisme sentimental[99] ». Avec Du Périer, Vital d'Audiguier ou de Nevèze, les procureurs toulousains semblent être passés du côté du « sentimentalisme dévot[100] ». Ils

---

97. Frank GREINER, *Les amours romanesques de la fin des guerres de religion au temps de l'Astrée (1585-1628). Fictions narratives et représentations culturelles*, Paris, Honoré Champion, 2008, p. 20.
98. *Ibid.*, p. 25.
99. *Ibid.*, p. 26 et 30.
100. Pour toute cette question, voir *ibid.*, p. 88-94.

ont participé, en tout cas, au succès de librairie que ces auteurs ont connu dans le premier XVIIᵉ siècle[101].

Quand la dévotion n'est plus le seul décor

Plusieurs procureurs meurent entre 1629 et 1632. Des tableaux qu'ils laissent, je ne retiendrai que le fait qu'ils sont plus variés que chez leurs prédécesseurs. Les tableaux du procureur Mesples[102] sont certes à la détrempe, mais ils représentent La Sainte Trinité, les quatre évangélistes, la patience et la malice et même une nourrice, un saint Bernard à genoux devant Notre Dame, un paradis terrestre. Le procureur Lasserre[103] avait quant à lui, outre l'indispensable portrait de sainte Madeleine, sept vieux tableaux faits à la détrempe représentant l'histoire d'Hercule. Mathieu Mondomier[104] qui meurt à la fin de l'année 1631, a cinq petits tableaux « vieux », dont quatre représentent les quatre saisons. Chez le procureur Franques[105], en 1632, on trouve, dans une caisse et non sur les murs, deux toiles peintes représentant une bergère qui file la laine et deux portraits de damoiselles, en peinture grossière, parmi les plats.

Plus tard, la variété des sujets est encore plus importante, sans toutefois que les tableaux de dévotion n'aient complètement disparu. Chez le procureur au parlement François Lougreilh[106], en 1647, et dans la salle haute joignant la cuisine où on trouve plusieurs meubles appartenant à sa défunte épouse, on trouve un grand tableau fort vieux « avec sa corniche », où est peint un crucifix, un autre tableau avec l'image de sainte Catherine de Sienne avec sa corniche dorée autour, un autre tableau de la Nativité de Notre Seigneur et un tableau de saint Jérôme, tous deux garnis de leur corniche dorée. Mais dans la même pièce, le portrait du roi, de la reine, du duc d'Anjou, côtoient celui de « Monsieur de Vers premier président d'Aix en Provence » – le président Du Vair évidemment –, le portrait de la Vierge Marie avec le petit Jésus, garni de sa corniche, et un autre portrait du feu roi garni de sa corniche[107]. Un autre tableau où est peinte une servante appartient à la défunte épouse. Dans une salle encore plus haut, se trouvent deux grands tableaux : l'un où est peint un crucifix, et l'autre saint François avec des corniches dorées, les deux tableaux appartenant à la défunte épouse[108]. Il y a aussi cinq tableaux « vieux et affanés » où sont

---

101. *Ibid.*, p. 128. Contrairement à ce que dit cet auteur, qui cite Maurice Lever, il ne faut pas attendre 1660 pour que cette littérature atteigne la bourgeoisie moyenne, comme le montrent les procureurs, à moins que Toulouse ne soit encore là une exception.
102. ADHG, 3E 11929, pièce 16.
103. ADHG, 3E 11927, pièce 18.
104. ADHG, 3E 11929, pièce 5.
105. ADHG, 3E 11910, pièce 1.
106. ADHG, 3E 11928, pièce 66.
107. *Ibid.*, p. 13.
108. *Ibid.*, p. 21.

peints respectivement l'image de saint Pierre, saint Paul, saint Mathieu, saint Simon et saint Barthélémi. Un autre grand tableau de paysage, sans corniche, est aussi fort vieux et affané. Dans une petite chambre joignant cette salle on trouve encore « deux tableaux fort vieux et rompus ». L'un représente l'image de saint Thomas, l'autre celle de saint Jean.

Si les bibliothèques des procureurs toulousains montrent qu'ils sont touchés par les nouveaux goûts littéraires, le décor de leur mur s'est aussi mis au goût du jour, avec un certain décalage toutefois quand on le compare à celui de leurs collègues du Sud-Est.

La période est faste pour le portrait et à Aix-en-Provence, en 1640, le procureur à la cour des comptes Charles Vincent[109] a un décor qui se rapproche de celui de son collègue toulousain : à la salle, le portrait du défunt, à la chambre six tableaux dont un représente le roi, et les autres une bergère, un paysan, la veuve et la décollation de saint Jean-Baptiste. Une descente de croix, un tableau avec la Vierge et saint Joseph, un autre à la détrempe avec l'image de la Vierge, et un grand tableau à la détrempe qui représente sainte Madeleine rappellent le décor d'antan. Seul exemplaire de cette sainte : un petit tableau d'albâtre où est peinte sainte Barbe. En 1645, Jacques Garnoux[110], d'Aix, se démarque davantage de ses collègues toulousains : il a certes des tableaux de la Vierge, douze tableaux des douze apôtres et des quatre évangélistes, une Descente de croix et deux tableaux de la Madeleine, mais il a aussi six tableaux de la même grandeur représentant six villes, deux grandes cartes de la ville de Venise et une petite, en plus d'une carte d'un vaisseau. Il n'a pas non plus négligé les portraits : le sien, celui de son père, ceux de ses deux frères. En 1647, le procureur Rousset[111] a par ailleurs, en plus de son propre portrait, cinq grands tableaux où sont les « cinq sens de nature », deux grands tableaux de paysages, un autre tableau représentant une tempête de mer. La Visitation de sainte Élisabeth, la figure de saint François de Paule, La charité romaine, l'image de saint François d'Assise et quelques Notre Dame avec son fils dans ses bras ou sur ses genoux viennent compléter la collection. Quant au procureur à la sénéchaussée d'Aix Pierre Azan[112], en 1649, outre les quatre tableaux à l'huile représentant les quatre temps, et d'autres tableaux de dévotion, il a son propre portrait et celui de sa première femme.

Pour la même période, les procureurs aixois semblent moins confinés à la peinture de dévotion. Ils ont en tout cas de façon beaucoup plus claire un goût pour le portrait. Les procureurs toulousains quant à eux ont fini par intégrer sur leurs murs les portraits de la famille royale. Dans le domaine

---

109. ADBR Aix, 303E 555, f° 336.
110. ADBR Aix, 303E 556, f° 548.
111. ADBR Aix, 303E 557, f°s 32 suiv.
112. ADBR Aix, 303E 558, f°s 269 suiv.

religieux, le changement qu'on a pu constater dans leurs bibliothèques, n'est toujours pas visible sur leurs murs.

Uniformité de statut, unification du droit, uniformité de culture ?

Si l'on voulait schématiser l'histoire des procureurs, on pourrait dire qu'il y a un avant le dernier tiers du XVIIᵉ siècle et un après. Alors que leur statut s'uniformise à travers la France, la période voit aussi la mise en place des grandes ordonnances de codification et par ricochet l'instauration d'un enseignement de droit français, à côté du droit canonique et du droit romain, qui prend effet par ce qu'on a appelé la réforme de 1679[113]. Les procureurs du Midi n'avaient jamais formé un bloc avant cette entreprise d'unification, il faut se demander s'ils ont, à cette occasion, développé des similitudes culturelles. Pour le vérifier, on conservera les mêmes indicateurs que pour les périodes précédentes.

Il faut attendre la mort du procureur au parlement Guillaume Bessier[114], en 1692, pour retrouver à Toulouse un inventaire après décès de procureur qui mentionne des livres et des tableaux. Les livres sont tous des livres de dévotion, avec un intérêt marqué pour le péché (*Le Guide des pécheurs, Les douces pensées de la mort, La manière pour bien faire la confession*[115]). Les tableaux reprennent les thèmes du début du siècle : saint Jérôme, la Vierge, Notre Seigneur, saint Antoine, mais cinq tableaux de paysage sont aussi mentionnés, en plus du portrait du père du défunt, le notaire Bessier. La même année le procureur à la sénéchaussée Jean Laffon n'a qu'une *Vie de saints*, très vieille et usée, mais dans une chambre, il a trois tableaux religieux, trois portraits de famille et un tableau de paysage[116]. En 1692 aussi, un ancien procureur au parlement, Georges Thore, dont l'inventaire est imposant (53 pages[117]) n'a que *Les méditations pour les dimanches et fêtes de l'année*, une *Sainte Bible* et la *Vie des saints* en deux tomes. Dans la chambre où il est décédé : deux cartes attachées à la tapisserie, l'une représente saint Joseph et l'autre un crucifix.

Arrêtons là la liste. Les autres inventaires vont dans le même sens. Tout se passe comme si, à la fin du siècle, les procureurs toulousains n'avaient plus de livres ou qu'ils étaient si vieux qu'ils ne valaient pas la peine d'être inventoriés. Le décor comprend quant à lui toujours des tableaux de dévotion, auxquels se mêlent des paysages et des portraits de famille,

---

113. Christian CHÊNE, *L'enseignement du droit français en pays de droit écrit : (1679-1793)*, Genève, Droz, 1982.
114. ADHG, 3E 11878, pièce 28.
115. *Ibid.*, p. 4. Il semble bien que la pédagogie de la pénitence ait particulièrement touché ce procureur.
116. ADHG, 3E 11922, pièce 9, p. 7-8.
117. ADHG, 3E 11153, pièce 1.

dont on comprend qu'ils reflètent la persistance d'un même décor d'une génération à l'autre. À Grenoble, dans le dernier tiers du siècle, le décor des procureurs n'est pas différent[118]. Peut-être y a-t-il un léger décalage avec les goûts aixois, mais ils ne s'en éloignent pas vraiment[119]. La situation est différente à Marseille. Le procureur de Marseille Pierre Deanaye est décédé de la peste de 1720, en même temps que toute sa famille. Ses tableaux, dont la plupart se trouvent dans son cabinet, ne jurent pas avec ceux de ses collègues. Les sujets religieux dominent, mais ils ne sont pas les seuls, ainsi ce tableau sur papier représentant un chirurgien guérissant un malade. Les tableaux sont faits sur papier, ce qui explique peut-être que le procureur en ait autant. Ce sont surtout des tableaux d'histoire qui décrivent par exemple les diverses étapes de la vie de Moïse, alors que six autres représentent les batailles d'Alexandre, d'autres les stations de la Passion. À la campagne, huit tableaux peints à l'huile représentent des fruits et des animaux[120]. Les natures mortes semblent avoir eu la cote à Marseille puisque le procureur Sivetti qui meurt en 1723 avait un tableau représentant un vase de fleurs et un autre représentant un panier de fleurs[121]. On n'en retrouve aucune chez les procureurs toulousains ou grenoblois.

Outre la grandeur, l'encadrement, le matériau ou la technique utilisée (à l'huile, à la détrempe), on ne sait pas grand-chose de la qualité de ces tableaux. Quelques-uns, qui ont été mis en vente, ont été évalués[122], mais rares sont les tableaux dont on connaît l'auteur et le prix comme c'est le cas du tableau de Michel Serre, commandé par le procureur de Marseille Hiacinthe Icard. Grand tableau représentant la Sainte Vierge avec l'Enfant Jésus dans la gloire, avec au bas saint Roch, sainte Apollonie et une autre sainte, il devait servir à décorer la chapelle du procureur dans l'église cathédrale de Marseille. Amis intimes, les deux hommes se rendaient des services. Ainsi, Serre avait-il chargé 200 livres à Icard pour son tableau, ce que son ami ne lui avait jamais payé. Les circonstances de l'affaire ne sont pas claires dans la mesure où il semble bien que Serre ait lui-même voulu

---

118. ADI, 13B 446, 25 avril 1675, inventaire de Jean Boys, procureur à la cour. La famille se chamaille sur la pertinence d'inventorier la bibliothèque. L'inventaire du procureur Miraillet date de 1709, il comprend le portrait sur toile du procureur et de sa femme et neuf vieux portraits d'hommes et de femmes. La sympathie de ce procureur pour le protestantisme explique peut-être qu'on ne trouve chez lui aucun tableau de dévotion, et qu'il possède les Psaumes de David dans la traduction de Clément Marot et Théodore de Bèze. ADI, 13B 487, 23 mars 1709.

119. L'inventaire du procureur au parlement de Grenoble, Claude Sappey, date de 1683. Les tableaux qu'on y trouve sont tout à fait comparables à ceux qu'on trouve chez le procureur Rousset, à Aix, en 1647 : le procureur et sa fille intégrés à une scène de crucifixion, Notre Dame tenant son petit Jésus, saint François de Sales cette fois, la charité romaine. ADI, 13B 460, 5 novembre 1683.

120. ADBR Marseille, 2B 827, pièce 164. Le procureur Pierre Derue, en 1721 a aussi dans une chambre avec un grand tableau à l'huile représentant saint Pierre, sept petits tableaux sur papier représentant des histoires. ADBR Marseille, 2B 828, pièce 205.

121. ADBR Marseille, 2B 831, pièce 70.

122. On ne peut généraliser, mais les tableaux qui ont été vendus ne l'ont été que pour quelques livres : ex. Hugues Chalvet, procureur au parlement du Dauphiné : en 1733, cinq tableaux sont laissés pour 3 livres 5 sols (ADI, 13B 537).

mettre son œuvre à l'abri de ses créanciers, en la livrant à son ami sans qu'il la paie[123].

Au début du XVIIIᵉ siècle, les objets religieux semblent vouloir supplanter les tableaux de dévotion. On rencontre ainsi dans toutes les villes étudiées, à partir de 1680, des Christ d'ivoire sur une croix dorée posé sur du velours noir encadré. Moins fréquents, des petits tableaux sur cuivre, représentent un saint. Un procureur de Marseille possède même, en 1735, deux petits tableaux contenant des reliques[124]. Les tableaux de dévotion demeurent, mais ceux qui représentent des fleurs, ou même une tête de mort, des oiseaux, des joueurs de flutes, des personnages mangeant et fumant, des joueurs de dés font désormais partie du décor[125]. À Toulouse, le changement, s'il existe, se voit dans l'étude du procureur elle-même. En 1700, le procureur Dalbaits a orné son étude de dix vieilles planches qu'il a tirées d'almanachs et de plusieurs autres images. Même le petit cabinet joignant l'arrière boutique est orné de plusieurs images[126]. À Grenoble, on précise que ces images, de plus en plus fréquentes, sont des estampes. Peut-être était-ce le cas aussi à Toulouse.

Bien entendu, à Toulouse, comme ailleurs, il existe encore des procureurs au parlement qui aiment les livres. Tout se passe comme si, au début du XVIIIᵉ siècle, les procureurs étaient divisés en deux catégories, ceux qui n'avaient qu'une vie de saints et quelques livrets, et ceux qui possédaient de très belles bibliothèques. Jean Fortis Saint-Laurens, dont on fait l'inventaire de la bibliothèque, en 1702, a une vraie bibliothèque, non seulement quelques livres rangés dans un coffre. On énumère ses livres, en les classant selon la taille des volumes. On y trouve de tout. Dans sa maison par ailleurs, le procureur tient cinq cartes de géographie dans une chambre, et une sixième, dans la cuisine[127].

La bibliothèque du procureur Jacques Calmettes n'est pas si imposante, mais elle a peut-être été inventoriée par un bibliophile. En effet, contrairement à ce qu'on trouvait avant, on indique pour chaque livre la date et le lieu d'édition, allant même jusqu'à préciser quand il s'agit d'une édition contrefaite[128].

---

123. C'est le fils de Michel Serre, Jean-Baptiste, qui intervient dans l'inventaire, en racontant l'histoire et en réclamant que le tableau soit retiré de l'héritage pour n'avoir pas été payé. ADBR Marseille, 2B 842, 25 février 1734. Ni le tableau, ni l'amitié avec le procureur Icard ne sont mentionnés dans Marie-Claude HOMET, *Michel Serre et la peinture baroque en Provence (1658-1733)*, Aix-en-Provence, Édisud, 1987.
124. ADBR Marseille, 2B 843, pièce 102, Jacques Allegre, ancien procureur au siège de Marseille. On trouve aussi des reliquaires dans la maison de Charles Duperron, procureur au bailliage de Grésivaudan, en 1722, ADI, 13B 514.
125. ADBR Marseille, 2B 843, pièce 102, Jacques Allegre, ancien procureur au siège de Marseille.
126. ADHG, 3E 11895, pièce 10, p. 13.
127. ADHG, 3E 11950, pièce 15 ; un autre procureur au parlement de Toulouse a aussi dans une chambre, en 1740, quatre cartes géographiques : ADHG, 3E 11921, pièce 36, procureur François Labro.
128. ADHG, 3E 11885, pièce 66.

Le procureur au parlement Bertrand DeCamps est un ancien capitoul. Quand il décède, en 1703, il est riche, a fait de gros prêts d'argent et est en relation avec de nombreux marchands. Il n'a pourtant qu'une *Vie des saints* et le second tome des *Annales de la ville de Toulouse* de Lafaille. Son collègue, Géraud de Laroche, qui décède en 1705, est aussi un ancien capitoul. Contrairement à DeCamps, les livres sont nombreux dans sa maison. Tellement qu'il est difficile de comprendre la logique de l'inventaire qui en nomme certains, et qui, au milieu de l'énumération, indique « plus huit volumes in 8° couverts de parchemin » sans en donner les titres, puis continue la liste, et de nouveau « plus cent trente neuf vollumes in octavo », pour en nommer tout de suite après encore quelques-uns[129]. Si ce type d'inventaire rend difficile de situer les sensibilités du procureur Laroche à travers ses livres, d'autres informations peuvent le faire. En effet, le procureur était amateur de jardin. On trouve dans son jardin, quinze pieds d'orangers qu'il paraît avoir essayé de faire reprendre (sept sont dans de grands vases, quatre dans de petits vases, et quatre autres dans des caisses de bois rompues). Le jardin contient aussi, environ 200 pots de terre « à mettre fleurs, grands ou petits ». Si le procureur Laroche avait un intérêt pour les fleurs, d'autres sont de vrais collectionneurs. Cela semble le cas du procureur Musard qui, contrairement à ses prédécesseurs qui utilisaient les tableaux pour soutenir leur dévotion, se rappeler leur famille ou simplement décorer leur intérieur, collectionne les tableaux. À sa mort en 1757, il en a 74, de différentes grandeurs. Mais il a aussi une autre fascination : les empereurs. Aux douze petits tableaux d'empereurs qu'il a placés dans une petite armoire dans un cabinet, il faut en effet ajouter douze petites figures d'empereur faites en plomb qu'il conserve dans le même cabinet[130]. Il possède aussi une importante bibliothèque, qu'il faut peut-être aussi considérer à partir de son esprit de collectionneur.

Les inventaires des procureurs marseillais n'énumèrent jamais de livre, ce qui ne veut pas dire que les procureurs n'en ont pas. Ainsi, trouve-t-on dans trois rayons de bois 101 volumes reliés en basane et en veau traitant de divers sujets, sans qu'on ne trouve utile de nous dire lesquels[131]. De même chez l'ancien procureur Jacques Allègre, en 1735, mentionne-t-on cinq livres in folio et 106 autres livres in-12, « contenant divers traités[132] ». À Aix ou à Marseille, on compte les livres, sans les nommer. À Grenoble, les belles bibliothèques de procureurs sont si nombreuses au XVIIIᵉ siècle, qu'il

---

129. ADHG, 3E 11927, pièce 75, p. 41.
130. ADHG, 3E 11934, pièce 17.
131. Il s'agit de l'inventaire de Pierre Jean, ancien procureur devenu négociant dont c'est le fils Victor, aussi négociant, qui s'occupe de faire faire l'inventaire. ADBR Marseille, 13 avril 1730, 2B 838, pièce 40.
132. ADBR Marseille, 2B 843, pièce 102, Jacques Allegre, ancien procureur au siège de Marseille.

devient impossible de traiter les livres un à un[133]. Du coup, la comparaison avec Toulouse qui a fourni des informations pour les trois siècles n'a plus de sens et dépasse les limites de ce chapitre.

De cette incursion dans les maisons des procureurs se dégagent quelques conclusions. Entre les procureurs d'Aix et de Marseille, on peut saisir une proximité culturelle que ne partagent pas exactement les procureurs toulousains. Ces derniers, probablement comblés par la richesse culturelle que fournit Toulouse au xviie siècle, tardent à s'inscrire dans les courants d'ouverture au monde qui touchent leurs collègues du Sud-Est, sans doute influencés par les activités du port marseillais. En considérant les images qui ornent leurs murs, les Toulousains mettent plus de temps que les Aixois à suivre les tendances du marché de l'art et leur regard semble longtemps confiné aux images de dévotion. Et pourtant, alors que les Aixois et les Marseillais ne semblent pas valoriser le livre, les Toulousains ont suivi et peut-être même précédé les modes littéraires initiées dans la capitale. Certes, les livres de pratique qu'ils gardaient près d'eux ont davantage côtoyé les compilations que les traités juridiques, mais ce type de combinaison était aussi présent chez les avocats. D'ailleurs, les livres chez eux ne sont pas que d'étude, ils sont de loisir aussi et façonnent une morale qui les pénètre par différents chemins. Entouré d'ouvrages qui le font passer tour à tour par l'histoire, la littérature, la politique ou la polémique, et la dévotion, le procureur, à la fin du xviie siècle, est plus un honnête homme qu'un homme du palais, même si curieusement c'est au Palais qu'il trouve ceux avec qui il partage la plus grande proximité culturelle.

Alors que tous les procureurs du Midi partagent le même statut, à la fin du xviie siècle, et que leurs situations tendent à s'uniformiser au rythme des décisions royales derrière lesquelles ils se rangent, leurs conditions paraissent se détériorer. Certes, ceux qui le peuvent profitent d'un foisonnement d'idées qui n'a rien à voir avec l'encadrement que leur avait jadis fourni la dévotion. Mais ce qui frappe dans les inventaires du début du xviiie siècle, c'est davantage la polarisation entre les riches procureurs et ceux qui n'ont rien, entre ceux qui ploient sous les livres et ceux qui n'en ont pas. Pour comprendre ce qui vient mettre ainsi les bâtons dans les roues d'une progression qui semblait pourtant bien amorcée, il faut sortir des cas individuels et tenter de saisir comment s'en sortent les communautés de procureurs.

---

133. Dans son mémoire de maîtrise, Geneviève Morin a étudié les bibliothèques des procureurs de Grenoble au xviiie siècle. Les listes d'ouvrages qu'elle a relevés contiennent des classiques que possèdent aussi les procureurs toulousains au xviie siècle, mais elles ne permettent pas de cerner la « culture » de ces procureurs, si ce n'est pour confirmer qu'elle se confond avec celle des avocats. *Entre exigences de la pratique et science du droit ; les livres conservés chez les procureurs grenoblois aux xviie et xviiie siècles d'après les inventaires après décès*, mémoire de maîtrise en histoire, université Laval, 2007.

Chapitre XIII

Les communautés de procureurs, préserver un marché

Les procureurs du Midi n'ont inscrit les délibérations de leur communauté dans des registres conservés qu'à la fin du xviie siècle et au xviiie siècle. S'il est relativement facile de reconnaître dans ces délibérations les mêmes préoccupations d'une ville à l'autre, la richesse de leur contenu est assez variable et seules les délibérations de la communauté des procureurs au parlement de Toulouse et celles des procureurs à la cour des comptes, aides et finances de Provence, peuvent fournir un discours communautaire continu.

Les sources, de toute façon, sont difficiles à comparer. La communauté des procureurs au parlement de Provence ne nous a laissé qu'un cahier de délibérations couvrant les années 1713 à 1750[1]. À Grenoble, un fragment de registre des délibérations des procureurs au bailliage de Grésivaudan ne couvre que la période qui s'étend de 1720 à 1722[2]. À Toulouse, les registres des délibérations des procureurs au parlement ont été conservés de 1693 à 1781. Ils sont complétés par des pièces en liasses qui permettent de remonter plus avant au xviie siècle[3]. C'est de loin la plus belle collection de papiers de communauté de procureurs dont nous disposons[4]. En termes de chronologie, ces délibérations peuvent être comparées à celles de la communauté des procureurs de la cour des comptes, aides et finances de Provence qui a laissé cinq registres qui commencent en 1679 pour s'arrêter en 1789[5]. Cette dernière série perd un peu de son intérêt par la petitesse de la compagnie dont elle porte la voix : tous présents aux assemblées qui se tiennent dans la salle d'audience du Palais, les treize procureurs aux comptes

---

1. ADBR Aix, 240E 200. En comparaison, la communauté des huissiers a laissé un livre des délibérations qui commence en 1764 et se termine en 1789 (240E 202).
2. ADI, 2B 61, malgré un titre qui dit que le registre commence le 9 mai 1713 et finit le 2 janvier 1722.
3. ADHG, 1E 1180-1191.
4. Son existence m'a été signalée par Jean-Luc Laffont, que je remercie ici. Je me propose de consacrer un ouvrage au texte de ces délibérations qui fournissent un exemple fascinant de la construction de la mémoire corporative au xviiie siècle. Pour cette raison et parce qu'elles me conduisent largement hors de mon cadre chronologique, je ne leur accorde que peu de place ici.
5. ADBR Aix, B 7444-7448.

sont une figure négligeable quand il s'agit de parler pour les procureurs du Midi. Mises en parallèle, ces deux dernières séries permettent néanmoins de comprendre le fonctionnement général des communautés au tournant du XVIIIe siècle.

« Faire corps »

La mise en registre de leurs délibérations au début du XVIIIe siècle est peut-être à mettre en relation avec le rôle nouveau que ces communautés durent assumer à cette période, mais il est loin d'être sûr qu'elle corresponde à une nouvelle conscience de « faire corps[6] ». Les allusions, ou des pièces isolées, nous assurent en effet que les communautés de procureurs étaient actives dès le XVIe siècle. Cela explique probablement qu'aucune de leurs communautés n'ait eu besoin, à la fin du XVIIe siècle, de formuler l'identité des procureurs. Leurs préoccupations étaient ailleurs, comme le disent assez le contenu de ces délibérations qui montrent les communautés s'intéressant à la paix entre leurs membres, au bon ordre des procédures, à l'honneur de la communauté au moment de processionner ou de faire honneur aux conseillers de la cour. Leur rôle disciplinaire est reconnu, les clients comme les procureurs n'hésitant pas à porter plainte à la compagnie en cas de reproche adressé à l'un des procureurs, mais la gestion de leur dette est de loin ce qui convoque les discussions les plus nombreuses[7].

L'élaboration d'un système : investir dans la communauté et dans l'État

L'État n'est pas pour rien dans cette situation. Pour bien comprendre, considérons la communauté des procureurs au parlement de Provence. Elle

---

6. Frédéric-Antoine RAYMOND a étudié cette mise en registre des délibérations des procureurs au parlement de Toulouse : *L'écriture au service de la communauté. Histoire des registres de délibérations de la communauté des procureurs au parlement de Toulouse (1693-1781)*, mémoire de maîtrise en histoire, université Laval, Québec, 2005. L'essentiel de ce mémoire a depuis été publié : « Pratiques d'écriture et "mémoire" corporative : les registres de délibérations de la communauté des procureurs au parlement de Toulouse, XVIIIe siècle », Vincent BERNAUDEAU, Jean-Pierre NANDRIN et Bénédicte ROCHET (dir.), *Les praticiens du droit du Moyen Âge à l'époque contemporaine : approches prosopographiques, Belgique, Canada, France, Italie, Prusse*. Actes du colloque de Namur, 14, 15 et 16 décembre 2006, Rennes, Presses universitaires de Rennes, 2008, p. 45-60. Sylvie RENAUD a, quant à elle, travaillé sur la communauté d'un point de vue plus institutionnel. *La communauté des procureurs du Parlement de Toulouse (1572-1781)*, mémoire de maîtrise, université de Toulouse-Le Mirail, 2001.

7. Il ne faut pas confondre la gestion de la dette qui touche toutes les communautés et la gestion de la bourse commune. En 1696, les procureurs au parlement de Toulouse disent n'avoir aucune bourse commune, chaque procureur profitant de sa rétribution sans être tenu d'en bailler aucune portion à la communauté : ADHG, 1E 1184, pièce 89, 10 novembre 1696. Une délibération du 2 mai 1665 avait pourtant décidé d'établir une telle bourse (*ibid.*, pièce 114), mais une autre délibération du 4 décembre 1694 avait supprimé la bourse alimentée par les minutes des lettres de chancellerie (1E 1180, f° 28). Par la suite, la communauté opta pour maintenir une bourse commune qu'elle alimenta de diverses façons.

a vite compris l'effet de l'offre et de la demande dans le mécanisme des prix et a souvent fourni elle-même l'argent réclamé par le roi pour éviter que le nombre d'offices ne se multiplient et fassent baisser le prix des offices de procureurs. Voyons, par exemple, les coûts pour les procureurs de deux créations du XVIIᵉ siècle à Aix : la chambre des Requêtes et la chambre des Eaux et forêts[8].

Par un édit de janvier 1641, le roi y crée la chambre des Requêtes et du même coup, il crée douze procureurs postulants héréditaires auprès de cette chambre. La communauté des procureurs au parlement achète elle-même neuf de ces douze offices pour le prix de 15 000 livres pour lesquelles elle obtient quittance de 9 000 livres (elle avait donc payé 1 000 livres pour chacun de ces offices). Un an plus tard, les douze offices de procureur aux requêtes sont réunis à la communauté des procureurs au parlement, moyennant le remboursement au traitant desdits offices, de la finance et du marc d'or. La communauté obtient par la suite des quittances pour 10 300 livres supplémentaires. Or, voilà qu'en 1649 un édit supprime la chambre des Requêtes. Il faut rembourser les procureurs qui avaient payé leur charge et l'on crée pour ce faire cinq procureurs postulants en la cour. Le parlement s'entend avec le traitant pour ce qui est de tous les nouveaux offices créés et traite ensuite avec la communauté des procureurs pour la vente des cinq nouveaux offices. Maître Pothonier, l'un des procureurs en exercice acquiert donc en son nom et pour le compte de la communauté des procureurs (30 mai 1654) les cinq offices au prix de 18 000 livres qu'il paye avec les intérêts à M. de Régusse, cessionnaire de messieurs du parlement, par acte du 8 janvier 1655, chez le notaire Augier. Il utilise, pour ce paiement, des deniers empruntés par la communauté. La communauté des procureurs n'en est pas pour autant remboursée des 19 860 livres 19 sols qu'elle avait payées pour la finance et l'achat des douze offices de procureur à la chambre des Requêtes, même si la crue de 1649 avait pour objet le remboursement des offices supprimés. En fait, la communauté avait dû dépenser 37 860 livres 19 sols : 19 860 livres 19 sols pour l'achat des douze offices et 18 000 livres pour l'achat des cinq offices au parlement. En 1704, un autre édit établit cette fois une chambre des Eaux et forêts et en 1705, un autre édit rétablit la chambre des Requêtes créée en 1641 et supprimée en 1649 qu'elle incorpore à la chambre des Eaux et forêts avec établissement de huit procureurs postulants à la chambre des Eaux et forêts et Requêtes. En 1705, un arrêt du conseil ordonne que les procureurs au parlement et ceux du siège postuleront aux affaires de la chambre des Requêtes concurremment[9]. La postulation concernant les matières des Eaux et forêts est

---

8. Les coûts sont résumés dans « Mémoire des révolutions sur l'établissement ou supression de la chambre des Requêtes et des Eaux et forêts et ce qu'il en a coûté à la communauté des procureurs au parlement ». ADBR Aix, B 3596.

9. Pour un arrêt du conseil sur ce sujet, voir ADBR Aix, B 3383, fᵒˢ 726 et 728, 15 novembre 1705.

toutefois réservée aux procureurs au parlement à l'exclusion de ceux du siège, mais ils doivent payer 15 000 livres à Messieurs du Parlement pour ce droit de postulation[10]. Finalement, la somme de 15 000 livres fut réduite à 12 000 livres, par délibération du parlement et la communauté des procureurs s'obligea en faveur de messieurs du parlement au paiement de ces 12 000 livres et reçut quittance de 2 000 livres en 1706. Les 10 000 livres restantes furent quittancées en 1714.

Par ailleurs, un édit de mai 1708 créa douze procureurs postulants dans chaque table de marbre et maîtrise particulière des Eaux et forêts. Une déclaration du roi de 1709 et un arrêt du conseil de 1714 réunirent ces offices à la communauté des procureurs au parlement. La même année, une quittance de 9 062 livres fut concédée par le procureur du traitant du recouvrement de la finance de ces offices.

On comprend dès lors l'importance que les délibérations des communautés accorderont aux problèmes de la dette : en 1715, la communauté des procureurs au parlement de Provence est endettée pour 250 000 livres[11]; la communauté des procureurs à la cour des comptes doit plus de 34 000 livres en 1697, mais cette somme atteint 51 200 livres en 1720[12].

Quelle que soit la taille de la communauté, l'accroissement de sa dette s'est présenté presque toujours selon le même schéma : les procureurs ont accepté de mettre en commun une partie de leurs droits, avec laquelle ils ont payé, un temps, les dépenses du corps – par exemple, les bouquets d'œillets offerts aux conseillers au début de mai. À partir du moment où les communautés sortent du cadre traditionnel de leurs dépenses et doivent satisfaire à l'appétit royal, qu'elles se mettent à acheter des offices, soit du roi[13], soit des procureurs prêts à laisser aller le leur à vil prix[14], de plus en plus de droits doivent être mis en commun pour payer ces nouvelles dépenses. Bien vite, la solution s'avère insuffisante. Les traitants n'ont que bien peu de patience et quand ils réclament leur dû, c'est avec les garnisons qu'ils envoient leur commis chez les syndics des communautés de procureurs[15]. Toutes usent alors de la même solution : l'emprunt.

Les prêteurs sont nombreux dans la seconde moitié du XVIIᵉ siècle et les communautés trouvent facilement de l'argent, dans la mesure où les prêts sont garantis par les offices et les biens de chacun des procureurs de manière solidaire. Au début, il s'agit de donner à la bourse commune le temps de se regarnir. Puis, les « investissements » des communautés vont plus vite que

---

10. Voir la déclaration qui réunit les procureurs postulants des tables de marbre et maîtrises particulières des Eaux et Forêts aux corps des procureurs des parlements et autres justices, ADBR Aix, B 3387, f⁰ 1560, 26 mars 1709.
11. ADBR Aix, 240E 200, f⁰ 7.
12. ADBR Aix, B 7444, f⁰ 60, 17 avril 1697 ; B 7445, f⁰ 16 v⁰, 16 juillet 1720.
13. ADBR Aix, B 7444, f⁰ 60, 17 avril 1697.
14. *Ibid.*, f⁰ 40 v⁰, 20 juin 1690.
15. ADBR Aix, B 7445, f⁰ 2, 23 août 1702 ; ADHG, 1E 1180, f⁰ 42 v⁰, 5 octobre 1695.

l'augmentation des droits qui garnissent la bourse des procureurs, soit qu'ils aient du mal à se les faire payer, soit que le nombre des affaires diminue. La communauté des procureurs à la cour des comptes d'Aix se plaint de cette diminution de travail à partir de 1717. La délibération du 14 janvier 1717 parle même de la « cessation du travail[16] ». La dette devient alors une façon de gérer et les communautés accumulent les emprunts. S'installe en même temps un système qui exige des syndics des communautés une excellente connaissance de l'état du crédit, et une attention de tous les instants. En effet, certes, il arrive que les communautés dussent chercher des créanciers, mais le plus souvent, ce sont ces derniers qui font savoir qu'ils ont de l'argent à placer et qu'ils feraient de bonnes conditions à la compagnie si elle acceptait leur prêt. Dans de telles conditions, les communautés commencent par mettre leurs créanciers en concurrence pour faire baisser les intérêts. Il n'est pas question en effet de rembourser le capital, sauf si on a trouvé un prêteur qui offre un meilleur taux. Au fur et à mesure qu'on peut remplacer les prêteurs qui refusent de baisser leur taux, on le fait. C'est ainsi qu'on passe du denier 20 (5 %), à 4 ½ %, à 4 % jusqu'à ce que rendu à 2 % on se plaigne de ne plus trouver de créancier[17]. C'est alors qu'on adopte une autre solution, moins risquée, en cas de pépin : on remplace la plupart des créanciers par des procureurs membres de la communauté. Les procureurs, individuellement, investissent dans la communauté qui accepte de leur rendre leurs capitaux quand ils vendent leur office ou qu'ils ont besoin de leur investissement[18].

Les communautés : régulatrices du système

Les délibérations des communautés de procureurs qui ont été conservées sont remplies des décisions qu'exige ce système. Les liens qui rassemblent

---

16. ADBR Aix, B 7445, f° 95 v°. Le 15 septembre 1716, la communauté des procureurs au parlement associe quant à elle le manque de travail qu'on constate depuis plusieurs années aux malheurs du temps, ADBR Aix, 240E 200, f° 10.

17. ADBR Aix, B 7445, f° 116, 5 août 1718 : « [E]t néantmoins attendu que plusieurs personnes se sont présentées pour prêter à pension perpétuelle à la cotte de quatre et demy pour cent et que d'autre part plusieurs créanciers de ladite communauté ont pareillement offert de réduire à la même cotte pour éviter le remboursement de leurs capitaux il a été encore unanimement délibéré et donné pouvoir aux sieurs scindics de proposer aux créanciers de ladite communauté dont les capitaux sont au denier vingt de réduire iceux au quatre et demy pour cent... » *Ibid.*, f° 14, 17 juin 1720, on donne mission au trésorier de la communauté de voir les créanciers pour réduire leurs intérêts à 3 %, ce que la plupart acceptent. Le 16 juillet 1720, la députation auprès des créanciers pour leur proposer la réduction des intérêts de leur créance à 2 % ou de se faire rembourser, ne trouve pas de « disposition au plus grand nombre d'iceux pour la réduction ». *Ibid.*, f° 16 v°.

18. Le succès de la mesure ne fait pas de doute. Avant qu'elle ne soit établie, la communauté des procureurs à la cour des comptes avait dû trancher une querelle entre deux de ses membres qui se disputaient le remboursement d'une même dette de la communauté. Le procureur Vincent avait manifesté son intérêt le premier, mais le procureur Bougerel avait prétendu que comme il était plus ancien dans la compagnie c'est lui qui devait avoir la priorité pour faire ce remboursement. Pour résoudre le litige, le 5 août 1718, la compagnie avait suggéré au procureur Bougerel de rembourser une autre dette de la compagnie. ADBR Aix, B 7445, f° 111 v°.

ces hommes dans les salles où ils se réunissent s'appuient peut-être sur la pratique qu'ils partagent au sein du même tribunal, mais ils se manifestent d'abord et avant tout par une interdépendance économique. On aurait beau scruter ces documents pour en isoler les termes producteurs d'identité, le discours communautaire auquel nous avons accès est d'abord à teneur économique.

Ainsi, quand les communautés insistent pour que les procureurs d'une juridiction ne combinent pas à leur office celui d'une autre juridiction, elles ne précisent pas d'autre raison que l'incompatibilité[19]. De la même façon, quand les procureurs de Toulouse souhaitent que ceux d'entre eux qui agissent comme clercs de conseillers optent pour l'un des deux offices, ou que les solliciteurs soient poursuivis quand ils usurpent le monopole des procureurs[20], ils ont une conscience claire de ce qui les distingue et de ce qui les réunit même s'ils mettent de l'avant les arrêts du conseil ou de la cour. On peut imaginer toutefois que même si elles ne le disent pas toujours haut et fort, les communautés tentent de préserver là un marché.

Même si les aléas de la conservation des papiers des communautés ne permettent pas d'en reconstruire la chronologie précise, l'importance donnée à ce « marché » semble aller de pair avec la situation des prix de l'office. Au moment où les prix chutent, les communautés insistent sur les liens entre le prix de vente de l'office et la pratique qui l'accompagne[21], mais elles précisent aussi que les procureurs qui bradent leur office font un tort considérable aux autres procureurs dont ils dévaluent par le fait même l'état. Au tournant du XVIIIᵉ siècle, la communauté des procureurs de la cour des comptes s'insère dans le commerce des offices de ses membres pour en soutenir les prix : elle achète pour éviter que les procureurs ne vendent à trop bas prix et revend quand le marché est meilleur. C'est elle qui veille à ce que les procureurs ne se jettent pas comme des vautours sur les clients quand l'un de ses membres est absent ou malade[22]. Elle aussi qui surveille les tarifs appliqués et qui protège à la fois les clients et la réputation des procureurs. Les clients qui se plaignent à la communauté savent d'ailleurs très bien quels sont les enjeux : ils demandent que la communauté leur rende justice et « de ne pas les obliger à faire éclater cette affaire par un appel ou autrement[23] ». Au XVIIIᵉ siècle, les communautés servent de régulateurs au système. Ce sont elles les véritables intermédiaires entre l'État et les procureurs. Elles qui gèrent la concurrence, quitte à ce que toutes les communautés s'unissent pour empêcher les procureurs gourmands de manger à tous les râteliers. C'est ce qui arrive en 1703, alors que la commu-

---

19. Par exemple, ADBR Aix, B 7444, fᵒ 64, 29 mars 1698.
20. ADHG, 1E 1180, fᵒ 40 vᵒ, 9 juillet 1695.
21. ADBR Aix, B 7445, fᵒ 47, 12 mars 1710, « la pratique fait le prix de l'office ».
22. *Ibid.*
23. *Ibid.*, fᵒ 73, 11 novembre 1712. Même menace d'un client qui dit qu'il se pourvoira en justice si la communauté ne lui donne pas satisfaction, *ibid.*, fᵒ 15 vᵒ, 17 juillet 1706.

nauté des procureurs au parlement s'associe à la communauté des procureurs à la cour des comptes pour poursuivre à frais communs un procureur qui détient des offices de l'une et l'autre juridiction[24].

Il semble bien en effet que la situation économique des hommes de pratique ne soit plus celle qu'elle était au début du XVIIe siècle. Dans ces circonstances, on peut comprendre que le discours identitaire ne soit plus la priorité ni de ces hommes, ni de leurs communautés. Il s'agit moins de préserver la spécificité de chacune des professions que de fournir aux hommes de pratique suffisamment de travail pour qu'ils gagnent leur vie.

Se fondre avec les notaires ?

Les changements faits par l'État à la fin du XVIIe siècle ont eu des répercussions. On sait comme les notaires ont été touchés par l'obligation d'utiliser le papier timbré et encore plus par le contrôle des actes établi en 1693[25] ; les procureurs ont également ressenti les effets des nouvelles taxes mises sur les actes de justice. C'est en tout cas l'évaluation qu'ils font au XVIIIe siècle de la poussée fiscale qui a touché la justice. L'historiographie a quant à elle confirmé le dépérissement de juridictions comme celles des présidiaux et des sénéchaussées qui voient diminuer le nombre d'affaires à juger au cours du XVIIIe siècle[26]. Après avoir érigé le procureur au rang d'officier indispensable à la justice, l'État, à force de fiscalité, a tué la poule aux œufs d'or. La profession, à partir de la fin du XVIIe siècle, dépérit.

Si les cours souveraines sont un peu moins touchées[27], les juridictions des sénéchaussées ont été mises à mal. Pour les procureurs de ces juridictions, on n'en est plus à se plaindre de la concurrence des avocats, les débats qui ont alors cours tournent plutôt autour de la pertinence de réunir les offices de procureurs et de notaires sur les mêmes têtes.

Du strict point de vue de leur formation, les procureurs et les notaires, au XVIe siècle, fréquentent les mêmes études et les mêmes greffes. À Grenoble, avant que la question de l'office ne soit réglée, il n'est pas rare de trouver les deux professions exercées par la même personne. Pierre

---

24. *Ibid.*, f° 5 v°, 17 août 1703.
25. Robert Descimon, « Les notaires de Paris du XVIe au XVIIIe siècle : office, profession, archives », Michel Cassan (dir.), *Offices et officiers « moyens » en France*, p. 15-42. Pour Aix, il suffit de considérer le nombre d'actes notariés conservés pour le XVIIIe siècle par rapport aux siècles précédents pour se rendre compte de l'effet de ces mesures.
26. Entre autres, Michel Cassan, « L'activité du présidial de Limoges (fin XVIIe siècle-fin XVIIIe siècle) », *Les Cahiers du Centre de recherches historiques*, 23, 1999, http://ccrh.revues.org/2162, consulté le 23 octobre 2011.
27. Elles ne perdent rien pour attendre : dans la deuxième moitié du XVIIIe siècle, la juridiction du parlement de Toulouse est amputée : suppression de la chambre des Requêtes au profit du sénéchal, création du conseil supérieur de Nîmes qui récupère les ressorts des sénéchaussées de Montpellier, Nîmes et Le Puy et les juridictions des Eaux et Forêts, bureau des finances et bourse de Montpellier. Les procureurs se plaignent d'être trop nombreux pour le travail qui leur reste. ADHG, 1E 1182, f° 148, 7 décembre 1771.

Ducros est ainsi notaire royal et procureur à Grenoble quand il loue une chambre appartenant à Georges Charvet en 1606[28]. Quand on fait l'inventaire des biens de Pierre Raimbaud, en 1574, on commence par les procès pour lesquels il a postulé en tant que procureur au parlement de Dauphiné, et l'on poursuit par la nomenclature des protocoles tenus dans son état de notaire[29]. La situation est sans doute favorable à cette combinaison dans les plus petites villes. En 1671, Joseph Reynaud est à la fois notaire royal et procureur en la juridiction ordinaire de Salon[30]. À la fin du XVIIIe siècle, M.-P. Arnauld recense à Besançon cinq notaires sur quinze qui atteignent un bon niveau de vie, ce qu'elle attribue au fait qu'ils exerçaient en même temps le rôle de procureur[31].

À Aix, les deux professions ne furent jamais combinées, mais le débat autour de la question y fait rage au milieu du XVIIIe siècle. Les procureurs à la sénéchaussée d'Aix demandent en même temps la postulation au Bureau des finances d'Aix et la faculté d'acquérir et d'exercer des offices de notaires à Aix. Leurs arguments sont la pauvreté de leur communauté accentuée par les taxes mises sur les actes de justice, et par la perte de juridiction de la sénéchaussée quant aux domaines et à la police. Dans une lettre au chancelier datée de mai 1743, l'intendant résume leur argumentation. Elle permet de suivre l'évolution des procureurs à la sénéchaussée au XVIIIe siècle. En 1707, la sénéchaussée d'Aix comptait trente-six offices de procureurs remplis, douze d'entre eux avaient la postulation au Bureau des domaines et des finances, qu'ils avaient acquise (eux ou leurs prédécesseurs) en exécution d'un édit d'avril 1627, moyennant 400 livres de finance. Or, ces douze offices plus quatre autres sont tombés aux parties casuelles, de sorte qu'il ne reste plus que vingt offices qui subiront bientôt le même sort si le roi n'augmente pas leur travail. Dans « presque toutes les autres sénéchaussées de Provence le notariat y est exercé par les Procureurs » et les clients ne s'en portent que mieux, profitant de l'expérience dans la pratique et la jurisprudence des procureurs alors qu'il n'est nécessaire pour les notaires non procureurs que de « scavoir le Stile et les formules des Contracts ». Ce que ne disent pas les procureurs, c'est que la postulation au Bureau des domaines en la généralité de Provence a déjà été réunie au corps des procureurs en la cour des comptes, par lettres patentes du 8 octobre 1727. Les matières de l'une et l'autre de ces deux cours étant proches, les procureurs à la sénéchaussée n'ont guère de chance de faire défaire ce qui a déjà été fait.

Les notaires se défendent. Autrefois trente, ils ont été réduits à dix-huit offices en août 1732, dont trois sont tombés aux parties casuelles. Les

---

28. ADI, H + GRE/H215, 23 août 1606.
29. ADI, 13B 439, f° 68, 31 août 1574.
30. ADBR Aix, 20B 6311.
31. Marie-Paule ARNAULD, *Le notaire au siècle des Lumières*, Paris, Caisse des dépôts et consignations, 1988, p. 40.

quinze notaires restant utilisent les mêmes arguments que les procureurs à la sénéchaussée, soit la diminution de leur travail, imputée aux récents changements : les droits de contrôle, l'insinuation et le centième denier ont réduit le nombre d'actes et de contrats

> « aux testamens et aux actes pour la sureté desquels il est absolument nécessaire d'acquérir des hipotèques ; la pluspart des mariages ne se fesant plus que par des articles sous seing privé, et aiant été substitué aux transactions des demandes en justice simulées entre les parties, et sur lesquelles elles font ensuite autoriser leurs accords par des arrêts d'apointement ou consentement ».

Contrairement à ce que disent les procureurs, les notaires insistent sur l'incompatibilité entre les deux types d'offices, rappelant un statut du roi René qui interdisait aux procureurs d'exercer les offices de notaires. Certes, le statut n'est pas respecté, dans quelques petites villes, mais les notaires estiment que ce sont des abus qu'on a dû tolérer faute de personnes voulant remplir séparément ces offices, depuis l'établissement des droits de contrôle, insinuations et centième denier. Bref, chez les procureurs comme chez les notaires, on accuse l'État d'avoir mal évalué l'impact de la fiscalité sur le volume de la pratique.

Les notaires poussent, il est vrai, leur argumentation jusqu'au dénigrement des procureurs. Ces derniers, devenus notaires, pourraient faire exprès pour laisser dans les actes « des ambiguïtés ou équivoques pour se préparer matière à des procès ou à de nouveaux actes ». Quoi qu'il en soit, pour les notaires comme pour les procureurs les enjeux sont les mêmes : les uns volant, à toutes fins utiles, la pratique des autres[32].

Si les procureurs aixois ne réussissent pas à obtenir pour eux-mêmes des offices de notaires, ce ne fut pas le cas ailleurs en Provence, au XVIIIᵉ siècle. À Brignoles, en 1715, les notaires royaux et les procureurs au siège instituent une bourse commune et fixent les droits qui leur reviennent sur les différents actes[33]. En 1717, Louis Mathieu est pourvu des offices de notaire royal et procureur de la ville de Seyne[34]. Plus tard, le débat fait toujours rage. Les offices de notaires et de procureurs sont réunis sur les mêmes têtes à La Ciotat en 1768, mais on s'interroge très vite sur la pertinence de les désunir, ce qui est fait le 7 mars 1769[35]. À Sisteron, à Barcelonnette, à Lorgues, à Toulon, les offices de notaires-procureurs sont tour à tour unis

---

32. ADBR Aix, C 4728, il s'agit d'un brouillon de lettre, non signé, mais qui se trouve dans la correspondance de l'intendant.
33. ADBR Aix, B 3393, fᵒ 409.
34. ADBR Aix, C 3549, selon le mémoire à l'intendant de son petit-fils Louis-Yves, qui réclame l'office de procureur de son grand-père, le 31 mai 1778. Le petit-fils doit fournir, parmi les pièces nécessaires à sa réception, en plus d'un certificat de pratique, un certificat attestant qu'il n'est pas notaire royal.
35. ADBR Aix, C 2632, p. 48 : demande d'avis, 22 juin 1768 ; p. 71 : décision, 7 mars 1769.

et désunis, à peu près dans les mêmes années[36]. Chaque fois que la combinaison est autorisée, elle est aussitôt remise en question.

La conjoncture, plus que l'identité professionnelle, explique ces tergiversations. Le manque de travail, dans les juridictions de moindre importance, revient alors comme un leitmotiv. À un point tel qu'on a l'impression d'assister à une désagrégation de ces métiers dont les communautés locales ont perdu le contrôle. Au XVIIIᵉ siècle, avons-nous envie d'écrire, seules les communautés de procureurs des cours souveraines rappellent les procureurs du début du XVIIᵉ siècle. Le discours qu'elles tiennent alors, quand il ne s'agit pas d'une position économique, est un discours normatif. La communauté des procureurs au parlement de Toulouse, par exemple, délivre les certificats qui authentifient la façon de procéder dans la juridiction toulousaine, mais elle émet aussi les certificats de pratique que requièrent tous les praticiens au moment d'obtenir un office de procureur ou de notaire. Pour l'État central, ces communautés jouent non seulement un rôle de levier financier, mais elles contribuent de façon non négligeable à l'administration de la justice, par le contrôle qu'elles exercent sur leurs membres.

Grâce à elles, on saisit l'important hiatus qui s'est installé entre le début et la fin du XVIIᵉ siècle dans le milieu de la pratique. Alors qu'on aurait attendu qu'il formule un idéal, le discours collectif des procureurs s'est inscrit dans une réalité très concrète, celle de l'argent, celle de la gestion. Il a également assumé en quelque sorte un discours d'État, en formulant, pour ce dernier, les normes procédurales sur lesquelles les communautés des procureurs des cours souveraines ne cessèrent de veiller jalousement.

---

36. Plusieurs dossiers concernent l'union de ces offices en Provence. ADBR Aix, C 2632 porte sur la période qui va de 1768 à 1771. Il s'agit alors d'obtenir la séparation entre les offices de notaires et de procureurs réunis sur les mêmes têtes. C 2633 entre 1776 et 1778 : la question n'est pas réglée dans les années suivantes, puisque des villes comme Apt, Draguignan, Forcalquier et encore Sisteron, sont le lieu de protestations concernant l'union ou la désunion de ces offices. c 2634, le dossier porte sur les années 1780 à 1784. On trouve des cas de notaires et procureurs jusqu'en 1789 (C 2635). Le chancelier d'Aguesseau avait permis aux particuliers de prendre provision pour de pareils offices réunis, sans les obliger à prendre des lettres de compatibilité (lettre de ce ministre en 1739, C 3555), il reconnaissait qu'une pareille union était en usage en plusieurs endroits et principalement dans la plus grande partie des justices royales de Provence. Par une autre lettre du 29 janvier 1746, le chancelier indique qu'il désirait rétablir la règle selon laquelle les offices de procureurs et de notaires étaient incompatibles.

Conclusion

Entre le xvie siècle et le xviiie siècle, la profession de procureur s'est précisée, à mesure que les institutions judiciaires et les procédures pour y accéder se sont raffinées. Indispensables pour tenir les justiciables à bonne distance, tout en leur permettant d'user de la justice, les procureurs ont profité de cette position d'intermédiaires pour tirer leur épingle du jeu. Après l'érection définitive en office royal formé de la charge de procureur[1], ils ont franchi le pas et participé à la vénalité légale qui fait de leur office un capital qu'ils peuvent faire fructifier.

Dans le Midi, la période faste des procureurs est celle de la première moitié du xviie siècle. C'est celle où l'office, dans le Sud-Est, atteint des prix inégalés, c'est celle où à Toulouse, les procureurs font leur, une culture qu'ils ne produisent pas mais qu'ils admirent, la culture du palais. Les chemins parallèles que suivent avocats et procureurs dévient alors pour se croiser. Des avocats qui acceptent un office de procureur, des procureurs qui poursuivent leurs études en faculté de droit ne sont pas rares, mais si les individus changent de chapeaux, les métiers eux ne se confondent pas. Chacun tient sa place dans un système judiciaire que les procureurs eux-mêmes considèrent comme essentiel pour l'existence et la mission du royaume de France.

Les procureurs ne s'inscrivent pourtant pas dans l'idéologie de l'office qui soutient que l'office royal, source de privilèges, leur apporte plus qu'un statut[2]. S'ils participent désormais d'une dignité qui les associe au souverain et qui a servi à justifier la domination des juges, ils sont bien loin de tirer de leur office quelque domination que ce soit. Pour Christophe Blanquie, les acheteurs d'offices doivent trouver « des contreparties à la hauteur de la finance qu'ils consentent à verser dans les caisses royales[3] ». Ces contreparties s'expriment par le capital social fourni par l'office qui finit par confondre la dignité de la personne qui tient l'office avec l'office

---

1. Pour Bataillard, l'autorité de Richelieu suffit à faire appliquer l'édit de 1620 à peu près partout, Bataillard, t. I, p. 159.
2. David D. Bien, « Les offices, les corps, et le crédit d'État : l'utilisation des privilèges sous l'Ancien Régime », *Annales ESC*, 43, n° 2, 1988, p. 379-404.
3. Christophe Blanquie, *Justice et finance…*, p. 264.

lui-même. L'office aurait donc un effet révélateur de la dignité inhérente à la personne de l'officier qui, avec le temps, finirait par détacher sa dignité de la personne royale pour l'associer davantage aux attributions de justice qui sont les siennes[4]. Sans commune mesure avec la dignité des magistrats, ni même avec celle des juges des présidiaux, la dignité des procureurs ne peut même pas être pensée grâce à l'idée des officiers moyens qu'on a récemment élaborée[5]. Ils sont au plus de petits officiers que l'on a regroupés en communautés, mais qui s'inscrivent néanmoins dans le corps plus large de ceux qui partagent la même juridiction. Les procureurs au parlement de Toulouse le montrent bien, alors que cette dignité de l'office n'arrive pas à supplanter celle que confère leur association au deuxième parlement de France. Que l'office devienne une condition d'exercice de la profession et les choses changent. En effet, les contreparties pour les procureurs ne se calculent pas en dignité mais en clientèle et en accessibilité aux bonnes affaires. Pouvoir se réclamer du titre de procureur auprès d'un tribunal, c'est mettre en avant une compétence, mais aussi un réseau de relations ; c'est faire état d'un accès privilégié, c'est aussi faire appel à une image d'homme de confiance qui sait user de ruses et de finesse pour servir au mieux celui qui l'engage. En prime, les effets du titre ne semblent pas s'estomper quand on cesse d'exercer la profession. On dirait qu'ils s'accrochent, au contraire, à la personne, ce qui explique que les anciens procureurs réfèrent toujours à ce statut, plusieurs années après l'avoir mis de côté. Alors que le métier de procureur paraît technique et ennuyeux, il offre, à qui sait en profiter, de belles occasions d'affaires. Agir pour quelqu'un d'autre n'empêche pas qu'on agisse en même temps pour soi-même.

Puis le système dérape. À la fin du xviiᵉ siècle, alors qu'ils avaient su jusque-là contourner les contradictions de la profession qui tenait pourtant sa légitimité de l'État, les procureurs sont happés par les transformations du marché de la justice. Le rôle de leurs communautés alors n'est pas minime : elles servent d'intermédiaires entre l'État et ce capital, mais elles s'occupent aussi de maintenir la valeur marchande des offices. Et l'on constate à quel point la démarche historienne est prisonnière de ses catégories ! Métier carrefour que l'histoire peut suivre, la fonction de procureur s'évapore en partie, quand le recours à la justice diminue. Pourtant, même si on évite désormais les marches du Palais, les conflits n'ont sans doute pas diminué.

---

4. *Ibid.*, p. 311. Le roi lui-même avait profité de l'association à la Justice divine pour défendre sa propre autorité. Voir Robert Jacob, *Images de la justice…* Tout au long de son livre Blanquie réfère tour à tour aux grands textes historiens sur la vénalité des offices dont il s'inspire dans son interprétation de la vénalité présidiale : Roland Mousnier, *La vénalité des offices sous Henri IV et Louis XII*, Paris, Presses universitaires de France [1946] ; David D. Bien, « Les offices, les corps et le crédit d'État… » ; Robert Descimon dont les textes ont été déjà cités.

5. On a déjà cité ces colloques : Michel Cassan (dir.), *Les officiers moyens à l'époque moderne : pouvoir, culture, identité…* ; et Michel Cassan (dir.), *Offices et officiers « moyens » en France à l'époque moderne. Profession, culture.*

On choisit simplement de les gérer dans un espace où les rôles se définissent autrement, hors de la justice.

Certains procureurs réapparaissent au gré d'une reconversion dans les affaires, comme le font certains procureurs de Marseille, ou dans l'administration publique ou privée, comme le montrent des procureurs de Grenoble, mettant en œuvre une fonction d'intermédiaire en voie de s'autonomiser.

Au-delà du cas des procureurs, c'est à une réflexion sur l'État que cette histoire nous convie. Sans négliger les permanences, les chercheurs ont insisté sur la particularité des signes et des pratiques de chaque société politique qui trouve dans l'instant un langage propre à l'expression de son imaginaire[6]. C'est ainsi que l'État « segmentaire » de la Renaissance a été mis en évidence à travers la difficulté d'imposer, au-delà d'un centre géographique du pouvoir, une autorité royale en rivalité avec les pouvoirs régionaux[7]. Mais de ce point de vue, l'État des XIIIe et XVe siècles que décrit Jacques Krynen partage avec celui du XVIe siècle bien des défis. Les débats fascinants autour des cérémonies du pouvoir ont d'ailleurs montré les dangers de s'en tenir à une interprétation univoque de l'État qui ferait du Roi la référence unique de sa réussite ou de son échec[8]. La métaphore du théâtre si largement utilisée dans l'interprétation des mécanismes de diffusion de l'idéologie de l'État royal n'a pas réussi à élucider les rapports entre le roi et ses sujets trop souvent réduits au rôle de spectateurs. S'ils s'entendent sur l'importance de l'idéologie dans toute construction de l'État, les historiens arrivent mal à fixer les limites entre ce qui crée l'idéologie et ce qui ne fait que l'illustrer[9].

Il est désormais établi que l'histoire de l'État, pour s'accomplir, doit éclater en diverses approches. Celle du juridique, considéré comme central à la construction de l'État moderne, n'échappe pas à ce nécessaire éclatement. On a soutenu que le rôle complexe des juristes du XIIIe siècle, qui pensent l'État, le façonnent et l'expriment tout à la fois[10] ne peut être compris qu'en dialogue avec la réception (positive ou nuancée) de leur définition du pouvoir par les administrés qui en sont l'objet[11]. La définition de la norme que les légistes proposent s'inspire d'ailleurs de sources hétérogènes transformées et combinées pour fournir une légitimité à laquelle le royaume,

---

6. Denis CROUZET, « Introduction », « L'État comme fonctionnement socio-symbolique (vers 1547-vers 1635) », *Histoire, Économie et Société*, 17, juillet-septembre 1998, p. 339-340.
7. Nicolas LE ROUX, « Courtisans et favoris : l'entourage du prince et les mécanismes du pouvoir dans la France des guerres de religion », *Histoire, Économie et Société*, 17e année, juillet-septembre 1998, p. 379.
8. Alain BOURREAU, « Ritualité politique et modernité monarchique », *L'État ou le roi. Les fondations de la modernité monarchique en France (XIVe-XVIIe siècles)*, Paris, Éditions de la Maison des sciences de l'homme, 1996, p. 10-25.
9. *Ibid.*, p. 12.
10. Jacques KRYNEN, *L'empire du roi. Idées et croyances politiques en France, XIIIe-XVe siècle*, Paris, Gallimard, 1993, p. 84.
11. *Ibid.*, p. 240-338.

dans ces diverses composantes, adhère[12]. Dans ce dialogue, les historiens ont écouté les intellectuels, placés à la « croisée des exigences du pouvoir et des exigences des autres forces du pays[13] », et promus « voix du peuple » par le silence de ce dernier. Naïvement, au moment d'entreprendre ce travail, j'ai cru que les procureurs, intermédiaires entre les justiciables et l'État, pourraient montrer comment l'adhésion à l'État central s'était construite, grâce à des hommes ordinaires qui avaient traduit le message. Au terme de ce livre, je mesure la candeur de l'hypothèse qui tourne sur elle-même dans un effet proche de la tautologie. Si on peut aisément découvrir les effets des actions de l'État sur ses composantes, il est clair que les explications idéologiques aux raisons de ces actions n'emportent pas la conviction, pas plus que l'adhésion plus ou moins complète des « victimes » à ces explications. Alors même que l'idée du « développement de l'État central » semble présumer qu'une sorte de déterminisme guide l'histoire, il reste de cette promenade dans le Midi des procureurs d'Ancien Régime une forte impression que l'État français s'est construit à travers une méthode d'« action-réaction » qui peut être analysée, sans pour autant qu'elle fasse partie d'un plan préétabli. De là à croire que cela correspond à l'essentiel du « système » à partir duquel les Méridionaux ont eux-mêmes façonné leur adhésion aux institutions royales, il n'y a qu'un pas.

Même s'ils n'ont pas formulé leurs rapports à l'État, les procureurs n'ont pas moins participé à la vie politique. Au XVIe, comme au XVIIe siècle, ils sont actifs dans la politique municipale. À Aix, s'ils ne deviennent pas consuls[14], ils sont très présents comme conseillers[15]. Le cas de Toulouse est beaucoup plus complexe et mériterait d'être étudié pour lui-même, à partir d'une méthode qui a déjà fait ses preuves pour Paris et qui place l'Hôtel de Ville sur la trajectoire stratégique d'une construction sociale[16]. Il faudrait alors changer l'approche et retrouver l'histoire des familles que nous avons ici volontairement écartée[17]. Si le modèle parisien paraît extravagant pour

---

12. Frédéric AUDREN, « Les juristes en action : aux origines du droit politique moderne. L'histoire du droit et ses méthodes – Essai d'historiographie », *Histoire, Économie et Société*, 16, n° 4, octobre-décembre 1997, p. 571.

13. Jacques KRYNEN, *L'empire du roi*, p. 242.

14. S'ils le sont, ils ne se réclament jamais de leur statut de procureur, ce qui empêche de les repérer dans le *Catalogue des consuls et assesseurs de la ville d'Aix*, Aix, chez la veuve de Charles David et Antoine David, 1699.

15. AMA BB 97-103 (1597-1656). Les avocats sont plus nombreux chez les conseillers, mais il y a toujours plusieurs procureurs Pour l'institution municipale aixoise, voir les travaux de Jacqueline Dumoulin, notamment, « La procédure électorale en Provence au XVIIe siècle », *Mémoires de la Société pour l'histoire du droit et des institutions des anciens pays bourguignons, comtois et romands*, 50e fascicule, 1993, p. 79-104.

16. Pour un bilan : Robert DESCIMON et Élie HADDAD (dir.), *Épreuves de noblesse. Les expériences nobiliaires de la haute robe parisienne (XVIe-XVIIIe siècle)*, Paris, Les Belles Lettres, 2010, et notamment Mathieu MARRAUD, *De la Ville à l'État. La bourgeoisie parisienne, XVIIe-XVIIIe siècle*, Paris, Albin Michel, 2009.

17. C'était l'option choisie pour Claire DOLAN, *Le notaire, la famille et la ville. Aix-en-Provence (Aix-en-Provence à la fin du XVIe siècle)*, Toulouse, PUM, 1998.

Aix, il l'est sans doute beaucoup moins pour Toulouse. Plusieurs procureurs au parlement, au sénéchal ou au présidial ont été capitouls, ce qui a
provoqué, dans les assemblées de leurs corps, des discussions de préséances
animées, au moment de leur retour dans la communauté des procureurs où
ils étaient rétrogradés au rang de leur réception[18]. Ces débats de préséance
entre les anciens capitouls et les anciens de la communauté, ajoutés aux
conflits que les capitouls entretiennent avec la communauté des procureurs
au parlement de Toulouse, suggèrent ce que peut encore révéler l'étude de
la lutte des corps, notamment au XVIIIe siècle.

Les procureurs que nous avons croisés dans le Midi nous ont, certes,
parlé de justice, mais ils ont aussi montré qu'ils étaient hommes de gestion,
de crédit et de marché, l'un semblant appeler les autres. Parce que le métier
n'est que l'une des nombreuses couches qui se superposent pour établir la
position sociale, l'approche par le métier, privilégiée dans ce livre, n'a pas
la prétention d'expliquer la société d'Ancien Régime. Elle prend cependant le parti de déconstruire les effets du contexte sur le métier lui-même
et me semble un préalable à la réflexion de l'historien de la société. Reste
à déterminer l'échelle de ce contexte. Quel que soit l'angle sous lequel on
privilégie l'observation du procureur d'Ancien Régime, on voit bien que,
derrière le terme de procureur qu'on voudrait générique à travers toute la
France, se dressent des pesanteurs culturelles qui modulent les rapports,
et des hommes qui lui donnent sa couleur. Même ce Midi qu'on voudrait
traiter comme un tout, se dérobe sous l'assaut de particularités qu'il n'est
pas toujours aisé de dater. L'État a, certes, influencé plusieurs aspects du
quotidien des procureurs, notamment en contrôlant l'accès au titre et ses
retombées sur le travail lui-même. Il a fourni aux procureurs la justification
de leur existence par association à la justice, mais cette justice, pendant
longtemps, continue d'être associée aux élites locales qui en retirent prestige
et autorité. C'est dans cet ancrage local que le rôle d'intermédiaire des
procureurs trouve sa force, au-delà de la justice royale.

Procureur, métier-carrefour avons-nous dit ? D'autres métiers ont sans
doute cette capacité de construire autour d'eux une nébuleuse du même
type que celle qui enveloppe les procureurs. Comme le Palais sur lequel s'est
ouvert ce livre, qui étendait son ombre sur l'ensemble de la ville d'Aix-en-
Provence, la justice sous l'Ancien Régime semble doter de cette capacité
d'inscrire les métiers qui lui sont associés dans un ensemble plus large qu'elle-même. Il vaudrait peut-être la peine d'observer les villes parlementaires
et les réseaux qui s'y déploient sous l'Ancien Régime, à travers eux.

---

18. ADHG, 1E 1185, pièce 130. Délibération des procureurs au parlement du 29 juin 1612, du
20 décembre 1664.

Sources et bibliographie

SOURCES

J'ai réduit ici la description des articles au minimum. Bien que j'aie privilégié les sources auxquelles les notes de bas de page réfèrent, j'ai, dans quelques cas, ajouté des sources qui ont aidé ma compréhension, même si on ne les trouve pas mentionnées dans le texte.

Aix-en-Provence

**Archives départementales
des Bouches-du-Rhône, Aix**

Cour des comptes

B 2626-2627, états estimatifs des recettes et dépenses, procès-verbaux des trésoriers de France.

B 2659 présentations et procurations au greffe de la cour des comptes et registre criminel des procédures.

B 2672-2678, 2681-2693 arrêts à la barre de la cour des comptes (il s'agit en fait exclusivement des arrêts au vu des pièces).

B 3006 arrêts de consensus (expédient) cour des comptes.

B 3062-3064, audiences de la cour des comptes.

B 3292 pièces relatives aux droits et prérogatives de la cour des comptes.

B 3294 cour des comptes, concordats et règlements.

B 7444-7448 délibérations de la communauté des procureurs à la cour des comptes 1670-1789.

Parlement

B 3314 édit de réformation de la justice 1535.

B 3317 ordonnance de Blois (1579).

B 3318 ordonnances pour la procédure.

B 3319, 3319 bis, 3324-3326, 3328-3340, 3342, B 3351, B 3353, 3356, 3383, 3387, 3393, 3480 enregistrement de lettres royaux.

B 3593, corps des officiers, informations de bonnes vies.

B 3596 liquidation des offices du parlement.

B 3653-3654, 3656, 3660, 3662-3663, délibérations du parlement.

B 3776 audiences du parlement.

B 3971 étiquettes d'audiences.

B 4489 arrêts à la barre du parlement.

B 4558 arrêts à la barre du parlement.

B 6081-6082 inventaires de biens.

B 6274 greffe du parlement, productions de pièces.

B 6274 bis, B 6278, greffe du parlement, distribution de procès.

B 6292-6298 greffe du parlement, affirmations de voyages.

Sacs de procédures de diverses cours

20B 20,41, 78, 484, 513, 536, 655, 817, 857, 890, 925, 968, 1023, 1159,1204,1230,1231, 1282, 1334, 1482, 1535, 1558,1623,1654,1689, 1760, 1915, 1977, 2000, 2248, 2385, 2419, 2522, 2553, 2576, 2670, 2673, 2682, 2763, 2890, 2952, 2954, 3071, 3290, 3478, 3592, 3850, 4259, 4759, 5698, 5863, 6656, 6662, 6663, 6665.

États de Provence

C 616, 1385, 1386, 1391, 1885.
C 2068 cahier du Tiers État de Provence pour les États généraux de 1614.

Intendance de Provence

C 2183, 2206, 2208, 2219, 2623, 2632-2635, 3547-3551, 3555, 4728.

Sénéchaussée d'Aix

4B 1-4B 7 lettres royaux.
4B 17, 22, 24, 27, 30, 32, 35, 37, 43, 44, 48 insinuations.
4B 705 sentences au vu des pièces procès criminels 1570.
4B 707 sentences au vu des pièces criminels 1571.
4B 709 sentences au vu des pièces criminels 1572.
4B 711 sentences au vu des pièces criminels 1573.
4B 714 sentences au vu des pièces criminels 1574.
4B 716 sentences au vu des pièces criminels 1575.
4B 1011 sentences au vu des pièces procès criminels (1773-1779).
4B 1013 sentences d'expédients.
4B 1106, 1116, rapports d'experts.
4B 1362 correspondance.

Notaires (je n'indique que les registres cités dans le texte)

301E 177, 188, 246, 247, 251, 260.
302E 516, 954.
303E 295.
303E 555-570 Inventaires après décès.
306E 686, 688, 793,806, 828, 870.
307E 639, 645, 646, 647, 655, 731, 733.
307E 823, 824.
308E 1109, 1337, 1340, 1341, 1342, 1343, 1344,1345, 1347,1349, 1351, 1354, 1355, 1356, 1360, 1361,1440.
309E 999.

Divers

2D1 Matricules des gradués de l'université d'Aix 1531-1632.
20HD B235 Fonds de l'hôpital Saint-Jacques.
24HD B12 Fonds de l'hôpital des Incurables.
35HD A1 Règlement du conseil charitable.
35HD E1 délibérations du conseil charitable qui protège les pauvres…

Archives municipales d'Aix-en-Provence

BB 96-103 délibérations et élections au conseil.
CC 1174, CC 1178, CC 1348, CC 1365 comptes tutélaires (je n'indique que les comptes cités dans le texte).

Bibliothèque Méjanes (Aix-en-Provence)

MS 869 (1059) (plans du palais).
MS 958 (900-R.773) (mercuriales).
MS 991 (876) tables des délibérations du parlement.

Musée Arbaud

MQ 401 livre de raison de Jean Garcin.

Avignon

Bibliothèque municipale d'Avignon

MS 3468, correspondance.

Digne

Archives départementales
des Alpes-de-Haute-Provence

1E 58-59 papiers de la famille Fauris.

Draguignan

Archives départementales du Var

3E 8/293 notaire Pierre Giraud.

Grenoble

Archives départementales de l'Isère

B 2316.
2B 54-56 matricules.
2B 61 délibérations de la communauté des procureurs au bailliage de Grésivaudan.
2B 62 lettres de provision et enquêtes.
13B 439,446, 452, 455, 457, 460, 466, 485, 487,490, 499, 503, 514, 516, 522, 530, 537, 569, 595, 596, 602, 626.
H + GRE/H57.
H + GRE/H200, 201, 202, 203, 204, 206-211 (matricules du procureur Georges Charvet) 214, 215, 216, 217, 220, 224,225, 226.

Bibliothèque municipale de Grenoble

MS R7485.

Marseille

Archives départementales
des Bouches-du-Rhône, Marseille

2B 789, 793, 797,802, 827,828, 831, 838,842, 843, 847.

380E 82.
31E 7501 papiers de la famille d'Albertas.

Paris

Archives nationales de France

X1A 9325, mercuriales.

Toulouse

Archives départementales
de la Haute-Garonne

B 144, 234.
1E 66-67 papiers concernant les Cayron.
1E 1013, confrérie de Saint Yves.
1E 1180-1191 papiers de la communauté des procureurs au parlement.

Notaires

3E 243, 244, 274, 277, 278, 7042, 11113.
3E 11808-11845 testaments (la série des testaments séparés se poursuit cependant jusqu'au 11870).
3E 11871-11966 inventaires après décès.

Divers

1J 509 ordonnance des conseillers au parlement concernant les procureurs postulants et les notaires.
1J 1003 testament de Gabriel Cayron.
1J 1045 mémoire sur les abus et malversations des procureurs et gens d'affaires du Vivarais et des Cévennes.
1J 1221 mercuriale.
12J 30 livre de raison de Guillaume Palarin.
49J 66 discours prononcés à l'ouverture du parlement.

Sources imprimées

ABEL et FROIDEFONT, *Tableau chronologique des noms de messieurs les capitouls de la ville de Toulouse, Extrait année par année, savoir, depuis l'année 1147 jusques & compris l'année 1294, des Annales de la Ville,* par Durrozoy. *Depuis l'année 1295, jusques & compris l'année 1687, des Registres de l'Histoire de la Ville ; & depuis l'année 1688, jusques & compris la présente année 1786, des signatures des Capitouls, trouvées au Greffe de l'Hôtel de Ville*, Toulouse, Imprimerie de Jean-Florent Baour, 1786.

Actes et correspondance du connétable de Lesdiguières, Grenoble, Édouard Allier, 1878, vol. 1 (Documents historiques inédits pour servir à l'histoire du Dauphiné).

BARBIER Edmond Jean François, *Journal historique et anecdotique du règne de Louis XV*, t. I, New York, Johnson Reprint Corp., 1966, [réimpression de l'édition de Paris, Jules Renouard et cie, 1847].

BONIFACE Hyacinthe de, *Arrests notables de la cour de Parlement de Provence, Cour des comptes...*, Paris, Jean Guignard et René Guignard, 1670.

Catalogue des consuls et assesseurs de la ville d'Aix, Aix, chez la veuve de Charles David et Antoine David, 1699.

CAYRON Gabriel, *Le Parfait praticien françois...*, Toulouse, Jean Boude, imprimeur ordinaire du Roy, 1645.

CAYRON Gabriel, *Stil et forme de proceder, tant en la cour de parlement de Tolose, et chambre des requestes d'icelle : Qu'en toutes les autres Cours Inférieures du Ressort, au paravant & apres les Sentences & Arrests. Selon les Requestes, Lettres de Chancellerie, procez Verbaux, & autres actes y descripts au long ; avec ce qui est des actions & leur difference. en toutes matieres A quoy est adiousté l'estil du privé Conseil du Roy, & de la Chancellerie, Et ce de quoy le Grand Conseil de sa Majesté, & les autres Courts Souveraines, prennent cognoissance ; Ensemble ce qui est des Estats & devoir d'un chascun, au faict de la Justice, & Police, selon les Ordonnances & Arrests y descripts, Le tout divizé en cinq Livres : Enrichis de plusieurs choses memorables*. Toulouse, Imprimerie Jean Boude, 1611.

CAYRON Gabriel, *Styles de la Cour de Parlement, Chambre des requestes, Seneschal, & autres Juges Royaux subalternes & politiques du ressort de Tolose...* Toulouse, R. Colomiez, 1630.

Déclaration faicte par le roy sur l'édict de l'abbreviation des proces. Paris, Robert Estienne, imprimeur du Roy, 1563.

DENISART Jean-Baptiste, *Collection de décisions nouvelles et de notions relatives à la jurisprudence* actuelle, 5ᵉ édition, Paris, Desaint, 1766, 3 vol.

FERRIÈRE Claude Joseph de, *Dictionnaire de droit et de pratique*, Paris, chez la veuve Brunet, 1769, nouv. éd., 2 vol.

FERRIÈRE Claude de, *Le nouveau praticien, contenant l'art de procéder dans les matières civiles, criminelles, & bénéficiales, suivant les nouvelles ordonnances*, Paris, chez Denys Thierry et Jean Cochart, 1681.

FIGON Charles, *Discours des estats et offices, tant du gouvernement que de la justice & des finances de France...*, Paris, Guillaume Auray, 1579.

FURETIÈRE Antoine, *Le roman bourgeois, ouvrage comique*, nouv. éd. avec des notes historiques et littéraires par M. Édouard Fournier, Millwood (N Y), Kraus Reprint, 1982, d'après l'édition de 1854.

HAITZE Pierre-Joseph de, *Les curiosités les plus remarquables de la ville d'Aix*, Aix, Charles David, 1679.

ISAMBERT, *Recueil général des anciennes lois françaises depuis l'an 420, jusqu'à la Révolution de 1789*, Paris, Belin-Leprieur, t. XII, 1514-1546, 1828 ; t. XIII, 1546-1559, 1828 ; t. XIV, 1559-1574, 1829 ; t. XVIII, 1661-1671, 1829.

JOUSSE Daniel, *Traité de l'administration de la justice...*, Paris, chez Debure père, 1771, 2 vol.

JULIEN Jean-Joseph, *Nouveau commentaire sur les statuts de Provence*, Aix, Esprit David, 1778, 2 t.

LA ROCHE-FLAVIN, Bernard, *Treze livres des Parlemens de France esquels est amplement traicté de leur origine et institution*, Bordeaux, Simon Millanges, 1617.

LE PAIN Jean, *Le Practicien françois, ou Livre auquel sont contenues les plus frequentes et ordinaires Questions de Practique tant en matiere civile & criminelle, que beneficiale*

& profane : digerées par demandes & responses avec un Formulaire de plusieurs Lettres
Royaux, Paris, chez Jean Gosselin, 1625.

LE PAIN Jean, Le Vray practicien françois…,
publié par Jean Le Pain et augmenté par
Vincent Tagereau, 1633.

LE PAIN Jean, Le très-parfaict praticien françois…, rédigé par Jean Le Pain et augmenté
par Vincent Tagereau, 1654.

MALESSAIGNE Jean, La forme et ordre judiciaire observé en la Cour de Parlement de
Tolose, et Chambre de l'Édict, pour le ressort
d'icelle seant à Castres, tant en l'introduction que instruction de toutes matieres civiles & criminelles… Montpelier, Jean Pech,
imprimeur ordinaire du Roy et de ladite
ville, 1625.

MARGALET Claude, Stile, forme et maniere de
proceder en la cour des soumissions au Pays
de Provence. Ou est seulement traitté des
executions des obligez, à l'exemple du petit
seel de Montpelier, & de S. Marcellin en
Dauphiné. Composé en Latin, par feu
M. Claude Margalet, Advocat en la Cour
de parlement de Provence, & Conseillier
Referendaire en la Chancellerie dudit pays :
& de nouveau mis en Francois, exposé &
augmenté de plusieurs statuts & arrests non
encores imprimez, s. l., Jean Stratius, 1584.

MAROT Clément, L'enfer, les coq-à-l'âne, les
élégies, Paris, Honoré Champion, 1977.

NERON Pierre et GIRARD Estienne, Les
edicts et ordonnances des tres-chrestiens roys,
François I, Henry II, François II. Charles
IX, Henry III. Henry IV, Louys XIII &
Louys XIV. sur le faict de la justice &
abbreviation des procés, avec annotations,
apostilles & conferences sous chacun article
d'iceux, Paris, chez Michel Bobin au palais,
1643.

Relation des réjouissances qu'on a faites à l'occasion de la cérémonie du Te Deum chanté
dans le Palais, par ordre du Parlement de
Provence, en action de grâces du rétablis-
sement de la santé du Roy, Aix, Charles
David, 1687.

Règlement & taux faict par Monsieur le
Lieutenant General, en la tenue des assizes
generales de ce Pays de Provence, assistans &
ouys les Consuls d'Aix, Procureurs du Pays,
les Scindics de la Noblesse, du Tiers Estat,
les Scindics des Advocats & Procureurs du
Siege general d'Aix, & les Greffiers assistans
ausdites assizes tenues audit Aix, en l'année
1596, Aix, Jean Tholosan, 1620.

Le Reglement faict entre les fermiers du droict
du roy pour l'abbreviation des proces, et le
procureur de la communauté des procureurs
de la court de parlement de Paris, suyvant
l'edict et declaration du dit sieur sur ce
faictz. (10 may 1564.) publié à Paris la
même année.

Règlement général de la cour de parlement
aydes et finances de Dauphiné concernant
les procureurs…, publié le 14 nov. 1707.

Seconde Declaration du roy, sur l'edict de
l'abbreviation des procés, & consignation de
certaine somme de deniers par ceux qui plaideront. Paris, Robert Estienne, imprimeur
du Roy, 1565.

SOBOLIS Fouquet, Histoire en forme de journal de ce qui s'est passé en Provence depuis
l'an 1562 jusqu'à l'an 1607, publiée par
le Docteur F. Chavernac, Aix, Achille
Makaire, 1894.

TAGEREAU Vincent, Le parfait praticien françois contenant la manière de traiter, les questions les plus frequentes du palais, Paris, chez
Guillaume de Luyne, 1663.

VERNEY André, Le Stil ordinaire de la seneschaucée et siège presidial de Lyon, recueilli
par M. André Verney procureur es Cours
dudit Lyon, Lyon, Thibaud Ancelin, 1599.

OUVRAGES DE RÉFÉRENCE

[En ligne]

Catalogue collectif de France : http://www.ccfr.bnf.fr.

Centre national de ressources textuelles et lexicales, http://www.cnrtl.fr/.

Dossier bibliographique sur l'histoire de la police, préparé par Jean-Marc Berlière et publié en mai 2008. http://www.criminocorpus.cnrs.fr/article341.html, consulté le 24 juillet 2008.

JOUHAUD, Christian, texte de présentation du fac-simile numérique du *Mercure français*, http://mercurefrancois.ehess.fr/presentation.php, consulté le 5 septembre 2011.

Imprimés

Biographie toulousaine ou Dictionnaire historique des personnages... t. I, Paris, chez L. G. Michaud, 1823.

BRÉMOND Alphonse, *Nobiliaire toulousain*, Toulouse, Bonnal et Gibrac, 1863.

BUSQUET Raoul, *Les fonds des archives départementales des Bouches-du-Rhône*, 2e vol. (1re partie). *Dépôt d'Aix-en-Provence. Série B. Marseille*, Archives des Bouches-du-Rhône, 1939.

CASTELLANE Joseph-Léonard de, « Essai d'un catalogue chronologique de l'imprimerie à Toulouse »*Mémoires de la Société archéologique du Midi de la France*, t. V. *De 1841 à 1847*, Toulouse, 1847, p. 1-94 ; « Supplément de l'essai de catalogue de l'imprimerie de Toulouse, dans les xve, xvie et xviie siècles », p. 137-156.

DESCHAMPS P. et G. BRUNET, *Manuel du libraire et de l'amateur de livres..., Supplément*, t. 2, Paris, Librairie de Firmin-Didot, 1880.

Dictionnaire encyclopédique des sciences médicales, deuxième série, t. 6.

EXPILLY Jean-Joseph, *Dictionnaire géographique, historique et politique des Gaules et de la France,* vol. 2, Nendeln/Liechten-stein, Kraus Reprint, 1978.

ISNARD M. Z., *État documentaire et féodal de la Haute-Provence* [...], Digne, Imprimerie-Librairie Vial, 1913.

LELONG Jacques, *Bibliothèque historique de la France contenant le catalogue des ouvrages imprimés et manuscrits...*, nouv. éd., revue corrigée et augmentée par M. Fevret de Fontette, t. 2, Paris, Imprimerie de Jean-Thomas Herissant, 1769.

MARION Marcel, *Dictionnaire des institutions de la France aux XVIIe et XVIIIe siècles*, Paris, A. & J. Picard, 1972 (réimpression de l'édition originale de 1923).

MICHAUD, Louis-Gabriel, *Biographie universelle ancienne et moderne...* nouv. éd., vol. 8 et vol. 25, Paris, chez Madame C. Desplaces, 1854.

PERENNÈS François Marie, *Dictionnaire de bibliographie catholique présentant l'indication et les titres complets...*, vol. 2, chez J. P. Migne, 1839.

PILOT-DETHOREY M., *Inventaire sommaire des archives départementales antérieures à 1790. Isère, Archives civiles, Séries A et B*, t. I, Grenoble, F. Allier, 1864.

RICHARD Charles Louis, *Bibliothèque sacrée ou Dictionnaire universel historique, dogmatique... des sciences ecclésiastiques,* t. 5, Paris, Méquignon fils aîné, 1822.

ROCHAS Adolphe, *Biographie du Dauphiné...*, Genève, Slatkine Reprints, 1971, 2 t. dans un volume (réimpression de l'édition de Paris, 1856-1860).

Études

ANTONINI Luc, *Une grande famille provençale, Les d'Albertas*, s. l., s. é., 1998.

ARABEYRE Patrick, « L'"École de Toulouse" a-t-elle existé ? », Nathalie DAUVOIS (actes réunis par), *L'humanisme à Toulouse...*, p. 23-41.

ARNAULD Marie-Paule, *Le notaire au siècle des Lumières*, Paris, Caisse des dépôts et consignations, 1988.

ASTRÉ Florentin, « Gabriel Cayron et son livre », *Extrait du Recueil de l'Académie de Législation*, Toulouse, t. XX, s. d.

AUDREN Frédéric, « Les juristes en action : aux origines du droit politique moderne. L'histoire du droit et ses méthodes – Essai d'historiographie », *Histoire, Économie et Société*, 16, n° 4, octobre-décembre 1997, p. 555-578.

BAEHREL René, *Une croissance : la Basse-Provence rurale (fin XVIᵉ siècle-1789)*, Paris, Sevpen, 1961.

BALSAMO Jean et SIMONIN Michel, *Abel L'Angelier et Françoise de Louvain (1574-1620). Suivi du catalogue des ouvrages publiés par Abel L'Angelier (1574-1610) et la veuve L'Angelier (1610-1620)*, Genève, Droz, 2002.

BASTIEN Pascal, *L'exécution publique à Paris au XVIIIᵉ siècle : une histoire des rituels judiciaires*, Seyssel, Champ Vallon, 2006.

BATAILLARD Charles, *Histoire des procureurs et des avoués (1483-1816)*, continuée et terminée par Ernest Nusse (période de 1639-1816), Paris, Librairie Hachette, 1882, 2 t.

BAUDOUIN-MATUSZEK Marie-Noëlle, « Les archives des chambres des requêtes du Parlement de Paris à l'époque moderne », Yves-Marie BERCÉ et Alfred SOMAN (éd.), *La justice royale et le parlement de Paris (XIVᵉ-XVIIᵉ siècle)*, Paris, Librairie Droz, 1995, p. 413-436. (Extrait de *Bibliothèque de l'École des chartes*, 153, n° 2, 1995.)

BEAM Sara, *Laughing Matters : Farce and the Making of Absolutism in France*, Ithaca, Cornell University Press, 2007.

BENZI Utzima, « De la transgression à la règle. Itinéraire et conversion de Francesco Panigarola (1548-1594) », *Italies* [En ligne], 11 | 2007, http://italies.revues.org/1986 consulté le 1ᵉʳ septembre 2011.

BERLANSTEIN Lenard R., *The Barristers of Toulouse in the Eighteenth Century (1740-1793)*, Baltimore, The Johns Hopkins University Press, 1975.

BIEN David D., « Les offices, les corps, et le crédit d'État : l'utilisation des privilèges sous l'Ancien Régime », *Annales ESC*, 43, n° 2, 1988, p. 379-404.

BLANC-ROUQUETTE Marie-Thérèse, *La presse et l'information à Toulouse des origines à 1789*, Toulouse, Association des publications de la Faculté des lettres et sciences humaines de Toulouse, 1967.

BLANQUIE Christophe, « Les huissiers audienciers des présidiaux », *Revue historique de droit français et étranger*, 83, n° 3, juillet-sept. 2005, p. 421-439.

BLANQUIE Christophe, *Justice et finance sous l'Ancien Régime. La vénalité présidiale.* Paris, L'Harmattan, 2001.

BLANQUIE Christophe, *Les présidiaux de Richelieu. Justice et vénalité (1630-1642)*, Paris, Éditions Christian, 2000.

BLANQUIE Christophe, « Les sacs à procès ou le travail des juges sous Louis XIII », *Revue d'histoire de l'enfance « irrégulière »* [En ligne], Hors-série, 2001, mis en ligne le 31 mai 2007, http://rhei.revues.org/index449.html, consulté le 9 février 2012.

BOEDELS Jacques, *La justice*, Paris, Antébi, 1992.

BONNIN Bernard, « Galères, pendaisons, têtes et poings coupés : le Parlement de Grenoble dans sa défense de la loi royale, la religion et la morale publique au XVIIᵉ siècle », René FAVIER (dir.), *Le Parlement de Dauphiné...*, p. 99-131.

BONNIN Bernard, « Parlement et communautés rurales en Dauphiné, de la fin du XVIᵉ au milieu du XVIIIᵉ siècle », René FAVIER (dir.), *Le Parlement de Dauphiné...*, p. 53-74.

BOUHAÏK-GIRONÈS Marie, *Les clercs de la Basoche et le théâtre politique (Paris, 1420-1550)*, Paris, Champion, 2007.

BOURREAU Alain, « Ritualité politique et modernité monarchique », *L'État ou le roi. Les fondations de la modernité monarchique en France (XIVᵉ-XVIIᵉ siècles)*, Paris, Éditions de la Maison des sciences de l'homme, 1996, p. 10-25.

BOYER Jean, « Le palais comtal d'Aix du roi René à 1787 », extrait de « *Aspects de la Provence* », *Conférences prononcées à l'occasion* du cinq centième anniversaire de l'union de la Provence à la France, Marseille, Société de statistique d'histoire et d'archéologie de Marseille et de Provence, 1983, p. 55-95.

BOYER Jean, La peinture et la gravure à Aix-en-Provence aux XVIᵉ, XVIIᵉ et XVIIIᵉ siècles (1530-1790), thèse présentée devant la faculté des lettres et sciences humaines d'Aix-en-Provence, le 2 mars 1970, Lille, Service de reproduction des thèses, université de Lille III, s.d.

BRÉANT René, La représentation des plaideurs en justice, thèse pour le doctorat en droit, université de Caen, 1908.

BUSQUET Raoul, « Histoire des institutions », Paul MASSON (dir.), Les Bouches-du-Rhône, Encyclopédie départementale, t. 3, Temps modernes, Marseille, Librairie A. Champion et archives départementales des Bouches-du-Rhône, 1920, p. 275-616.

CAMPANGNE Hervé T., « Mythographie et discours du plaisir : Antoine du Verdier et la traduction des Imagini de i dei de gli antichi de Vincent Cartari », Bulletin de l'Association d'étude sur l'humanisme, la réforme et la renaissance, n° 35, décembre 1992, p. 29-45.

CARBASSE Jean-Marie (dir.), Histoire du parquet, Paris, Presses universitaires de France, 2000.

CARRIER Isabelle, « L'art de louvoyer dans le système judiciaire de l'Ancien Régime : le procureur et la procédure civile », Claire DOLAN (dir.), Entre justice et justiciables, p. 479-490.

CASANOVA Jean-Yves, Historiographie et littérature au XVIᵉ siècle en Provence ; l'œuvre de Jean de Nostredame, thèse pour le doctorat es lettres, université Paul Valéry, Montpellier III, octobre 1990.

CASSAN Michel, « L'activité du présidial de Limoges (fin XVIIᵉ siècle-fin XVIIIᵉ siècle) », Les Cahiers du Centre de recherches historiques, 23, 1999, http://ccrh.revues.org/index2162.html, consulté le 23 octobre 2011.

CASSAN Michel, « Formation, savoirs et identités des officiers "moyens" de justice aux XVIᵉ-XVIIᵉ siècles : des exemples limou-

sins et marchois », Michel CASSAN (études réunies par), Les officiers « moyens » à l'époque moderne, p. 295-322.

CASSAN Michel (dir.), Offices et officiers « moyens » en France à l'époque moderne. Profession, culture, Limoges, PULIM, 2004.

CASSAN Michel (études réunies par), Les officiers « moyens » à l'époque moderne : pouvoir, culture, identité. France, Angleterre, Espagne, Limoges, PULIM, 1998.

CHANCEL Dominique et Colette GÉRON, « Les bâtiments du Parlement de Dauphiné et leurs transformations jusqu'à la fin du XIXᵉ siècle », René FAVIER (dir.), Le Parlement de Dauphiné…, p. 25-40.

CHALINE Olivier, « Sénat romain, assemblée germanique, concile général, trois modèles des parlementaires français au XVIIIᵉ siècle », Bernard BARBICHE, Jean-Pierre POUSSOU et Alain TALLON (études réunies par), Pouvoirs, contestations et comportements dans l'Europe moderne : mélanges en l'honneur du professeur Yves-Marie Bercé, Paris, PUPS, 2005, p. 435-446.

CHARTIER Roger, Lectures et lecteurs dans la France d'Ancien Régime, Paris, Le Seuil, 1987.

CHAUVAUD Frédéric (dir.), Le sanglot judiciaire : la désacralisation de la justice (VIIIᵉ-XXᵉ siècles), Créaphis, 1999.

CHÊNE Christian, L'enseignement du droit français en pays de droit écrit : (1679-1793), Genève, Droz, 1982.

CHILTON Paul, « Jean de la Céppède (1550 ?-1623) », David Lee RUBIN, La poésie française du premier XVIIᵉ siècle : textes et contextes, 2ᵉ éd. rev. et augm., Charlottesville, VA, Rookwood Press, 2004, p. 51-84.

CIEUTAT Léon, Un magistrat du XVIᵉ siècle, Gérauld de Maynard, Discours. Agen, Imprimerie Fernand Lamy, 1879.

COSANDEY Fanny (textes réunis par), Dire et vivre l'ordre social en France sous l'Ancien Régime, Paris, Éditions de l'École des hautes études en sciences sociales, 2005.

COULOMBE Isabelle, Écriture et gestion chez un procureur au Parlement de Provence :

analyse du livre de raison de Jean Garcin (1574-1588), mémoire de maîtrise, histoire, université Laval, 1997.

COUSINIÉ Frédéric, Le peintre chrétien. Théories de l'image religieuse dans la France du XVIIᵉ siècle, Paris, L'Harmattan, 2000.

CRÉPIN Marie-Yvonne, « Le rôle pénal du ministère public », Jean-Marie CARBASSE (dir.), Histoire du parquet, p. 77-103.

CROUZET Denis, « Introduction », « L'État comme fonctionnement socio-symbolique (vers 1547-vers 1635) », Histoire, Économie et Société, 17, juillet-septembre 1998, p. 339-340.

CROUZET Denis, Les guerriers de Dieu : la violence au temps des troubles de religion, vers 1525-vers 1610, Seyssel, Champ Vallon, 2005 [c1990], 2 vol. en 1.

DAUVOIS Nathalie (actes réunis par), L'humanisme à Toulouse (1480-1596). Actes du colloque international de Toulouse, mai 2004, Paris, Honoré Champion, 2006.

DELPRAT Carole, « Magistrat idéal, magistrat ordinaire selon La Roche-Flavin : les écarts entre un idéal et des attitudes », Jacques POUMARÈDE et Jack THOMAS (études réunies par), Les parlements de province, p. 707-719.

DELPRAT, Carole, « Officiers et seigneurs chez Bernard La Roche-Flavin », Les Cahiers du Centre de recherches historiques, 27, 2001, http://ccrh.revues.org/1193, consulté le 5 septembre 2011.

DEMERSON Guy, « Compte rendu de Pierre Boaistuau, Le théâtre du monde (1558) Édition critique par Michel SIMONIN, Genève, Droz, 1981 », Bulletin de l'Association d'études sur l'humanisme, la réforme et la renaissance, nᵒ 16, 1983, p. 86-87.

DESCIMON Robert, « Les auxiliaires de justice du Châtelet de Paris : aperçus sur l'économie du monde des offices ministériels (XVIᵉ-XVIIIᵉ siècle) », Claire DOLAN (dir.), Entre justice et justiciables, p. 301-325.

DESCIMON Robert, « Éléments pour une étude sociale des conseillers au Châtelet sous Henri IV (22 mars 1594-14 mai 1610) », Michel CASSAN (études réunies

par), Les officiers « moyens » à l'époque moderne, p. 261-291.

DESCIMON Robert, « Les élites du pouvoir et le prince : l'État comme entreprise », Wolfgang REINHARD (dir.), Les élites du pouvoir, p. 133-162.

DESCIMON Robert et HADDAD Élie (textes réunis par), Épreuves de noblesse. Les expériences nobiliaires de la haute robe parisienne (XVIᵉ-XVIIIᵉ siècle), Paris, Les Belles Lettres, 2010.

DESCIMON Robert, SCHAUB Jean-Frédéric et VINCENT Bernard, Les figures de l'administrateur. Institution, réseaux, pouvoirs en Espagne, en France et au Portugal, XVIᵉ-XIXᵉ siècle, Paris, Éditions de l'École des hautes études en sciences sociales, 1997.

DESCIMON Robert, « Les notaires de Paris du XVIᵉ au XVIIIᵉ siècle : office, profession, archives », Michel CASSAN (dir.), Offices et officiers, p. 15-42.

DESCIMON, Robert, « La vénalité des offices et la construction de l'État dans la France moderne », Robert DESCIMON et alii, Les figures de l'administrateur, p. 77-93.

DESGRAVES Louis, Répertoire des ouvrages de controverse entre catholiques et protestants en France (1598-1685), tome 1 (1598-1628), Genève, Droz, 1984.

DIDIER Philippe, « La procédure civile sous l'ancien régime », Olivier COGNE (dir.), Rendre la justice en Dauphiné. Exposition présentée par les Archives départementales de l'Isère…, Grenoble, Presses universitaires de Grenoble, 2003, p. 151-153.

DOLAN Claire, « Des hommes de justice pour une cour de justice : la cour des comptes, aides et finances d'Aix-en-Provence au XVIᵉ siècle », Dominique LE PAGE (dir.), Contrôler les finances de l'Ancien Régime. Regards d'aujourd'hui sur les Chambres des comptes. Colloque des 28, 29 et 30 novembre 2007, Paris, Comité pour l'histoire économique et financière de la France, 2011, p. 237-258.

DOLAN Claire (dir.), Entre justice et justiciables : les auxiliaires de la justice du Moyen Âge au XXᵉ siècle, Québec, Les Presses de l'université Laval, 2005.

DOLAN Claire, « Gens de chicane ou de justice ? De l'ambiguïté de l'image négative de la justice, au XVIᵉ et au XVIIᵉ siècle », *Gens de robe et gibier de potence*, p. 231-245.

DOLAN Claire, *Le notaire, la famille et la ville. Aix-en-Provence (Aix-en-Provence à la fin du XVIᵉ siècle)*, Toulouse, PUM, 1998.

DOLAN Claire, « Les registres matricules du procureur Charvet, à Grenoble, au début du XVIIᵉ siècle », *Histoire et archives*, 18, juillet-décembre 2005, p. 79-101.

DUBÉDAT Jean-Baptiste, *Histoire du Parlement de Toulouse*, t. 1, Paris, Librairie nouvelle de droit et de jurisprudence, 1885.

DUMOULIN Jacqueline, « La procédure électorale en Provence au XVIIᵉ siècle », *Mémoires de la Société pour l'Histoire du Droit et des Institutions des anciens pays bourguignons, comtois et romands*, 50ᵉ fascicule, 1993, p. 79-104.

ELSIG Frédéric, *L'art et ses marchés. La peinture flamande et hollandaise (XVIIᵉ et XVIIIᵉ siècles) au Musée d'art et d'histoire de Genève*, Paris, Somogy Éditions d'art, 2009.

EMMANUELLI François-Xavier, « Pour une réhabilitation de l'histoire politique provençale : l'exemple de l'Assemblée des communautés de Provence (1660-1786) », *Revue historique de droit français et étranger*, 59, nᵒ 3, juillet-septembre 1981, p. 431-450.

EMMANUELLI François-Xavier, « Pouvoir royal et représentation provençale du XVIIᵉ au XVIIIᵉ siècle », *Parlements, états et représentation*, 4, nᵒ 1, 1984, p. 45-50.

ENGEL William E., « What's New in Mnemology », *Connotations, A Journal for Critical Debate*, 11, nᵒ 2-3, 2001-2002, p. 241-261.

ERDEI Klára « La littérature de culpabilisation et de repentir », Tibor KLANICZAY, André STEGMANN, *L'époque de la Renaissance 1400-1600*, t. IV, *Crises et essors nouveaux (1560-1610)*, Amsterdam-Philadephia, John Benjamins Publishing Company, 2000, p. 693-710.

FAVIER René (dir.), *Le Parlement de Dauphiné. Des origines à la Révolution*, Grenoble, Presses universitaires de Grenoble, 2001.

FAVIER René, « Le Parlement de Dauphiné et la ville de Grenoble aux XVIIᵉ et XVIIIᵉ siècles », René FAVIER (dir.), *Le Parlement de Dauphiné…*, p. 195-216.

FAVIER René, *Les villes du Dauphiné aux XVIIᵉ et XVIIIᵉ siècles : la pierre et l'écrit*, Grenoble, Presses universitaires de Grenoble, 1993.

FOGEL Michèle, *Marie de Gournay*, Paris, Fayard, 2004.

FOLLAIN Antoine, « L'argent : une limite sérieuse à l'usage de la justice par les communautés d'habitants (XVIᵉ-XVIIIᵉ siècle) », Benoît GARNOT (dir.), *Les juristes et l'argent. Le coût de la justice*, p. 27-37.

FOLLAIN Antoine, « Les juridictions subalternes en Normandie, 2. Entre service et commerce : honneur et perversité de la justice aux XVIᵉ et XVIIᵉ siècles », *Annales de Normandie*, 49, nᵒ 5, décembre 1999, p. 539-566.

FOLLAIN Antoine (dir.), *Les justices locales dans les villes et villages du XVᵉ au XIXᵉ siècle*, Rennes, Presses universitaires de Rennes, 2006.

FOLLAIN Antoine et LEMOINE Estelle, « Réguler par soi-même ou s'en remettre aux juges ? Des communautés et juridictions d'Ancien Régime aux municipalités et administrations de la France contemporaine », Antoine FOLLAIN (dir.), *Les justices locales*, p. 53-96.

FONVIEILLE René, *Le palais du Parlement de Dauphiné et son extraordinaire architecte Pierre Bucher, procureur général du Roy doyen de l'Université de Grenoble (1510-1576)*, Grenoble, Didier-Richard, 1965.

FORAND Bruno, « Des "sacrificateurs" au milieu des hommes : les avocats au temps des troubles de religion », Claire DOLAN (dir.), *Entre justice et justiciables*, p. 327-346.

FOURNEL Jean-François, *L'Histoire des avocats au parlement et du barreau de Paris*, Paris, Maradan, 1813.

FRASER Mathieu, *Exploitation et enrichissement fonciers chez un procureur au par-*

lement de Toulouse à la fin du XVI* siècle : l'exemple de Guillaume Palarin, mémoire de maîtrise d'histoire, université Laval, 2006.

FROESCHLÉ-CHOPARD Marie-Hélène, *Dieu pour tous et Dieu pour soi. Histoire des confréries et de leurs images à l'époque moderne*, Paris, L'Harmattan, 2006.

FUMAROLI Marc, *L'âge de l'éloquence : rhétorique et 'res literaria', de la Renaissance au seuil de l'époque classique*. Genève, Librairie Droz, 2002.

GAL Stéphane, *Grenoble au temps de la Ligue. Étude politique, sociale et religieuse d'une cité en crise (vers 1562-vers 1598)*, Grenoble, Presses universitaires de Grenoble, 2000.

GARNOT Benoît (dir.), *L'infrajudiciaire du Moyen Age à l'époque contemporaine*. Actes du colloque de Dijon 5-6 octobre 1995, Dijon, Études universitaires de Dijon, 1996.

GARNOT Benoit (dir.), *Les juristes et l'argent. Le coût de la justice et l'argent des juges du XIVe au XIXe siècle*, Dijon, Éditions universitaires de Dijon, 2005.

GAZZANIGA Jean-Louis, *Défendre par la parole et par l'écrit. Études d'histoire de la profession d'avocat*, Toulouse, Presses de l'université des sciences sociales de Toulouse, 2004.

Gens de robe et gibier de potence en France du Moyen âge à nos jours. Actes du colloque d'Aix-en-Provence (14-16 octobre 2004), Marseille, Images en manœuvre Éditions, 2007.

GHEERAERT Tony, *Saturne aux deux visages : introduction à l'Astrée d'Honoré d'Urfé*, Mont-Saint-Aignan, Publications des universités de Rouen et du Havre, 2006.

GODEFROY Gisèle et Raymond GIRARD, *Les orfèvres du Dauphiné : du Moyen Âge au XIXe siècle*, Genève, Librairie Droz, 1985.

GOSSELIN *Le Palais-de-justice et les procureurs près le parlement de Normandie*, Rouen, Impr. H. Boissel, s.d. [lu à l'Académie, les 15 et 29 juin 1866].

GREINER Frank, *Les amours romanesques de la fin des guerres de religion au temps de l'Astrée (1585-1628). Fictions narratives et représentations culturelles*, Paris, Honoré Champion, 2008.

GRESSET Maurice, *Gens de justice à Besançon. De la conquête par Louis XIV à la Révolution française (1674-1789)*, Paris, Bibliothèque nationale, 1978, 2 t.

GRÈVE Marcel, « Tabourot "rabelaisien" et "rabelaisant" », Marcel GRÈVE, Claude de GRÈVE, Jean CÉARD, *La réception de Rabelais en Europe du XVIe au XVIIIe siècle,* Paris, Honoré Champion, 2009, p. 61-68.

GUSDORF Georges, *La parole*, Paris, Presses universitaires de France, 1968.

HÉMERY Axel, « Nicolas Tournier, peintre de l'introspection. État de la question et essai de reconstitution de sa carrière », *Nicolas Tournier 1590-1639...,* p. 13-28.

HILAIRE Jean et TURLAN Juliette, « Les mots et la vie. La "pratique" depuis la fin du Moyen Âge », *Droit privé et institutions régionales. Études historiques offertes à Jean Yver*, Paris, PUF, 1976, p. 369-384.

HOMET Marie-Claude, *Michel Serre et la peinture baroque en Provence (1658-1733)*, Aix-en-Provence, Édisud, 1987.

HOULLEMARE Marie, *Politiques de la parole, le parlement de Paris au XVIe siècle*, Genève, Droz, 2011.

HOULLEMARE Marie, « Les séances de rentrée du parlement de Paris au XVIe siècle. Espace et représentations », *Gens de robe et gibier de potence*, p. 14-28.

JACOB Robert, *Images de la justice. Essai sur l'iconographie judiciaire du Moyen Âge à l'âge classique*, Paris, Le léopard d'or, 1994.

JACOB Robert et Nadine MARCHAL-JACOB, « Jalons pour une histoire de l'architecture judiciaire », *La justice en ses temples. Regards sur l'architecture judiciaire en France,* Poitiers-Paris, Éditions Brissaud-Éditions Errance, 1992, p. 23-68.

JACOB Robert, « Le temple et la maison. Recherches sur l'histoire de l'architecture judiciaire », *Monuments historiques*, n° 200, janvier-février 1996, p. 10-15.

JARRY Marcel, *Procureurs et avoués. Deux mille ans d'histoire…* Paris, Imprimerie Maulde et Renou, 1976.

JENNI Vanessa, *Le cadre de vie des procureurs toulousains au XVIIe siècle*, mémoire de maîtrise d'histoire moderne, université de Toulouse-Le Mirail, 1999.

JOUHAUD, Christian, *Les pouvoirs de la littérature. Histoire d'un paradoxe*, Paris, Gallimard, 2000.

KAISER Colin, « Les cours souveraines au XVIe siècle : morale et Contre-Réforme », *Annales ESC*, 37, n° 1, 1982, p. 15-31.

KANTOROWICZ Ernst, *Les deux corps du roi : essai sur la théologie politique au Moyen Âge.* Paris, Gallimard, c1989.

KARPIK Lucien, *Les avocats. Entre l'État, le public et le marché, XIIIe-XXe siècle*, Paris, Gallimard, 1995.

KOENIG Laure, *La communauté des procureurs au parlement de Paris aux XVIIe et XVIIIe siècles*, Cahors, Université de Paris, Faculté de droit, 1937.

KRYNEN Jacques, « À propos des Treze Livres des Parlemens de France », Jacques POUMARÈDE et Jack THOMAS (études réunies par), *Les parlements de province*, p. 691-705.

KRYNEN Jacques, *L'empire du roi. Idées et croyances politiques en France, XIIIe-XVe siècle*, Paris, Gallimard, 1993.

LAFFONT Jean-Luc (dir.), *Visages du notariat dans l'histoire du Midi toulousain*, Toulouse, PUM, 1992.

LENIAUD Jean-Michel, « Le palais au cœur de la cité. La symbolique des bâtiments de justice », *Monuments historiques*, n° 200, janvier-février 1996, p. 16.

LE ROUX Nicolas, « Courtisans et favoris : L'entourage du prince et les mécanismes du pouvoir dans la France des guerres de religion », *Histoire, Économie et Société*, 17, n° 3, juillet-septembre 1998, p. 377-387.

LESTRINGANT Franck, « Une liberté féroce. Guillaume Reboul et *Le nouveau Panurge* », Isabelle MOREAU et Grégoir HOLTZ (études réunies par), *« Parler librement ». La liberté de parole au tournant du XVIe et du*

XVIIe *siècle*. Lyon, ENS Éditions, 2005, p. 117-131.

LEUWERS Hervé, *L'invention du barreau français, 1660-1830 : la construction nationale d'un groupe professionnel*, Paris, École des hautes études en sciences sociales, 2006.

LEYTE Guillaume, « Les origines médiévales du ministère public », Jean-Marie CARBASSE (dir.), *Histoire du parquet*, p. 23-54.

LUCIANI Isabelle, « Jeux floraux et "humanisme civique" au XVIe siècle : entre enjeux de pouvoir et expérience du politique », Nathalie DAUVOIS (actes réunis par), *L'humanisme à Toulouse…* p. 301-335.

MANDRESSI Rafael, *Le regard de l'anatomiste. Dissections et invention du corps en Occident*, Paris, Le Seuil, 2003.

MARCY Céline, « Antiféminisme et humanisme dans les *Controverses des sexes masculin et femenin* de Gratien Du Pont [de Drusac] », Nathalie DAUVOIS (actes réunis par), *L'humanisme à Toulouse…*, p. 374-389.

MARMOZ Franck, *La délégation de pouvoir*, Paris, Litec, 2000.

MARRAUD Mathieu, *De la Ville à l'État. La bourgeoisie parisienne, XVIIe-XVIIIe siècle*, Paris, Albin Michel, 2009.

MARTIN Henri-Jean, *Histoire et pouvoirs de l'écrit*, Paris, Perrin, 1988.

MARTIN Henri-Jean et M. LECOCQ, *Livres et lecteurs à Grenoble. Les registres du libraire Nicolas (1645-1668)*, Genève, Droz, 1977, 2 t.

MARTIN Henri-Jean, Roger Chartier, *Livre, pouvoir et société à Paris au XVIIe siècle*, t. 1, Genève, Droz, 1999.

MARTIN-VIGNES Nicole *et alii*, « Le Palais comtal », *Le Petit Journal du musée du Vieil Aix. Journal de l'exposition*, juillet-septembre 1996.

MATTÉONI Olivier, « Vérifier, corriger, juger. Les Chambres des comptes et le contrôle des officiers en France à la fin du Moyen Âge », *Revue historique*, n° 641, 2007, p. 31-69.

MAUCLAIR Fabrice, *La justice au village. Justice seigneuriale et société rurale dans le* duché-pairie de La Vallière (1667-1790), Rennes, Presses universitaires de Rennes, 2008.

MERLIN Hélène, « Fables of the "Mystical Body" in Seventeenth Century France », *Yale French Studies. Corps mystique, corps sacré : textual transfigurations of the Body from the Middle Ages to the Seventeenth Century*, n° 86, 1994, p. 126-142.

MÉTAYER Christine, *Au tombeau des secrets. Les écrivains publics du Paris populaire. Cimetière des Saints-Innocents, XVIe-XVIIIe siècle*, Paris, Albin Michel, 2000.

MILLIOT Vincent, « Histoire des polices. L'ouverture d'un moment historiographique », *Revue d'histoire moderne et contemporaine*, 54, n° 2, 2007, p. 162-177.

MORIN Geneviève, *Entre exigences de la pratique et science du droit ; les livres conservés chez les procureurs grenoblois aux XVIIe et XVIIIe siècles d'après les inventaires après décès*, mémoire de maîtrise d'histoire, université Laval, 2007.

MOUCHEL Christian, « Les nouveaux Innocents : étude iconographique de la Madone du Rosaire du Dominiquin », *République des lettres, République des arts : mélanges offerts à Marc Fumaroli*, Genève, Droz, 2008, p. 193-246.

MOUSNIER Roland, *La vénalité des offices sous Henri IV et Louis XII*, Paris, Presses universitaires de France, [1946].

NAGLE Jean, *Le droit de marc d'or des offices. Tarifs de 1583, 1704, 1748. Reconnaissance, fidélité, noblesse*, Genève, Librairie Droz, 1992.

Nicolas Tournier 1590-1639. Un peintre caravagesque, Toulouse, musée des Augustins, 2001.

NORBERG Kathryn, *Rich and Poor in Grenoble, 1600-1814*, Berkeley, University of California Press, 1985.

OLIVIER-MARTIN François, *L'organisation corporative de la France d'ancien régime*, Paris, Librairie du Recueil Sirey, 1938.

PETRIS Loris, « Foi, éthique et politique dans *Les Quatrains* de Pibrac », Nathalie DAUVOIS (actes réunis par), *L'humanisme à Toulouse…*, p. 509-533.

PETRIS Loris, « Introduction », Guy Du Faur de Pibrac, *Les Quatrains. Les Plaisirs de la vie rustique et autres poésies*, Genève, Droz, 2004.

PIANT Hervé, « Au service des justiciables ? Autonomie et négociation dans la procédure criminelle d'Ancien Régime », *Gens de robe et gibier de potence*, p. 303-323.

PIANT Hervé, *Une justice ordinaire. Justice civile et criminelle dans la prévôté royale de Vaucouleurs sous l'Ancien Régime*, Rennes, Presses universitaires de Rennes, 2006.

PIANT Hervé, « Vaut-il mieux s'arranger que plaider ? Un essai de sociologie judiciaire dans la France d'Ancien Régime », Antoine FOLLAIN (dir.), *Les justices locales*, p. 97-124.

PLESSIX-BUISSET Christiane, *Le criminel devant ses juges en Bretagne aux XVIe et XVIIe siècles*, Paris, Maloine, 1988.

POISSON Jean-Paul, « Le Parfait praticien françois de Gabriel Cayron. Introduction à une analyse de son contenu et Plaidoyer pour l'étude des ouvrages de pratique juridique », Jean-Luc LAFFONT (dir.), *Visages du notariat*, p. 163-205.

PONCET Olivier et STOREZ-BRANCOURT Isabelle (études réunies par), *Une histoire de la mémoire judiciaire*, Paris, École nationale des chartes, 2009.

POSTEL-VINAY Gilles, *La terre et l'argent. L'agriculture et le crédit en France du XVIIIe au début du XXe siècle*, Paris, Albin Michel, 1998.

POUMARÈDE Jacques, « Les arrêtistes toulousains », Jacques POUMARÈDE et Jack THOMAS (études réunies par), *Les parlements de province*, p. 369-391.

POUMARÈDE Jacques et THOMAS Jack (études réunies par), *Les parlements de province : pouvoirs, justice et société du XVe au XVIIIe siècle*, Toulouse, Framespa, 1996.

PRIN Maurice et ROCACHER Jean, *Le château narbonnais, le parlement et le palais de justice de Toulouse*, Toulouse, Privat, 1991.

PRUDHOMME Auguste, *Histoire de Grenoble*, Marseille, Laffitte Reprints, 1995 (réédition de l'édition de Grenoble, Alexandre Gratier, 1888).

QUÉNIART Jean, *Les Français et l'écrit*, Paris, Hachette, 1998.

RATEL Guillaume, « Le labyrinthe des greffes du parlement de Toulouse, pivot de la pratique à l'époque moderne (1550-1778) », Olivier PONCET et Isabelle STOREZ-BRANCOURT (études réunies par), *Une histoire de la mémoire judiciaire*, p. 217-232.

RAYMOND Frédéric-Antoine, *L'écriture au service de la communauté. Histoire des registres de délibérations de la communauté des procureurs au parlement de Toulouse (1693-1781)*, mémoire de maîtrise en histoire, université Laval, Québec, 2005.

RAYMOND Frédéric-Antoine, « Pratiques d'écriture et "mémoire" corporative : les registres de délibérations de la communauté des procureurs au parlement de Toulouse, XVIIIᵉ siècle », Vincent BERNAUDEAU, Jean-Pierre NANDRIN et Bénédicte ROCHET (dir.), *Les praticiens du droit du Moyen Âge à l'époque contemporaine : approches prosopographiques, Belgique, Canada, France, Italie, Prusse*. Actes du colloque de Namur, 14, 15 et 16 décembre 2006, Rennes, Presses universitaires de Rennes, 2008, p. 45-60.

REINHARD Wolfgang (dir.), *Les élites du pouvoir et la construction de l'État en Europe*, Paris, PUF, 1996.

RENAUD Sylvie, *La communauté des procureurs du parlement de Toulouse (1572-1781)*, mémoire de maîtrise d'histoire moderne, université de Toulouse-Le Mirail, 2001.

RICHTER SHERMAN Claire, *Writing on Hands. Memory and Knowledge in Early Modern Europe*, [catalogue d'exposition], The Trout Gallery, Dickinson Collège, with the participation of The Folger Shakespeare Library, s. d.

ROLAND Henri et BOYER Laurent, *Adages du droit français*, Paris, Litec, 1999.

ROLAND Henri et BOYER Laurent, *Locutions latines et adages du droit français contemporain*, t. II, Lyon, Éditions L'Hermès, 1979.

ROUX-ALPHÉRAN, *Les rues d'Aix ou Recherches historiques sur l'ancienne capitale de la Provence*, Aix, Typographie Aubin, 1846, 2 t.

ROUSSEAUX Xavier, « Entre accommodement local et contrôle étatique : pratiques judiciaires et non-judiciaires dans le règlement des conflits en Europe médiévale et moderne », Benoît GARNOT (dir.), *L'infrajudiciaire*, p. 87-107.

SCHNAPPER Bernard, *Les rentes au XVIᵉ siècle. Histoire d'un instrument de crédit*, Paris, Sevpen, 1957.

SIGNORILE Patricia, *Le cadre de la peinture*, Paris, Éditions Kimé, 2009.

SIMONIN Michel, *L'encre et la lumière, Quarante-sept articles (1976-2000)*, Genève, Librairie Droz, 2004.

TARAKDJIOGLOU Olivier, *Les procureurs au Parlement de Grenoble au XVIIIᵉ siècle*, mémoire de maîtrise, université Pierre Mendès France, Grenoble II, 1998.

TROUVÉ Stéphanie, « La peinture religieuse à Toulouse au temps de Nicolas Tournier », *Nicolas Tournier 1590-1639*, p. 51-63.

TUFFERY-ANDRIEU Jean-Marie, *La discipline des juges : les Mercuriales de Daguesseau*. Paris, LGDJ, 2007.

VIGNES Jean, *Mots dorés pour un siècle de fer. Les Mimes, enseignemens et proverbes de Jean-Antoine de Baïf : texte, contexte, intertexte*, Paris, Honoré Champion, 1997.

WOLFF Louis, *Le Parlement de Provence au XVIIIᵉ siècle. Organisation, procédure*, Aix, Imprimerie B. Niel, 1920.

ZOBERMAN Pierre, *Les cérémonies de la parole. L'éloquence d'apparat en France dans le dernier quart du XVIIᵉ siècle*, Paris, Honoré Champion, 1998.

Roman

ARRIBET-DUBOST Marie-Paule, *Le fer, la terre et le sang, Chronique de la vallée du Haut-Bréda au XVIIᵉ siècle*, s. l., s. é., [1998].

Index

Table des matières

Troisième partie
QUEL ENJEU IDENTITAIRE ?
LE DISCOURS DES PROCUREURS SUR EUX-MÊMES